Le Pays de la Terre perdue

Tome IV- LES VISITEURS

Suzie Pelletier

Le Pays de la Terre perdue

Tome IV- LES VISITEURS

Catalogage avant publication de Bibliothèque et Archives nationales du Québec et Bibliothèque et Archives Canada

Pelletier, Suzie, 1954-

Le pays de la Terre perdue

L'ouvrage complet comprendra 6 v.

Sommaire : t. 4. Les visiteurs.

ISBN 978-2-89571-109-4 (v. 4)

I. Titre. II. Titre : Les visiteurs.

PS8631.E466P39 2013 C843'.6C2012-942845-0

PS9631.E466P39 2013

Révision : Patrice-Hans Perrier et Thérèse Trudel

Infographie : Marie-Eve Guillot

Photographie de l'auteure : Sylvie Poirier

Éditeurs : Les Éditions Véritas Québec
2555, avenue Havre-des-Îles, suite 118
Laval, (QC) H7W 4R4
450 687-3826
www.leseditionsveritasquebec.com
www.enlibrairie-aqei.com

Dépôt légal :

Bibliothèque et Archives nationales du Québec

Bibliothèque et Archives Canada

ISBN : 978-2-89571-109-4 version imprimée
978-2-89571-110-0 version numérique

À mon fils Nicholas,
qui m'a montré à poursuivre mes rêves,
malgré l'adversité.

Si chaque humain est imparfait

S'il est parfois difficile

de se comprendre entre nous

C'est tout de même

l'ensemble de tous nos éléments

qui fait la force de l'humanité.

Chapitre 1

Jour 605 – 11 mars

Le soleil brille et, subissant l'effet de ses chauds rayons, la glace qui résiste encore sur le sol du Pays de la Terre perdue suinte pour se transformer en minuscules rigoles. Le bruit assourdissant de la chute élimine tous les autres sons de la forêt avoisinante. Pourtant, la cataracte qui donne naissance à la rivière aux brochets se trouve à un kilomètre plus loin. En ce jour de mars, l'eau qui tombe de la grande paroi est gonflée autant par la fonte de la neige que par la pluie du dernier orage.

Nadine a interrompu sa tournée, commencée il y a quelques semaines afin de vérifier ses huttes dispersées aux endroits stratégiques de son royaume, pour venir observer cette partie du Pays qu'elle ne visite que rarement. Sachant qu'elle y séjournera au moins une nuit, elle dépose son sac à dos sous un énorme pin à proximité du lieu où elle installera son camp.

Une soudaine appréhension remplit son âme d'une rancœur difficile à supporter. Respirant lentement, elle tente de mieux gérer ses émotions. Le son rageur de cette chute ravive la colère violente et destructrice qui l'a à maintes reprises affectée au cours de la dernière année. Mais, malgré tout, elle a appris à la contenir davantage, la transformant en énergie vitale. Nadine attend que les battements de son cœur redeviennent réguliers puis, malgré la boule qui serre sa gorge, elle s'avance doucement en direction de la falaise.

Debout, le dos bien droit et la tête relevée, la nomade observe cette eau qui tombe comme un rideau blanc du haut de la paroi. La masse liquide se jette avec furie dans un tourbillon qui s'agite violemment entre les rives de la rivière aux brochets. Les émotions vives, accumulées au cours des vingt derniers mois remplis de péripéties hors du commun, sèment la pagaille dans son âme avec la même force que les étranges orages de ce monde impitoyable. Elle résiste, sinon elle hurlerait de rage. Elle se souvient intensément de la douleur ressentie à la vue de ce mur d'eau qui bloquait sa route. Il y a si longtemps, lui semble-t-il. Son désarroi était si puissant qu'elle a cru en mourir sur place. Victime de sa naïveté, elle cherchait un chemin pour retourner chez elle, à Montréal. Depuis, pour survivre, elle a fait le deuil de cette quête insensée. Un renoncement cruel et, tout compte fait, presque contre nature.

Elle n'était que rarement revenue dans le coin, refusant de revivre ce mal à l'âme, cette colère éprouvée. Ce désespoir abyssal restait associé à l'impossibilité de poursuivre son voyage vers les siens. Par dépit, elle se contentait de visites en bordure de cette forêt devenue avec le temps l'un de ses principaux territoires de chasse. Aujourd'hui, elle cherche surtout la guérison. Au cours de l'hiver, le deuxième qu'elle a eu à subir ici au Pays de la Terre perdue, l'humaine a fini par accepter l'évidence : elle ne retournera jamais auprès des siens. Libérée de ce torrent d'émotions si difficile à endiguer, elle peut maintenant aborder la vie à son rythme et aller de l'avant sans contrainte, en toute liberté. Elle laisse se dérouler les nouvelles expériences, sans pour autant détester les limites de sa prison.

Revenir à cet endroit, là où son corps s'est vidé de toutes les larmes qu'il pouvait produire, constitue un tournant dans son aventure. Elle l'utilise pour satisfaire sa volonté d'explorer ce coin de terre afin d'en connaître chaque morceau et d'y imprimer sa marque indélébile.

Elle lève les yeux pour mieux examiner la falaise qui grimpe directement vers le ciel. « Elle est si haute… beaucoup plus que les chutes Montmorency à Québec… au moins trois fois plus élevée… 250 mètres peut-être ? » Nadine secoue la tête. De toute façon, elle n'a aucun instrument pour la mesurer correctement. Peu importe sa hauteur, elle ne pourrait pas l'escalader, car la surface très lisse de la paroi rendrait l'exercice trop périlleux; elle aurait besoin de pitons pour établir des points d'ancrage et de goujons pour y glisser sa corde. Elle serait obligée d'utiliser du bois ou des os afin d'en fabriquer; ce serait tellement insensé.

« Pourtant, j'aimerais bien savoir ce qu'il y a là-haut... même si j'arrivais à y grimper, Lou ne pourrait pas me suivre. Je connais un autre moyen plus facile... mais qui prendra plus de temps. » Nadine hausse les épaules dans un geste de dépit; elle n'a que ça à faire ! La nomade envisage de s'y aventurer en passant par la péninsule sud, là où le haut plateau, perché entre la falaise d'ici et celle qui tombe dans la mer à l'est, devient accessible par une pente légère. Dans sa tête, elle a même renommé ce domaine « la Terre juchée ». Déterminée à explorer toutes les régions de son royaume, elle envisage déjà de construire d'autres huttes. « Il y aura tellement de cabanes de pierres que, vu de haut, le Pays de la Terre perdue semblera faire de l'acné. » Un sourire plutôt sadique déforme les traits endurcis du visage de la seule humaine vivant sur ce territoire. « Dans quelques semaines, je saurai enfin ce qu'il y a là-haut ! »

Posant les mains sur ses hanches et fronçant les sourcils, l'aventurière lève à nouveau la tête vers le haut de la paroi. Elle tente d'imaginer le paysage à l'origine de cette chute qui donna naissance à la rivière aux brochets. Sans aucun doute, l'expédition qu'elle se propose d'accomplir lui permettra de découvrir ce coin de son royaume.

« Mon royaume... » Un sourire narquois s'étire sur ses lèvres. « Je fais une drôle de reine... sans aucun sujet humain avec qui converser... » Dans ce monde un peu fantastique, la femme a tout de même apprivoisé des animaux qui sont devenus ses amis; par contre, même si ces derniers l'aiment bien, aucun d'eux ne la reconnaît comme une reine qui aurait des droits sur leur existence. Ici, tous jouissent d'une indépendance qui n'est limitée que par la dureté de la vie. Personne n'échappe à la cruauté de la chaîne alimentaire.

« Même Lou, mon protégé, ne me voit plus comme sa mère adoptive... » Parfois, c'est lui qui la considère plutôt comme une petite fille fragile qu'il doit protéger à tout prix... un peu comme le faisait Marc, son grand frère, après la mort de leur père. Le souvenir difficile fait glisser une larme sur sa joue. Impatiemment, elle la repousse du revers de la main. À la recherche d'un prétexte qui l'aiderait à atténuer sa peine, elle tourne les yeux vers le soleil et le voit descendre à l'ouest. « Bon ! Si je ne veux pas geler tout rond cette nuit, j'ai intérêt à me grouiller... Allez ! Hop ! Je dois chercher du bois ! »

Rapidement, elle retrouve le foyer qu'elle a construit dans une clairière, lors de sa première visite, il y a dix-neuf mois. Détachant une pelle en os de son sac à dos, elle enlève la neige et la glace afin de libérer l'espace dont elle a besoin pour établir son camp. Patiemment, avec son outil néolithique, elle utilise la matière blanche ainsi dégagée pour bâtir un mur qui la protégera tant bien que mal du vent. « Ce ne sera pas aussi sophistiqué qu'un igloo, mais je m'en contenterai... heureusement que j'ai apporté ma petite pelle... je pense vraiment à tout ! Je suis la meilleure planificatrice du Pays de la Terre perdue ! »

Puis, elle y transporte tout le branchage qu'elle trouve dans cette forêt mixte. Avec le talent d'une experte, elle allume un bon feu à l'aide de ses roches contenant de la pyrite. Puis, elle récupère son sac à dos pour y sortir tout ce dont elle a besoin pour s'installer. Son abri sera sommaire : sans pluie à l'horizon, elle couchera à la belle étoile. Une peau de chevreuil, étendue sur quelques branches de cèdres, lui servira de lit moelleux. Elle dormira tout habillée et recouvrira son corps d'une autre courtepointe en fourrure de renard.

Un coup de trompette retentit dans le ciel. Nadine lève la tête pour voir deux aigles royaux glisser gracieusement dans l'air humide et se poser majestueusement à quelques mètres d'elle. Un troisième carnassier, un peu moins habile, fait quelques pas avant de terminer sa course... presque dans le foyer. C'est avec une immense joie que Nadine reconnaît ses amis Max et Louise, accompagnés d'un jeune mâle, assurément leur fils. Ce dernier reste un peu plus loin, comme s'il n'avait aucune confiance en ce drôle d'épouvantail qui se tient debout et qui s'habille de peaux.

Nadine sait que la famille habite la paroi au-delà du lac aux castors... à une bonne journée de marche d'ici. Elle n'avait toujours pas rencontré leur petit, né l'an passé, puisque ce couple protecteur le gardait jalousement dans leur nid perché haut dans la falaise. Quand elle s'y est rendue, il y a quelques jours, lors de son séjour dans la vallée aux noisettes, le gîte semblait vide et il n'y avait aucun oiseau en vue. Elle avait tout simplement interprété que les aigles n'avaient pas encore migré en provenance du sud.

Malgré sa voix brisée par un trop long silence, Nadine les accueille avec vigueur et bonne humeur.

— Max ! Louise ! Je suis contente de vous voir !

Le petit s'approche de ses parents en affichant une démarche plutôt précaire qui fait rire Nadine. Elle s'avance lentement vers le couple d'oiseaux. « Après tout... même si j'ai cultivé leur amitié, ces carnassiers sont dangereux... il vaut mieux ne pas s'enthousiasmer trop vite... » Raclant sa gorge pour tenter de déloger ce qui semble rendre sa parole difficile, elle s'adresse à eux d'une voix qu'elle veut calme.

— C'est votre rejeton... il est magnifique...

Soudain, à sa manière humaine, elle cherche un nom pour ce nouveau personnage qui surgit dans sa famille assez disparate d'ici et, il est vrai, plutôt bizarre. Fronçant les sourcils et pinçant sa lèvre inférieure entre ses dents, elle réfléchit. Puis son idée devient claire.

— Anatole ! C'est ça ! Je vais t'appeler Anatole. Qu'en dis-tu ?

Nadine s'accroupit près de Max et Louise pour mieux flatter le dessus de leur tête. Elle sort un bout de perdrix séchée pour attirer le rejeton. Celui-ci s'approche trop rapidement au goût de la femme. D'un geste vif, elle pose le morceau sur une roche tout à côté. L'oisillon récupère la viande si voracement que l'humaine en est surprise.

— Wow ! Tu es goinfre ! Si j'avais laissé ma main à cet endroit, il me manquerait au moins trois doigts !

Elle n'ose pas flatter le nouveau venu. Par contre, Louise s'approche, repousse son fils et s'installe directement devant la femme. Nadine éclate de rire. Le message est clair.

— Viens ma belle ! Que je caresse ton coco !

Les visites de ses amis rapaces ne durant jamais très longtemps, le mâle donne le signal du départ quelques minutes après leur arrivée. À grands coups d'ailes, Max, Louise et Anatole s'envolent vers le nord, là où leur nid les attend.

La femme hume l'air. Un effluve de musc, celui d'un carnivore adulte, s'ajoute à l'arôme suave des sapins baumiers, des cèdres et des épinettes blanches qui entourent la petite clairière. « Lou ! Il vient de faire sa marque… » Veut-il masquer l'odeur des oiseaux carnassiers ? Simplement s'approprier ce territoire ? Indiquer aux autres résidents du coin qu'ils ne doivent pas s'approcher de sa mère adoptive ? La femme se retourne pour apercevoir l'énorme canidé sortant de sous un gros frêne; une large coulisse d'urine glisse sur le tronc de l'arbre.

— Hé ! Bonjour ! Je suis heureuse de te voir !

Alors que l'animal s'avance à grande vitesse en direction de l'aventurière, Nadine dépose un genou par terre pour éviter que Lou ne la renverse. Son protégé aura fini par la retrouver, même s'il avait disparu depuis plusieurs jours dans la forêt au nord-est de la caverne d'Ali Baba. « Quand je suis partie… j'ai cru ne jamais le revoir… je suis si soulagée… » Elle flatte le loup qui, en revanche, lèche son visage avec sa langue râpeuse. Nadine rit aux éclats de le voir encore agir comme le louveteau qu'elle a élevé depuis sa naissance.

« Je suis contente de te voir mon petit pou. J'avais peur que tu ne me reviennes plus jamais... » Comprenant qu'elle vient de parler dans sa tête, Nadine ferme les yeux un instant. « Il faut que j'articule les mots pour qu'il les comprenne... » Elle racle sa gorge un moment, puis elle fait une tentative de sa voix rauque :

— Lou ! Je ne m'attendais plus à ce que tu me suives… j'ai cru que tu avais élu domicile là-bas au nord de la grotte…

La femme s'étouffe. C'est si difficile… elle veut juste lui dire qu'elle le soupçonne d'avoir une petite amie... Elle lui est énormément reconnaissante de l'avoir rejointe si loin au sud. « Les mots ne sortent tout simplement pas ! Ce sera pour un autre jour… » Heureusement, même si cette perte de capacité à s'exprimer par la parole la désole, elle est soulagée de ne pas avoir besoin de parler trop souvent… « Est-ce que ça reviendrait à la normale, si... ? Non ! Ne recommence pas à te torturer ! Tu resteras ici encore longtemps ! Fais-toi une idée… une fois pour toutes ! »

La chanson « ma solitude » de Georges Moustaki lui revient en tête. Elle se souvient de l'avoir entendu en spectacle à Sherbrooke, en janvier 1973. Sa sœur Virginie, chez qui elle était en visite pour quelques jours, lui avait offert deux billets à l'occasion de son anniversaire; bien sûr, elle avait invité Bernard son ami d'enfance. « Alex n'était pas encore dans ma vie… »

Le frisson qui avait parcouru son corps au moment de la chanson remonte en elle, alors que les notes de guitare s'égrènent dans sa tête, accompagnant la voix masculine du métèque. Bernard l'avait taquinée, affirmant qu'elle tremblait d'amour pour l'homme à la barbe déjà grise et aux cheveux longs en broussaille. N'empêche que, quarante ans plus tard, elle peut réciter toutes les paroles de mémoire. Malgré la touche poétique de cette chanson mémorable, les deux amis n'arrivaient pas à comprendre que l'auteur puisse être heureux dans cet état d'âme. Du haut de leurs 17 ans, Bernard et Nadine avaient besoin de toute cette société qui les enveloppait et les rassurait; il leur était donc impossible de saisir le bien-être qu'on pouvait sentir en absence complète de l'humanité. Oui, la solitude pouvait être belle, lyrique et mystique par moments.

Puis, la vie se bousculant autour d'elle, Nadine a appris à savourer ces petites pauses alors qu'elle se retrouvait seule face à elle-même. Des instants précieux où elle pouvait refaire son énergie en buvant du café ou du thé... Plus tard, elle a compris ce que Moustaki exprimait dans sa poésie : la solitude est essentielle à l'être humain. Elle permet un temps d'arrêt afin de mieux comprendre la personne que nous sommes ou de pressentir celle que nous voulons devenir.

Aujourd'hui, même si l'absence des siens pèse encore lourdement sur son âme, elle accepte finalement cet état de solitaire que lui impose sa captivité au Pays de la Terre perdue. Les paroles lui reviennent en tête :

[...] Je m'en suis fait presqu'une amie
Une douce habitude
Ell' ne me quitte pas d'un pas
Fidèle comme une ombre
Elle m'a suivi ça et là
Aux quatre coins du monde [...][1]

---

1 Georges Moustaki, Ma solitude Album Le métèque, 1969, étiquette Polydor

Pour Nadine, c'est en voyageant aux quatre coins du Pays de la Terre perdue qu'elle apprivoise sa grande solitude. Pour s'en contenter. À défaut de retourner dans son monde peuplé d'humains, ce parcours de nomade devient son compagnon.

L'exilée marche lentement dans la forêt pour s'imprégner de toutes les odeurs et entendre tous ses sons. Avec patience, l'immense loup d'environ 100 kg, qui marche à ses côtés, étire son corps de près de deux mètres de la queue jusqu'au museau. Concentrée sur sa réflexion, la femme revient sur la visite des aigles; puis, les images d'Allie, de Jack et de Blondie lui rappellent que, même si elle est la seule humaine au Pays de la Terre perdue, sa vie d'ici, avec ses amis du règne animal, la comble de joie. « Ça me suffit. J'y trouve mon bonheur… »

Un bruit derrière elle la fait sursauter… quelque chose bouge dans la talle de vigne. Elle voit mal à travers le bosquet qui commence à reprendre vie, après l'hiver; son cœur palpite et son cerveau cherche à identifier le danger. Lou tente de s'approcher, mais renonce devant les mailles végétales, épaisses et raides, qui bloquent son chemin. Par contre, il gronde et montre les dents. La guerrière réagit d'instinct. Lentement, une lance dans sa main, Nadine s'avance vers l'enchevêtrement de tiges aussi empêtrées que de vieilles lianes en pleine forêt vierge. Elle s'accroupit pour mieux analyser la situation. Soudain, un rugissement s'échappe du tas de branchage. Sur le coup, Nadine recule et elle force Lou à la suivre.

« Un terrier ? Vaut mieux le laisser tranquille… il s'y trouverait peut-être une femelle et, possiblement quelques petits de l'an dernier… trop dangereux… » Mais la femme ne peut quitter de vue les yeux noirs qui l'observent. L'animal ne bouge pas. Nadine identifie un lynx du Canada qui n'est pas encore adulte. Pourquoi ne saute-t-il pas ? Ses mésaventures avec les félins de cette espèce n'ont jamais été très heureuses et se sont toujours terminées dans un bain de sang. Combien en a-t-elle chassé déjà ?

Quatre, cinq ? Sept, si elle compte les lynx roux qu'elle a rencontrés et tués lors de son voyage à la Terre de la Forêt verte… « Allez ! Nadine ! Pousse-toi… ne cherche pas le trouble ! »

Mais, il y a quelque chose dans la situation qui captive l'aventurière. Elle voit la tache de sang qui couvre la patte droite avant de l'animal… et sa gueule rougie. De toute évidence, il avait grugé sa jambe pour se sortir lui-même de ce pétrin.

« Si je n'interviens pas, il mourra de faim… même s'il réussissait à se libérer de cette fâcheuse position, il n'arriverait pas à survivre sans sa patte… » La femme secoue la tête en maudissant son caractère un peu trop altruiste, ainsi que son amour incommensurable pour toutes les bêtes, quelles qu'elles soient. Elle soupire devant sa témérité : elle veut venir en aide à un être capable de la tuer d'un coup de dent à la gorge. « Si je ne fais rien, il va mourir ! » Une sueur froide coule sur sa peau.

Lentement, elle porte sa main gauche sur son avant-bras droit. Malgré les deux épaisseurs de tissu de cuir qui les recouvrent, elle touche les cicatrices laissées par l'un des semblables de la bête. Son expression faciale se rembrunit : « Laisse-le crever ! Ce sera un lynx de moins dans les parages ! » Nadine se lève et commence à s'éloigner du prédateur. Un rugissement la fait hésiter. « Est-ce que j'interprète bien ? Voyons donc ! Tu t'imagines comprendre le langage du lynx maintenant… tu deviens complètement folle… » Pourtant, il y avait cette intonation dans le cri de l'animal… une sorte d'appel à l'aide.

Nadine se retourne pour mieux examiner la situation. Le blessé est pris au piège comme si on avait construit une pelote de tiges de vigne autour de lui. La femme devrait couper les branches, une à la fois, avec son couteau, pour s'approcher… avec le risque de se faire sauter à la gorge à tout moment. « Merde ! C'est comme avec Lou ! Je ne suis pas capable de le laisser là ! » Ne pouvant agir autrement, la nomade poursuit sa réflexion un moment, pour mieux établir une stratégie qui garantira peut-être sa vie… Puis, fidèle à son habitude, elle plonge dans l'action.

— Lou ! Recule là-bas ! Ne t'approche pas. Allez ! Couche-toi sous le sapin.

Le canidé s'installe confortablement, juste assez près pour protéger sa mère adoptive. Il assume un comportement plutôt calme, comme s'il tentait de montrer au félin qu'il ne voulait pas en découdre avec lui. Peut-être pour manipuler la situation ? Donner au fauve un semblant de sécurité ? Pour mieux le combattre par la suite… « Hum… je vais devoir surveiller mon petit pou… »

Nadine détache ses raquettes et les pique dans la neige, à côté de Lou. Lentement, elle sort son couteau puis, à quatre pattes, elle s'avance vers le fauve qui demeure plutôt calme. Ses yeux noirs sont aussi brillants que des obsidiennes sous le soleil. L'humaine commence à couper les tiges pour se faire un chemin jusqu'à la bête.

— Tout doux… je ne te veux aucun mal… c'est ça… reste couché. Comment as-tu fait pour t'empêtrer de la sorte ?

Quelques minutes plus tard, la téméraire se retrouve presque nez à nez avec le félin. Elle voit très bien ses oreilles pointues. L'haleine fétide du chat sauvage est intolérable. Une boule de tension s'installe dans l'estomac de la femme et lui lève le cœur. Elle respire péniblement. Sa position est si précaire que le lynx, une fois libéré, ne ferait qu'une bouchée d'elle. Même Lou ne pourrait réagir assez vite pour prévenir sa mort. « Qu'est-ce que tu fais ? Libérer ce pauvre ne relève pas de la témérité, mais plutôt de l'imbécillité ! Allez ! Recule ! »

Nadine n'arrive pas à revenir sur sa décision. Malgré la température fraîche de mars, la sueur coule sur son visage, dans son dos et derrière ses genoux; le couteau glisse dans sa main moite. Elle a peur. Pourtant la bête est immobile, couchée sur le côté, incapable de se sortir de ce mauvais pas tant elle est coincée. L'humaine jette un coup d'œil à Lou; ce dernier affichant un comportement calme, elle se sent plus rassurée.

La femme hésite. Lorsqu'elle aura coupé les prochaines branches, le lynx sera en mesure de bouger. Comment réagira-t-il ? Elle sectionne une tige, puis une deuxième. Son corps maintenant libéré, le félin se redresse lentement. Son visage se retrouve à quelques centimètres de celui de Nadine. « S'il mord l'air, il partira avec le bout de mon nez… » Elle jette un coup d'œil à Lou qui est toujours assis : aucune menace en vue.

Elle est consciente que son souffle se dirige directement vers le nez de la bête. Refusant que la peur ne s'empare de son corps, elle respire profondément pour réduire le rythme de son cœur et baisse les yeux pour terminer son travail. Elle dégage une patte arrière sans que le félin ne bouge. Doucement, elle prend le membre blessé dans sa main. Le lynx claque des dents, Lou gronde, Nadine arrête son geste. Elle parle lentement, cherchant ses mots, pour calmer l'animal :

— Désolée de te faire mal, « Tigré », j'ai presque fini… les os ne sont pas cassés, mais tu as tellement grugé ta jambe qu'il y manque une bonne couche de muscles. Je pense que tu vas boiter pour le reste de tes jours.

La sauveteuse approche le couteau tout près de la peau du lynx et commence à couper la branche qui la retient. Elle ferme les paupières. « S'il saute dans ma face, je suis morte… Lou ne sera pas assez rapide… » Elle pousse la lame et la tige cède, libérant complètement l'animal. Retenant son souffle, la samaritaine recule lentement pour s'éloigner du fauve qui la fixe sans bouger. Est-ce que Nadine voit du sang-froid dans les yeux de la bête ? Puis elle comprend… Le lynx a autant peur de l'humaine que la femme le craint.

— Ça va Tigré ! Tu es libre maintenant... Prends ton temps...

Forçant Lou à la suivre, Nadine se retire du lieu juste assez pour augmenter l'effet de sécurité autour du blessé, mais aussi pour qu'elle puisse mieux observer le comportement de l'animal. Le félin se lève lentement et, n'utilisant que trois pattes, s'enfonce dans la profondeur de la forêt. La neige nuit à sa progression et, deux fois, il tourne la tête pour regarder les deux étrangers qu'il vient de rencontrer. Cependant, malgré la terreur que Nadine peut lire dans ses yeux, le jeune poursuit sa route avec détermination.

Nadine a le cœur dans l'eau. Est-ce que Tigré survivra à sa blessure ? Elle l'aurait libéré seulement pour qu'il perde une bataille un jour prochain et en meure. Pourquoi a-t-elle sauvé cette bête ? Il aurait été plus simple de la tuer tout de suite, non ? Pourquoi l'a-t-elle pourvue d'un nom ? Pour se donner un autre protégé ? C'est fou, mais elle s'y est déjà attachée… « Merde ! Je ne voulais plus vivre ça… »

Elle ferme les yeux sur le trouble qui secoue son âme. « Les humains aiment protéger les plus faibles. » Malgré toute cette dureté que le Pays de la Terre perdue lui a imposée depuis son arrivée, il n'a pas réussi à la dépouiller complètement de son humanité. Elle savoure le bien-être qui envahit toutes les fibres son corps.

La grande fierté qu'elle ressent déclenche une dose d'adrénaline qui agit comme un baume sur son âme. Elle écoute la forêt et identifie facilement la direction de l'énorme chute. Elle lève les yeux pour apercevoir le haut de la paroi, puis, le poing fermé brandi au-dessus de sa tête, elle hurle pour couvrir le son de la cataracte :

— Je suis humaine et je le resterai ! Tu me forces à tuer pour survivre ! Tu m'as fait perdre la parole ! Tu m'obliges à vivre en solitaire absolue ! Jamais tu ne m'enlèveras mon humanité ! Jamais !

Chapitre 2

Jour 606 – 12 mars

« Brrr ! Il fait froid ! Quelle idée j'ai eue de coucher en plein air en mars ! C'est ça du vrai camping d'hiver ! »

Pour se protéger de l'air glacial qui soufflait sur la petite clairière où elle a établi son camp, Nadine se recroqueville sous la couverture pour garder le peu de chaleur qui se dégage de son corps. Même les yeux fermés, instinctivement, elle sait que la nuit n'est pas tout à fait terminée. Elle vient d'entendre un hibou annonçant une dernière chasse avant que le jour ne se lève. « Moi aussi je devrais me lever... pour alimenter le feu... pour commencer une journée de plus dans ma vie de nomade. » Un soupir s'échappe de sa bouche et libère un nuage opaque de buée, indiquant ainsi que la température est de quelques degrés sous zéro.

Heureusement, Lou l'a rejointe il y a quelque temps et, couché à côté d'elle sur sa couverture, il lui fournit une bonne source de chaleur. Est-ce qu'elle aurait moins souffert du froid si elle avait apporté sa tente orange dans ses bagages ? Peut-être... « J'aime ce coin... je devrais me construire une hutte... hum... il y a peu de roches dans ce couvert forestier... une habitation de bois ferait l'affaire... certainement. » Aussitôt, sa tête fait des plans, retrouvant dans sa mémoire les images de cabanes en bois rond que ses ancêtres bâtissaient à leur arrivée dans la colonie française. Elle imagine un foyer central... « Merde ! Ça prend des pierres... est-ce que je pourrais façonner une sorte de tortue ? « Je n'ai pas de fonte pour construire ce genre de poêle... »

Constatant qu'une hutte de pierre serait ce qu'il y a de plus sécuritaire, elle poursuit sa réflexion, planifiant la confection d'un travois à deux roues, ainsi qu'une brouette pour le transport des matériaux. « Je devrai chasser, obtenir des peaux pour faire le toit. » L'idée que le terrain soit habité par les lynx ne la rebute pas. « J'en ai vu d'autres… eux aussi devront s'habituer… sinon je les tuerai… »

Puis, quand elle sent que le faible soleil de mars réchauffe sa couverture, elle ouvre les yeux. La tête toujours enfouie sous la peau de chevreuil, elle arrive à apercevoir son feu qui baisse. Elle sourit à la vue de Lou couché à quelques mètres d'elle. Une grande paix s'installe dans le corps de la femme : Lou est encore avec elle. « Je crains tellement le moment où tu me quitteras pour de bon… » D'un coup, sa joie s'éteint et son cœur manque un battement. Elle ne peut plus respirer. « Si Lou est juste là à côté… qu'est-ce qui est couché sur ma couverture ? » Soudain, elle doit empêcher ses dents de claquer douloureusement…

Lentement, elle repousse le coin de la courtepointe qui recouvrait son visage. La bête bouge… Nadine sent les pattes se placer sur sa poitrine. Puis, elle se retrouve nez à nez avec une paire d'yeux très noirs plantés au milieu d'une grosse tête de chat aux oreilles pointues. L'animal a la bouche entrouverte et les canines menaçantes sont très visibles.

— Aaaaaaaaaaaaaah !

Nadine ne peut retenir le geste rapide, poussé par une décharge vive d'adrénaline, qui fait sortir son corps d'un seul coup de cette situation terrifiante. Elle bondit à deux mètres de sa couverture, en position légèrement accroupie, un pied devant l'autre pour améliorer son équilibre. Elle tient sa machette d'une main et son couteau de l'autre; elle ne se souvient pas de les avoir retirés de leur étui. Sa respiration est saccadée et tous ses muscles sont en mode attaque. Puis sa tête reprend lentement le contrôle. « Lou n'a pas réagi à la proximité du lynx… il n'y a donc pas de danger. » De son regard perçant, elle examine la bête qui s'est approchée d'elle malgré le feu. Elle note la patte qu'elle n'utilise pas…

— Tigré ! Tu m'as fait une de ces peurs ! dit-elle en riant jaune.

Pendant les quelques secondes qu'a duré toute la scène, Lou s'est réveillé et il a bondi à côté de Nadine, grondant et montrant les crocs. Le blessé, incapable de fuir, même pour sauver sa vie, est demeuré couché sur la couverture tout en observant les deux autres avec des yeux exprimant une telle crainte qu'il en faisait pitié.

Nadine comprend que la bête a simplement cherché la sécurité. La proximité du feu et de cette humaine qui l'a aidé la veille était une meilleure garantie de survie qu'une nuit en pleine forêt. Par contre, la femme hésite à faire confiance à ce spécimen d'une espèce contre qui elle a mené autant de batailles depuis un an. Elle regarde Lou qui se tient prêt à intervenir. Elle décide de tenter sa chance. Lentement, elle remet son couteau et sa machette dans leur étui. Elle flatte Lou pour le rassurer. Puis, elle s'approche doucement du jeune lynx.

– Bonjour Tigré. Tu es le bienvenu dans mon camp. Veux-tu que je soigne ta blessure ?

La bête ne bouge pas, mais, à sa manière féline, elle observe de ses yeux vifs chaque mouvement de la femme. Nadine retrouve son bagage et en sort le premier paquet que ses doigts rencontrent, un sac de biscuits. « Ce n'est pas de la viande, mais, pour le moment, cela devra suffire pour amadouer le blessé… » Munie de cette offrande, elle s'approche de Tigré en lui présentant une galette. L'animal renifle la pâtisserie, puis la gobe d'un seul coup. L'effet est si vif que l'humaine vérifie sa main pour s'assurer qu'elle a toujours tous ses morceaux. Le félin a fait un geste si rapide que, pendant une seconde, Nadine s'est imaginé que ses bouts de doigts partaient avec le gâteau dans cette bouche pleine de dents acérées.

– Pauvre petit ! Tu as faim !

Nadine dépose quelques biscuits devant le lynx, puis, pendant que ce dernier mange, elle s'attarde à examiner l'état de la patte molestée. Le gros chat ouvre la gueule à quelques reprises, montrant ses crocs et laissant échapper une sorte de miaulement.

— Ça fait mal, hein ? Je dois m'occuper de cette blessure, pour éviter l'infection.

Nadine se lève puis elle accomplit toutes ces tâches matinales comme attiser le feu et placer sa tasse pleine d'eau et de feuilles sur le bord du foyer. Ensuite, elle prépare une décoction à base d'herbe à dinde pour laver la plaie vive sur la patte de Tigré. Elle travaille minutieusement pour éviter de faire mal inutilement à la bête et pour s'assurer de faire un bon nettoyage.

Pendant que ses doigts agiles s'exécutent, elle remet en question sa décision de dépêtrer le lynx de sa prison de vigne. « Pourquoi ai-je fait ça ? Le petit ne survivra pas sans pouvoir chasser et se défendre. » Ce doute qui remplit son cœur la rend triste. Le petit aurait vite péri si, hier, elle l'avait laissé mourir. Un refus de l'aider aurait peut-être été une meilleure solution… éviter que les souffrances ne s'étirent trop longtemps... « Non ! Je n'aurais pas été capable de faire cela ! Je devais tenter de le sauver ! Maintenant, j'assume les conséquences. C'est à moi de trouver une façon de le soigner et de l'aider à survivre. Bon ! De quelle façon dois-je m'y prendre, maintenant ? »

Elle pense à Lou qu'elle a porté au cours de ses aventures, des mois durant, avant qu'il ne puisse survivre par lui-même. Elle secoue la tête. La situation de Tigré est différente. D'abord, ce dernier est probablement né il y a un an et il vit en nature sauvage depuis. Ensuite, le comportement des félidés est distinct de celui des canidés. « Tout le monde sait ça ! Un chat est plus indépendant et plus solitaire qu'un chien ! » Elle penche la tête sur son travail d'infirmière… ou plutôt de vétérinaire... Elle cherche une autre comparaison. « C'est comme Allie qui a choisi de suivre l'humaine vers le sud… sauf que la pouliche n'avait pas de blessure grave… »

Perplexe, Nadine réalise toute la complexité de la situation dans laquelle elle vient de se placer. Elle ne peut pas amener Tigré vers sa prochaine destination. La bête ne peut marcher de longues distances pour le moment et la femme n'a aucun moyen de le transporter. De plus, elle hésite à transplanter ce gros chat, qu'elle connaît sous le nom de Lynx du Canada, dans la forêt aux érables, le domaine des lynx roux... une espèce très territoriale. Il vaudrait mieux qu'il demeure au nord de la rivière avec ses semblables. Flattant machinalement le col de l'animal pour le calmer, Nadine lui explique :

– Qu'allons-nous faire avec toi ? Pour le moment, tu peux rester dans notre camp, mais il faudra trouver une autre solution quand Lou et moi partirons vers le sud...

Nadine est intriguée par sa réaction face à ce lynx. Son expérience avec ses semblables a été si violente qu'elle devrait haïr Tigré et refuser de s'en occuper. Pourtant, une partie d'elle-même voudrait l'apprivoiser, même si elle réalise qu'elle serait toujours en danger en compagnie de l'animal. La bête qui devrait engendrer une peur intense chez la femme lui apporte plutôt un véritable petit bonheur. Elle soupire. « Encore ces émotions contradictoires... » Cessant son travail un instant, elle cherche au fond de son âme la détermination qui l'aidera à choisir la décision à prendre. « Je suis humaine et je m'assume. Je vais trouver un moyen d'aider Tigré... »

Pour le moment, le jeune lynx peut rester avec elle... utiliser sa couverture s'il le faut. Nadine et Lou le protégeront de tout harcèlement de la part des autres animaux qui chassent dans cette grande forêt. Satisfaite de sa réflexion, elle s'assure que les risques d'infection de la blessure soient minimisés. Le félin se couche sur la peau de renard et, d'un grognement très clair, il refuse catégoriquement que Nadine place un bandage autour de sa patte.

– Bon ! C'est toi qui décides. Ça va pour l'instant. J'essayerai plus tard...

« En attendant, passons aux choses sérieuses... j'ai faim ! » Vivement, elle sort de son sac de voyage tout ce qu'il faut pour cuisiner un repas gastronomique. Dans un bol de bois, elle dépose des bouts de lièvres et de perdrix tirés de ses précieuses réserves d'hiver, des morceaux d'apios et quelques herbes, ainsi qu'un cube de suif gelé; puis elle couvre les aliments de neige. Elle installe le récipient sur une roche plate placée au-dessus des tisons pour que le mélange cuise lentement.

Pendant ce temps, elle s'approche du foyer pour vérifier son chaudron cabossé qu'elle laisse toujours en bordure du feu. « Parfait ! L'eau est chaude... » Rapidement, la femme se déshabille complètement pour faire sa toilette. Alors que le vent frisquet lui donne la chair de poule et la fait trembler de tous ses os, Nadine lave minutieusement toutes les parties de son corps à l'aide d'une lingette et d'une barre de savon artisanal. Elle savoure ce plaisir si simple de se sentir propre. À défaut de pouvoir sauter dans la rivière, ce nettoyage à la main la réconcilie avec cette modernité qu'elle se refuse à perdre totalement.

Une fois son corps asséché à l'aide d'un cuir si souple qu'il ressemble à un chamois, la femme glisse sur sa peau une sorte d'eau de toilette qui contient des huiles naturelles extraites d'herbe à dinde et de roses sauvages. Elle ferme les yeux pour mieux ressentir cette fraîcheur qui aide son épiderme à survivre à tous les assauts de sa vie de nomade. Elle s'habille rapidement pour cesser de frissonner, puis elle fait quelques exercices pour ramener l'énergie dans ses bras et ses jambes. Elle s'assoit en tailleur à côté de Tigré. Par des gestes vifs marqués par l'habitude, Nadine défait ses nattes et peigne ses cheveux avec une brosse néolithique fabriquée avec des bouts de bois et de cuir, ainsi que des arêtes de brochet.

D'un coup d'œil, elle vérifie son environnement. Tout autour, l'hiver s'accroche. Le soleil peine à fondre toutes ces plaques de glace, des témoins de la saison de verglas que le Pays de la Terre perdue a subi. Elle touche, de la paume de sa main, la peau de chevreuil qui lui sert de lit; le froid est aussitôt transféré à son bras. « Quelle idée de partir en cavale si tôt ! La mi-mars... c'est encore l'hiver ! Je ne pouvais plus supporter l'enfermement dans la grotte... » Elle jette un regard à son camp. Le feu lui fournit une douce chaleur bienfaisante. Lou dort à côté du foyer. Le jeune lynx, confortablement couché près d'elle, lèche sa patte avec un rythme régulier. Nadine sourit. « Mon cercle d'amis s'agrandit... il y a maintenant Anatole et Tigré qui ajoutent de la nouveauté dans ma vie. » Sans le vouloir vraiment, elle les a apprivoisés. Non. C'est plutôt elle qui s'est laissée prendre au jeu avec une joie enfantine. Elle ne regrette rien... « Le bonheur c'est le plaisir sans remords », affirmait Socrate et il avait raison.

Une fois son déjeuner partagé avec son nouveau protégé, elle reste assise près de son feu pour en absorber la chaleur bienfaisante tout en sirotant une dernière tisane. Dans quelques jours, elle partira pour la forêt aux érables. En route, elle et Lou feront un arrêt pour visiter Allie. Aujourd'hui, rien ne presse. Elle a le temps de savourer la découverte de cette région qu'elle refusait d'explorer jusqu'à présent. Elle lève la tête pour que les rayons du soleil, portés par le vent léger, caressent doucement sa peau. Aveuglée par leur éclat un peu trop fort, elle ferme les yeux. Prenant une grande respiration, elle laisse le bien-être envahir agréablement son corps, son cœur et son âme. « L'harmonie. Je suis si bien maintenant. Si j'avais su que ce bonheur m'attendait, j'aurais peut-être moins résisté... » Puis, son cerveau lui remémore des moments précis de son aventure commencée il y a vingt mois et qui se terminera dans un futur indéfinissable. Que de chemin parcouru en si peu de temps !

Un matin, Nadine s'est réveillée sur une montagne qu'elle croyait être le mont Logan en Gaspésie. Ce n'est que plus tard qu'elle comprendra qu'elle était au Pays de la Terre perdue, sans savoir comment ou pourquoi elle y était arrivée. Convaincue qu'elle faisait l'objet d'une mauvaise blague, la femme au tempérament fougueux a pris les choses en mains pour retourner chez elle, à Montréal, sans l'aide de personne. « J'étais si naïve... j'ai cherché longtemps un chemin ou une civilisation quelconque... maintenant, je sais... » Dans ce royaume, il n'y a pas de civilisation. Il n'y a personne sur cette terre qu'elle habite depuis près de vingt mois. « J'ai tellement pleuré avant de comprendre... j'avais si mal... »

Si son aventure lui a apporté son lot de dangers démesurés, Nadine finit par en distinguer trois étapes : une sorte de réveil qui lui a fait réaliser brutalement qu'elle était seule dans cette contrée sauvage; la déchirure et la douleur face à l'absence des siens; et la colère face aux échecs répétés tout au long de sa quête. Surtout, chaque bout de chemin a changé l'humaine, modifiant son comportement bien sûr, mais surtout sa vision du monde. Pendant ces mois d'exil, elle a appris à mieux se connaître, à identifier ses limites et à prendre sa place dans l'univers. L'immense solitude qui l'oppressait tellement est devenue une source de liberté, à l'image de la chanson de Moustaki. Des notes virevoltent dans la tête de l'aventurière :

[...] Par elle, j'ai autant appris
Que j'ai versé de larmes
Si parfois je la répudie
Jamais elle me désarme
E si je préfère l'amour
D'une autre courtisane
Elle sera à mon dernier jour
Ma dernière compagne [...][2]

En premier lieu, il y a eu cette grande randonnée vers le sud. Nadine a marché longtemps, expérimenté le séchage de sa nourriture et aménagé ses lieux de résidences : la première caverne, la caverne d'Ali Baba puis la grotte. En route, dans ce monde rempli de contradictions, la femme s'est sauvée d'une meute de loups pour, le lendemain, en adopter un autre, tout petit et à peine naissant. Un peu plus loin, elle a rencontré Allie, la pouliche devenue orpheline

2 Georges Moustaki, *Ma solitude* Album Le métèque, 1969, étiquette Polydor

quand sa mère s'est sacrifiée face à des prédateurs et que sa harde l'a abandonnée. La bête sauvage s'est accrochée au pas de l'humaine et l'a suivie dans son aventure.

Puis, son chemin a été bloqué par la rivière aux brochets : munie de son simple courage, Nadine a fait tomber deux arbres en travers du cours d'eau pour construire un pont afin de se rendre de l'autre côté et poursuivre sa quête. Un tremblement secoue son corps au souvenir de son arrivée sur la pointe de la péninsule sud; la femme serre sa poitrine de ses bras pour tenter de chasser le malaise. Les déboires de ce premier mois au Pays de la Terre perdue ont failli se terminer dans la honte la plus totale. Quand la randonneuse a vu l'océan s'étendre à gauche comme à droite, elle a réalisé qu'elle ne pouvait aller plus loin; elle a voulu se laisser périr dans les flots.

Nadine relève les épaules et redresse son dos. Elle touche la petite pochette à son cou, celle qui contient une roche noire et brillante, en souvenir de sa décision de survivre à tout prix. En dépit du désarroi qui menaçait de l'emporter vers la mort, elle s'est remise debout pour affronter une deuxième étape : l'hiver s'annonçait...

L'urgence résonnait dans son cerveau et la gardait fébrile. Comment pourrait-elle résister à la saison froide ? Elle ne connaissait ni la date de début, ni le jour de la fin, et encore moins la rigueur. « Ouf ! J'ai travaillé si fort... » Faire des réserves de nourriture et de bois de chauffage. « Ah ! La couture... » Accompagnée de sœur Crochet qui, flottant dans sa tête, lui faisait la leçon, Nadine a patiemment cousu à la main tout ce dont elle avait besoin pour passer l'hiver au chaud. Avec une aiguille taillée dans un os et des brins de tendons, elle a attaché ensemble des peaux et des cuirs, dépassant largement les attentes de l'exigeante religieuse.

Celle qui voulait profiter de sa retraite pour redéfinir ses talents d'artiste a plutôt développé des compétences d'ingénieur et d'architecte. La construction d'un nouveau pont, sans oublier celle des huttes de pierres, autant d'expérimentations qui ont favorisé son accès à un territoire élargi pour la chasse et la cueillette. Son cœur se serre au souvenir de tous ces animaux qu'elle a traqués, de la simple perdrix au gros chevreuil, en passant par le lièvre. « Tuer toutes ces bêtes, plutôt que les protéger, ne faisait pas partie de mes valeurs d'avant… j'ai dû m'adapter. »

Elle rentre la tête dans les épaules au souvenir de l'horreur… « Tuer autrement que pour me nourrir… je n'ai jamais cru que j'en étais capable… » Pourtant, Brutus, l'ours mal léché l'y a obligée. Si elle ne s'en était pas débarrassé, il aurait pris le contrôle de la grotte, menaçant la sécurité et même la survie de Nadine, Lou et Allie. Elle baisse la tête sur sa colère. « Je n'ai pas eu le choix… j'ai dû construire la trappe de la mort… »

La neige toute légère a fait son arrivée : l'hiver s'est installé. Déterminée à s'en sortir, elle est demeurée active, sortant à l'extérieur de son refuge tous les jours pour faire s'écouler plus vite les secondes et les minutes qui la séparaient toujours des siens. Au fil du temps et des anniversaires des membres de sa famille, elle a subi les assauts douloureux sur son âme. Nadine ferme les yeux pour tenter de reprendre le contrôle sur ses émotions encore chamboulées par toutes ces déchirures d'avec sa vie d'avant. « Pas étonnant que je me sois enfoncée dans une colère viscérale… j'avais si mal… rien ne me soulageait et tout ce qui m'arrivait semblait brûler mon énergie vitale... »

C'est ainsi qu'elle a entrepris la dernière étape de cet apprentissage ardu. Avec détermination, elle a construit un radeau qui, muni d'une voile, lui a permis de voyager plus vite et plus loin. Mais bourlinguer allait lui faire vivre une suite de déceptions plus difficiles à accepter les unes des autres. Nadine est devenue une véritable boule de colère; l'amertume et la rage finissaient par envahir tout son être et menaçaient même son équilibre mental.

Les échecs douloureux se sont accumulés alors qu'elle a vu sa route coupée, au nord, à l'ouest, à l'est et, bien sûr, au sud. Des batailles rangées avec des fauves l'ont rendue encore plus dure, plus acariâtre. Elle profitait de toutes les occasions pour se mettre dans une colère bleue, contre elle-même, sa famille, Alex, ses amis et les orages; et surtout, elle en voulait au Pays de la Terre perdue de la retenir contre son gré.

Nadine tremble au souvenir du combat inégal de Lou avec des loups qui dérangeaient leur quiétude; toute cette affaire l'a profondément troublée. « J'ai eu si peur de le perdre… » La femme touche son épaule droite encore un peu raide. Les blessures infligées par un lynx qui menaçait la sécurité de la harde de Jack et Allie l'ont grandement déconcertée. « J'étais terrifiée à l'idée de mourir ici dans l'oubli le plus total… »

Alors que le deuxième hiver couvrait de glace son univers d'exil, le cœur de l'humaine s'est rempli d'une telle colère que sa vie en a été menacée. Étouffée par cette rage, engourdie par une grande nostalgie, Nadine est descendue dans l'abîme qui détruit l'âme et tue le corps. Mais la mort n'était pas une solution. Une fois encore, aidée par Lou, Nadine a fini par accepter qu'elle ne retournerait pas chez elle, amorçant ainsi un deuil nécessaire à sa survie. Sa volonté de revoir un jour les siens s'est éteinte, cédant la place à une profonde détermination de vivre et un immense désir de faire sa marque partout où ses pieds se poseraient sur le sol du Pays de la Terre perdue.

Lou s'approche d'elle et pousse de son nez le coude de sa mère adoptive. Nadine revient instantanément dans le présent. Elle tourne son visage vers le canidé et note qu'il l'observe attentivement. Pourquoi la femme interprète-t-elle une expression préoccupée dans les yeux gris de son protégé ? Elle étire la main vers la fourrure épaisse et flatte le cou de la bête.

— Ça va. Ne t'inquiète pas pour moi… j'en ai fini avec cette nostalgie. Maintenant, je regarde vers l'avant.

Comment pourrait-elle arriver à lui faire comprendre à quel point elle tient à lui ? Si sa peur intense de ne jamais revoir sa famille s'est estompée, celle de perdre celui qui est devenu son compagnon d'aventure est toujours présente. Chaque matin, quand il tarde à la retrouver, elle sent l'angoisse l'étouffer; elle craint qu'il soit mort quelque part, au beau milieu d'une forêt, sans qu'elle puisse le protéger. Elle n'est pas dupe. Tout comme Allie, qui a rejoint une harde pour mieux poursuivre sa vie chevaline et donner naissance à d'autres membres de sa race, Lou fondera bientôt sa meute. Elle souhaite seulement qu'il continue de venir la retrouver ou, à tout le moins, qu'il lui indique le lieu de son antre pour qu'elle le visite souvent.

Nadine se lève, vérifie l'état de la plaie de Tigré, se sert une tasse de tisane et retourne s'asseoir sur son bout de couverture, pour prolonger sa réflexion tout en laissant le soleil la réchauffer peu à peu.

« Mon deuxième hiver a été si pénible... » La femme n'arrivait pas à se sortir de toute cette colère qui, sous sa forme destructive, cachait la peur intolérable de ne jamais revoir les siens, une terreur plus grande que l'assaut de l'ours ou de la blessure du lynx sur son épaule. Puis les choses se sont compliquées. Au lieu de cette neige blanche et abondante que lui a servi le premier hiver, le deuxième a plutôt recouvert son royaume de plusieurs couches successives de glace. « Comme pour attiser le feu de ma colère... » Nadine a utilisé cette situation en guise d'excuse pour s'enfermer dans sa grotte et se laisser dépérir.

Puis, avec l'aide de Lou qui l'a empêchée de sombrer complètement, l'exilée a accepté l'inévitable réalité : elle ne reverrait jamais les siens. C'est à ce prix qu'elle a pu entreprendre un deuil douloureux. Ainsi libérée de cette ire, elle a peu à peu repris goût à la vie. L'urgence de son besoin de quitter le pays, par n'importe quel moyen, s'est transformée en une volonté ferme d'explorer tous les coins de cette terre en y laissant une marque indélébile.

Elle sourit malicieusement au souvenir de sa promesse : « Je construirai tellement de huttes que le Pays de la Terre perdue aura l'impression de faire de l'acné… »

Lentement, sa philosophie de voyageuse, tellement imprégnée dans sa vie d'avant, revenait avec force dans sa vie d'ici. Antoine de Saint-Exupéry a dit : « Ce qui importe ce n'est pas d'arriver, mais d'aller vers. » Ainsi, pour Nadine, si la destination n'a plus d'importance, l'odyssée elle-même procure de nouveaux apprentissages et un moyen de mieux comprendre… ce qu'elle devient.

Dans cet état d'esprit, laissant passer la dernière tempête de neige de l'hiver, elle est partie en exploration. N'en pouvant plus d'être confinée dans une grotte, elle devait sortir dehors pour reprendre ses habitudes de chasse, de pêche et de cueillette. Elle devait remplir ses poumons d'air. C'est ainsi qu'un beau jour de mars, il y a de cela une semaine, elle a chaussé ses raquettes et endossé son sac à dos; d'un pas assuré, elle est partie vers la vallée aux noisettes, puis en direction de la caverne d'Ali Baba. Aux deux endroits, marchant dans la neige ou sur la glace, elle a entrepris une randonnée jusqu'à la paroi de l'est, pour mieux l'observer. Dans son for intérieur, elle planifiait son projet du printemps : explorer cette Terre juchée au-dessus de la falaise. « Combien de temps cela me prendra-t-il pour traverser ce territoire jusqu'à ce niveau ? » Bien sûr, cela dépendra du terrain, de la disponibilité de l'eau et de la nourriture… Puis l'image du territoire aride et austère qu'elle a parcouru l'automne d'avant lui revient en tête… « Je verrai bien… »

Puis, lentement pour mieux savourer la température fraîche de mars, et admirer la nature qui se réveillait sur le plateau, ses pas l'ont amenée loin à l'est du pont, tout à côté de cette immense chute qui lui avait déjà bloqué la route. Elle devait s'y rendre, faire une sorte de pèlerinage pour exorciser, une fois pour toutes, la colère qui lui nouait la gorge à chaque fois qu'elle y pensait. Il fallait à tout prix remplacer les images douloureuses par de nouveaux souvenirs plus sereins. Elle tourne la tête pour observer son visiteur félin. « Tigré m'apporte ce nouveau bonheur… » Elle dirige son regard vers le nord et laisse un sourire se glisser sur ses lèvres : « Anatole aussi… »

Goûtant avec un plaisir consommé une gorgée de tisane refroidie, Nadine observe autour d'elle. Même si le mois de mars est arrivé, et que le soleil réchauffe l'air, l'hiver conserve tout de même une forte emprise sur le terrain. La neige est présente partout… les arbres portent toujours les traces du verglas tombé plusieurs fois durant la saison froide. Elle parvient à identifier les ruisseaux au moyen de leur son, même si la glace les recouvre encore. Les bords de la rivière sont rendus boueux à cause de toutes les rigoles alimentées par la fonte et celles qui descendent de la forêt.

À côté d'elle, elle voit avec fierté son havresac fabriqué avec des bouts de bois polis et des morceaux de cuir. Il est solide et, taillé en tenant compte de son corps, il se moule confortablement à son dos. Il contient tout son équipement de survie : du matériel d'allumage, ses roches à feu, quelques petites torches roulées dans une pièce de tissu imperméabilisé, sa boussole. Une gourde à eau en estomac de lièvre s'ajuste d'un côté, alors qu'à l'autre, sont attachés de précieux dards ainsi qu'une pelle.

Au fond du sac, il y a une pochette remplie de nourriture séchée : une précaution de plus. Bien sûr, elle chasse, pêche et cueille des aliments frais sur sa route, mais prévenir l'inconcevable est un incontournable de sa vie d'ici. Ses instincts féminins l'incitent à traîner aussi quelques vêtements de rechange… et une jaquette pour la nuit. Deux courtepointes de peaux, roulées et attachées sous le havresac, s'ajoutent à son bagage; ces couvertures lui sont utiles pour dormir ou, comme en ce moment, en guise de toile pour s'asseoir sur un sol encore enneigé. S'il le fallait, l'une d'elles lui servirait même de tente.

Du bout des doigts, elle s'assure que son journal de bois est toujours au fond, roulé dans une toile imperméabilisée pour maintenir le récit de sa vie d'ici en sécurité. Il y a tellement de coches sur ces bouts de branches… plus de six cents. L'objet est lourd, mais elle tient à l'emporter toujours avec elle. Pour s'assurer d'exister : elle y voit son passé et elle ajoute une branche au besoin pour entrevoir son avenir. Une image de son futur potentiel s'immisce dans sa tête et la fait sourire. « Si je vis encore 30 ans, je serai obligée de me fabriquer une brouette spéciale afin de pouvoir l'emporter avec moi… » Sur le coup, elle décide de compléter le décompte de cette deuxième année d'exil en utilisant celui-ci. Puis, quand le 15 juillet arrivera, elle commencera un nouveau journal, plaçant son premier recueil en lieu sûr dans la grotte pour en conserver toute son importance.

« J'étais loin de m'imaginer qu'une telle aventure allait combler mes années de retraite… j'avais pourtant d'autres projets en tête… » Nadine a quitté son emploi quelques semaines avant son arrivée au Pays de la Terre perdue. Elle envisageait de reprendre contact avec l'art, surtout l'écriture et le dessin. Ses deux grandes passions faisaient plutôt partie de ses loisirs jusqu'à ce moment-là. Libre d'organiser son temps selon ses désirs, elle espérait rendre ces activités plus permanentes. Comment disait-elle ça encore ? Ah oui… elle voulait se la couler douce… « Si j'avais su, je pense que j'aurais continué à travailler… »

Nadine soupire. « Je serais peut-être encore avec ma famille… » Elle baisse la tête et ravale la boule d'émotion qui se glisse dans sa gorge. « Ça fait encore mal… » Consciente qu'un deuil ne se fait pas en un seul jour, elle laisse volontairement sa réflexion se diriger vers chacun des membres de sa famille, cherchant à identifier et, surtout, comprendre chaque sensation qui s'infiltre dans son cœur.

« Alex ! Je t'aime tellement ! Tu es l'amour de ma vie ! » Ils sont mariés depuis 35 ans... non ! Il faut ajouter deux ans de plus... 37 ans. Elle ne retrouvera plus jamais le grand homme aux prunelles noisette, mais elle tient à se souvenir de lui, de son visage, de sa voix et de son sourire. Elle peut fermer les paupières et sentir le souffle de son amoureux dans son cou, ses caresses, ses baisers... L'impression est si vive qu'elle est surprise de ne pas voir son conjoint collé contre elle, quand elle ouvre les yeux.

Une larme coule doucement sur sa joue. « La douleur de son absence est si vive... est-ce que j'arriverai un jour à avoir moins mal ? » Nadine se rappelle que le processus de deuil est long : quand son père est décédé, elle a mis plusieurs années à pouvoir se souvenir de lui sans pleurer. En ce qui concerne son mari, elle devra être patiente; un jour, elle souffrira moins de l'éloignement d'avec celui qui sera pour toujours son seul amour. Elle souhaite de tout cœur qu'Alex ait réussi à refaire sa vie. Ce n'est pas humain de vivre cette douleur qui nous désagrège le cœur pour le faire éclater en mille morceaux.

Sa réflexion se porte sur son fils Dominique, le grand rouquin aux yeux bleus. Il aura 32 ans en juin prochain. Commence-t-il déjà à grisonner ? Sur les temples peut-être ? Elle l'imagine avec cette nouvelle marque qui rehausse son expression sensible et fière. Tout comme ses parents, il adore le plein air, particulièrement la marche en montagne. Lui et son épouse Nathalie ont deux enfants : Chloé a six ans et Xavier en a maintenant trois.

Sa fille Anne a 29 ans. Une petite brunette aux yeux noisette. Nadine sourit en se remémorant l'inquiétude imprimée sur le visage de la jeune femme face à l'idée de se promener en forêt ou dans la nature. Cette citadine convaincue n'hésite tout de même pas à faire la pluie et le beau temps sur un gros chantier de construction. « À chacun, ses préférences en matière de danger... » Anne a choisi de suivre les traces de son père et de devenir ingénieure. Elle et son conjoint Étienne ont aussi deux enfants : Anne-Pier a maintenant cinq ans et Pierre-Louis a trois ans.

Soudain, une idée s'immisce dans le cerveau de l'exilée. Est-ce qu'un autre bambin s'est joint à sa famille ? Un garçon ? Une fille ? Un bébé qu'elle ne connaîtra jamais... Un flot de larmes menace encore d'exploser. « C'est si dur... »

Nadine ferme les yeux et laisse son esprit vagabonder autour du souvenir de ses amis qu'elle a laissés derrière. Comment vivent-ils ce deuil ? « C'est certain qu'ils me croient morte. » Ça vaut mieux ainsi... quand l'épreuve tarde à s'installer, on risque de plonger au fond de l'abîme avec le danger de ne pas en revenir. Elle le sait si bien...

Est-ce que les partenaires de trekking de Nadine et Alex l'ont remplacée ? Dominique peut-être ? C'est certain qu'Alex va se trouver une blonde qui aime le grand air... Le corps de Nadine plie en deux, tant la douleur est vive. Elle serre les dents et siffle avec détermination. « Je dois accepter l'inévitable, mais ça fait si mal... » Avec fermeté, elle revient à ses proches. Comment Bernard arrive-t-il à vivre sans son amie d'enfance ? Toujours est-il que Claudine, son épouse, est là pour le soutenir. Claude, le partenaire d'affaire d'Alex, et sa conjointe Martine viendront aussi aider la famille de la disparue à passer au travers. « Des amis c'est fait pour ça... Sauf quand on est dans la solitude la plus totale... hum... c'est vrai aussi pour moi : Lou et Allie m'ont permis de survivre à l'éloignement. Je leur dois une fière chandelle ! »

Nadine porte sa réflexion sur Marie, sa meilleure amie. Elles se sont rencontrées lors de son arrivée à l'Agence Écho Personne, devenant instantanément d'excellentes complices, comme si elles se connaissaient depuis très longtemps. Elle ferme les paupières quelques minutes pour se rappeler l'image de Marie. Oui, elle est là, la femme aux yeux verts avec son visage plein de taches de rousseur. Son amie lui sourit, comme d'habitude. « Si tu étais avec moi, ici, nous pourrions étudier la situation en la retournant dans tous les sens. Peut-être qu'à deux, nous aurions compris comment retourner… non ! ça suffit ! Cesse de prendre tes rêves pour des réalités ! »

Du coup, pour chasser cette colère qui l'envahit un peu trop souvent, elle se lève, replace du bois sur le feu, observe le ciel, hume l'air puis, calmée, elle revient s'asseoir sur la courtepointe.

Pendant un instant, Nadine regarde sa tasse d'un œil interrogateur. « Est-ce que je me prépare une autre tisane ? Hum… comme les choses changent… » L'an dernier, ne voulant perdre aucune minute de sa quête, elle se traitait de paresseuse et se répétait que la procrastination ne produit rien de bon.

Aujourd'hui, Nadine a le goût de boire une autre tisane, juste pour le plaisir de savourer différemment le temps qui passe. La conséquence est si minime… partir demain plutôt que maintenant… ça ne change rien, ni à la destination, ni au périple à entreprendre pour s'y rendre.

Soudain, l'humaine éclate d'un rire franc et clair qui rebondit sur l'immense paroi et lui revient en écho. Lou, surpris par ce son inattendu, lève le nez pour s'assurer que sa mère adoptive n'était pas prise de folie; puis il tourne la tête vers le gros chat, sort la langue et ferme à demi les yeux. Son expression blasée semble dire : « ne t'en fais surtout pas l'ami ! Ça lui prend de temps en temps, c'est comme ça avec les humains… » Lou a l'air si drôle que Nadine rigole de bon cœur. Pendant ce temps, le jeune lynx affiche un regard empreint de peur, ce qui décuple le rire de la femme, au point de la faire se plier en deux.

S'approchant du gros chat, elle le flatte pour le rassurer. Puis elle s'esclaffe à nouveau avec éclat, un témoin de cette liberté qui, sans doute, se répand dans l'air comme l'effet d'un caillou sur l'eau calme d'un lac. La voix humaine se transforme en un chant dont les vibrations remplissent l'air jusqu'à la Terre de la Forêt verte…

— Tu vois Tigré, j'opte pour une autre tisane. C'est ça la vraie vie ! Un jour, tu comprendras… peut-être…

Chapitre 3

Jour 619 – 25 mars

Nadine glisse un morceau de sucre d'érable dans sa bouche et le laisse fondre lentement sur sa langue. « Miam ! Je l'ai vraiment bien réussi cette année... il n'est ni trop sec, ni trop mou. Tout est une question de cuisson... et de patience, bien sûr ! Je conserve cette recette améliorée dans ma tête, mon ordinateur naturel, pour l'an prochain. » S'immobilisant dans une petite clairière réchauffée par le soleil, elle se délecte de cette gâterie naturelle. C'est le seul morceau qu'elle dégustera aujourd'hui... elle veut donc faire durer le plaisir aussi longtemps que possible.

La nomade est installée dans la forêt aux érables depuis une dizaine de jours, le temps nécessaire pour produire du sucre avec des outils néolithiques. Une grande fierté remplit son cœur alors qu'elle souvient de tout l'effort qu'elle a mis à concevoir des foyers et des fours de son cru. « Que de chaudières j'ai fabriquées ! » Elle en possédait six l'an dernier et elle en a creusé six autres cette année. « L'an prochain, j'en ajouterai encore pour collecter plus d'eau d'érable, la faire bouillir et la transformer en minipains de sucre... Miam ! »

Elle se remémore le processus qui l'a incitée à s'armer d'une patience qu'elle ne possède pas habituellement : attendre qu'une roche placée directement dans les flammes devienne brûlante; saisir cette pierre avec des pinces en bois et la déposer dans le liquide pour favoriser la cuisson; surveiller les tisons sous le four afin de maintenir un feu constant; et, bien sûr, veiller sur le sirop pour qu'il ne prenne pas en pain trop vite. « Maman, tu serais si fière de me voir travailler ainsi, avec minutie et en douceur... tu ne reconnaîtrais pas ta fille rebelle... » La sucrerie ainsi obtenue est si savoureuse qu'elle doit freiner ses envies d'en abuser. Elle mange un petit morceau à la fois. « Je suis si gourmande… mais je préfère étirer mes réserves pour les faire durer toute l'année… Sans Provigo dans le coin… je ne pourrai pas refaire mes provisions avant le printemps prochain… »

Elle a compté le nombre de morceaux trois fois… 400 petits carrés d'à peine un centimètre cube… La gourmande planifie : une portion par jour… 365. Elle aura 35 pièces supplémentaires… un dessert particulier pour le jour de Noël ? Son anniversaire ? Elle doit aussi en garder quelques-uns dans sa réserve au cas où le printemps de l'an prochain serait tardif… plutôt que précoce comme cette année.

Le goût de l'érable sucré fondant lentement sur sa langue est une véritable jouissance pour le palais de Nadine. Une fois la friandise dissoute dans sa bouche, la tentation d'un second morceau la tenaille. Mais non, il est temps de se diriger vers sa première destination de la journée, la source du cours d'eau qui coule au fond de la forêt. Elle n'a besoin d'aucune boussole, car elle entend clairement le son assourdissant poussé par le vent sur plusieurs kilomètres. Nadine examine la cascade qui, en cette fin de mars, bondit comme un serpent enragé. « Dire qu'en été, cette chute d'eau me sert de douche… » Aujourd'hui, la masse aqueuse tombe avec fracas à plusieurs dizaines de mètres de la falaise pour se relever en un seul mouvement et rebondir un peu plus loin sur une deuxième roche. Le rythme de cette masse aqueuse imite à la perfection une longue couleuvre grise et brune qui se sauverait d'un quelconque danger. Puis, cette eau déchaînée coule à torrents vers l'est. Même la pente légère ne parvient pas à calmer les flots fougueux. À la manière d'un train qui file à toute allure, la rivière est si violente que, sans la présence d'un passage naturel à gué entre deux petits lacs très profonds, Nadine serait obligée d'y construire un pont.

L'aventurière examine longtemps ce trou dans la falaise d'où sort le cours d'eau. Il lui rappelle celui qu'elle a si souvent observé au fond de la vallée aux castors. « Bon !

J'ai trouvé ce que je cherchais à savoir… j'analyserai tout cela lors de mon exploration de la Terre juchée. » Nadine installe son sac bien d'aplomb sur son dos et, ajustant son vieux chapeau qui témoigne de son autre vie, elle ramasse ses lances qu'elle traîne toujours avec elle. « Je suis prête. Un autre segment de ma vie de nomade débute ce matin. »

Son rire franc remplit l'air de la forêt environnante. Le bruit d'une course éperdue dans un arbre résonne en écho. « Peureux ! Petit tamia rayé, tu devras t'habituer à mon exubérance… » La marcheuse poursuit sa route. « Allons voir Allie… » Au-delà du passage à gué, Nadine s'engage sur le chemin forestier tracé par un groupe de chevreuils. Le sentier balisé par le crottin des cervidés mène plus ou moins en droite ligne vers le nord, jusqu'à la rivière aux brochets. Il longe le boisé qui abrite sa hutte sise à proximité de la vallée aux chevaux.

Cette randonnée ne lui prendra que quelques heures. Nadine ralentit sa cadence pour se donner le temps d'admirer les nouveautés printanières que lui offre cette magnifique journée : quelques bourgeons, une lumière particulière qui se glisse entre les arbres dénudés ou une rigole qu'elle aperçoit pour la première fois. Elle sort du chemin régulièrement afin de mieux observer ce que ses yeux lui révèlent ou que son nez lui indique. Le vent léger, soulevant quelques brins de neige tombés au cours de la dernière nuit, lui fait voir la nature à travers un voile d'argent. « Éole joue avec les derniers flocons de l'année... Quelle féérie ! »

Le fond de l'air est encore humide en cette fin de mars. Des plaques de glace résistent, ici et là, surtout sous les grands sapins où les rayons de l'astre du jour n'arrivent pas à pénétrer. Pourtant, les plantes printanières poussent le nez vers le ciel pour gober toute la lumière disponible. Le large couvert de feuillus tarde à se répandre, l'ardent soleil en profite donc pour faire briller chaque goutte de rosée, conférant à la nature une allure toute dorée. Tout à côté, elle entend les passereaux chanter; ils sont revenus du Sud il y a quelques jours. « Cet été, je vais découvrir où ils se rendent pour passer l'hiver… » Lentement, elle s'approche d'un petit étang encastré dans une forêt plutôt marécageuse. Deux grèbes à bec bigarré surveillent leur nid qui flotte dans les eaux calmes d'une zone délimitée par une roseraie. Nadine ne les avait pas remarqués auparavant. « Je n'avais pas le temps… j'étais trop pressée de retourner à Montréal… maintenant, j'ai toute la vie devant moi… »

Accroupie dans une talle de vigne des rivages, Nadine reste immobile un bon moment, malgré le sol mou qui détrempe son pantalon et garde ses genoux dans l'humidité. « Maudit rhumatisme ! Ça va faire mal la nuit prochaine ! Je m'en fous ! Je ne veux rien manquer de ce magnifique spectacle ! » Puis, elle se retient de ne pas rire aux éclats, se souvenant de la réaction des oiseaux face à l'approche plutôt virile du gros carnivore il y a quelques jours... « C'est bien qu'il ne soit pas là, aujourd'hui; il parviendrait à ruiner toute mon observation… » Son cœur s'alourdit à l'idée que Lou ne soit pas revenu la voir depuis au moins deux jours. « Je dois m'y faire… c'est ça la vie ici… »

Puis, un autre personnage de son existence au Pays de la Terre perdue se glisse dans sa pensée. Est-ce que Tigré a survécu aux épreuves des dernières semaines ? Juste avant de quitter la forêt mixte entourant la cataracte, Nadine avait déniché un trou dans la paroi : sans être une véritable caverne, l'endroit était assez grand pour que le lynx puisse s'y coucher confortablement et rester suffisamment à l'abri du vent froid. Elle y a déposé deux carcasses de lièvre et une de perdrix. Elle espère que les proies fraîchement tuées serviront de nourriture le temps que la patte de Tigré guérisse et qu'il puisse chasser à nouveau par lui-même. Elle lui a aussi offert une réserve de viande séchée et d'apios. « Par précaution… si sa guérison est trop lente… » Le félin agira comme les autres membres de son espèce et ne mangera que selon ses besoins, sans faire le goinfre. Ainsi, les aliments que Nadine lui a remis devraient lui suffire pour trois ou quatre semaines. Par la suite, soit il chassera en utilisant sa patte meurtrie, soit il mourra. Cette idée lui laisse le cœur gros. « Ce serait dommage… mais j'aurai fait ce qu'il faut pour l'aider… selon ma conscience… une bonne action comme on disait dans le temps de ma jeunesse. »

Pendant qu'elle se déplace dans la forêt qui se renouvelle, la nomade observe le feuillage vert tendre qui pousse au bout des branches et un peu partout sur le sol; ici, c'est le temps des trilles aux fleurs pourpres et blanches, des fougères… « Des têtes de violon ! Miam ! Je m'arrête un moment pour en ramasser ! » Un peu plus loin, elle cueille des plants de gingembre qui sortent à peine de la terre couverte d'humus. Elle marche la tête en l'air, pour mieux repérer la source des odeurs qui lui chatouillent les narines… « J'aime tellement cette saison. Ça sent bon… comme mes platebandes… »

Sur le coup, elle ressent un pincement au cœur : il est si vif qu'elle perd presque pied. À Montréal, au printemps, les bourgeons apparaissent alors que les arbres préparent leur feuillage pour abriter les nombreux bécasseaux et les minuscules colibris qui reviennent passer l'été dans son coin. Les platebandes se garnissent de jonquilles, de jacinthes et de tulipes. Elle s'imagine en train de prendre plaisir à voir ses petits-enfants cueillir les grosses fleurs de toutes les couleurs. Elle sort tous les pots à sa disposition qui, une fois remplis de fleurs, gorgent toutes les pièces de la maison d'odeurs suaves. Cette nature printanière est le témoin, année après année, d'un immense bonheur que l'on éprouve au gré du renouveau qui suit le long hiver.

Nadine baisse les yeux et soupire bruyamment. Qui s'occupe de ses jardins maintenant ? Qui va préparer ses platebandes pour l'été ? Anne ? Elle répugne à se salir les mains. Sa belle-fille Nathalie peut-être ? Elle pourrait certainement compter sur l'aide de Martine… Nadine secoue la tête. « Ça ne donne rien... je dois cesser de broyer du noir. De toute façon, je ne peux pas intervenir… c'est beaucoup trop déprimant. Allez ! Presse le pas ! Tu verras Allie d'ici quelques heures ! »

Depuis quelques minutes, elle reconnaît un bruit familier derrière elle; il provient de très loin dans la forêt. « Je devrais l'appeler… » Un sourire s'étire sur son visage au souvenir de ce qu'elle a enseigné au canidé dans les dernières semaines. Frappant sa lance sur le tronc d'un érable, elle obtient un son clair et sec. Aussitôt, elle entend le jappement en réponse. Bientôt, elle voit Lou s'avancer à travers les arbres. « J'aime bien cette méthode… le bruit se répercute loin… ça m'évite de crier pour l'appeler… il fallait juste y penser… je sais… je suis géniale ! »

Contente de retrouver son protégé, elle s'arrête un instant pour le flatter et s'assurer qu'aucune blessure ne marque sa fourrure. « Il est vivant et en santé… il ne m'a pas oubliée… c'est ce qui compte… » Puis, reprenant la route d'un pas enjoué, elle entraîne Lou dans son sillage.

— Viens Lou ! … Allie attend notre visite.

Durant cette randonnée sur un sentier qu'elle connaît par cœur, Nadine poursuit sa réflexion à propos des explorations des dernières semaines. Sa destination finale du printemps demeure la pointe sud de la péninsule. Mais, fidèle à son nouveau caractère de vagabonde, elle ne désire pas s'y rendre directement. Sortant de la grotte après y avoir séjourné un long hiver, elle a plutôt pris le chemin de la vallée aux noisettes, tout en faisant un petit détour de quelques heures vers le lac aux brochets pour y pêcher le poisson sous la glace et y chasser la perdrix dans la forêt à proximité. Elle avait besoin de sentir le grand air la fouetter, lui mordre les joues, la revigorer.

Lou avait décidé de l'accompagner pour ce périple et elle lui en était très reconnaissante. Sinon, la solitude aurait pesé très lourdement sur son âme fragilisée par toute cette détresse ressentie au cours de la saison froide. La présence du loup à ses côtés était rassurante. Bien sûr, son cœur de mère adoptive était ravi de voir l'animal en pleine santé.

De plus, cette odeur de maturité qu'il projetait partout et sa stature impressionnante suffisaient pour que les autres prédateurs évitent systématiquement de s'approcher d'elle.

Marchant en raquettes sur la lourde neige tombée lors de la dernière tempête, Nadine a mis le double du temps habituel pour se rendre à la vallée aux noisettes. Elle a profité de cette cadence plus lente pour observer d'un œil nouveau ce coin de pays qu'elle a finalement appris à aimer. Son campement permanent avait heureusement survécu à ce deuxième hiver et la cache de nourriture était toujours disponible. Bien sûr, plusieurs petits rongeurs avaient élu domicile dans l'habitacle, mais en l'espace de quelques heures, la cabane de pierres est redevenue habitable, chaude et accueillante.

C'est ainsi que l'humaine a dormi, pour une première fois de la saison, loin de la grotte, dans la douce chaleur de cette hutte construite de ses mains avec des outils néolithiques. L'estomac rempli de brochets, de noisettes et de tubercules d'apios, Nadine a sombré dans un sommeil profond et réparateur. Elle a pris deux jours pour nettoyer et remettre en état son campement, sans oublier de vérifier les alentours. La chasseuse s'est approvisionnée en lièvres, en perdrix et, même, en porcs-épics. Cette balade l'a entraînée vers la colonie de castors, puis jusqu'à la grande paroi. Le point de vue était spectaculaire.

Puis, son goût de l'aventure regagnant une place de choix dans sa vie, elle s'est dirigée vers la caverne d'Ali Baba. Affrontant le vent glacial qui balayait le plateau, elle a tout de même profité de la neige compacte pour se déplacer à une bonne vitesse. Sauf pour se mouvoir dans le fond de la vallée, bordant la rivière aux truites, là où la poudre blanche s'était accumulée en larges congères, ses raquettes sont restées accrochées à son havresac.

Elle a habité la cavité naturelle creusée dans la falaise durant trois jours. Il faisait beau. Une fois qu'elle a eu dégagé la corniche, elle a pu se rendre à la grève pour y marcher de longues heures; même si la neige y était encore abondante, elle a apprécié le son des vagues qui se cassaient sur les rochers aux rythmes de ses pensées tumultueuses. Petit à petit, elle a senti la tension de l'hiver quitter son corps. « Le bord de la mer demeurera toujours un lieu privilégié pour renouveler l'énergie de mon âme… »

Une randonnée sur le plateau lui a permis d'explorer plus à fond cette région et d'y faire de nouvelles découvertes. C'est ainsi qu'elle a revu la harde de chevaux à la fourrure pâle. Les bêtes avaient l'air en santé et plusieurs juments semblaient prêtes à mettre bas. Quelques poulains atteindront bientôt la maturité et certains d'entre eux partiront sous peu pour établir leur propre famille. Un bout de nostalgie reste coincé dans sa gorge face à ce souvenir. « Comme pour la croissance de Lou… c'est ainsi que la vie se renouvelle au Pays de la Terre perdue… »

Puis, rassasiée, elle a pris le chemin du campement situé au sud du pont. Normalement, quand elle fait cette route, elle passe par la grotte en faisant un crochet vers l'ouest. Mais, en ce moment, elle en avait assez de son trou dans la roche. Cette fois, elle a plutôt bifurqué vers l'est, afin de visiter la forêt mixte au pied de l'immense chute. C'est ainsi qu'elle a fait la connaissance d'Anatole et de Tigré. « Je suis inquiète pour le jeune lynx… j'irai lui rendre visite avant de descendre vers la péninsule… Peut-être que je l'amènerai avec moi… » Sachant que ce ne serait pas très sage, ni pour elle, ni pour la bête, elle secoue la tête histoire de chasser cette idée saugrenue et retourne à sa réflexion.

En quittant la région habitée par Tigré, la neige et la glace gardant un peu trop leur emprise sur le pont, elle a effectué la traversée en raquettes avant de s'établir pour une nuit dans la hutte sise au sud de la rivière. Cette fois-ci, elle a ouvert la toile de l'entrée avec précaution, repoussant difficilement le haut-le-cœur que provoquait le souvenir de sa blessure. Elle se rappellera longtemps sa rencontre avec le lynx en décembre dernier. Trois mois s'étaient écoulés depuis lors, mais la femme sentait toujours les effets des griffes du félin sur son bras encore douloureux.

Elle n'est restée qu'une journée dans ce campement, sachant qu'elle y reviendrait quelques semaines plus tard, quand Allie serait prête à pouliner. En rendant visite à la harde de Jack, elle voulait surtout vérifier l'état de la grossesse de son amie chevaline. L'humaine connaît bien le processus de mise bas. « Merci Marie ! Si, dans le temps, j'ai trouvé que tu me forçais la main un peu trop pour que j'apprenne les habitudes des chevaux, aujourd'hui, je l'apprécie beaucoup... » Nadine sait, entre autres, que les pis de la jument prendront la forme propice à l'allaitement une dizaine de jours avant qu'elle ne pouline. La vétérinaire en herbe est donc en mesure de comprendre que, même si le moment de la naissance approche, elle dispose de suffisamment de temps pour s'adonner à ce plaisir fou qui consiste à préparer sa provision annuelle de confiseries.

Elle a donc suivi la route vers la forêt aux érables. Son pas vif et alerte semblait rythmer le bruit de son estomac qui gargouillait de gourmandise. La température se réchauffait sous le soleil ardent. Les arbres matures reprenaient vie; la zone boisée grouillait d'animaux en tous genres, y compris un gros loup. Il y avait aussi cette humaine venue d'ailleurs... À gauche, une rigole chantait sous la neige. Un peu plus loin, une cascade éphémère descendait une pente abrupte. Les pinsons, les passereaux et les linottes, revenus en grand nombre du Sud, roucoulaient allègrement face à l'arrivée de la saison des amours; les mâles colorés s'évertuaient à séduire les femelles avec leur pépiement constant et leur parade nuptiale.

Décidément, le printemps se pointait avant le temps cette année. La neige en croûte, encore collée aux feuillus, devenait liquide et s'écoulait silencieusement. Plusieurs fois, malgré sa vigilance, alors qu'elle devait passer sous les branches, elle a senti l'eau glacée lui tomber sur la tête ou glisser dans son dos, sous ses vêtements. « Brrr ! »

La température se réchauffait le jour, mais descendait sous le point de congélation au cours de la nuit. Le temps des sucres était enfin arrivé ! La méthode plutôt archaïque et lente pour faire bouillir l'eau d'érable ne la rebutait pas. Sans pourvoir compter sur une cuisinière électrique ou un gros chaudron de métal, Nadine travaillait simplement avec des bols en bois qu'elle plaçait sur le poêle de pierre de son invention. Elle a obtenu une substance presque granuleuse qu'elle a ensuite versée dans des moules. Par la suite, elle a coupé les carrés refroidis en tous petits cubes. Ce sont les seules douceurs qu'elle peut cuisiner dans ce pays où les raisins noirs de la vigne des rivages et les fruits du pimbina sont les aliments les plus sucrés que la nature d'ici lui présente.

Nadine sort brusquement de sa rêverie et réduit son pas. Depuis quelques minutes, elle aperçoit au loin des corneilles virevolter dans les airs. « Quelque chose se trame… » En effet, si ces charognards survolent les lieux, c'est qu'ils attendent la mort d'une future proie. Un souffle de rage s'infiltre dans l'âme de la femme : elle ne peut faire autrement que de revoir dans sa tête la perte du poulain, l'automne dernier, sous les dents du lynx roux. Cette fois-là, aussi, les corneilles planaient haut, en rond, en attendant que le fauve finisse de se nourrir… « Je veux savoir ce qui se prépare … »

C'est ainsi que, pointant une lance devant elle, Nadine emprunte un sentier à sa droite pour se rendre dans la direction des charognards. Curieusement, l'odeur de la mort n'efface pas les effluves suaves du printemps. « La bête n'a pas encore cessé de vivre… » L'humaine se retrouve rapidement en bordure d'une dépression du terrain aux abords très escarpés. Tout au fond, un cheval gît sur le côté, une jambe pliée dans un angle impossible. Il ne bouge pas. À cause de sa fourrure foncée, presque noire, Nadine reconnaît l'une des pouliches de la harde de Jack. « Ma belle, que fais-tu si loin de ta famille ? Te serais-tu égarée en forêt ? Tu serais tombée en bas ? En pleine nuit peut-être ? Pauvre bête… »

Nadine examine les environs afin de trouver une manière facile de se rendre jusqu'à la jument. Rien à faire. Elle soupire. « Ici, tout demande beaucoup d'énergie... » Elle descend la pente abrupte avec difficulté. Du coin de l'œil, elle note que le loup a décidé de ne pas la suivre. Pour faire le guet ? « Qui sait ce qui se passe dans la tête de ce canidé ? » Par contre, le fait qu'il ne l'accompagne pas indique clairement qu'il ne ressent aucun danger pouvant se manifester dans les environs. Sinon, il aurait tout fait pour la protéger; il aurait même tenté de l'empêcher de descendre dans ce creux rocailleux.

Au passage, elle note une traînée sur le sol, des taches de sang et des poils collés sur quelques roches; une plaque de neige est striée de marques de glissade. Autant d'indices qui témoignent de la dégringolade de la bête. Le cœur en chamade, Nadine s'approche de la jument pour constater qu'elle est encore vivante. Les yeux vitreux de l'animal indiquent une forte fièvre; les nombreuses plaies causées par la chute sont ouvertes et infestées de parasites; de toute évidence, l'herbivore est dans cette fâcheuse position depuis plusieurs jours. Une de ses jambes est cassée et le sabot s'aligne dans un angle qui n'a rien de naturel. L'une des pattes arrière est très enflée, au point que la peau semble prête à éclater : une puanteur insupportable s'en échappe. « La gangrène... pauvre petite ! »

Fouillant sa mémoire, Nadine se souvient qu'une telle fracture est irrécupérable pour un cheval dont les membres très fins supportent un lourd poids. L'animal ne pourra plus jamais trouver sa nourriture ni se défendre contre un prédateur. Plusieurs propriétaires se sont résignés à tout simplement abattre la bête face à de telles conditions. Qui plus est, il y a cette putréfaction de la chair qui ronge inexorablement sa vie. Nadine ferme les yeux et soupire un bon moment. « Maudit pays, tu me forces encore à porter un geste que je déteste... cette fois-ci, je ne suis pas capable de laisser souffrir cette bête... »

S'approchant de la tête chevaline, Nadine observe plus particulièrement les yeux. Doucement, tout en flattant légèrement l'encolure, elle parle à la bête pour la rassurer face à l'inévitable :

— Est-ce que j'interprète bien l'expression à l'intérieur de tes prunelles ? Tu me demandes de t'aider à mourir... C'est ça ?

Le cœur de Nadine s'emballe et sa bouche devient sèche. Elle serre les dents et fronce les sourcils, cherchant au fond de son âme le courage de porter le geste moral qui tue. Malgré l'émotion qui l'étouffe, elle trouve finalement la détermination nécessaire. Elle sort sa machette de son étui et elle place la lame affutée dans le cou du cheval, là où elle aperçoit la carotide battre faiblement sous la peau. Puis, elle plonge son regard mouillé de larmes dans les yeux de la bête.

— Ça va, ma belle. Je mets un terme à ta souffrance. C'est fini maintenant.

D'un coup vif, Nadine glisse l'arme qui, sur le coup, coupe la fourrure et tranche l'artère vitale. Aveuglée par l'émotion douloureuse qui accompagne son geste, l'humaine ne voit pas le sang qui gicle et asperge son visage autant que ses vêtements. Elle garde son regard fixé sur celui de l'animal jusqu'à ce que les soubresauts cessent et que ses yeux revêtent l'aspect opaque de la mort.

Nadine reste accroupie un bon moment à côté de la jument, cherchant à retrouver ce souffle que l'obligation de tuer lui a volé. Alors que les corneilles s'approchent, elle essuie sa machette sur la fourrure brune, ajoutant ainsi au désordre de peau, de poils, de sang et de poussière qui y règne. Son corps vidé d'énergie par le geste contre nature qu'elle vient de poser, l'humaine remet lentement son sac sur son dos et remonte la pente abrupte afin de rejoindre Lou. Les charognards de tout acabit se chargent déjà de faire disparaître les traces de cette magnifique bête, comme si elle n'avait jamais existé. Nadine reprend son chemin sans se retourner une seule fois. Les dents serrées, la tête lourdement penchée, elle marche au ralenti. « Comment puis-je définir l'émotion qui m'afflige ? Un mélange de colère, de soulagement et, même, de satisfaction... un mélange plutôt explosif... mon cœur voudrait éclater... »

Le geste qu'elle a dû poser brise cette magie euphorique qu'elle associe avec l'arrivée du printemps. Cette mort qu'elle vient de donner s'harmonise mal avec toute l'effervescence des nouvelles vies qui s'installent au Pays de la Terre perdue. « Pourtant, cette journée avait si bien commencé... pourquoi me l'avoir gâchée par une telle expérience ? » Elle évalue la situation qui l'y a menée, cherchant une autre solution qu'elle n'aurait pas vue sur le coup. « Non ! Je n'avais pas le choix... je devais libérer la bête de sa douleur. Un geste de compassion... je n'avais pas le droit de la laisser souffrir. » Rassurée d'avoir bien agi, Nadine allonge le pas afin de poursuivre sa route en direction de la hutte.

Cependant, au fil de son chemin, une grande crainte s'infiltre insidieusement au fond de son âme. Le malaise est si vif qu'il lui donne la nausée et fout la chamade dans son cœur. Sous le poids de ses réflexions, elle ralentit sa marche au point de s'arrêter au milieu du sentier. Soudain, sa solitude devient particulièrement lourde, terrifiante, insupportable même. Elle est si troublée qu'elle se force à décrire à voix haute l'image qui colle à son cerveau :

— Si cela m'arrivait ? Si j'étais tombée au fond du ravin au lieu de la pouliche, qui serait venu à mon aide ? Qui aurait porté ce geste miséricordieux apte à me libérer de la douleur mortelle ?

Chapitre 4

Jour 623 – 29 mars

— Aaaaah ! Laissez-moi tranquille ! Je veux mourir en paix !

Un jappement sec sort la dormeuse de son rêve. Nadine ouvre les yeux. Elle repousse la peau de chevreuil et, d'une main, essuie la sueur qui coule sur son visage. « Il fait chaud dans la hutte... non... c'est encore ce foutu cauchemar. » La femme scrute son environnement en prenant tout son temps. Sur la couchette, ses couvertures emmêlées démontrent l'agitation causée par son sommeil agité. Le feu brûle encore dans la nuit noire. La présence du canidé la rassure. D'ailleurs, ces jours-ci, il revient plus tôt de sa chasse, comme si, d'instinct, il comprenait que sa mère adoptive avait besoin de lui. L'humaine étire le bras et caresse la tête du loup gris en guise de remerciement.

— Je vais chercher de l'air frais... Tu m'accompagnes ?

Nadine se lève, enfile ses bottes, ajuste une peau de renard sur ses épaules et sort de sa cabane de pierres, de perches et de toiles. Elle en profite pour saisir une petite torche et l'allume en la passant dans la flamme. Une fois rendue dehors, elle brasse les tisons encore chauds dans le foyer extérieur, puis y glisse son briquet néolithique. Elle prend la tasse qu'elle a oubliée en bordure du feu la veille au soir. « Je ne ramasse même plus les choses importantes de ma vie... chez moi, c'est un signe de détresse. Je dois me secouer... » Elle dépose le bol sur une pierre plate et pousse quelques bouts de bois brûlants en dessous pour réchauffer le liquide.

En attendant, elle s'assoit sur une roche rendue humide par la nuit et serre la couverture de peau autour de ses épaules. « Je connais très bien ce qui m'afflige... je n'arrive pas à oublier l'image désolante de la jument... ni ses yeux remplis de fièvre et de terreur. » Elle croise les bras sur sa poitrine pour y générer un peu de chaleur. Les yeux fixés sur la flamme, Nadine tente de calmer son cœur qui bat encore la chamade. Elle cherche à chasser cette terreur qui l'a encore une fois réveillée en sursaut. Elle est fatiguée, mais elle refuse de retourner dormir. « Je n'arrive pas à chasser cette scène odieuse de ma tête... » Elle regarde son haleine s'échapper de son corps en se transformant en vapeur translucide puis elle replonge dans sa réflexion.

Depuis la mort de la jument, Nadine ne sort pas d'une morosité qui l'entraîne peu à peu dans la dépression. Une nouvelle réalité reste coincée dans sa gorge et lui fait mal. Elle fait des cauchemars, nuit après nuit, et chaque réveil la laisse essoufflée et pantoise. Nourri par une sorte de terreur, son subconscient lui présente des situations tout aussi horribles les unes que les autres, alors qu'elle s'éteint lentement à la suite d'atroces douleurs.

Son plus fréquent cauchemar lui fait débouler la pente vers le fond du ravin, à la place de la jument. Incapable de bouger en raison des nombreuses fractures, elle devient fiévreuse et sombre dans la folie, alors que les vers la rongent malgré qu'elle soit toujours vivante. Puis il y a cette bataille rangée avec des loups qui la laisse meurtrie. Tapie dans un trou, elle perd son énergie par le sang qui coule de tous ses pores, pendant que les charognards attendent que la mort la prenne, histoire de mieux la dévorer. Peu importe la scène d'horreur que son imagination débridée lui présente, le résultat est toujours le même : ses blessures sont telles qu'elle n'arrive pas à porter elle-même le geste qui mettrait fin à ses atroces souffrances.

Elle se sent étouffée par l'angoisse qu'engendre cette idée de périr lentement, sans pouvoir se défendre, devenant une proie facile pour les nécrophages. L'hypothèse sur fond de vérité la dérange; la mort de la jument en est une preuve tangible. Elle enfonce son visage dans ses mains et, cherchant à comprendre tout ce trouble qui l'affecte, elle revient sur les évènements des derniers jours.

Nadine est arrivée au campement au sud du pont, en début d'après-midi, il y a maintenant quatre jours. Son bonheur intense de retrouver Allie avait été terni par l'horreur de cette scène létale vécue quelques heures auparavant. Comme à son habitude, cette femme intrépide s'est jetée dans l'action avec une énergie débordante, comme si ce désarroi qui mélangeait ses idées ne pouvait réduire ses habiletés physiques. S'appuyant sur cette dichotomie qui la caractérise, elle voulait en profiter pour structurer sa pensée et, pourquoi pas, mieux réfléchir.

Elle a d'abord allumé un feu dans le foyer extérieur, puis elle s'est affairée à aérer la hutte. À son avis, la cabane portait encore l'odeur du fauve qui avait envahi son camp l'automne dernier et qu'elle avait dû tuer. Ensuite, elle a fait le tour de la forêt pour garantir sa sécurité et, aussi, afin d'identifier les endroits où poussent ses plantes préférées... Puis, quand elle a senti que l'horreur s'était suffisamment évaporée de son âme, elle a profité de la chaleur de l'habitacle pour se laver et changer de vêtements. « Il n'est pas question que Jack et Allie hument l'odeur de leur congénère morte sur ma peau... »

Ainsi revigorée, elle traverse la forêt en diagonale pour se rendre directement jusqu'à la vallée aux chevaux. « Le fait de m'occuper d'Allie m'aidera à calmer toutes ces émotions qui me bousculent. » Cette fois-ci, la jument marche difficilement; toutefois, elle parvient à s'alimenter sans trop de problèmes, même si son gros ventre nuit à ses mouvements. D'instinct, les autres femelles ont décidé de l'entourer, de toute évidence pour la protéger. Nadine s'approche pour la flatter et lui parler doucement :

— Bonjour ma belle. Je suis si contente de te voir. Ça ne sera plus long maintenant. Quelques jours encore...

Cette visite lui fait du bien. Mais, toujours troublée par la mort de l'autre jument dans le ravin, Nadine est incapable de demeurer immobile, même pour une courte période. Elle ressent une envie irrésistible de hurler sa colère. Elle cherche à s'occuper afin de neutraliser cette rage qui la dévore. Ainsi, le lendemain de son arrivée, sachant qu'Allie ne poulinerait pas dans la journée, Nadine s'est rendue à la forêt mixte sous la grande paroi. Elle voulait vérifier si son nouveau protégé avait survécu. Ne portant qu'un havresac allégé, elle est partie à la course, traversant le pont, puis virant à l'est. Même à cette vive allure, elle a tout de même mis un peu plus d'une heure pour atteindre son but. Si les raquettes ne sont plus nécessaires, la fonte rapide de la neige rend le sol spongieux et boueux par endroits.

Déposant son sac près du foyer, elle tente de briser l'appréhension qui bloque sa respiration. « Je veux savoir... est-il mort lui aussi ? » Elle se dirige vers le trou aménagé dans la paroi pour le gros chat blessé, il y a presque deux semaines de cela. Elle marche lentement, pour réduire les battements de son cœur, certes, mais aussi pour garantir sa sécurité. Malgré tout, elle demeure toujours craintive du comportement du jeune lynx. Elle avance, pas à pas, observant chaque bosquet, s'approchant de l'antre d'où sortait une odeur fétide. Soudain, elle a le cœur dans l'eau : « Tigré n'aura pas survécu... » Déçue, elle attend que ses yeux s'habituent à la pénombre pour chercher le petit cadavre. « Je ne le laisserai pas aux charognards comme j'ai fait avec Brutus... je vais l'enterrer... »

Sa vue s'ajuste peu à peu. Elle remarque que toute la viande séchée est éparpillée sur le sol... Des ossements à moitié dégarnis de chair ont été poussés dans tous les coins. Elle compte une dizaine de carcasses... « Je ne lui avais laissé que trois lièvres et une perdrix... d'où viennent les autres ? Tigré aurait chassé... »

Un immense bonheur s'installe dans son cœur... mais elle a peu de temps pour le savourer, car, à ce moment précis, un rugissement derrière elle lui glace le sang. Elle ne voit pas Lou... Il se serait retiré afin de mieux surprendre le prédateur... Est-ce une manière toute canine de la protéger ? Très lentement, s'efforçant de ne pas trembler face au danger, elle se retourne. Un lynx lui fait face, bien planté sur ses quatre pattes épaisses et poilues; toutefois, son comportement n'affiche aucune menace. « Ça ne veut rien dire... il pourrait bondir de plusieurs mètres d'un seul coup ! Tiens bien ta lance pour l'embrocher s'il te saute à la gorge... doucement... »

Prête à réagir au moindre geste de son vis-à-vis, Nadine observe attentivement le félin. C'est ainsi qu'elle remarque que la patte droite avant de la bête est plus petite, plus mince : la cicatrice zébrée témoigne d'une guérison complète. Elle ne peut retenir l'explosion de joie.

— Tigré ! Tu marches sur ta jambe ! Bravo !

Le chat ne bronche pas. Nadine cherche à interpréter l'expression; elle n'est plus certaine si elle nage dans le bonheur ou la terreur... elle s'avance, un pas à la fois, pendant que le lynx l'observe attentivement. « Comment peut-il rester si immobile ? Quel sang-froid ! C'est pour ça que j'en ai peur... S'il saute... » À moins d'un mètre de la bête, Nadine s'accroupit et dépose sa lance par terre. La femme est rassurée par la présence du gros loup qui se place calmement à ses côtés. Le fauve ne fait aucun mouvement, hormis sa tête qui se tourne successivement vers les nouveaux arrivants... ses grands yeux noirs brillent d'une lumière intense. « On dirait vraiment des obsidiennes... » Même si la peur lui donne froid dans le dos, elle rassemble tout son courage pour parler en adoptant un ton d'une douceur plutôt mielleuse :

— Bonjour... Tu vas bien ? Est-ce que je peux voir ta patte blessée ?

Pendant qu'elle cause ainsi, elle porte le bras vers l'avant. Tigré bouge si vite qu'elle n'a pas le temps de réagir, même par réflexe. Elle sent le nez se glisser sur la paume de sa main : une langue, encore plus râpeuse que celle de Lou, lèche sa peau. Lou gronde; le fauve arrête le mouvement.

— Tout doux, mon gros. Il ne me fait rien de mal... c'est comme une caresse... je crois...

Devant la voix calme de la femme, le félin recommence son manège et Nadine le laisse faire pendant un moment. Puis, délicatement, elle prend la patte meurtrie pour mieux l'examiner. La plaie s'est refermée tant bien que mal. Il n'y a pas d'infection. Elle note que, la bête ayant rongé les muscles dans sa tentative de se libérer des ronces, la peau est en contact direct avec les os : ce membre restera plus petit que les autres. Quelle sera la conséquence de cette blessure ? Est-ce que les femelles de l'espèce refuseront de s'accoupler avec un mâle imparfait ? Les lynx sont inflexibles quand il s'agit de défendre leur territoire et se battent souvent entre eux. Est-ce que Tigré se tirerait d'une telle rixe ?

Pour le moment, le fait qu'il puisse chasser pour se nourrir est suffisant pour Nadine. Pour le reste, Tigré agira comme tous les autres habitants de ce monde sans merci : il survivra, puis un jour il mourra. Mais pas aujourd'hui.

Nadine sort de sa poche un biscuit, le casse en morceaux et le présente au fauve : une sorte d'offrande pour l'amadouer. Tigré s'approche d'elle, s'assoit et prend les pièces qu'elle lui donne, une à une, histoire de prolonger l'instant de magie. Même si ses mouvements sont vifs, jamais il ne mord les doigts de la femme. Fort impressionnée, l'humaine n'est pas encore au bout de ses surprises.

D'un geste lent et majestueux, le jeune lynx se lève et se dirige vers Lou. Il renifle, puis il se place devant le loup, la tête redressée avec fierté. Nadine retient sa respiration. « Je ne veux pas savoir qui gagnerait s'ils en arrivaient à se battre… allez les gars ! Soyez gentils… » Tigré projette son regard directement dans celui de Lou, puis ferme à demi ses paupières. « Soumission ? J'en doute. » La gueule du lynx semble s'agrandir, rendant visibles ses dents acérées et sa langue rose s'installe entre les crocs inférieurs… « Mince ! Tigré sourit ! Ce n'est pas possible ! Je rêve ! » Puis, Lou lève la tête, ouvre la bouche à moitié et laisse pendre sa langue. « J'aurai tout vu ! C'est ce que Lou fait quand il me voit arriver près de lui ! »

Émerveillée par ce spectacle ahurissant, Nadine reste immobile pour ne pas en briser la magie. « Si je racontais ça à la maison, personne ne me croirait… » Une heure plus tard, Nadine reprenait le chemin du pont, heureuse que son présent rôle ne consiste pas seulement à chasser des animaux : elle peut aussi soigner certains d'entre eux pour les aider à poursuivre leur vie. Un bout d'angoisse colle tout de même à son âme. « Si je n'avais pas été là, Tigré serait mort. Il a survécu parce que je me suis occupée de lui… Qui m'aidera si je me blesse ? » L'image de son bras droit infecté lui revient en tête. « Je m'en suis sortie parce que Lou était là, mais ce n'était pas une fracture… »

Son vagabondage et sa visite dans la forêt mixte l'ont réconciliée avec son bonheur. Elle ne peut que vivre une journée à la fois, prendre les précautions qui s'imposent et, surtout, elle doit apprendre à se faire confiance. « Ça fait plus de vingt mois que je vis ici et je m'en sors plutôt bien… Vivre une petite joie à chaque seconde me permettra de mourir heureuse, le plus tard possible… » D'un pas alerte, elle suit le chemin vers son camp au sud du pont. En route, elle hume toutes les nouvelles odeurs que le printemps lui offre. « Ce soir, je me fais une salade de pousses nouvelles… avec des têtes de violons… et un cube de sucre d'érable pour dessert… »

Alors que la femme est assise en face de son feu, elle replace à nouveau la peau de renard sur ses épaules. Son âme retrouve peu à peu la sérénité. Elle sait que les cauchemars disparaîtront au fur et à mesure que son subconscient s'arrimera avec la partie rationnelle de son cerveau. Entretemps, Nadine se résigne à attendre que la nature fasse son œuvre.

La philosophe lève les yeux vers la forêt pour mieux écouter le chant d'un pinson. Alors que ses souvenirs se bousculaient dans sa tête, la femme ne s'était pas aperçu que la nuit avait laissé la place à l'aube. « Une autre belle journée… je suis certaine que je verrai le bébé d'Allie aujourd'hui même… pour le moment, j'ai faim… »

L'humaine prend son temps afin de tout préparer : son déjeuner, son bain à la débarbouillette, le rangement de sa hutte. Elle a même lavé ses vêtements et apprêté quelques peaux en vue du tannage. Si l'effroi de mourir lentement, au gré de douleurs atroces, s'accroche encore à un coin de son âme, elle est déterminée à retrouver tous ces comportements qui font d'elle une femme fière et rebelle à la fois.

Sa nature enfantine revenue, elle se prend à siffler cette musique qui accompagne si bien sa vie d'aujourd'hui :

Nous prendrons le temps de vivre
D'être libre, mon amour
Sans projets et sans habitudes
Nous pourrons rêver notre vie[3] *[...]*

Même si l'amour de sa vie n'est pas avec elle pour savourer cette existence de nomade, elle se contente du bonheur que les animaux d'ici lui procurent. Un peu plus tard, se tenant debout au bord de son foyer, elle regarde le gros canidé couché au coin du feu... Elle éclate de rire puis, prenant une lance d'une main, elle bouscule de l'autre la bête endormie.

— Allez ! Ne fais pas le paresseux ! Moi je veux célébrer cette journée merveilleuse !

C'est ainsi que l'humaine et le loup s'enfoncent dans la forêt à la recherche d'une nouvelle aventure...

---

3 Georges Moustaki, Le temps de vivre Album Le métèque, 1969, étiquette Polydor

Chapitre 5

Jour 625 – 31 mars

Doucement, les paroles de Georges Moustaki s'égrènent dans sa tête.

Avec ma gueule de métèque
De Juif errant, de pâtre grec
Et mes cheveux aux quatre vents
Avec mes yeux tout délavés
Qui me donnent l'air de rêver[4] *[...]*

– Décidément ! L'exilé m'accompagne partout ces temps-ci !

L'idée que Bernard avait raison, en 1973, la fait sourire. « Peut-être que j'étais tombée "un tout petit peu" amoureuse du chanteur à l'allure de poète. J'ai tellement écouté le disque de vinyle qu'il a fini par s'user... » Par la suite, elle s'est procuré la cassette « huit pistes », puis il y a eu cet exemplaire pour son baladeur et, il y a quelques années, un CD pour l'ordinateur. C'est aussi l'un des premiers albums qu'elle a enregistrés sur son iPod... « Je connais toutes les paroles par cœur... »

Ce n'est pas étonnant que le métèque l'inspire encore dans ces vadrouilles du printemps. Né en Égypte de parents grecs, de religion juive et apprenant d'abord l'italien, Georges est un enfant du monde. Établi en France dans les années 50, il vit de tous les métiers jusqu'à ce que sa carrière de poète et de chansonnier s'envole. Si elle ferme les yeux, Nadine peut faire surgir de sa mémoire les images de cet homme à la voix douce, à la barbe longue et grise. Elle l'a vu si souvent se produire dans les boites

4 Georges Moustaki, Le métèque Album Le métèque, 1969, étiquette Polydor

à chanson des Cantons de l'Est et de Montréal. Cet artiste engagé parlait souvent de son exil. De racines grecques et juives, il s'est toujours senti loin de sa patrie, même si la France l'a accueilli bien tendrement.

Nadine chante pour occuper le temps qui ne s'écoule pas assez vite à son goût. Elle vient de passer de longues heures auprès d'Allie. Comprenant que le grand moment allait bientôt se produire, elle n'ose pas la quitter. Elle plonge la main dans son sac et en retire quelques bouts de lièvre séché. « Je n'ose même pas chasser... » L'attente incommode la nomade : elle flatte une bête, puis l'autre et s'assoit quelques minutes sous un pin pour se protéger du soleil un peu trop insistant; puis, impatiente, elle revient auprès d'Allie.

Le soir venu, la jument s'écarte de sa harde pour s'installer dans un coin tranquille de la plaine. « Enfin... je vais savoir... » Nadine comprend qu'Allie sera mère au cours de la nuit. En liberté, les ongulés tolèrent difficilement toute forme d'interférence au moment de la naissance. Mais la relation entre l'humaine et ce groupe de chevaux représente un gage suffisant pour qu'on lui permette d'accompagner son amie à travers cette nouvelle expérience.

Nadine attend. Elle ne fait pas de feu, bien que le froid la tenaille. Heureusement, la présence de la lune dans un ciel sans nuage facilite sa vision. Elle n'ose pas bouger, de peur d'importuner le déroulement de la délivrance. La harde s'est placée en retrait, tout en restant suffisamment alerte; ainsi, les autres ongulés pourront répondre à toute agression qui risquerait de contrarier le déroulement de cette naissance. Puis, quand la jument se couche sur le côté, la femme s'avance pour se mettre à genoux près de la tête de son amie. Juste assez proche pour qu'Allie puisse la voir, mais suffisamment loin pour éviter de nuire à l'évènement.

C'est ainsi que le miracle de la vie se déroule sous ses yeux. Sous une lune blanche et lumineuse, deux minuscules sabots apparaissent, puis deux pattes deviennent visibles.

Nadine sait que c'est normal pour les chevaux de naître en sortant les jambes d'abord. Quelques instants plus tard, le corps du poulain glisse sur l'herbe : la tête et les pieds avant suivent. L'astre de la nuit éclaire suffisamment les environs et Nadine distingue sans difficulté le jeune mâle à la peau très foncée. Le fils de Jack venait de prendre sa place au Pays de la Terre perdue.

L'instinct associé au don de la vie étant très fort, Allie se redresse, sans se relever complètement sur ses pattes et commence à lécher son bébé. Nadine est émerveillée par la douceur des gestes : la mère prend soin de son fils et celui-ci étire le cou pour mieux s'approcher du corps de sa mère. Soulagée de voir le poulain en santé et Allie enfin libérée, Nadine laisse échapper son souffle qu'elle avait retenu sans s'en rendre compte. Sans qu'elle ne puisse l'empêcher, de grosses larmes coulent sur ses joues. Elle pleure de joie, bien sûr. Ne venait-elle pas d'être témoin de l'évènement le plus beau de la nature ? N'avait-elle pas sous les yeux une preuve que la vie allait perdurer encore longtemps au Pays de la Terre perdue ?

Essuyant son visage du revers de la main, elle laisse une grande résolution s'infiltrer dans son âme. « Je vais vivre le plus longtemps possible… j'ai l'intention de participer à cette vie avec toute l'intensité dont je suis capable… comme durant cette nuit… » Malgré ses crampes, Nadine reste accroupie auprès d'Allie. Elle flatte l'encolure de la jument et glisse ses doigts dans sa crinière enchevêtrée, désirant transmettre toute sa fierté à la jument et la rassurer par la même occasion.

Une heure plus tard, la nature l'exigeant, Allie se relève complètement et le poulain, debout sur de longues jambes chétives, prend sa première tétée. Alors que l'aube s'installe, Nadine éclate de rire à la vue du bébé baigné par la lumière du jour. Le petit à la peau rousse a hérité de son père une tignasse plutôt noire, mais cette dernière se dresse telle une touffe raide sur le dessus de la tête.

— Qu'est-ce que tu fais avec un tel plumeau sur la caboche ? C'est ça ! Je vais t'appeler Plumo.

Bien sûr, le bébé ne gardera probablement cette crête que quelques jours, mais Nadine s'en souviendra chaque fois qu'elle prononcera son nom. L'humaine s'est abstenue de le toucher. Elle sait qu'en pleine nature, pour la survie du nouveau-né, il faut tout d'abord que la relation entre la mère et son rejeton s'établisse, cela sans aucune entrave. Ainsi, quand Allie a poussé le poulain pour regagner leur place dans la harde, la femme a repris le chemin de son campement pour dormir un peu.

Malgré la fatigue, elle prend le temps de marquer son journal de bois d'une croix, plutôt que de l'habituelle encoche afin de marquer cette journée extraordinaire qui la réconcilie avec son besoin de vivre intensément. Son cœur est rempli d'une immense joie. Cette fois, aucun cauchemar n'est venu troubler son sommeil.

Le lendemain, Nadine se dépêche de retourner auprès d'Allie et de son fils. Elle doit se glisser entre les bêtes pour la rejoindre. Les chevaux se tiennent en rangs serrés de façon à ériger une sorte de mur de protection autour de la mère et du rejeton. Même si Jack surveille tous les mouvements de la femme, il la laisse s'approcher, acceptant aussi que Lou la suive. Nadine flatte la jument pendant plusieurs minutes. Puis, agissant le plus naturellement du monde, Allie a poussé délicatement son fils vers la nomade.

Le moment des présentations était arrivé. Le cœur rempli de bonheur, Nadine caresse doucement le corps du poulain, appréciant la perfection des membres minuscules, de la fine tête et de son cou élancé.

— Tu es si petit et si beau… tu ressembleras à ton père…

Lou s'approche lentement pour renifler le nouveau venu sous l'œil calme d'Allie. Même si l'étalon affiche une tolérance qui semble forcée, Nadine observe plutôt la scène d'un sourire amusé. Le canidé vient-il de trouver un ami ?

Un frère ? Un gros neveu ? Nadine est toujours émerveillée lorsqu'elle voit Lou agir avec autant de délicatesse envers des animaux qui, normalement, seraient pris en chasse par sa meute.

Sachant que, pour les prochains jours, Allie et Plumo auraient surtout besoin de l'entourage des autres membres de la harde, Nadine retourne à sa hutte. Son plan est simple : se préparer un bon dîner pour fêter la naissance de son nouvel ami, puis s'endormir très tôt. Demain, elle veut se rendre dans la péninsule pour y passer plusieurs semaines. Il est temps qu'elle mette en œuvre son idée d'explorer cette Terre juchée. Ce bout du Pays de la Terre perdue l'attire comme un aimant pour la bonne raison qu'elle ne connaît pas encore ce qu'il contient…

La tête sur l'oreiller, Nadine rêve de jours futurs... La femme courbée par l'âge porte les cheveux si longs qu'elle marche dessus. Un bâton aussi noueux que ses jambes maintenant dégarnies de muscles remplace sa lance. Ses vêtements trop amples pour son squelette décharné flottent tellement qu'elle ne voit pas ses mains. La vieille nomade se déplace lentement dans une étendue boisée où d'innombrables paires d'yeux l'observent… comme si leurs propriétaires guettaient le moment où la vie quittera ce corps résistant…

Les prunelles de la dame âgée luisent d'éclairs intelligents presque fiévreux. Tout en avançant dans cette forêt sans fin, une conversation sur un ton monocorde s'anime au rythme de ses pas saccadés. Le plus cocasse c'est que les deux volets de la communication sortent de la même bouche.

— Je te le dis ! La vie m'a oubliée ici !

— Bien non ! Tu mourras un jour ! Tu le sais que ça s'en vient !

— Je te le dis ! Je n'arrive plus à chasser ! Les poissons me fuient ! Je crève de faim et j'existe toujours !

— Voyons donc ! Si tu vis, c'est parce qu'il y a indéniablement un souffle en toi ! Tu peux subsister en mangeant des plantes !

— Je te le dis ! J'en ai assez de vivre ! Pourquoi ce maudit pays me fait-il endurer cette vie *ad vitam æternam* ? Tu peux me l'expliquer ?

— Ressaisis toi ! C'est certain que tu es capable de survivre pendant encore plusieurs années !

En pleine nuit, Nadine se réveille en sursaut, le corps en nage, le souffle court, le cœur battant la chamade. « Est-ce que ça fait mal de mourir de vieillesse ? Deviendrais-je folle à l'instar de ce que mon subconscient me propose ? Je ne veux pas vivre cela ! Je veux mourir avant d'être aussi vieille… »

L'idée même de mettre fin à ses jours lui répugne tellement qu'un haut-le-cœur la fait sortir à toute vitesse de la hutte, pour soulager son estomac, certes, mais aussi pour lui donner l'occasion de respirer à pleins poumons l'air frais de la nuit.

Un relent de colère l'étouffe. Elle brandit le poing audessus de sa tête et hurle à pleine gueule afin de parvenir à reprendre le dessus sur ses émotions.

— Maudit pays de merde ! J'étais heureuse de savourer simplement la vie… Pourquoi m'embêtes-tu en me rappelant que je vais mourir ici, je ne sais trop comment ? Laisse-moi tranquille !

Chapitre 6

Jour 651 – 26 avril

« Bon ! Qu'est-ce que je peux faire de plus ? Est-ce que j'oublie quelque chose ? »

À la lueur de son feu, Nadine énumère de mémoire tout ce qu'elle a préparé en vue de sa prochaine expédition. Un large sourire se dessine sur son visage, faisant luire la fierté à travers ses yeux clairs. Elle nage dans le bonheur. « Je me surprends encore après tout ce temps ! J'ai des solutions que je n'aurais jamais pu imaginer dans un autre contexte. Mes neurones travaillent en face de chaque défi qui se présente ! » Se redressant, elle tourne son regard vers l'est.

– Il ne manque que du soleil… et Lou…

En attendant, elle laisse une immense satisfaction couler sur son âme, au souvenir des évènements des dernières semaines qui défilent dans sa tête. Le plaisir causé par l'arrivée de Plumo et la survie de Tigré a fini par prendre toute la place dans son cœur, repoussant dans un coin caché de son cerveau le spectre de la mort de la jument à la peau foncée. Le poulain et le lynx s'ajoutent au groupe hétéroclite de ses amitiés contractées au cours de son périple. Elle les reverra bientôt, mais pour le moment, elle a beaucoup à faire en vue de l'exploration de la Terre juchée.

Rassasiée par cette vie de nomade qui l'a contrainte à voyager en zigzag au nord de la rivière aux brochets pendant des semaines, Nadine a enfin pris le chemin de la péninsule sud, dès le lendemain de la naissance de Plumo. Bien décidée à mettre son projet à exécution dès que possible, elle a parcouru la route à la course, ne ralentissant même pas dans la forêt aux érables.

Elle s'arrête seulement en apercevant le bord de la mer, en fin de journée. L'aventurière se rend directement au lagon pour s'y reposer. Elle marche de longues heures sur le sable blond, permettant à ses idées de se clarifier. Appréciant le mouvement du vent léger dans ses mèches rebelles et la chaleur du soleil sur la peau de son visage, la femme laisse son corps se libérer de la tension des dernières semaines. « Ici, c'est mon Club Med… je peux relaxer et me ressourcer. La paix des lieux jette un baume sur mon âme un peu trop chargée par tous ces évènements qui m'ont bousculée récemment… »

Ici, la sérénité qui la berce l'aide à affronter toutes sortes d'émotions qui refont surface. C'est un lieu de paradoxes. Elle se souvient du désarroi, puis du découragement qui l'a frappée la première fois qu'elle y a mis les pieds. Cet immense océan l'emprisonnait. Elle place sa main sur la petite pochette qui pend à son cou. Elle contient une minuscule roche noire, une obsidienne, qui lui rappelle sa décision de survivre vaille que vaille. « Il y a si longtemps… des siècles presque… mais la honte face à ma réaction est toujours présente… »

La page suivante de ses souvenirs lui rappelle la panique qui l'a assaillie l'été dernier, quand le Liberta a été poussé plus loin au sud, au beau milieu d'une tempête épouvantable. L'image déchaîne à nouveau une terreur si vive que son corps tremble à l'idée de naviguer une autre fois sur cet océan. « Plus jamais... Cette fois, j'ai marché pour venir jusqu'ici… » De toute façon, depuis cet épisode, Lou refuse de monter sur le radeau. Ainsi, sa décision de faire la route à pied en a été facilitée.

« Je voyagerai vers le sud, c'est certain. Je suis trop curieuse… je veux savoir où les oiseaux passent l'hiver. J'aimerais trouver une terre qui ressemble à la République dominicaine… l'Équateur peut-être… Ça serait bien. » Par contre, elle s'y prendra autrement. La navigatrice partira en juin quand la température sur la mer sera plus chaude.

Elle traversera l'océan en face de sa grotte pour accoster son radeau dans la rivière Azur, en bordure de laquelle elle a construit une hutte de pierre l'été dernier...

« J'ai tellement hâte... » Elle trépigne à l'idée d'entreprendre ce voyage. Même le souvenir de ses rencontres désagréables avec les lynx roux n'arrive pas à réduire ce sentiment d'anticipation fébrile qui l'habite. Nadine doit admettre que sa trop grande hâte de partir en mer jette aujourd'hui un peu d'ombre sur sa quiétude. Vivant avec ce caractère fougueux depuis tant d'années, 57 ans en fait, l'aventurière sait qu'il lui faut occuper son temps d'attente avec des activités qui l'aideront à consumer son impatience.

Peu à peu, le paysage autour d'elle se pare de ses riches couleurs diurnes. Le soleil fait rebondir ses rayons sur les vagues, faisant scintiller la surface de l'eau. Face à tout cet éclat, Nadine plisse les paupières : son réflexe la ramène dans le moment présent. Souriante, la femme s'approche de son foyer pour examiner le liquide brunâtre que contient un bol en bois qu'elle garde en permanence sur une roche à proximité du feu. « La couleur du café... bien sûr, ce n'est que du thé des bois, mais je pourrais facilement m'imaginer qu'Alex m'a rejointe avec un kilo de café frais moulu... » Même si l'idée de penser à son mari la désole toujours, elle note ce matin que la douleur est moins vive. « Le deuil se poursuit... je suis en train de guérir... »

Fidèle à son caractère un peu hyperactif, qui consiste à sauter d'une pensée à l'autre sans vraiment les lier ensemble, elle laisse une idée farfelue pénétrer son cerveau en ébullition... « Dans le sud, d'habitude, on trouve les caféiers... » La femme soupire, se rappelant qu'elle doit patienter encore quelques semaines. Hier, elle a vu des plaques de glace grosses comme des icebergs emportées par le courant qui se dirige vers le sud. Une sorte de grognement monte de sa gorge, alors qu'un filet de mots s'échappe de sa bouche dans un marmonnement presque inaudible.

— Attendre ! Sempiternellement ! Ici, ça fait partie de ma philosophie de vie…

Avec une louche sculptée de ses mains, Nadine verse du thé dans une tasse en bois. Puis, elle marche jusqu'à la mer et s'assoit sur un carré de peau de chevreuil. Elle a besoin de ce confort pour mieux ménager ses vieux os. Elle se place face à l'océan afin que le vent fouette délicatement son visage, que le son des vagues remplisse ses oreilles et que l'odeur de poisson et de varech chatouille ses narines. Fermant les yeux, elle savoure sa joie de vivre. Les goélands virevoltent et jacassent au-dessus de la mer; elle profite pleinement de ce grand contentement. Parce que ce coin de pays est devenu son endroit pour prendre des vacances et réfléchir dans une sorte de contemplation de la nature. S'il fait encore trop froid aujourd'hui, elle sait que, l'été venu, elle se baignera dans le lagon et laissera son corps nu sécher sous le soleil. Malgré le souvenir désagréable concernant certains évènements qui y sont survenus, l'humaine est tout simplement heureuse de revenir régulièrement sur cette péninsule si sereine. Un havre de paix dans un monde souvent hostile.

Elle lève la tête et regarde en direction de la forêt. Elle n'a pas vu Lou ces derniers temps. Quand il se présente au campement, le canidé dort toute la journée, puis il retourne à son vagabondage. Elle l'entend parfois autour de la hutte la nuit; il chasse les bêtes qui pourraient nuire à la sécurité de sa mère adoptive. Nadine est convaincue que ces visites impromptues et sporadiques démontrent qu'il cherche à la protéger. Même si elle ne l'aperçoit pas, elle sent sa présence tout autour d'elle.

Il y a deux jours, alors qu'elle était au bivouac 1, sur la Terre juchée, Lou s'est battu avec un lynx qui tentait de s'approcher un peu trop du camp. La femme a reconnu son cri et, le lendemain, elle a vu des traces de sang laissées sur le sol. Quand elle en a eu la chance, elle a inspecté chaque bout de la fourrure du loup sans y découvrir une seule blessure nouvelle. Son soulagement n'avait d'égal que son désarroi face au fait qu'une autre bête soit morte pour qu'elle, l'humaine, puisse vivre.

Elle prend une gorgée de tisane, ferme les yeux et se remémore le début de ce projet d'exploration plutôt inusité. Elle désirait entreprendre tout simplement l'examen minutieux du haut plateau qui s'étend du sud au nord, entre la paroi qui tombe du côté ouest sur la partie basse du Pays de la Terre perdue, et par la grande falaise qui se jette dans l'océan plus à l'est. Elle a déjà passé une longue journée à en explorer les abords, y découvrant un territoire aride, dépourvu de points d'eau.

Elle n'y a aperçu aucun gibier, sauf quelques petits écureuils et une poignée de mulots. Même les nids d'oiseaux marins sont inaccessibles, accrochés pour la plupart en bordure de l'escarpement qui surplombe les vagues agitées. L'absence de forêt génère une autre complication. Les quelques conifères rabougris, éparpillés ici et là, témoignent de la rigueur du climat sur ce plateau balayé par le vent : peu de nourriture et d'eau disponible, aucun arbre en vue.

Nullement découragée par les difficultés rencontrées dans cette région à l'aspect lunaire, elle a consacré de nombreuses heures durant l'hiver afin d'y réfléchir. En accord avec sa façon bien à elle de s'approprier un territoire, avant même d'y poser les pieds, elle a nommé cette zone « la Terre juchée ». Les défis étaient grands, tout comme pour la construction du pont, des huttes et du radeau. Il fallait impérativement développer des solutions et les tester.

À première vue, on ne trouve là-haut ni collines, ni amoncellements rocheux. Il n'y a pas d'endroit pour se protéger contre le vent, la pluie ou la foudre meurtrière. Nadine devra non seulement baliser son chemin, mais également installer des cabanes de pierres et y placer tout ce dont elle aura besoin pour y survivre au moins quelques jours. Si les roches sont disponibles pour bâtir des abris, elle devra cependant charroyer le bois que nécessitera tout ce projet de construction.

L'absence d'eau est de loin la difficulté la plus importante. Elle n'a trouvé aucun ruisseau en cinq heures de randonnée. Bien sûr, elle peut transporter des gourdes, mais ce ne serait pas suffisant pour garantir son hydratation et celle de Lou si son exploration devait durer plusieurs jours. « Je veux me rendre le plus loin possible… ça pourrait prendre quelques semaines… » Elle doit donc user d'ingéniosité pour utiliser la seule source d'eau disponible, celle qui tombe du ciel lorsque les orages éclatent. « Je les déteste tant ! Mais, si mes plans s'avèrent justes, ils me seront utiles cette fois plutôt que d'être un frein à mon rythme de vie… »

Comme l'a démontré chacune de ces observations de la paroi au cours des derniers jours, ainsi que ses expéditions en mer l'été d'avant, la Terre juchée n'est accessible que par la péninsule sud, là où le plateau descend en pente douce vers l'océan. Ainsi donc, depuis quelques semaines, elle se rend là-haut avec son travois pour travailler.

Afin de jalonner sa progression sur la Terre juchée, Nadine a l'intention de construire des huttes à des intervalles réguliers. Soudain, un sourire narquois anime son visage et ses yeux garrochent des éclairs… « Cher pays, j'ai toujours l'intention de te donner de l'acné… et, quand tu seras trop écœuré… tu n'auras qu'à me laisser partir… » Chaque camp comprendra un abri, bien entendu, ainsi que tout ce dont elle aura besoin pour survivre. De plus, à l'extérieur, elle construira des « collecteurs d'eau » : ces trépieds de deux mètres de haut soutiendront des chaudières qui, selon ses plans, se rempliront d'eau lors des tempêtes.

Il y a une semaine, elle a terminé l'installation de son bivouac numéro 1 situé juste en haut de la pente, en bordure du plateau. L'ingénieure a utilisé le modèle développé pour sa hutte près de la rivière Azur sur la Terre de la Forêt verte. Si, là-bas, la pénurie de peaux nécessaires à la construction du toit avait guidé son choix, ici c'est le vent trop fort qui l'incite à s'inspirer du même modèle. Elle est convaincue qu'une structure en forme de tipi ne survivrait pas longtemps. « Encore une fois, j'ai puisé dans mon expérience antérieure pour la construction… je suis la meilleure ! »

Reposant sur une base de terre battue, l'ouvrage à la forme arrondie possède des murs de deux mètres de haut, réalisés à partir de roches de type gneiss qu'elle trouve en grande quantité sur la Terre juchée. Sans ciment, elle a construit l'habitation à la méthode gaélique, comme celles qu'elle a vues sur la côte ouest de l'Irlande. Elle a monté l'enceinte pierre sur pierre, les ajustant les unes après les autres. Il s'agit, dans les faits, de cailloux placés ici et là qui rendent la structure particulièrement solide. « Heureusement, j'aime les casse-têtes… même quand le nombre de pièces à assembler est imprécis… »

Le toit du bivouac, une courtepointe de peau imperméabilisée avec du suif, est déposé sur un billot de peuplier de deux mètres placé en travers, juste au-dessus des murs. Toutes les pièces sont solidement ancrées au sol avec des sangles et des pieux. Au centre de l'abri, il y a un petit foyer qu'elle pourra utiliser durant les orages.

Cette fois, l'inventrice a doté sa hutte d'une nouveauté. En construisant le pourtour, elle a disposé quatre planches enchevêtrées de façon à retenir la pierre et offrir une ouverture vers le nord-est. Ainsi, sans même sortir de la cabane, la nomade pourra observer le soleil se lever et mieux reconnaître l'arrivée des ouragans. L'entrée de l'abri, opposée à la fenêtre, a aussi été solidifiée avec des poutres. « Peut-être qu'un jour je construirai une porte en bois avec un linteau et des rabats pour la fenêtre… » Nadine secoue la tête devant toute cette panoplie d'inventions générées par son cerveau hyperactif.

Une fois son bivouac installé, sachant que le prochain orage ne tardera pas, elle a repris le chemin de la péninsule afin de se mettre à l'abri. Pas question de jouer la téméraire et de tester ses nouvelles infrastructures en y logeant ! Elle a pourtant hâte de voir si ça marche. Sinon, elle devra résoudre les problèmes découlant du manque d'eau autrement... « Ça va aller, c'est sûr... puisque c'est moi la meilleure ! » Son cœur se serre alors que la colère se glisse dans son corps. « Je l'attends encore cet orage... ça fait au moins trois semaines qu'il n'a pas plu ! C'est certain ! Parce que j'en ai besoin, le maudit pays tarde à le faire éclater... » Elle soupire en observant l'horizon plus à l'est. Ce ne sera pas pour aujourd'hui...

Nadine se lève. Elle ramasse la peau de chevreuil sur laquelle elle était assise et marche vers sa hutte. Elle balaie du regard les environs. Afin de préparer tout le matériel que nécessite l'installation de ses bivouacs, l'ouvrière a dû organiser des aménagements spéciaux. Pour mener à bien son projet, elle a besoin de billots de deux mètres, de rondins plus petits, de pièces de cuir, de gravier, de chaudières en bois et de plusieurs outils. Ainsi, elle a organisé un véritable chantier de construction, mettant sur pied plusieurs centres de travail, chacun consacré à une tâche particulière.

Un foyer, près de son abri afin qu'elle puisse mieux le surveiller, sert exclusivement au séchage des produits de la chasse et de la pêche. Elle place des morceaux de viande et de poisson en les attachant à des fils, un peu comme des vêtements sur une corde à linge, pour les faire sécher au-dessus d'un feu de boucane. Cette technique décourage les goélands qui tentent de lui chiper sa nourriture à tout instant et empêche les minces pièces de voler partout sous l'effet du vent fort qui balaye constamment cette zone.

Un peu plus loin, à l'écart, cette fois-ci, afin que l'odeur désagréable ne pénètre pas dans sa hutte, un autre poste de travail sert à préparer les peaux en tous genres. Un établi lui permet de procéder au nettoyage et au tannage des cuirs. Plusieurs nouveaux outils y logent en permanence : un couteau en schiste, un grattoir, quelques roches, des récipients et de nombreuses lanières. Juste à côté, des cerceaux confectionnés avec de longues branches souples permettent de maintenir les tissus tendus durant le processus du séchage.

Du coin de l'œil, elle aperçoit le foyer où elle fabrique les tisons qui lui permettront de transformer le bois en objets précieux comme des chaudières et des plateaux en tout genre. Détournant son regard vers une zone en face de sa hutte, la gourmande sourit à la vue de son coin « cuisson », là où elle fait chauffer, presque en tout temps, des bols sur des pierres plates. Un peu plus loin, elle a installé un petit four : constitué par une sorte d'assiette en schiste très lisse, recouverte d'un capuchon de roches enchevêtrées savamment, sous laquelle elle place un feu garni. Elle y cuit des viandes, des biscuits et du pain sans levure avec beaucoup de succès.

À l'orée de la forêt, elle a aménagé son chantier pour fabriquer les pièces nécessaires à l'aménagement de ses camps. Elle fouille, tout d'abord, l'étendue boisée afin d'y identifier les troncs dont elle a besoin. Une fois qu'elle a abattu un arbre, Nadine le tire, à l'aide de sangles qu'elle attache à ses épaules, jusqu'à la zone de débitage. D'un côté, il y a tout le branchage dégagé par l'activité et, de l'autre, quelques billots maintenant disponibles pour le transport.

Sa tasse de tisane vide dans la main, la femme regarde cette vaste installation et une idée la fait sourire. Depuis qu'elle vit au Pays de la Terre perdue, elle a amélioré son sort en utilisant toutes ses connaissances acquises grâce à cette éducation qui est la résultante de la culture moderne. Aujourd'hui, son campement lui rappelle le début de l'industrialisation, à la fin du XIXe siècle, alors que la séparation des tâches fut poussée à l'extrême : chacun des employés devenait responsable d'une seule opération, l'accomplissant sans relâche, sans se soucier de la besogne assignée aux autres. S'inspirant de ses lectures sur le sujet, elle se souvient que, par cette organisation séquentielle et fragmentée, les manufacturiers prétendaient augmenter la productivité et accroître le rendement des entreprises. « J'aimerais bien, moi aussi, avoir un essaim de vaillants ouvriers pour m'aider… mais, en tant que seule humaine ici, ma réalité est tout autre : j'accomplis toutes les tâches et je tiens tous les rôles, les uns après les autres, afin de terminer tous mes projets… »

Aujourd'hui, et chaque jour d'ici le prochain orage, elle poursuivra cet indispensable travail de préparation. Aussi souvent qu'elle le pourra, elle fera le voyage vers le bivouac 1 afin d'y transporter tout le matériel nécessaire pour la construction des camps suivants, lesquels seront situés un peu plus au nord. Une fois la tempête passée, elle déplacera tout ce dont elle a besoin vers l'endroit choisi pour procéder à l'aménagement du bivouac 2. Si ses collecteurs d'eau fonctionnent bien, elle n'aura pas à revenir à la pointe de la péninsule avant plusieurs jours, ce qui lui permettra de compléter l'organisation de sa nouvelle hutte. Elle connaît déjà le lieu de construction qu'elle a d'ailleurs visité il y a quelques jours.

Nadine affiche soudain un air songeur, prenant conscience d'une autre dimension de son projet. « Hum… ici, il n'y a jamais rien de facile… » En route, elle aura besoin d'aménager un sentier carrossable entre les deux points. En effet, sur la Terre juchée, l'ingénieure ne trouve sur son chemin que des millions de cailloux de toutes grosseurs. Comme le transport du matériel s'effectue avec le travois à roue fabriqué l'an dernier, il est nécessaire d'identifier le meilleur endroit qui permettra de faire passer le tout, quitte à l'aménager de A à Z. Ce sera sans doute une besogne éreintante. Par contre, l'aménagement du sentier lui permettra de se déplacer plus vite et de façon sécuritaire entre les points d'eau.

Une fois installée confortablement dans le bivouac 2, elle poussera son exploration un peu plus loin, afin de trouver le lieu idéal pour bâtir un troisième poste d'arrêt. Elle soupire en réalisant que ce projet exigera beaucoup de temps, tant pour le travail sur place que pour les nombreux voyages consacrés au transport des billots, de l'eau, de peaux et de nourriture. Ce sera long et elle devra s'armer de patience… mais cela lui permettra de se tenir occupée en attendant son périple ultime de l'été, à la recherche du pays où les oiseaux passent l'hiver...

Se remémorant tout ce qu'elle a observé lors de son escapade sur la mer de l'est, elle réalise qu'elle ne terminera pas l'exploration de la Terre juchée cette année; elle devra continuer l'an prochain. « Ça va devenir mon expédition du printemps… à l'instar de mon groupe de trekkeurs qui sélectionne toujours une expédition en fonction d'un lieu qu'ils connaissent bien, histoire de donner le coup d'envoi à leur saison de randonnée. » L'idée de pouvoir compter sur une nouvelle forme de routine dans sa vie la réconforte. Planifier cette sortie printanière l'aidera à mieux supporter les rigueurs de l'hiver. Puis, une ombre se glisse sur son âme : « Jusqu'à ce que je devienne une vieille femme et que je ne puisse plus… » D'un coup de tête, elle chasse l'image cauchemardesque. « Je mourrai bien avant cela… »

La nomade calcule dans sa tête. D'ici quelques semaines, elle poursuivra l'exploration de la Terre juchée, puis, au cours du mois de juin, elle retournera à la grotte. Montant à bord du Liberta, elle traversera la mer vers la Terre de la Forêt verte et elle la ratissera de tous bords et de tous côtés. Est-ce que la hutte construite l'été dernier dans la vallée de la rivière Azur a tenu le coup ? Elle terminera son aménagement en fabriquant un lit et une étagère. Quelques outils y resteront en permanence, tout comme des pierres à feu, des bols et des chaudières.

Puis, s'il le faut, elle reviendra ici à la fin de septembre afin de préparer avec soin sa survie durant la saison froide… Une épreuve déjà vécue à deux reprises.

Elle baisse la tête pour mieux contrôler son désarroi. « Lou… il ne m'accompagnera pas cette année… je ne le forcerai pas à remonter sur le radeau. » Est-ce que ce sera la rupture finale entre l'humaine et l'animal ? Elle n'est nullement inquiète pour le gros canidé : il fera sa vie de loup et prendra sa place dans ce monde de prédateurs. « C'est à propos de moi que j'angoisse… je dois l'avouer. » Elle a froid dans le dos à l'idée de ne plus revoir ses protégés et ses amis du Pays de la Terre perdue. Ils sont plus nombreux depuis quelques semaines, alors que Tigré, Anatole et Plumo se sont ajoutés à la bande. Ainsi, pour chasser la morosité qu'elle associe à une trop grande solitude, Nadine songe sérieusement à revenir passer l'hiver dans sa grotte, peu importe où son exploration de l'été la conduira.

L'esprit fatigué par toute cette réflexion, Nadine dépose sa tasse en bois dans sa hutte. Elle regarde le soleil haut dans le ciel; un sentiment de remords s'installe alors qu'elle prend conscience de toutes ces heures perdues à jongler sans but… puis elle éclate de rire. « Je peux être oisive autant que je veux… rien ne presse… pourquoi courir ? » Malgré ce coup de gueule qui l'incite à prendre la vie de façon un peu plus cool, la femme au tempérament fougueux s'active.

Elle vérifie ses feux qui ont atteint des proportions quasiment industrielles et s'assure que toutes les tâches en cours sont conformes à ses attentes. Puis, elle se dirige vers la forêt pour y travailler quelques heures. En fin de journée, si tout va bien, elle aura terminé la préparation des derniers billots de bois dont elle a besoin pour son bivouac 2. Demain, elle commencera à fabriquer le matériel pour le troisième poste. Quand l'orage passera enfin, elle partira pousser son chemin vers le nord, en direction de la Terre juchée. Elle a des fourmis dans les jambes tant elle a hâte de se rendre à bon port. Le cœur plein de joie, elle chantonne cette belle chanson de Félix Leclerc qui dépeint si bien sa vie de vagabonde :

Moi mes souliers ont beaucoup voyagé
Ils m'ont porté de l'école à la guerre
J'ai traversé sur mes souliers ferrés
Le monde et sa misère [...]

Puis, le rire éclatant de l'humaine se répercute sur la mer.

– Dans mon cas, mes bottes n'ont pas encore fini de voyager… j'aurai même besoin de plus d'une paire… c'est certain !

Chapitre 7

Jour 656 – 1er mai

« C'est vraiment bizarre ! »

La vue de ces magnifiques oiseaux au plumage tout blanc, sauf pour les plumes du cou qui sont d'un jaune pâle, parfois un peu ocre, lui rappelle la Gaspésie. Sur le coup, ce souvenir pourtant heureux s'accroche douloureusement à son âme. Combien de fois a-t-elle visité l'île Bonaventure pour y observer les fous de Bassan ? Avec sa famille… elle ravale la boule d'émotion qui bloque sa gorge et elle secoue la tête avec énergie. « Tu ne dois pas retourner dans ce voyage au fond de l'abîme… ne pense pas à eux… » À l'image de l'adolescente qu'elle a été, elle lève les yeux au ciel pour témoigner de son indignation. « C'est plus facile à dire… qu'à faire ! »

La femme change de position et éclate de rire à la vue des oisillons qui, nullement impressionnés par sa présence, se dandinent autour de ses pieds. Quant aux adultes, ils essaient de saisir si les deux mammifères qui viennent d'apparaître dans leur royaume sont une source de danger. Plusieurs oiseaux aux becs gris clair marqués d'un trait noir, comme si ces sulidés portaient un masque, s'approchent pour picorer ses chaussures. Lou, qui tente de renifler ces petites bestioles ailées, reçoit quelques coups sur le nez, ce qui le fait japper.

Heureusement, sans que sa mère adoptive n'en comprenne la raison, le canidé ne cherche pas à les chasser. Comme toujours, Nadine est impressionnée par les yeux bleu acier entourés d'une ligne anthracite de ces oiseaux marins, une couleur si inhabituelle chez les animaux. Elle leur trouve un air doux, presque humain, à cause de cette particularité qui lui rappelle aussi les prunelles gris pâle de Lou.

Contrairement à l'île verdoyante, herbeuse et toujours boisée, où l'on peut se rendre par bateau à partir de Percé, ici, il n'y a que de la pierre et quelques plantes alpines qui se cachent dans les interstices des rochers. « La différence entre les deux territoires est même dérangeante. » Puis, sa mémoire la ramène en Écosse : une visite des ruines du château de Tantalion lui avait permis d'observer l'île de Bass, sise juste en face dans la mer du Nord. L'immense roc lui était apparu aussi aride que la Terre juchée; malgré tout, l'une des plus importantes communautés de fous de Bassan d'Europe y nichait le plus simplement du monde.

Nadine s'approche de la falaise pour mieux observer l'aire de ponte, en prenant son temps afin d'éviter de blesser les poussins qui, à peine sortis de l'œuf, s'activent en bordure du nid. Les sons gutturaux des adultes lui indiquent que sa présence dérange tout de même. « Je ne resterai pas longtemps… c'est promis… » Puis, regardant au-dessus de la mer, elle observe ces magnifiques oiseaux partir comme une flèche, les ailes collées sur leur corps et le bec pointant vers l'avant. Ils plongent profondément dans l'océan, pratiquement sans faire d'éclaboussures, afin d'aller attraper cette proie que leurs yeux vifs a déjà identifiée. « Si j'étais juge pour une compétition de plongeon, je leur donnerais une note de 10 sur 10 pour toutes les épreuves… ils sont si majestueux ! »

Ayant les deux pieds plantés au bord de l'immense falaise qui tombe directement dans l'océan, deux cents mètres plus bas, Nadine lève les bras en croix et laisse le vent fouetter les mèches rebelles qui traînent en permanence sur son visage, malgré sa chevelure attachée en nattes. « Ça fait drôle de tout voir, sans barrières et sans malaise… est-ce qu'un jour je comprendrai pourquoi je n'ai plus de vertige ? Hum… nous verrons bien si je retourne à Montréal… » Nadine chasse cette idée qui jette le trouble dans son âme et la fait trembler. Elle préfère plutôt admirer la mer toute bleue qui s'étend à perte de vue.

Les sons qui arrivent à ses oreilles sont si particuliers : le vent siffle constamment ou claque en bourrasques; les chants d'oiseaux rebondissent sur le roc pour se projeter en morceaux sur le plateau; sous ses pieds, la pierre calcaire crisse comme s'il s'agissait d'un tapis de glace hivernale qu'elle aurait foulé et fait craquer. Elle découvre ce territoire très étrange en s'imaginant qu'elle se trouve quelque part sur une autre planète, une sorte de Twilight Zone à la Rod Serling.

Nadine regarde directement sous ses pieds, là où la mer se fracasse sur la falaise. « Si je tombais en bas, je me casserais le cou. Ce serait une mort rapide. » Le fracas produit par le choc de chaque vague lui fait soupçonner qu'il y a sans doute une caverne creusée à la base du rocher. « Je serais capable de ne pas mourir sur le coup... ça prendrait du temps... je serais peut-être obligée de mettre fin à mes jours de mon propre chef... » Soudain, une émotion lui glace le sang et la fait trembler de tous ses membres. « Qu'est-ce qui m'arrive ? Pourquoi souhaiter ma mort ? Par suicide en plus ! C'est tellement stupide ! »

L'image de Lucette, cette collègue qui a passé une partie de sa vie à planifier la fin de son existence, et qui a fini par se suicider pour vrai, lui revient en tête. Le claquement de ses dents est si puissant qu'elle en éprouve un haut-le-cœur. Afin de soulager sa peine, elle hurle dans le vent :

— Jamais ! Je ne serai jamais comme Lucette ! Le suicide, ce n'est pas pour moi !

« Je ne voulais même pas me présenter à ses funérailles... » Son amie Marie l'avait convaincue de venir y partager la douleur des parents. Apparemment, Lucette leur parlait de sa collègue Nadine avec une telle déférence qu'ils voulaient la connaître à tout prix. Mal à l'aise, confrontée à ses propres valeurs portant sur la mort volontaire, la « fausse amie de la défunte » s'était armée de patience, ne répondant que par le biais de courtes phrases afin de maintenir une certaine quiétude ambiante.

À sa sortie du salon, fière d'avoir tenu le coup même si c'était au prix d'une rigidité déconcertante, Nadine s'était butée à la réaction vive de son amie. Elle se souvient de cette conversation ardue comme si c'était arrivé hier...

— Bon ! C'est enfin fini ! Marie, je ne veux plus que tu m'en parles !

Les yeux de la rouquine crachaient le feu tant elle était fâchée contre son amie qui venait de démontrer une froideur implacable face à la décision de leur collègue de s'enlever la vie. Nadine s'en aperçoit et s'offusque.

— Quoi encore ! Lucette a fait son choix. C'est TERMINÉ !

Marie reste silencieuse un bon moment, histoire de reprendre une certaine contenance et permettre à Nadine de se calmer un peu. Quand elle voit l'autre sur le point de perdre patience, Marie parle à nouveau.

— Tu sais, Lucette ne trouvait plus de remèdes à ses maux et c'est pour ça qu'elle a posé ce geste ultime. On peut essayer de comprendre à quel point elle était troublée et malheureuse, malgré le fait que l'on ne puisse pas approuver sa décision.

— Voyons donc ! C'était une névrosée ! Elle pleurait à tout bout de champ; il fallait toujours la prendre avec des pincettes ! Elle avait peut-être mal, mais elle courait après !

— Nadine ! Tes propos sont bien loin de cette attitude amicale que j'apprécie chez toi ! D'habitude, tu es très sensible face aux besoins des autres. Pourquoi cette crise, cette fois ?

— Tu sais très bien ce que je pense du suicide !

— Ta position sur le sujet est tellement fermée que tu t'empêches de saisir pourquoi quelqu'un peut en arriver là. Le suicide est rarement une fin en soi, mais plutôt un signal de souffrance extrême. Il y a toute une série d'évènements, de déchirements, d'émotions et de malaises profonds qui provoquent un tel dénouement. Je ne suis pas plus favorable à ce geste que toi, mais je tente seulement d'avoir un peu de compassion. Si j'arrive à comprendre ce qui pousse une personne jusque-là, je pourrai possiblement aider quelqu'un d'autre à trouver des solutions plutôt que de mettre fin à ses jours.

— Ouais… peut-être... Pourquoi t'efforces-tu de me convaincre ?

Marie observe son amie quelques secondes avant de répondre. Puis, elle tente une dernière approche.

— Jusqu'à présent, tu as vécu ton existence sur un nuage doré. Tu es heureuse, en santé et intelligente. La vie entière te sourit sans que tu te forces. Ce n'est pas le cas de tout le monde. Certaines personnes ne l'ont pas aussi facile.

— OK. Quoi qu'il en soit, elles peuvent adopter d'autres solutions au lieu d'opter pour le suicide. Il y a tellement de services d'aide aujourd'hui.

— Je suis d'accord, en principe.

— Mais pas sur le fond, n'est-ce pas ?

Voyant la grogne monter graduellement sur le visage de Nadine, Marie se tait un moment avant de poursuivre son idée au moyen d'un exemple.

— Que se passerait-il si demain tu perdais tout ? Ta famille, tes enfants, tes amis, ta maison, ton auto, ton travail. En un claquement de doigt, tu ne posséderais plus rien, hormis les vêtements que tu portes. Combien de temps cela te prendrait-il avant de sombrer dans la dépression ?

— Wow ! Tu n'y vas pas avec le dos de la cuillère ! Perdre tout en l'espace d'une journée…

Nadine devient silencieuse. Elle tente d'intégrer chaque facette du problème qu'on vient de lui poser. Patiemment, la rouquine attend que l'autre se décide à parler de nouveau afin d'exposer le fruit de sa réflexion d'une voix beaucoup plus calme.

— Tu sais, je ne suis pas capable de répondre adéquatement à ta question. L'idée de tout perdre, ma famille surtout, est impensable. J'ose croire que je rebâtirais tout, que je referais ma vie. Je conçois que ce serait fort difficile… En fait, je ne suis sûre de rien !

— Si tu n'arrives pas à décortiquer cette situation hypothétique, ne pourrais-tu pas admettre que tu ne puisses pas saisir, malgré tous tes efforts, les raisons qui ont poussé Lucette à se donner la mort ?

Nadine regarde son amie avec des yeux brillants de larmes. La réflexion qui suinte de cette conversation est lourde à porter pour une femme de la trempe de cette fougueuse au tempérament d'acier. Finalement, Nadine finit par parler :

— Ainsi, si je n'arrive pas à comprendre, je ne devrais pas juger de la pertinence du geste…

Alors que ses pieds sont ancrés sur le bord de la falaise, le rappel de cet évènement la bouleverse. Elle réalise enfin ce que signifie le fait de croire qu'il n'y ait plus d'avenir. Pour Nadine, la vie rose et douce s'est arrêtée brutalement il y a près de deux ans. Le seul fait de survivre dans son nouvel environnement est si difficile qu'elle envisage de se donner la mort. « C'est totalement insensé ! Je ne peux pas croire que j'aie changé à ce point ! Pourtant, je ne suis pas névrosée comme l'était Lucette. » Puis, une autre idée claque comme un coup de fouet dans sa tête et son cœur. Est-ce que cette femme était si déséquilibrée ? Malade, oui. Malheureuse, certainement. Névrosée… peut-être pas autant que ça...

— Merde ! Je ne me reconnais plus…

Lentement, elle recule de quelques pas... puis elle dépose son genou par terre pour retrouver un peu d'équilibre. Refusant de s'attarder à l'incident qui venait jeter le feu de la colère dans son âme, elle tourne les talons et s'éloigne de la falaise.

— Suis-moi Lou ! Il faut continuer !

La nomade retourne vers le chemin à moitié tracé. Replaçant la courroie de son travois à roue dans son cou, elle saisit les manchons puis, avec détermination, elle reprend sa lente progression vers le lieu où elle construira le bivouac 2.

Au petit matin, Nadine a quitté le campement de la péninsule sud. Connaissant par cœur la route bien aménagée, elle a démarré sa randonnée avant le lever du jour. La femme se souvient de ce départ précipité. « Plus ça change, plus c'est pareil ! » Quand elle entreprend une exploration, l'excitation l'empêche de dormir. Ainsi, plutôt que de tourner en rond, sachant que le chemin vers le bivouac 1 est bien balisé et nettoyé, elle prend la décision de partir aussitôt que Lou serait revenu de sa chasse.

Si le sentier commence au niveau de la mer, il monte constamment pour atteindre plus de 150 mètres d'altitude au premier poste d'arrêt de la Terre juchée, là où elle arrive en milieu d'avant-midi. Son corps est maintenant habitué. Elle a fait la route à plusieurs reprises au cours des dernières semaines. Elle profitait de chaque opportunité pour améliorer l'état du sol : enlever une roche qui pourrait nuire au passage du travois ou combler un trou avec du sable. Ainsi, elle peut y grimper rapidement même en étant obligée de tirer l'engin lourdement rempli.

Reprenant son souffle, Nadine frotte ses mollets rendus douloureux en raison de la marche accélérée. « J'avais trop hâte de savoir si mes installations avaient tenu le coup… maintenant, j'ai mal… » Accompagnant son geste de quelques grognements bien sonnés, elle frictionne aussi son cou; puis elle vérifie ses mains pour s'assurer qu'aucune écharde ne s'est logée dans la chair.

Le bivouac 1 vient de subir les assauts de son premier orage. Une grande satisfaction transparaît sur son visage rayonnant, alors qu'elle inspecte minutieusement toutes ses installations. Les murs de roches ont supporté la violence de la tempête. L'eau ne s'est pas infiltrée dans la hutte et le sol en terre battue est sec. « C'est de bon augure ! Tu vas voir, cher pays… je vais en construire d'autres… autant de boutons d'acné… partout ! Tu en auras la nausée ! »

Puis, ce rire qui fait toujours sursauter le gros canidé fend l'air sur ce plateau sis entre ciel et mer. Nadine voit le loup s'approcher d'elle pour la protéger d'un quelconque danger, ce qui la fait rigoler de nouveau à gorge déployée. La femme a pourtant l'intention de manifester ainsi sa gaieté à chaque occasion que ce pays lui procurera. Elle flatte son compagnon d'aventure pour le rassurer.

— Tu as intérêt à t'habituer à ce son ! Ça fait partie de ma nature humaine !

Elle poursuit l'examen des structures. Ses collecteurs sont efficaces. Les trois chaudières sont pleines d'une eau limpide et froide. « Encore une autre belle réussite ! Tu es une excellente ingénieure ! La meilleure que le Pays de la Terre perdue n'a jamais connue ! Même si je dois le dire moi-même ! » Elle remplit sa gourde pour remplacer ce qu'elle a bu sur la route, entamant très peu cette large réserve. Sachant qu'elle en aura besoin à son retour, Nadine dépose les lourdes chaudières dans sa hutte, en toute sécurité. Elle recouvre chaque contenant avec une toile imperméabilisée qu'elle fixe au moyen d'une lanière autour du gros bol. En plus de conserver sa fraîcheur, l'eau sera à l'abri des rongeurs et, possiblement, des moustiques qui pourraient choisir d'y pondre leurs œufs.

Son inspection terminée, la nomade allume un petit feu dans un foyer qu'elle a conçu spécifiquement pour la Terre juchée. Un mur d'enceinte, haut d'un mètre environ, permet de réduire l'effet des bourrasques. Les flammes restant plus basses et brûlant moins vite, elle économise du coup quantité de matière première. À travers l'immense territoire désertique, l'air est froid et le vent balaie le plateau avec force, peu importe sa direction. Les quelques plantes qui réussissent à s'implanter sont de type alpin. Connaissant bien leur fragilité, Nadine refuse de les cueillir. Ainsi, tout le bois qu'elle utilise à cet endroit provient de la forêt qui s'étend sur la péninsule. Elle apporte des branchages et des bûches en utilisant son travois à chaque voyage qu'elle entreprend. Ce processus lourd de conséquences l'oblige à ménager du mieux qu'elle le peut un matériau si précieux.

Aujourd'hui, le feu est juste assez fort pour qu'elle puisse cuire son repas et infuser sa tisane. Tout de suite après, elle étouffe les flammes avec de la terre, ce qui lui permet d'économiser sa réserve d'eau.

Par ailleurs, durant l'aménagement de son bivouac 1, la nomade a aussi dormi quelques fois sans faire de feu. Même si, à cette période de l'année, il fait encore froid quand le soleil disparaît, elle se roule confortablement dans ses peaux pour garder sa chaleur. Elle se sent en sécurité sur le plateau, car il y a peu de prédateurs, ces derniers ne pouvant y survivre très longtemps. « Bien sûr, il y a eu ce lynx… mais Lou s'en est occupé… »

Sirotant sa tisane, elle révise dans sa tête les possibilités qui s'offrent à elle pour meubler le reste de sa journée : elle pourrait s'installer ici et poursuivre sa route demain. Dans le fond, rien ne presse, ce territoire aride demeurera le même pour quelques millions d'années… mais que ferait-elle en attendant ? « Non ! Tout est prêt ! Pourquoi retarder l'expédition ? »

Elle lève les yeux vers son travois. Tous les matériaux pour installer le deuxième camp y sont bien attachés… Bien sûr, même s'il est balisé, le sentier qui la conduira jusqu'au prochain site laisse beaucoup à désirer. Celui qui devrait mener vers le bivouac 3 n'est toujours pas tracé… elle n'a encore aucune idée du lieu où elle construira cette troisième hutte. Rien ne presse…

Une grimace boudeuse s'affiche sur le visage de Nadine. Elle lève les yeux vers le ciel, comme elle savait si bien le faire durant son adolescence. « Papa ! Si tu me voyais maintenant ! Je n'arrive même pas à me décider ! » Bien sûr, quelques instants plus tard, le goût de l'aventure étant trop fort, elle choisit son option préférée : l'exploration.

C'est ainsi qu'elle part vers le nord, le gros loup à sa gauche et la roue du travois cognant dur sur la route parsemée de cailloux. « Ce n'est pas grave ! Dans mes bagages, j'ai une roue de secours… et quelques essieux… » Cette précaution, inspirée du monde moderne d'où elle vient, la fait sourire.

Le chariot est tellement chargé que les poutres qui composeront ses collecteurs y sont attachées en croisé, les bouts s'alignant de chaque côté de la conductrice. En plus du bois et de la courtepointe qui servira de toit, elle y a déposé des vêtements, une gourde à eau et bien sûr des outils néolithiques : un marteau, un couteau et une hache en pierres de schistes, ainsi que des roches à feu et une pelle en os. Des peaux, des cuirs, ainsi que des cordages en tous genres s'y trouvaient aussi. En plus, elle porte sur son dos un havresac qui contient de la nourriture pour quelques jours, tant pour elle que pour Lou, ainsi qu'une petite outre supplémentaire. D'un air bon enfant, elle sourit à la vie :

— Je suis chargée comme une mule… J'ai tout ce qu'il me faut pour une semaine de vagabondage sur cette terre aride ! Yes ! Viens, Lou ! On y va !

Ses périples précédents ont permis à Nadine de calculer trois heures de marche entre les deux bivouacs, ce qui équivaut, à son rythme normal, à une distance d'environ 15 kilomètres. Par contre, jusqu'à présent, elle a fait la route sans son travois. Aujourd'hui, traînant le lourd chariot derrière elle, Nadine y met plus de temps, surtout qu'elle doit s'arrêter souvent pour nettoyer le sentier. « C'est long, mais par la suite, ce sera facile. C'est ça qui compte… »

Elle veut dormir au site du bivouac 2 le soir venu. Dans ses bagages, elle a donc tout ce qu'il lui faut pour monter un abri et faire du feu. Sur le travois, entre les billots et ses lances à pointes en os, elle a placé quelques perches de deux mètres qui lui sont fort utiles pour toutes sortes de tâches, entre autres pour soutenir la toile qui lui sert de gîte.

Elle porte son regard de tous côtés, tout en avançant sur le sentier déjà balisé. Un doute persiste. S'il y avait des prédateurs quelque part plus au nord ? Elle secoue la tête pour chasser cette idée plutôt improbable dans ce désert rocheux. Bien sûr, elle a tout ce qu'il lui faut pour se défendre. Sa machette est bien fixée à son mollet gauche; son couteau, sa fronde et son sac de cailloux sont tous attachés à sa ceinture.

Libérant une main, elle touche l'autre pochette qui pend à son ceinturon. Cette fois, elle y a ajouté sa boussole. L'idée la fait sourire. Pour le moment, il lui est facile de trouver son chemin sur cette terre aride dont les bornes naturelles sont formées par deux falaises. Cet outil lui servira plutôt pour prendre des mesures afin de cartographier virtuellement cette nouvelle région et, ainsi, simplifier ses futurs voyages.

De plus, la Terre juchée n'est pas une modeste bande de roche étroite qui se dirige vers le nord. La largeur du territoire, qui est moins de 300 mètres dans la péninsule, s'agrandit sur plus d'un kilomètre à la hauteur du bivouac 1 et atteint presque trois kilomètres au niveau du deuxième camp. De ce qu'elle a vu de la situation des deux falaises, l'été dernier, le plateau s'élargit encore au fur et à mesure qu'on avance vers le nord. Ne sachant pas ce qui l'attend là-bas, elle veut prévenir; tôt ou tard, la boussole lui sera utile pour s'orienter.

Nadine parcourt deux kilomètres sans s'arrêter, puis elle aperçoit le petit cairn construit il y a quelques semaines. Deux plumes attachées par une lanière de cuir à la pierre la plus haute indiquent un changement de direction. À cet endroit, la voyageuse a choisi de faire bifurquer son sentier vers le nord-est. Dans un champ de roches, situé au creux d'une légère dépression du terrain, la flore fragile s'accroche : une indication sans équivoque d'une présence d'eau en quantité suffisante... probablement le déversement du dernier orage.

Elle s'arrête un instant pour admirer les asters alpins dont la fleur lilas flotte dans le vent. Elle reconnaît l'Athyrium des Alpes, cette petite fougère d'une couleur vert tendre. D'autres plantes dont elle ne connaît pas le nom arborent des couleurs variées de pourpre, jaune, rose et orange. « Il y en a si peu... il faut les protéger… » Il n'était donc pas question de tracer son sentier au milieu de ce coin des merveilles, même si cela lui aurait permis de sauver un peu de son précieux temps de voyage; le fait de mettre en danger cette végétation fragile semble totalement inacceptable aux yeux de l'humaine.

Il y a aussi une autre raison qui la pousse à bifurquer à droite : elle aimerait se rapprocher de la falaise plus à l'est pour mieux scruter l'océan qui s'étend à perte de vue. Bien sûr, ayant navigué loin vers l'orient, elle ne s'attend plus à voir une terre apparaître… encore moins un transatlantique se profilant à l'horizon. Par temps clair, il n'y a que le dôme céleste qui tombe directement dans la mer, donnant l'impression que le monde s'arrête ici. Par contre, la proximité de l'océan lui permet de mieux surveiller ce ciel qui lui impose avec régularité les orages menaçants.

Le sentier à peine aménagé est truffé d'obstacles. Chaque fois, elle dépose son sac par terre, là où l'obstruction commande une action. Elle déplace, une à une, les roches qui bloquent le passage du travois. Parfois, elle bouche un trou avec des cailloux et du gravier, ce qui permet de rendre le chemin plus praticable. Autrement, elle ne peut que tracer une piste qui bifurque à gauche ou à droite d'un roc trop gros pour qu'elle puisse le bouger. Ainsi, malgré ce travail éreintant et plutôt long, elle s'encourage en se répétant que son voyage de retour, dans quelques jours, en sera de beaucoup facilité. « C'est comme le pont ! Ce fut difficile de le construire, mais désormais, je l'utilise régulièrement; je n'y pense même plus. Il me facilite énormément la vie. »

Le long de la route, Nadine boit beaucoup d'eau et elle s'assure que Lou en a avalé suffisamment pour ses besoins. L'environnement assèche constamment son gosier, comme si le vent et la terre faisaient évaporer, par tous les pores de sa peau, ce liquide essentiel à sa survie. Heureusement, la température reste fraîche sur la Terre juchée, alors que les bourrasques froides et humides la feront souvent chuter de plusieurs degrés en quelques minutes. « Une météo fort agréable pour une marche soutenue… ou pour charrier de la roche… »

Elle remarque aussi que Lou est beaucoup moins actif. Il se contente de suivre sa mère adoptive et de se coucher à côté de son sac à dos, lorsqu'elle s'arrête pour réparer un bout de sentier. Bien sûr, il renifle sans arrêt ce nouvel environnement, mais il ne possède pas cette énergie habituelle qui le fait courir en tous sens. Les petits rongeurs rencontrés sur le chemin ne l'intéressent pas. Il refuse même de jouer avec Nadine, restant étendu, à l'abri du vent. Est-ce que l'animal sauvage ajuste tout bonnement son comportement selon ce que lui font subir les éléments naturels ? Si l'attitude de Lou en est une indication fiable, l'aspect inhospitalier du territoire lui paraît encore plus intense.

Elle poursuit sa route pendant un grand moment, observant autour d'elle, tentant d'identifier la gent ailée qu'elle voyait voler juste au-dessus de la falaise; elle cherche du même coup à se souvenir du nom des plantes qu'elle découvre dans les interstices rocheux. « Marie n'a pas pensé de me donner un livre sur les plantes alpines… peut-être qu'elle me le gardait pour le Noël suivant… » Puis son sourire s'éteint. C'est avec une grosse boule dans la gorge qu'elle se rappelle qu'Alex serait capable de les nommer tous, les oiseaux comme les fleurs. Elle souffle bruyamment.

Les traits de son visage s'assombrissent et ses dents se serrent sous ses lèvres pincées. Elle soupire. Depuis quelques semaines, lorsqu'elle pense aux siens, il n'y a plus cette vive douleur qui vient lui brûler l'âme. Elle ressent plutôt de l'amertume, cette émotion qu'on éprouve suite à une défaite. Certes, Nadine réalise qu'elle ne retournera jamais chez elle, ainsi le processus de deuil face à sa quête s'effectue lentement. La femme peut encore fermer les yeux et revoir clairement chacun des membres de sa famille et de ses amis, mais la souffrance associée à leur absence est moins intense. Elle devrait être fière de cet état de choses qui souligne sa grande force de caractère, mais elle ne parvient pas à chasser ce vent d'irritation qui l'affecte. « Je ne suis jamais contente... je n'aimais pas cette grande tristesse qui menaçait ma survie... maintenant, c'est avec rancœur que j'absorbe la guérison... »

— Aïe ! Aaaaah ! Merde !

Alors que ses idées pessimistes se bousculent dans sa tête, Nadine bute sur la nouvelle dépression qui modifie l'inclinaison du sentier. Emportée par son déséquilibre, elle perd pied et, basculant lourdement à la renverse, elle se retrouve sur le derrière. Un caillou pointu laisse une marque vive sur la paume de sa main alors qu'elle tente de contenir sa chute. Si son travois ne s'était pas bloqué sur une pierre encombrant le chemin, il aurait versé par-dessus la voyageuse, emporté par le poids de tous les bagages. « Ouf ! Je vais devoir regarder où je marche ! Sinon ce sera l'accident ! Ce ne serait pas très brillant ! Si je tombe, j'aimerais mieux que la blessure soit mortelle... une mort rapide à part ça ! » Secouant la tête, elle chasse les idées noires qui l'assaillent.

— Bon ! Je m'arrête un peu ! Si j'ai chuté, c'est que j'ai besoin d'un petit repos.

Nadine retire son attelage qui la retient au chariot, ainsi que son sac à dos. Machinalement, elle nettoie le sentier, enlève quelques roches et comble un trou. Puis, elle reprend sa routine, une façon de faire qui ne met pas son cerveau à contribution. C'est de cette manière que, sans crier gare, elle se retrouve tout à côté du pieu qui marque le site de son deuxième camp. Le piquet, une vieille lance dont elle a dégagé la pointe en os, sort de terre sur près de deux mètres; un tas de cailloux assure que le poteau conserve une allure bien droite, malgré les fortes bourrasques. Un bout de toile attaché en haut de ce mât, sur lequel elle a cousu deux plumes pour identifier le bivouac 2, flotte au vent comme un étendard.

À ce moment précis, l'astre du jour décline à l'ouest. Nadine ne peut qu'admirer la grande beauté créée par les rayons solaires qui éclaboussent le sol de taches grises et charbonneuses, alors que l'ombre des roches s'allonge comme s'il s'agissait d'autant de marionnettes aux formes étranges. Le fantôme noir que son propre corps dessine sur la terre ressemble à celui d'un géant portant un chapeau à large bord. Le jeu de la lumière et des zones d'ombres sur cette région est époustouflant : l'atmosphère irréelle ainsi produite est digne des meilleures photos monochromes d'Ansel Adams.

Pendant que Nadine s'active au gré d'une routine répétée à maintes reprises depuis plus de vingt mois, elle admire les mouvements des silhouettes rocheuses qui prennent vie sous l'effet de la pénombre. Conséquemment, sans vraiment y penser, elle allume un petit feu et monte son abri de peaux. Puis, la nuit s'installant peu à peu, elle cuisine un repas qu'elle et Lou dévoreront avec appétit.

Cette expérience au bord de la falaise, mélangée à ses souvenirs du suicide de Lucette, rend sa réflexion plus lourde de questions sur son avenir. Elle veut vivre. Elle refuse de mourir dans l'agonie, blessée ou trop vieille. « Est-ce que cela deviendrait une raison acceptable pour me donner la mort ? » Le fait de réaliser que sa condition d'exilée pourrait la forcer à adopter une avenue tellement contraire à ses valeurs personnelles la bouleverse. Elle se lève, prend un caillou dans sa main et le lance au bout de ses bras avec violence.

— Tiens ! Tu m'emmerdes encore ! Je me sens bien ici ! Je suis adaptée ! Je reconstruis ma vie ! Pourquoi me forces-tu à réfléchir au sujet de ma mort... par suicide en plus ?

« Parce que tu es un bouillon d'émotions », lui répondrait Irène, sa mère. Nadine vit toujours intensément, assimilant tous les stimuli captés par ses sens, repoussant l'idée même de limiter son existence à ce qu'elle est devenue. Au Pays de la Terre perdue, cette capacité de faire face à tout ce qui traverse sa vie la place constamment dans un labyrinthe émotif où tout peut arriver. À chaque tournant imprévisible, ses expériences actuelles bouleversent les valeurs personnelles et philosophiques de son ancienne existence.

Refusant de se laisser envahir par la colère, Nadine décide de dépenser le reste de cette énergie négative en besognant sur la construction des murs de sa future hutte. Alors que le reflet des flammes devient diffus, et que le quartier de lune grimpe dans le ciel, elle prend de l'avance dans ses travaux prévus pour le lendemain. Avec une efficacité consommée, elle vide le travois de tous les matériaux qui feront partie de sa cabane de pierres. Elle la construira dans les prochains jours.

L'action fait son œuvre. La fatigue ayant fait fuir la rage, le besoin de sommeil la gagne. Nadine réduit le feu pour qu'il s'éteigne rapidement par lui-même. Glissant son corps fourbu entre les deux courtepointes de peaux qui lui servent de couvertures, elle laisse Morphée l'amener au pays des rêves... là où son subconscient lui réserve encore une surprise. Un banc de brume s'étend sur l'atmosphère grisâtre du plateau. Au cœur de cette ambiance glauque à faire frissonner les morts, une voix porte des mots jusqu'à la femme endormie.

— Nadine ! Je crois que tu as oublié quelque chose.

— Alex ? Que fais-tu ici ? Approche pour que je te voie.

— Tu as négligé un évènement très important...

— Non… je ne pense pas…

— Bien sûr ! Réfléchis, Nadine ! Une chose capitale… pour nous deux.

Nadine repousse les couvertures, s'assoit dans l'air humide et cherche la brume pour apercevoir celui qui a été le seul amour de sa vie. « Qu'est-ce que j'ai bien pu oublier… »

— Je ne comprends vraiment pas ce que j'ai pu manquer.

L'homme s'approche lentement. Sa silhouette presque immatérielle se fond dans le brouillard. Le cœur de la femme s'attriste à la vue du visage de son amoureux. Des larmes coulent de ses yeux. Il la regarde sans les essuyer.

— Alex ! Aide-moi ! Je ne trouve pas ce que j'ai pu oublier de si important pour que tu te mettes à pleurer.

— Une date, ma bien-aimée…

Chapitre 8

Jour 657 – 2 mai

— Nooooon ! Aaaaah !

Le réveil brutal fait sursauter la femme. Le cœur de Nadine bat si vite que le sang frappe ses tempes comme si un marteau piqueur s'activait dans sa tête. Elle repousse la couverture de peau qui, jusqu'à ce moment, la gardait bien au chaud. Un froid glacial saisit aussitôt son âme comme pour éviter qu'elle ne se désintègre complètement. L'exilée bondit hors de son abri et, les poings fermés et le corps raidi par la rage, elle hurle à nouveau à pleins poumons.

Ce cri désespéré, déchirant la toile humide de la nuit, attire Lou dont le jappement semble dire : « Ne t'en fais pas ! J'arrive ! » S'amenant en trombe, il renifle les environs, puis regarde avec attention sa mère adoptive. S'il avait pu verbaliser ce que l'air de dépit dans ses yeux exprimait, il aurait déclaré : « Qu'est ce qu'il y a encore ? » Quant à Nadine, elle est tout simplement soulagée de savoir son protégé si près d'elle en ce moment de total désarroi. Elle s'accroupit pour prendre la bête par le cou.

— Ça va maintenant… il semblerait que j'aie oublié une date très importante et cela me met en rogne. Mon petit pou, tu peux retourner dormir.

La froidure de la nuit s'associe à sa rage pour déclencher des tremblements douloureux dans tout son corps. Elle claque des dents malgré l'impression persistante que sa peau brûle sous la pression de cette décharge d'adrénaline que son rêve vient de générer. « C'était plutôt un cauchemar… »

Dans le noir total, elle frotte son visage pour tenter de chasser complètement le mauvais rêve. Fouillant à tâtons dans son sac, elle trouve d'abord la pochette qui contient ses roches à pyrites, puis celle qui est remplie de matériel d'allumage. Le temps de le dire, malgré les spasmes qui persistent, Nadine prépare un petit feu. « Je dois savoir… à tout prix… »

À la lueur des flammes blafardes, elle sort son journal de bois et entreprend un long calcul. Elle dénombre les jours, à deux reprises… puis une autre fois… tout cela pour être certaine d'obtenir une seule et unique réponse. Elle n'en revient pas. La rage brise sa respiration; elle étouffe tout. L'amertume noircit son âme. Elle se lève, fait quelques pas, puis refait le décompte. Le résultat reste le même : hier, c'était le 1er mai. En colère contre elle-même, malgré les larmes qui brouillent sa vue et sa gorge nouée, elle crie dans la nuit :

— J'avais promis de ne jamais oublier !

La voix rauque résonne par petits coups sur les pierres de la Terre juchée. « J'ai oublié notre anniversaire de mariage… 37 ans... » Elle lève la tête vers le ciel et examine le firmament à travers les larmes qui mouillent ses yeux. Elle aperçoit l'étoile du Nord.

— Alex, mon amour, je suis vraiment désolée…

Lou s'approche d'elle à nouveau, mais la femme se recroqueville en position fœtale sous son abri. Elle pleure bruyamment, on dirait presque un hurlement, alors que tout son être est secoué par un tremblement incontrôlable. Incapable de saisir le comportement de sa mère adoptive, le canidé se contente de se coucher auprès d'elle, comme pour surveiller les alentours, en attendant que sa compagne retrouve la raison. Un peu plus tard, quand ses soubresauts se transforment en frissons causés plutôt par le vent froid, Nadine tire sa couverture sur elle pour tenter de se réchauffer un peu. Finalement, épuisée par la douleur et le simple effort de survivre à ses émotions, Nadine s'endort à nouveau d'un sommeil de plomb.

Le soleil est déjà haut dans le ciel, lorsque l'humaine émerge de son abri en plissant des yeux. Elle n'arrive pas à apprécier les chauds rayons qui, interceptés par un plafond nuageux, baignent d'une lumière blafarde la physionomie de ce paysage lunaire. Se souvenant des évènements de la veille, elle a la mort dans l'âme. Comblée par des activités qui remplissaient son cœur de bonheur, elle n'a jamais pensé à cette date importante, ni à toutes ces années de mariage avec l'homme de sa vie. « C'est encore pire… j'ai oublié de me souvenir… » Pour ajouter à son malaise, elle ne ressent plus de douleur face à l'absence d'Alex. Elle ne desserre pas les dents. Une amertume caustique colle à son âme. « Mon cœur se dessèche… ma famille et mes amis vont s'effacer de ma mémoire… les uns après les autres… »

Si son père est bien mort depuis plus de 40 ans, elle n'a jamais oublié de souligner son anniversaire, ni la date de son décès. Les dates lui glissent entre les doigts comme du sable fin depuis qu'elle est ici. Serait-elle devenue insensible ? Le Pays de la Terre perdue l'a-t-elle endurcie au point qu'elle perdra jusqu'à l'image des siens ? « Ma vie d'avant s'effrite peu à peu. J'ai peur de les oublier… s'ils disparaissent de ma tête, je perdrai le reste de mon humanité. » Une colère vive la secoue de nouveau.

L'âme égarée au fond d'un abîme destructeur, Nadine agit machinalement pour préparer son déjeuner auquel elle touche à peine. Sur un coup de tête, elle décide de partir. « Je n'arriverai pas à bien travailler… vaut mieux que j'évacue toute cette amertume qui brise mon enthousiasme habituel… Demain, sinon un autre jour, je m'occuperai de la construction de ce bivouac… De toute façon… qu'est-ce que ça donne ? » Pour le moment, elle a besoin de retrouver les morceaux d'elle-même qu'elle a perdus dans le cauchemar de la nuit. Elle veut marcher en direction du nord, pour aller voir ce qui l'attend là-bas. Plaçant dans son sac à dos toutes ses affaires, Nadine pousse son existence là où elle trouvera son avenir… peut-être. L'air du matin fait sortir un nuage de sa bouche. Les engelures que le froid imprime sur sa peau n'ont d'égal que les brûlures vives que la vie d'ici impose à son cœur.

« Quitter le bivouac... fuir la peur que tout s'efface... » Son instinct lui indique que s'activer à un projet aussi bien encadré que la construction de la hutte pourrait lui donner l'impression de piétiner. Elle doit plutôt s'obliger à sortir de sa zone de confort, se déraciner et poursuivre son exploration; histoire de reprendre son équilibre. Peut-être qu'en voyant ce qu'il y a plus loin, elle retrouvera le goût de continuer à vivre dans ce pays ingrat. Marcher le plus longtemps possible devient le but à atteindre, du moins pendant les prochaines heures. Elle doit repousser cette torpeur qui menace de la faire sombrer dans la dépression. Ainsi, cette aventure la gardera en vie jusqu'à ce que la direction de sa destinée se précise.

D'épais nuages camouflent le soleil et indiquent que la pluie ou la neige viendra alourdir cette terrible journée. Nadine refuse de s'arrêter. Elle bifurque à droite ou à gauche pour contourner un obstacle, et finit par buter sur un caillou qu'elle ne voit pas. Le son de sa lance qui cogne sur le sol au rythme de ses pas inégaux engourdit ses sens. Tout cet exercice occupe son corps, alors qu'elle tente de faire le ménage dans les idées lugubres qui se bousculent dans son cerveau. Elle sait, pourtant, que les impressions négatives l'empêchent de penser adéquatement et peuvent l'entraîner, tête baissée, dans des situations désagréables. Lou, toujours sensible aux états d'âme de sa mère adoptive, demeure à ses côtés, comme s'il voulait la protéger d'elle-même. Elle le caresse.

Lentement, la raison retrouve sa place dans son esprit et sa réflexion se précise. « Un jour, alors que ma route s'était arrêtée dans la péninsule sud, j'ai juré de rester en vie pour retrouver les miens. » Elle touche avec sa main la petite pochette qui contient l'obsidienne. Depuis qu'elle l'a accrochée à son cou, ce mémento lui rappelle sa promesse. Si elle mourait maintenant, aujourd'hui, tout s'arrêterait sur-le-champ. Comprenant qu'elle ne retournera jamais vers les siens, elle vivra ici du mieux qu'elle peut, pour leur faire honneur. Ils ne le sauront jamais, mais elle en tirera une grande fierté.

Sa réflexion revient sur Lucette, sa collègue qui souffrait trop dans le monde des vivants. Passant d'une dépression à l'autre, chaque jour ayant sa pilule, la femme était trop fragile pour endurer tout ce que la vie lui apportait de douleur. Si elle a opté pour la mort, c'est qu'elle n'avait plus la force de chercher une solution alternative. Aujourd'hui, faisant face à un grand désarroi, Nadine comprend ce qui peut pousser une personne à faire ce choix. Quand il n'y a plus rien qui compte. Lorsque le fait d'exister devient trop dur, trop difficile à supporter. Parce que même le simple bonheur se transforme en douleur intolérable. Ce matin, l'esseulée se tient loin de la paroi, car elle ne se fait pas confiance; ce saut de 250 mètres dans le vide l'attire comme un aimant.

Nadine s'arrête, lève la tête et prend une grande respiration. Elle tousse, en s'efforçant d'enlever les quelques sécrétions qui traînent dans sa gorge. Elle serre sa lance si fort que ses jointures en deviennent blanches. Avec véhémence, elle décline à haute voix ce qu'elle découvre encore au fond de son âme :

— Je suis forte et je trouve toujours une solution aux difficultés qui se présentent ! Je resterai en vie ! Je poursuivrai l'exploration de mon Pays de la Terre perdue et j'y laisserai mes empreintes ! Partout !

Nadine frotte sa gorge enrouée un moment, mais elle n'a pas fini d'énoncer sa promesse. Elle prend une profonde inspiration qu'elle laisse s'échapper lentement de sa bouche en vapeur. Le calme l'envahit et rend son âme plus légère. Elle lève la tête, ferme les yeux et crie dans le vent :

— Sale Pays ! Tu vas devoir m'endurer encore longtemps ! Parce que le seul moyen de comprendre ce que tu me réserves comme avenir, c'est de vivre !

Un sourire narquois sur les lèvres, Nadine ouvre les paupières et pousse son regard vers le nord. D'un geste vif, elle porte sa lance dans les airs et proclame sa destinée à tue-tête :

— Je ferai tant de huttes sur ton territoire que tu finiras par croire que nous sommes des centaines d'humains ! Je n'en ai pas encore fini avec toi !

À cet instant précis, le soleil sort des nuages, explose dans le ciel et gave la Terre juchée de sa lumière vive et de sa chaleur. Nadine observe autour d'elle et contemple à nouveau toute la splendeur de son royaume. Elle déguste avidement toutes ces images exceptionnelles qui l'aident à oublier l'aridité apparente de cette contrée. La verdure alpine, aussi résistante que l'exilée qui en foule le sol, témoigne de l'importance de s'accrocher à la vie.

S'arrêtant un moment pour mieux contempler le décor, elle regarde vers le nord, sa destination. « Voyons donc ! Qu'est-ce que c'est, ça, là-bas ? » La nomade fixe l'horizon pour s'assurer qu'elle n'est pas victime d'un mirage. Au loin, juste en avant d'elle, une longue bande verte s'étend, d'est en ouest, sur toute la largeur du plateau. Sur le coup, elle se souvient de cette autre ligne grise qu'elle apercevait du toit de sa grotte et qui s'est transformée pour devenir la Terre de la Forêt verte. Son cœur se remplit d'une immense joie. Elle touche la tête de Lou pour attirer son attention, puis elle pointe droit devant :

— As-tu vu ça, Lou ? Le Pays de la Terre perdue continue de me surprendre ! Est-ce une forêt perchée dans le ciel entre deux falaises ? Pour l'atteindre, j'aurais dû passer par la lune ?

L'humaine rit aux éclats. Ici, elle doit s'attendre à tout ! Soudain, la nomade sent l'adrénaline affluer dans tout son corps et raviver son énergie. Le sang de ses ancêtres, les coureurs de bois, tout comme les explorateurs, circule rapidement dans ses veines.

— Viens, Lou ! Je dois savoir ce qu'il y a là-bas. Ce serait l'endroit idéal pour le bivouac 3.

Le retour de sa joie de vivre lui fait réaliser à quel point elle a le gosier sec. Elle avale difficilement. « Imbécile ! Tu étais tellement perdue dans ta tête que tu as oublié l'essentiel… tu aurais pu au moins penser à ton compagnon… »

Malgré son empressement de poursuivre sa route, elle dépose son sac à dos à ses pieds et sort son outre, ainsi qu'un bol en bois. Elle boit de l'eau, puis elle en offre à Lou. Nadine en profite pour admirer toute cette beauté qui l'entoure. Elle respire à fond, laisse le bonheur s'installer confortablement dans son âme. Elle sourit alors que l'euphorie l'enveloppe complètement.

Soudain, elle ressent le gargouillis de son ventre vide. Du coup, elle apprécie ce signe de santé qui se manifeste autant de manière psychologique que physique. La gourmande ne peut résister à l'appel de la bouffe. Elle sort quelques bouts de perdrix séchée, pour les manger sur la route. « Ce n'est pas du chocolat suisse, mais ça fera l'affaire pour aujourd'hui… » Jouissant d'une nouvelle énergie, elle replace son sac sur ses épaules et donne le signal du départ en frappant le dos de sa lance sur le sol. Bang ! Bang !

— Viens, Lou ! L'avenir nous attend ! Là-bas au nord !

Nadine marche d'un pas rendu rapide par l'excitation. Elle observe ce grand plateau rocailleux qui s'étend à sa droite, comme à sa gauche. Par choix, elle trace son chemin en longeant plus ou moins la falaise qui se profile à l'est. Depuis un bon moment, elle devine à peine le bord de la paroi du côté ouest tant la distance est importante. De toute évidence, la Terre juchée continue de s'élargir vers le nord. Est-ce que les deux régions surélevées, celle de la Terre de la Forêt verte et celle de la grotte, se joignent un peu plus loin ? « Ce serait bien… »

Le terrain se transforme au fur et à mesure que Nadine approche de la région boisée. Quelques vallons tiennent lieu de zones à l'abri du vent. Comme c'est toujours le cas en nature, la végétation prend d'assaut le sol dès que possible. Elle découvre des herbes hautes, au creux d'une large dépression. Perplexe, elle aperçoit même de l'oxalis et une sorte de rosier sauvage. « Il y a de l'eau ici… d'où vient-elle ? »

La nomade poursuit son avancée vers le nord. La ligne verte grossit, des buttes et des vallées apparaissent. La végétation devient de plus en plus variée. « C'est tellement surprenant ! J'ai bien fait d'écouter mon instinct ce matin. Je déniche toutes sortes de merveilles, un pas à la fois, une minute après l'autre… ça fait tellement de bien à mon âme… »

Nadine baisse les yeux pour se rendre compte que Lou l'observe, la tête penchée un peu sur le côté. À sa manière, il comprend que quelque chose a changé dans le comportement de sa mère adoptive au cours des dernières heures. L'humaine s'accroupit, prend la grosse caboche du canin dans ses mains et frotte son nez contre le museau froid de l'animal.

— Je t'aime beaucoup, tu sais ! Merci d'être dans ma vie d'ici.

Elle flatte son protégé pendant un moment et gratte la peau sensible derrière les oreilles du canidé. Elle se relève et, le loup sur les talons, poursuit sa route encore une heure, son pas rendu léger par le bonheur. Dans sa tête, les notes majestueuses de l'*Ode à la joie* de Beethoven célèbrent son euphorie dans un fracas d'instruments à cordes. Suivant le rythme du ballet qu'est devenue sa vie, elle marche vers cette ligne verte qu'elle voit grandir à chaque seconde. Le radieux soleil illumine son visage et son bien-être lui donne un air de sérénité.

— Quelle belle journée pour découvrir une forêt ! Je ne m'attendais pas à ça… il est si magique mon royaume !

Chapitre 9

Jour 657 – 2 mai

« Que c'est magnifique ici ! Une oasis géante au milieu d'un paysage complètement désertique… »

Nadine vient d'arriver à l'endroit qui deviendra son bivouac 3. Le soleil qui se trouve à mi-course projette ses chauds rayons sur une nature exceptionnellement florissante. Éblouie par cette ambiance de rêve, la femme reste bouche bée. Qui aurait pu s'attendre à découvrir un tel décor sur ce plateau juché à plus de 250 mètres d'altitude.

Découvrant cette ligne verte devant elle, Nadine s'en est étonnée. Une forêt peut-elle croître dans un lieu pareil ? L'environnement rocheux freine sa progression et elle s'impatiente de ne pouvoir satisfaire rapidement sa curiosité. Animée d'une énergie nouvelle, elle trace son chemin, y plaçant des indices afin de délimiter ce qui deviendra ce qu'elle nomme déjà dans sa tête « le sentier de la Terre juchée ». Elle devra bien sûr l'aménager afin de pouvoir s'y rendre avec son travois, mais, pour le moment, elle s'est contentée de le faire passer aux endroits les plus accessibles. Elle a réussi à contourner les champs de roches instables, ainsi que les dépressions où poussent les plantes fragiles. Selon une habitude qui l'a si bien servie depuis le début de son exil, elle a marqué la route par de nombreux cairns disposés le long d'une ligne plus ou moins droite et qui traverse le plateau en déviant un peu plus vers l'est.

Alors qu'elle s'approchait de la forêt de conifères rabougris, elle a aperçu une nuée de goélands. Que faisaient-ils à des kilomètres de la falaise et de la mer ? Pourquoi volaient-ils si haut ? Jusqu'à présent, elle ne les avait observés qu'à proximité des plages ou des cours d'eau aux abords plutôt marécageux. Ce n'est qu'en poursuivant sa route qu'elle a compris la raison de leur présence. Encastré dans un vallon, au cœur de cette forêt qui s'étend de chaque côté, un immense lac sommeille. Les petits arbres rabougris lui permettent de regarder très loin devant elle. Ainsi, au-delà de la zone boisée, il semble n'y avoir qu'un ultime environnement rocheux. Elle devra donc se rendre à la butte rocailleuse qui lui masque la vue, afin de pouvoir confirmer cette impression. « Qui sait ce qu'il y a plus loin au nord ? »

Quelques pas de plus et la voilà prise en souricière. Les battements de son cœur manquent un coup. La rage aux tripes, Nadine s'approche de l'immense étendue d'eau qui bloque son chemin. La colère monte en elle. Elle ferme les poings et ne peut contenir son humeur agressive.

— Encore un obstacle ! Espèce d'emmerdeur !

Elle tremble et voudrait hurler son exaspération dans l'air froid du plateau. Elle inspire profondément, puis elle décide d'attendre un instant, histoire de se donner un moment pour réfléchir. Son cerveau l'incite à la patience, lui rappelant qu'elle a surmonté plusieurs contretemps de ce genre… avec beaucoup de succès par ailleurs.

— Je vais t'apprendre à ne plus m'embêter ! Je trouverai une solution ! Tu verras !

Nadine serre les dents et commence à identifier autour d'elle tout ce qui pourra lui servir à construire un pont… sinon un radeau de fortune. « Ça va prendre du temps… et retarder mon voyage… » Découragée, elle refuse tout de même de laisser cette nouvelle situation briser sa détermination. Elle vérifie l'angle du soleil et réalise qu'elle a encore plusieurs heures à sa disposition d'ici la fin de la journée. « D'abord, je prends le temps de bien évaluer ce qui se passe… après, je déciderai ce qu'il faut faire. »

Rassurée par cette réflexion, la nomade dépose son sac à dos par terre et l'appuie contre un rocher. Elle saisit sa gourde et boit une rasade d'eau. Puis, elle attend que son rythme cardiaque ralentisse. Comme il le fait souvent quand les émotions de sa mère adoptive prennent le dessus, Lou s'approche. Il pousse la main de Nadine du bout de son museau froid, comme pour attirer son attention. La femme dépose un genou par terre et glisse ses doigts dans la fourrure épaisse. Pendant que l'animal lèche abondamment son visage, l'humaine flatte son protégé pour le rassurer. Peu à peu, le calme revient dans l'âme de la nomade.

« Tant qu'à être ici, je vais prendre quelques jours afin d'explorer cette grande oasis. Je verrai bien ce qu'elle me réserve… » Si l'aventurière ne peut pas continuer tout de suite vers l'avant, elle peut certainement s'aventurer vers sa gauche ou sa droite. Peut-être que, parvenue un peu plus à l'ouest, elle pourra observer la terre basse où se situe sa grotte. « J'irai à l'est… pour observer l'océan… pour voir… » Pendant que sa personnalité de gestionnaire planifie ses prochaines heures, Nadine sort quelques bouts de viande séchée pour Lou, quelques noix et des fruits secs pour elle-même. « Tu manges tes émotions », lui dirait un psychologue…

Elle s'assoit sur un rocher au bord de l'immense étendue d'eau pour mieux réfléchir. Puis, observant autour d'elle, Nadine découvre un endroit d'une beauté exceptionnelle. Le vent léger provoque un frisson sur l'onde calme. Très vite, elle imagine la hutte de pierres dont la porte s'ouvrira au nord-est, face au lac. Une fenêtre donnant vers le sud-ouest viendra faciliter l'aération. Elle sait déjà que l'eau est potable. Le canidé s'y est longuement abreuvé à leur arrivée; Lou ne boit jamais si c'est contaminé. Avec le temps, elle s'est habituée à suivre son exemple. Du coin de l'œil, elle observe un goéland plonger profondément dans la masse aqueuse, juste devant d'elle. Son estomac gargouille à l'idée… « Du poisson ! Je me demande ce que c'est… je pourrais fabriquer une ligne comme celle que j'utilise au lac aux brochets… »

L'horreur de la nuit précédente oubliée, Nadine s'aperçoit que son énergie habituelle commence à la bousculer. Elle se lève et frotte ses mains l'une contre l'autre. Elle recherche une action susceptible de lui permettre de réduire la tension ambiante. « Bon ! À quel endroit est-ce que je place la hutte ? » Parcourant le terrain, en long et en large, elle finit par repérer un coin idéal pour tracer le cercle de pierres. Histoire de retrouver rapidement ce lieu, quand elle reviendra la prochaine fois, elle plante une de ses lances profondément dans le sol. Elle y ajoute un tas de roches pour que le piquet reste bien droit malgré le vent. Ensuite, elle y attache un bout de toile, ainsi que trois plumes de goéland. « Pour le moment, ça ira; plus tard, je coudrai les plumes directement sur la toile… » Elle s'éloigne de quelques pas, observe son travail d'un œil sérieux, puis elle pose ses mains sur ses hanches. « Mon bivouac 3 vient d'être géolocalisé. » Ce terme la fait sourire. Elle ne l'a pas utilisé depuis presque deux ans, car, privée de l'apport des technologies, cette notion perd tout son sens. Mais surtout, des satellites en orbite feraient encore mieux l'affaire !

— Lou ! Qu'est-ce qu'on fait maintenant ? Lou ? Où es-tu passé ?

Elle pivote en tous sens pour apercevoir son protégé. Elle note qu'elle ne l'a pas vu, ni entendu, depuis un bon bout de temps. Il est manifestement beaucoup plus actif depuis leur arrivée dans la forêt. C'est une indication que le coin foisonne de petit gibier. Réalisant que Lou chassera pendant leur séjour ici, ce qui la replongera dans sa solitude, elle devient soudainement morose. « Je dois m'y faire… » Son cœur de mère s'inquiète encore pour ce gros loup, même s'il est suffisamment habile pour se défendre et la protéger par la même occasion.

Des yeux, elle cherche son fils adoptif. Cette forêt éparse aux arbres rabougris lui permet de regarder dans toutes les directions. C'est ainsi qu'elle aperçoit Lou, loin devant elle. Sur le coup, son cœur bondit dans sa poitrine. L'adrénaline gonfle sa réaction, énergisant tous les muscles de son corps. Elle se lève sur la pointe des pieds pour s'assurer qu'elle a bien vu… Lou gambade de l'autre côté du lac ! Il a trouvé un chemin !

Mais par où est-il passé ? Encouragée, Nadine s'empresse de remettre son sac à dos et elle s'approche de l'eau pour chercher un sentier qui pourrait la mener vers la rive nord. La femme remarque que, de ce côté-ci, le bassin est plutôt très profond. L'eau est claire, mais on ne voit pas le fond. De gros poissons nagent trop profondément pour qu'elle puisse les attraper avec une lance, encore moins avec un dard. Les goélands doivent monter très haut dans les airs afin de pouvoir plonger profondément pour les atteindre.

L'étendue d'eau s'élargit considérablement à l'ouest de sa position. Par contre, le lac semble plus étroit en direction de l'est. « Comment puis-je savoir par où est passé Lou ? Hum… j'ai une idée… » Elle frappe au moyen de sa lance le tronc d'une épinette noire. Le son produit se répercute en écho. Lou lève la tête, cherchant à savoir d'où provient le bruit familier. « Ça marche à tout coup ! » Elle répète le geste et voit son protégé partir à la course vers l'est. « Voilà ! Je sais maintenant que le passage est par là… Je suis géniale ! Allons ! On se magne ! »

D'un pas léger, Nadine longe le bord de l'eau sur une distance d'au moins deux kilomètres pour rejoindre Lou. Au fur et à mesure qu'elle progresse, le lac se rétrécit et semble moins profond. Curieusement, il se termine brusquement, à moins d'un kilomètre de la falaise. Quel endroit bizarre ! Il n'y a aucune rivière qui approvisionne l'énorme réservoir. Qu'est-ce qui l'alimente ? Une source souterraine, à une telle altitude ? « Ça défierait les lois de la gravité… tout de même ! » Est-ce qu'il s'agirait plutôt d'un immense bassin dont le contenu proviendrait de la pluie des orages ? Les tempêtes le garderaient rempli à ras bord ? « Ce n'est quasiment pas possible… voilà une énigme dont je ne trouverai peut-être jamais la solution… » Bof ! Maintenant que son chemin vers le nord est rendu faisable, découvrir la source de ce mystérieux lac est le moindre de ses soucis.

Allègrement, Nadine poursuit sa route jusqu'au sommet du monticule qui lui bloque la vue. L'escalade d'une pente aussi prononcée finit par l'essouffler. En effet, la colline de forme conique ressemble à un volcan éteint qui s'élève à 150 mètres et dont le centre se serait rempli de poussière avec le temps. Mais l'exercice en vaut la peine. Du haut de la butte, l'aventurière constate que la Terre juchée continue de s'étendre et de s'élargir à perte de vue. Elle remarque que le côté ouest du plateau se profile directement vers le nord, alors que le rebord à l'est de cette haute plaine suit plutôt une ligne fortement morcelée en direction du nord-est. Ainsi, la Terre juchée forme une sorte de triangle surélevé dont l'un des coins s'appuie sur la péninsule sud.

Bien qu'elle devine des creux de vallées ici et là, elle ne voit aucune indication pouvant confirmer que la falaise redescende vers une terre distincte qui serait plus basse ou plus près de la mer. Nadine n'aperçoit aucune zone boisée à l'horizon et cela la déçoit. Par contre, elle se souvient que la ligne verte est apparue dans son champ de vision après deux jours et demi de marche. Ainsi, la seule façon de savoir s'il y a d'autres oasis à l'horizon serait de parcourir le terrain encore plusieurs jours. Est-ce qu'elle aura le temps d'arpenter tout le secteur ce printemps ?

« Je verrai bien… mais tout d'abord, je devrai consolider mes acquis au bivouac 2 et profiter de ce que la nature m'offre ici pour établir le camp 3… » Un peu plus loin, le territoire lui semble aussi aride que ce qu'elle a constaté au sud du lac juché. Pour l'explorer à fond, elle devra profiter de ce que lui offre l'oasis et transformer l'endroit en point d'ancrage. L'idée est fort intéressante. La présence d'eau et d'une forêt garantit sa sécurité. Elle trouvera le moyen de pêcher du poisson et de cueillir des plantes. Pour le reste, elle a bien l'intention de se rendre au bout de la Terre juchée et, pour y arriver, elle tracera son chemin, un petit bout chaque jour, et construira une hutte à la fois…

Debout sur le sommet de cette montagne spectaculaire, elle laisse échapper de sa gorge un rire vibrant que l'écho transporte loin vers l'avant. « Je suis comme Neil Armstrong qui fut le premier humain à marcher sur la lune, le 21 juillet 1969. » Âgée de treize ans, Nadine avait suivi toute l'affaire avec sa famille sur un téléviseur noir et blanc. Elle se souvient encore du frisson qui l'avait secouée quand elle a entendu Armstrong prononcer ces paroles qui ont fait le tour du monde en quelques semaines : « *That's one small step for man, one giant leap for mankind* ». Son père avait traduit la phrase : « C'est un petit pas pour l'homme, mais un bond de géant pour l'humanité. »

« J'aime cette philosophie de l'exploration. Je dois me souvenir que, grâce à chacun de mes pas, je transporte l'Humanité un peu plus loin. Elle fait partie de moi, comme elle faisait partie de Neil Armstrong quand il a posé le pied sur le sol lunaire. » Si le haut plateau est si inhospitalier, Nadine l'apprivoisera, un petit bout à la fois, histoire de se rendre le plus loin possible. Armstrong n'a-t-il pas commencé une conquête de l'espace qui se poursuit encore aujourd'hui ? Si l'humanité planifie l'exploration de Mars, et pousse la curiosité jusqu'à chercher d'autres planètes habitables aux confins de la galaxie, l'exilée peut envisager l'occupation totale du Pays de la Terre perdue… « Pourquoi pas… j'ai le temps… »

La tête remplie de projets d'expédition qui l'occuperont pendant au moins 25 ans, Nadine retourne au site choisi pour son bivouac 3. En longeant l'extrémité du lac, là où c'est moins profond, elle sort un dard de son sac à dos et harponne deux gros brochets. L'odeur du poisson frais fait gargouiller son estomac au point que la femme se retient de le manger cru. « Ce coin de pays devient de plus en plus intéressant… j'ai vu une sorte de lièvre tout gris tantôt… » Juste à côté de son site, elle découvre un ruisseau qui coule en cascade en direction du sud-ouest. Voyant Lou s'y abreuver goulûment, ce qui signifie que l'eau est potable, elle décide d'y plonger sa gourde pour la remplir.

S'appuyant sur une routine consommée, elle allume un petit feu pour faire cuire l'un de ses brochets et place l'autre dans une pochette hermétique. Afin de garder la nourriture au frais, elle dépose le paquet dans le cours d'eau, tout en l'attachant avec une sangle à un piquet coincé entre deux rochers. Pendant que la cuisson se poursuit, elle tente d'oublier les bruits de plus en plus intenses de son estomac en installant son abri. « Je n'ai presque rien mangé de la journée… c'est à cause du cauchemar… l'anniversaire oublié… mais ça va mieux maintenant… »

Une fois sa gourmandise assouvie, Nadine profite de la lumière du jour déclinante pour amorcer l'édification du bivouac 3. Elle dégage tout d'abord le site des pierres qui l'encombraient, y laissant une surface en terre battue relativement plane. Elle place quelques roches de façon à délimiter le périmètre de ce qui deviendra sa hutte.

Fatiguée, tant par les heures d'exploration, que par les travaux de construction, Nadine s'assoit en bordure du feu pour tirer parti de sa chaleur avant qu'il ne s'éteigne. Bientôt, l'humidité froide de ce coin de pays s'immiscera sur ce bout de territoire. Sirotant sa dernière tisane, elle se remémore les évènements de la journée en y trouvant une grande satisfaction. Du coin de l'œil, elle voit Lou revenir de sa chasse avec un écureuil dans la gueule. « Voilà pourquoi tu n'as montré aucun intérêt pour mon poisson... petit cachotier ! Va ! » Malgré le sourire qui s'affiche sur ses lèvres à la vue du gros canidé, son âme s'assombrit à l'idée qu'il lui faille s'habituer à l'indépendance du loup. Une douleur vive se loge au creux de son ventre. « Un jour, tu me quitteras… »

Finalement, Nadine glisse son corps entre les deux courtepointes de peaux, en sécurité sous son abri. En sourdine, elle entend les derniers crépitements du feu, le son des poissons qui sautent de l'eau pour gober un insecte quelconque, le sifflement du vent et le bruissement du ruisseau qui coule à côté. L'air frais a tôt fait d'endormir la seule humaine qui habite le Pays de la Terre perdue.

Si elle rêve un bout de temps d'exploration lunaire avec Neil Armstrong, elle retrouve rapidement l'image de son métèque préféré. Elle admire les yeux clairs comme des billes de Georges Moustaki, plantés sur son visage buriné et barbu. Usant de sa voix douce, il lui rappelle que l'astronaute voyageait avec deux compagnons d'armes, Buz Aldrin et Michael Collins. Les trois aventuriers reviendraient éventuellement chez eux…

La solitaire nomade ne peut compter que sur ses propres ressources… jusqu'au bout de son existence. Perdue sur cette terre inhospitalière, elle ne retrouvera jamais son ancien mode de vie. Chez elle, c'est désormais ici, pour le meilleur et pour le pire.

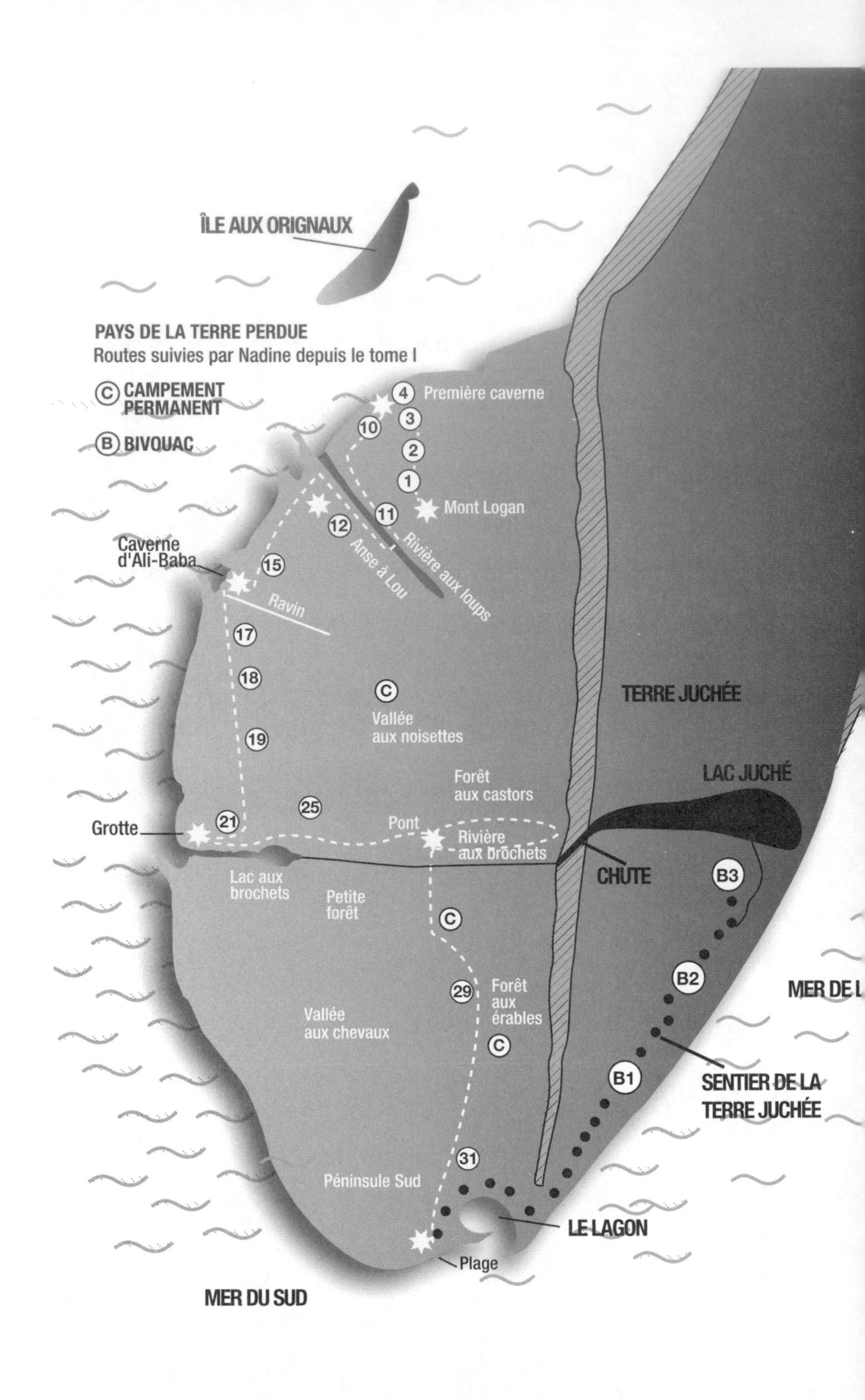
ÎLE AUX ORIGNAUX
PAYS DE LA TERRE PERDUE
Routes suivies par Nadine depuis le tome I
C CAMPEMENT PERMANENT
B BIVOUAC
4 Première caverne
3
10
2
1
Mont Logan
11
12
Anse à Lou
Rivière aux loups
Caverne d'Ali-Baba
15
Ravin
17
18
C
Vallée aux noisettes
TERRE JUCHÉE
19
Forêt aux castors
LAC JUCHÉ
25
21
Grotte
Pont
Rivière aux brochets
Lac aux brochets
Petite forêt
CHUTE
B3
C
B2
29
Forêt aux érables
Vallée aux chevaux
C
B1
SENTIER DE LA TERRE JUCHÉE
31
Péninsule Sud
LE LAGON
Plage
MER DU SUD

Chapitre 10

20 août 2006

— Maman ! Je ne veux pas que tu meures !

Malgré la violente nausée qui l'affecte, Irène ouvre les yeux afin d'observer sa fille de 50 ans qui réussit à chausser parfaitement ses anciens souliers d'adolescente boudeuse. La malade sait très bien que ce coup de gueule excessif de Nadine ne vise qu'à libérer un peu de cette tension qu'elle ressent face au drame qui s'immisce dans sa vie : Irène, sa mère, est atteinte du cancer. Un immense sourire illumine soudainement ce visage ridé et blême, aux traits particulièrement tirés. Que de souvenirs ce cri du cœur lui rappelle-t-il ! Léchant ses lèvres pour les humecter, la dame de 88 ans tente de répondre sur un ton marqué par la fatigue; sa voix casse sous le coup de la douleur.

— Tu crois que j'ai le choix, ma cocotte ?

Nadine fait la moue face à la question de sa mère, perpétuant l'attitude enjouée qui a si souvent caractérisé leurs échanges au fil des ans. Heureuse d'avoir fait naître un sourire sur le visage de la femme âgée, même si cet effort consume trop rapidement ses énergies, Nadine lui prend la main doucement.

Irène a subi le dernier traitement de chimiothérapie ce matin. Dans deux semaines, l'oncologue lui indiquera si tous ces efforts en valaient la peine ou si sa vie s'arrêtera plus vite qu'elle ne le voudrait. La malade, assise sur le petit patio, relève sa main ridée et la pose sur le bras de la chaise longue garnie de multiples coussins. Ce cadeau lui a été offert par ses enfants afin de lui permettre de profiter du beau temps, malgré la faiblesse qui affecte son corps. Elle serre les dents pour tenter de mieux contrôler les tremblements provoqués par la maladie.

Il fait chaud, mais elle a froid. Elle replace le châle sur ses épaules pour conserver le peu d'énergie qu'il lui reste. Pourtant, malgré ses pommettes creusées par le manque d'appétit et son cuir chevelu libre de tout poil, le visage de la femme est illuminé par deux grands yeux bleu vif qui témoignent d'une étonnante détermination. Irène se bat pour vivre. Soudain, la malade sent son estomac se rebeller. Encore ! Aussitôt, sa fille se précipite pour lui tendre le seau. Les nausées s'accentuent.

Aujourd'hui, Nadine a pris la relève de sa sœur Virginie qui a passé les quinze derniers jours avec Irène. Durant les mois précédents, ses frères Marc, Étienne et Jean se sont relayés toutes les quinzaines. Quant à Éric, il arrivera bientôt de la Suisse pour accomplir le prochain tour de garde. Ainsi, la famille d'Irène, veuve depuis 1970, a permis à cette dernière de vivre à la maison malgré sa terrible maladie.

Irène a reçu le diagnostic en mars dernier et elle a subi l'ablation complète des deux seins quelques semaines plus tard. La biopsie a confirmé une tumeur maligne et un protocole mixte de radiothérapie et de chimiothérapie a été mis en place afin de tenter d'enrayer le mal. Quand Irène a informé ses enfants qu'elle tenait à se battre pour surmonter cette épreuve difficile, tous, sans exception, conjoints et petits-enfants inclus, l'ont encouragée dans sa décision. Personne ne lui a fait sentir qu'elle était trop vieille, que les traitements agressifs allaient la tuer plutôt que la guérir.

Très vite, un programme de soins à domicile a été établi. Nadine ressent de la fierté en se rappelant que Bernard, son ami d'enfance, a donné un sérieux coup de pouce à sa famille afin de mieux se préparer à endosser leurs nouveaux rôles d'aidants naturels. Il avait conçu toute une série de mini-cours à leur intention. Il faut dire que ce médecin, fils de deux chirurgiens dont l'horaire était fort chargé, avait eu Irène comme gardienne, alors qu'il était âgé d'à peine quelques mois. D'ailleurs, la femme ne faisait aucune différence entre les deux enfants nés à quelques semaines d'intervalle, les élevant comme s'ils étaient des jumeaux.

Nadine observe sa mère et constate qu'elle s'est assoupie. La benjamine voudrait qu'Irène roupille au moins une heure, deux heures si possible. Elle vérifie l'état des couvertures pour s'assurer que la dormeuse n'aura pas froid et elle rentre dans la cuisine afin de préparer les médicaments et un repas léger. Irène se sentira mieux quand elle se réveillera. Les heures qui suivent le traitement sont les pires, alors qu'elles apportent des vomissements, des tremblements, ainsi qu'une faiblesse généralisée chez l'infortunée patiente. Nadine en profite pour ranger un peu la maison, commencer une lessive, changer le seau à côté de la malade et se débarrasser de son contenu peu ragoutant. Elle s'active pour éviter de trop penser au fait qu'elle pourrait bientôt perdre sa mère…

Un peu plus tard, bien qu'elle soit assise sur une chaise de parterre avec un livre dans les mains, Nadine n'arrive pas à se concentrer sur sa lecture. Bien malgré elle, sa tête la ramène dans son passé. Prendre soin d'Irène lui rappelle ces quelques mois d'étude de nursing au CÉGEP de Limoilou au cours de l'année scolaire 1974-75. Surtout, elle se souvient de Nadège et de Germaine, les deux infirmières qui ont incité la jeune fille à changer de métier. Elle n'a jamais regretté d'avoir agi d'instinct. Cette profession, bien qu'elle soit parfaitement digne d'être pratiquée, ne correspondait pas vraiment à ce qu'elle espérait de la vie. L'attitude exécrable des deux mégères lui a indiqué un environnement de travail à l'intérieur duquel il lui aurait été impossible d'être heureuse. Son choix n'a été que plus facile à faire. Par contre, les techniques qu'elle a apprises durant ces quelques semaines lui sont maintenant fort utiles pour s'occuper de sa mère. Les gestes qu'elle n'arrivait pas à poser spontanément à l'hôpital Laval de Sainte-Foy lui apparaissent comme tout à fait naturels lorsqu'il est question de prendre soin de celle qui lui a donné la vie.

Nadine lève les yeux de son livre avec un soupir d'exaspération. Pourquoi ces deux chipies revenaient-elles s'immiscer dans sa tête ? C'est alors qu'elle remarque les prunelles rieuses au milieu du visage émacié de sa mère.

— Allo ! s'enquiert Nadine.

— Je me demande dans quel coin de ta mémoire tu étais perdue… peut-être étais-tu en train d'inventer une histoire pour ta petite-fille qui s'en vient ?

Nadine éclate de rire; Irène la connaît si bien.

— J'étais dans mon passé, maman. Comment vas-tu maintenant ?

— Ça va beaucoup mieux. Ça n'a pas d'allure d'avoir un cancer à mon âge… Une tumeur au sein, c'est pour les femmes d'âge mûr, ça ! Pas pour les vieilles comme moi…

De toute façon, elle doit se battre coûte que coûte. Pour elle, c'est le combat ultime. Observant le regard triste de sa fille, Irène change de sujet.

— Est-ce qu'il reste de cette soupe qui goûte le gingembre et que ta sœur a cuisinée hier ?

— Bien sûr ! Tu veux la manger dans la maison ou ici ?

— Je me sens un peu moins malade dehors.

— OK. Je t'en apporte.

Nadine place la couverture autour des jambes décharnées de la convalescente.

— J'oubliais, ajoute-t-elle. Mon fils Dominique a appelé tout à l'heure. Lui et Anne aimeraient venir te voir ce soir. Est-ce que tu serais trop fatiguée pour recevoir mes deux amours ?

Les yeux de la femme âgée se remplissent de bonheur.

— Tu sais, la maladie sera encore là demain… J'apprécierais cette belle visite.

Irène mange sa soupe en observant sa fille. Cette dernière affiche cet air particulier qui indique le tourbillon de questions qui se bousculent dans sa cervelle. « Celle-là n'arrêtera jamais de se casser la tête pour un tout ou un rien. »

— Nadine, qu'est-ce qui mijote entre tes deux oreilles ?

La femme plus jeune redresse le dos et, sortant de sa bulle réflective, porte ses yeux vifs en direction de sa mère. Un peu gênée de la tournure de ses pensées, elle se contente de dénier ses efforts.

— Il n'y a rien du tout, maman. J'étais juste dans la lune.

— Bien sûr ! Mais encore ?

Nadine reste immobile, sauf en ce qui concerne ses mains qu'elle tord sans arrêt : une indication du tumulte qui l'habite. Irène renchérit :

— Je te connais trop bien. Quelque chose te chicote. Pourquoi ne pas me l'expliquer ?

— Tu en as tellement sur les épaules ! Je ne voudrais pas te déranger avec le fruit de mon imagination un peu trop vive...

— Allons ! réplique Irène. Tu sais que tu peux tout me dire.

C'est ainsi que la vieille dame a vu des larmes briller dans les yeux de la femme d'âge mûr.

— Nadine ! Parle, sinon je risque de deviner tout de travers ! Je pense que cela a un lien avec ce qui se passe dans ma vie. Tu as vraiment peur que je meure, c'est ça ?

Nadine est si surprise qu'elle ouvre la bouche sans que rien ne puisse en sortir. Malgré que son corps soit chamboulé par tous ces produits chimiques que les médecins lui donnent, et qui la tuent presque autant que le cancer, Irène ne perd rien de sa lucidité. Nadine baisse la tête, ferme les yeux pour retrouver un peu de calme. « Il n'est pas question que je pleure; cela lui ferait tant de mal. » C'est ainsi qu'une autre conversation, de nature plutôt philosophique, s'installe entre les deux femmes.

— C'est sûr que j'ai peur que tu meures, répond Nadine, mais ce n'est pas ce qui me trouble le plus en ce moment.

— Explique-moi, fait Irène pour inciter sa fille à parler.

— J'admire ton courage; je ne suis pas certaine que j'arriverais à trouver l'énergie nécessaire si le cancer me frappait. J'ai un peu honte.

— Je suis convaincue que tu puiserais l'espoir de guérir au fond de toi-même. Tu fonces dans la vie avec une telle détermination qu'on a l'impression parfois que tu conduis un *bulldozer*.

Nadine éclate de rire face à l'image que lui présente sa mère. Puis, elle poursuit la conversation, alors que les questions se bousculent dans sa tête.

— Je me demande… si j'étais atteinte au point de ne plus avoir aucune chance de survivre… est-ce que je serais capable d'envisager un suicide assisté ? Je pense entre autres à la maladie de Lou Gehrig's, ce syndrome neurologique qui emprisonne un esprit clair et vif dans un corps qui ne répond plus aux commandes du cerveau.

Irène blêmit; elle observe sa benjamine avec des yeux si brillants que Nadine a peur de l'avoir insultée.

— Maman ! Je ne crois pas que tu doives choisir cette option…

— Je comprends très bien, coupe Irène d'un ton surpris. Disons que ton commentaire est très… inattendu. Tu vis tellement comme une tornade, qu'on pourrait se demander pourquoi tu mettrais fin à tes jours.

— Tu as raison, ce questionnement est nouveau. Le fait que tu aies le cancer me confronte avec l'idée de ma propre fin. J'ai une santé de fer, comme toi, mais je ne suis pas à l'abri de toutes ces affections incurables.

— Avoir le cancer ne tue pas nécessairement, répond Irène, tout doucement.

— Non. Par contre, je suis d'accord avec les pays d'Europe qui permettent d'obtenir de l'aide pour mourir dans la dignité quand la maladie est terminale et qu'il n'y a plus d'espoir.

Irène a les yeux si brillants, presque mouillés, que Nadine comprend que sa mère s'est aussi posé la question… et que sa réflexion est rendue plus loin que celle de sa fille. Nadine ravale la boule d'émotion qui l'étouffe puis, d'une voix qu'elle souhaiterait plus calme qu'elle ne l'est en vérité, elle affirme :

— Tu as considéré cette option, au cas où le traitement ne fonctionnerait pas… c'est ça ?

Incapable de répondre sans pleurer, Irène hoche la tête.

— Le ferais-tu ? demande Nadine. Irais-tu en Suisse ou en Hollande pour mourir plus rapidement ?

Pendant un bon moment, la vieille femme observe Nadine. Devrait-elle lui faire confiance ? Nier tout simplement pour soulager sa fille ? « Non. Je lui dois la vérité. » Nadine est la plus forte de tous ses enfants. N'a-t-elle pas prévu de lui demander son aide si elle devait se rendre jusque là ? Lentement, pour mesurer ses mots et ne pas brusquer son interlocutrice, Irène explique sa décision.

— D'abord, je dois te dire que mon choix est celui de la bataille. J'ai la conviction que, même à mon âge, je parviendrai à vaincre ce cancer. À ce niveau, nous sommes pareils toutes les deux. Vivre à tout prix, c'est notre mot d'ordre.

Irène prend le verre que sa fille lui tend et elle avale une gorgée d'eau pour se calmer, puis elle continue :

— Mais, la vie en décide parfois autrement. Si, d'office, je devais me retrouver dans une situation sans issue, je tiens à mourir selon mes propres choix. Ce serait en Suisse et ton frère Éric est déjà au courant; il m'a fourni un précieux coup de pouce afin de trouver les informations nécessaires.

Nadine ferme les yeux pour mieux réfléchir quelques minutes puis, quand elle regarde sa mère à nouveau, elle voit une telle appréhension apparaître sur le visage de la malade qu'elle s'empresse de la rassurer.

— Maman, je ne sais pas comment je réagirais si cela m'arrivait. Je réalise aussi que tes traitements fonctionnent bien et que tu n'en es pas rendue là. Je souhaite sincèrement que tu guérisses. Par contre, si tu devais te trouver face à cette question un jour, sache que je respecterai ta décision. Je t'aime tellement. Je ne veux pas que tu meures, mais je t'accompagnerai dans ta démarche s'il le faut.

La vieille femme s'avance sur sa chaise pour prendre les mains dodues de sa fille dans les siennes. Les yeux pleins d'eau, elle s'adresse à sa plus jeune, de cœur à cœur.

— Je savais que tu étais assez forte pour accepter ma décision, si la situation se présente un jour. Je suis fière de toi. Mais pour le moment, ma lutte pour la vie occupe toute la place; c'est la seule façon de me débarrasser de ce monstre qui gruge mes chairs. C'est dur, Nadine, mais cela vaut la peine pour que je puisse prendre dans mes bras mon arrière-petite-fille qui arrivera en décembre prochain. Je veux la bercer. Ce vœu est plus fort que la maladie, la nausée, les vomissements, les faiblesses ou simplement cet âge vénérable de 88 ans.

— Je t'aime tellement, maman ! Bon ! Si nous continuons, nous allons pleurer à chaudes larmes toutes les deux et ce n'est certainement pas inscrit sur le plan de soins prévu par Bernard. Si on rentrait à la maison ? Je t'ai préparé un repas léger…

— Ma petite gourmande qui parle ! Les conversations difficiles te creusent l'appétit, n'est-ce pas ?

Un large sourire sur le visage, Nadine aide sa mère à prendre place à table avant de lui servir ce dîner cuisiné avec amour.

Si la maladie l'a rendue faible physiquement, le moral de la femme demeure à toute épreuve. Avec le concours de sa famille, Irène s'est battue férocement pendant plusieurs mois avant de voir le diagnostic s'améliorer : elle a finalement réussi à vaincre ce foutu cancer… et l'option d'un voyage en Suisse a été repoussée aux calendes grecques.

Chapitre 11

Jour 658 – 3 mai

— Maman ! Que fais-tu en ce moment ? Je suis certaine que tu aides ma famille à passer à travers cette épreuve difficile. Tu es si forte…

Nadine se redresse un instant pour placer son visage dans le soleil afin que les chauds rayons chassent l'amertume qui s'accroche à son âme. « Est-ce que ma mère est encore vivante ? Quand je suis partie, on s'apprêtait à fêter ses 93 ans… elle en aurait maintenant 95… » Nadine n'arrive pas à s'imaginer que cette femme au tempérament d'acier légendaire, rendue frêle au fil du temps, serait morte durant son absence. Quelle tristesse !

Une peau de renard sur ses épaules pour conserver sa chaleur corporelle, Nadine s'assoit devant le petit feu qu'elle s'est permis d'allumer afin de préparer son déjeuner. Elle le laissera d'ailleurs s'éteindre pour éviter d'épuiser sa maigre réserve de bois qu'elle trouve dans la forêt éparse. Elle boit sa tisane rapidement, car le liquide tiédit un peu trop vite à cause de l'air froid qui balaye la Terre juchée. « C'est comme à Québec : la météo du mois de mai oscille souvent entre 21 °C et -10 °C… » Elle se souvient même de la tempête de neige qui a frappé la région, en 1976, quelques jours après leur mariage. « Ouais ! Nous avons fait du ski de fond dans les rues de la capitale un 3 mai… » Nadine relève la tête brusquement et renifle un peu. « Chez nous, c'est le temps des derniers rhumes de la saison… Ici, il n'y a personne pour me transmettre ce virus… Je suis si seule… »

Nadine s'est réveillée alors que le soleil brille déjà dans le ciel. Sauf que les rayons de ce dernier souffrent de faiblesse et manquent de combativité pour tenir tête aux bourrasques glaciales qui descendent directement du nord. Est-ce que ce changement de vent annoncerait l'arrivée du mauvais temps ? Un orage meurtrier comme ceux qui frappent si souvent le territoire autour de sa grotte ? Un banc de brume comme celui qui a balayé la Terre de la Forêt verte durant sa visite ? « Hum... avec ce maudit pays, je dois m'attendre à n'importe quoi... » Elle se lève d'un bond et secoue ses jambes pour chasser le froid pénétrant.

— C'est assez ! Je dois rester active, sinon je vais geler sur place ! Qu'est-ce que j'entreprends ce matin ?

La nomade n'a aucune raison de se dépêcher. Elle n'a pas besoin de rebrousser chemin tout de suite vers la péninsule. Demain, ou dans deux jours, ce serait bien assez vite. Puis une idée s'immisce dans les dédales de son cerveau agité. Pourquoi ne passerait-elle pas un peu plus de temps dans ce coin ? Histoire d'explorer les abords du lac et apprivoiser cette forêt de conifères. Aussitôt l'intention énoncée, son esprit s'applique à organiser ses activités : afin d'aller plus rapidement, elle ne partirait qu'avec une petite gourde, une lance, sa besace et un peu de nourriture sèche. Puisqu'il est question d'une absence de quelques heures, elle peut laisser son gros havresac et tous ses autres effets à son abri. « Je reviendrai ici pour dormir. »

Plus elle y pense, plus son plan lui plaît. Elle évalue ses réserves en un rien de temps : il y a du poisson et de l'eau en abondance dans le lac, mais la quantité de bois sec est limitée dans la forêt. Elle observe autour d'elle. « Non ! Je ne couperai pas les épinettes rabougries... » Les conifères prendraient trop de temps à repousser dans cette zone difficile. Les plus gros sont probablement plus vieux que les immenses chênes qu'elle a aperçus dans la vallée de la rivière Azur, sur la Terre de la Forêt verte. Si elle en coupait, ne serait-ce qu'un seul, il ne sera peut-être pas remplacé avant plusieurs centaines d'années. Elle devra se contenter des quelques branchages qui, arrachés par la tempête, jonchent le sol ici et là. « Ça devrait faire l'affaire... »

Nadine reste soucieuse. Devra-t-elle affronter un orage en terrain découvert, sans pouvoir compter sur un abri solide pour la protéger des éclairs ? Le dernier s'étant terminé il y a quatre jours, le prochain n'éclatera que dans six, peut-être huit jours. Elle ferme les yeux pour mieux effectuer le calcul. « Si je soustrais les deux jours dont j'ai besoin pour me rendre au bivouac 1, il m'en reste quatre... C'est parfait ! » L'exploratrice est soulagée de ne pas avoir besoin de retourner tout de suite vers la péninsule; son âme d'aventurière apprécie tellement ce vagabondage spontané. « Je me sentais comme ça lorsque nous arrivions d'une expédition pour retourner à la ville grouillante... » Une sorte de torpeur l'envahit à l'idée de quitter une existence de plein air pour reprendre un tempo un peu trop bien orchestré. Pour elle, retourner à sa hutte en bas du plateau rocheux correspond à revenir à une vie bien rangée... presque civilisée.

C'est ainsi que, bien que le temps d'ici ne lui impose aucune pression, la nomade décide d'explorer le plus de terrain possible avant le coucher du soleil. « Juste pour le plaisir », qu'elle se dit. Envahie par l'excitation du moment, le corps surchauffé par les doses successives d'adrénaline, l'humaine contourne rapidement le lac en empruntant le passage plus à l'est. Même si le sol est rocheux, elle maintient une cadence qui l'essouffle, quelque part entre un bon pas et une course de fond.

Le soleil tape de plus en plus fort et Nadine laisse sa veste entrouverte afin de permettre à son épiderme de sentir le vent frisquet. Elle ressent une brûlure sur ses joues. Une insolation ? Elle n'en est pas certaine. La possibilité que des mélanomes puissent apparaître sur sa peau de blonde la fait frissonner, puis elle rejette l'idée... parce qu'au Pays de la Terre perdue, elle ne peut absolument rien faire pour prévenir le cancer. « Ça n'a pas vraiment d'importance... ici, il n'y a pas de civilisation qui soit en mesure de détruire la couche d'ozone... »

L'excitation causée par cette aventure la reprend de plus belle et elle avance allègrement, ses pieds touchant à peine le terrain tant elle plane; comme si elle portait ses équipements bizarres qu'on voit dans les films de science-fiction et qui font bondir les randonneurs au lieu de les laisser marcher normalement. En frappant le sol de sa lance pour garder l'équilibre, elle explore d'abord la rive nord du lac, cherchant à en découvrir les contours, tout en observant les pistes d'animaux et en identifiant les endroits où les restes de bois mort s'accumulent.

Une heure plus tard, elle se retrouve en bordure de l'étendue d'eau, juste en face de ce qui deviendra bientôt son bivouac 3. Pendant un instant, elle tourne sur elle-même pour bien observer le territoire : la forêt rabougrie pousse de chaque côté de la nappe bleue. Aujourd'hui, l'onde calme, encastrée dans une dépression du terrain, transmet un léger frisson. Ici et là, des brochets sortent leur large gueule pour avaler tout rond les quelques insectes qui flottent à la surface. Elle a même vu une petite grenouille disparaître ainsi…

Pendant un moment, elle s'imagine cette cabane faite de roches, une fenêtre donnant sur le lac, une peau lui servant de toit. « Je pourrais construire un mur d'enceinte pour le protéger du vent… installer un jardin… » L'idée lui plaît tellement qu'elle énumère déjà les plantes qu'elle déracinerait sur la terre de la grotte pour les mettre en terre à côté du bivouac 3. C'est un peu tard à ce stade du printemps, mais l'an prochain peut-être ? Puis, elle se souvient de l'information que contiennent les nombreux livres offerts par son amie Marie; elle identifie quelques éléments naturels qui pourraient lui procurer de la couleur… une roche pour l'ocre, une certaine fleur pour le bleu… « Rouge ! Je pourrais peindre les cadres de la fenêtre et de la porte écarlate… » Bon ! Voilà que sa tête hyperactive lui fournit du travail pour au moins dix ans !

Bien qu'une immense joie l'habite face à la possibilité d'utiliser ses talents d'artiste autrement, elle doit poursuivre sa randonnée afin de couvrir le plus de terrain dès aujourd'hui. Du coup, elle frappe sa lance par terre pour donner le signal du départ.

— Viens ! Lou ! On continue l'exploration !

Cependant, son imagination fertile n'avait pas fini d'en découdre avec de nouvelles idées. Nadine s'arrête pour mieux absorber cette énergie magnétique qui nourrit son cerveau… « Si je suis capable de fabriquer de la peinture, est-ce que je serais capable de produire une forme d'encre ? » De minces cuirs pourraient remplacer les feuilles utilisées d'habitude, des plumes tiendraient la place des crayons. Du coup, elle se voit, au cours des longs mois d'hiver, en train de consigner ses aventures au coin du feu dans sa grotte. « Je pourrais me sculpter un beau pupitre… » Ça ne ressemblerait pas à son iPad… ni à son bureau moderne, mais ça serait sympa tout de même.

Un murmure la ramène à la réalité. À sa droite, elle entend le bruit d'une cascade, un signe que le lac se termine en forme de cours d'eau… « J'ai hâte de vérifier ce que je soupçonne… » Habituée à jongler avec toutes sortes de choses lors d'une randonnée, Nadine perd rapidement de vue le paysage pour retourner à ses pensées déconnectées.

Toutes ses idées la maintiennent dans un état de légère euphorie. Ainsi, Nadine poursuit son chemin encore un bon moment. Sans trop s'en rendre compte, ses sens étant plus occupés à concevoir son prochain univers artistique qu'à surveiller les environs, chacun de ses pas la rapproche de la falaise plus à l'ouest. Soudain, se sortant de son monde imaginaire, elle note que le bruit incessant que produit l'eau qui court est de plus en plus insistant. Il y a assurément une rivière dans le coin. Elle ne la voit pas, mais elle l'entend fort bien. Le couvert forestier s'intensifie et la cime des conifères loge plus haut dans le ciel. « C'est bon ! Une meilleure réserve de bois... du gibier en nombre important... décidément, ce secteur devient de plus en plus intéressant... »

Du coin de l'œil, elle aperçoit Lou qui gambade vers l'ouest. Elle veut le rejoindre et accélère le pas. Elle perd pied en dépassant une talle de jeunes épinettes, mais elle marche trop vite pour ce type de manœuvre qui commande un vif pas de côté. Sur le coup, sa lance est projetée dans le vide, loin d'elle. Perdue dans sa réflexion depuis un moment, Nadine n'a pas vu la rigole profonde qui courait juste derrière les arbres. La nomade sent sa cheville se retourner et une douleur intense lui arrache un cri. Elle se laisse entraîner de tout son long pour éviter une fracture. Du coup, elle dégringole, tête première, vers le ruisseau qui coule au fond du ravin. Hurlant de peur et de rage, l'aventurière tombe de plusieurs mètres pour se retrouver au milieu des rapides qui dévalent furieusement la pente vers le nord.

— Nooooon ! Ahhhhhh !

Par instinct, elle allonge un bras et réussit à attraper une branche qui s'étire au-dessus du cours d'eau. Dans un effort surhumain, elle s'accroche à l'arbre avec ses mains et ses jambes. Puis, lentement, le cœur dans la gorge et la terreur au ventre, elle s'agrippe aux rochers qui surplombent le torrent. Finalement, malgré l'effroi provoqué par cette chute inattendue, elle arrive à sortir du ravin en grimpant d'une pierre à l'autre et en se retenant aux bosquets. Elle se hisse sur le côté ouest du ruisseau tumultueux. Essoufflée par l'effort, le coeur battant la chamade, elle place les mains sur ses hanches et tente de se calmer. « Tu aurais pu trouver une manière plus simple de traverser cette coulée ! Quand même ! Imbécile ! Si tu avais regardé où tu mettais les pieds aussi ! »

Afin de reprendre son souffle, Nadine s'assoit sur un rocher et laisse son corps se libérer de la décharge d'adrénaline provoquée par l'urgence d'agir. Ses membres sont secoués par de violents tremblements à cause de ce choc imprévisible. Elle croise ses bras sur sa poitrine pour mieux diffuser la tension. Elle se force à respirer lentement afin de redonner à son cœur un rythme normal. Elle frotte ses tempes de ses doigts pour calmer son pouls qui bat de manière un peu trop rapide. « J'ai eu si peur… heureusement, l'adrénaline m'a permis de réagir... » Elle grelotte à cause de l'air froid qui s'immisce dans cette forêt, même si elle est plus touffue dans ce coin-ci. Elle songe à son sac à dos qui contient des vêtements secs, mais elle a laissé l'outil au bivouac 3. « Idiote ! Tu as l'air intelligente maintenant ! C'est à plus de deux heures d'ici… tu devras faire un feu pour te sécher et gaspiller du bois. Merde ! »

Elle chasse sa colère afin de mieux se concentrer sur les éléments critiques qui composent cette situation. Elle inspecte ses possessions. Par chance, elle n'a perdu que sa lance malgré son étourderie. Sa machette est toujours en place, tout comme sa ceinture et tous ses outils. Sa gourde et sa besace n'ont pas souffert. Sans surprise, elle voit qu'un peu d'eau s'est infiltrée dans son sac. Heureusement, sa nourriture et son matériel d'allumage étant protégés dans des étuis imperméables individuels, tout est au sec. « Ouf ! » Malgré le soulagement de n'avoir rien perdu, Nadine est incapable d'arrêter de trembler.

Lou s'approche d'elle; son instinct lui dicte que sa mère adoptive est dans un tel état émotif qu'elle n'arrive plus à bouger. Il renifle les vêtements de la femme un bon moment puis, sautant sur la roche à côté d'elle, le loup place une patte sur le bras de Nadine. Il s'approche pour mieux lécher son visage, un comportement typique qui vise manifestement à l'apaiser. Appréciant sa présence réconfortante, Nadine le prend par le cou et le serre très fort. Peu à peu, les soubresauts cessent et quelques larmes s'échappent de ses yeux, comme pour laisser sortir le trop-plein d'émoi.

Rassurée, elle jette un regard plutôt troublé autour d'elle. Où se dirige donc cette rivière ? Elle coule en direction du nord-ouest, vers la paroi. Un peu plus loin, le torrent pénètre directement à l'intérieur du sol et disparaît dans les profondeurs de la terre. Que lui serait-il arrivé si elle n'avait pu s'accrocher à l'arbre ? Le tremblement qui reprend de plus belle devient si fort qu'elle claque des dents. Elle sent sa tête se vider de son sang à la vue de cette impétueuse cascade. Elle serre sa poitrine de ses bras pour tenter de retenir ce sentiment de désintégration qui l'affecte. « Je dois me ressaisir... je suis en vie... je dois aller de l'avant... éviter de rester captive de ma peur. »

Puis, au fur et à mesure que le désarroi s'estompe et que son corps cesse de trembler, la rage s'installe à l'intérieur d'elle. « C'est de ma faute... Je ne regardais pas où je mettais les pieds... j'avais la tête ailleurs... fabriquer des couleurs ! Tout de même ! » Qui plus est, elle insistait pour aller plus vite, parcourir plus de chemin. « Imbécile ! Tu aurais pu mourir ! » La colère est si violente qu'elle voudrait vomir toute sa honte. Pourquoi cette insouciance s'impose-t-elle à nouveau ? Pourquoi a-t-elle agi avec témérité ? Encore ! Pourtant, vingt et un mois au Pays de la Terre perdue lui ont fait comprendre qu'elle paye cher cette attitude, risquant, chaque fois, de perdre la vie.

Elle ferme les yeux pour endiguer ses larmes brûlantes. Aujourd'hui, elle cherche à explorer le plus loin possible. Malgré tout, elle a tout son temps. Alors, pourquoi courir ? Elle connaît si bien la réponse. Elle sait trop bien pourquoi cette témérité est revenue à nouveau au cœur de son existence de nomade.

Au cours de l'hiver, elle a fini par accepter l'évidence qu'elle ne retournerait jamais chez elle. Elle a fait le deuil de cette quête qui a pris toute la place dans son esprit, dirigé toutes ses actions depuis son arrivée, ici, au Pays de la Terre perdue. Au cours du difficile processus, quelque chose s'est brisé en elle. Ses liens avec sa famille et ses amis se sont effrités. Sa détermination a changé d'orientation au fur et à mesure que ses émotions les plus fortes se sont transformées en une vive colère envers ce monde qui la retient; mais tout cela cache une autre impression qu'elle refuse de voir en face. Pour survivre, elle a lâché prise et accepté de mourir ici. Elle a honte : est-ce une faiblesse de sa part qui l'a incitée à entreprendre ce cheminement psychologique si particulier ? Bien sûr, cette démarche personnelle lui aura permis de sauver sa vie au cours de la saison froide, quand son royaume était coincé dans la glace… mais encore ?

Refusant de faire face à cette émotion plutôt difficile à gérer, elle compense en adoptant cette fameuse témérité qui risque, parfois, de la mettre en danger. C'est comme si, comprenant qu'elle ne retournerait pas à Montréal, elle n'était plus obsédée par le devoir de sauver sa peau à tout prix. Son âme est déchirée entre deux maux : d'un côté, elle veut vivre le plus longtemps possible afin de punir ce Pays de la Terre perdue qui la garde prisonnière; de l'autre, elle a peur de mourir lentement en supportant des douleurs atroces ou d'une horrible vieillesse. « Ici, personne ne me transportera en Hollande pour qu'on m'aide à mourir dans la dignité… » Ce conflit d'émotions brutes bouleverse sa relation avec la vie et lui fait prendre plus de risques. Comme elle l'a fait aujourd'hui.

La honte qu'elle ressent provient aussi d'une source différente. Une question s'immisce dans sa tête, comme si elle faisait partie d'un clip qui repasse en boucle : « Si je dois périr ici, pourquoi ne pas mourir tout de suite ? Qu'est-ce que ça me donne de vivre plus longtemps… » Nadine serait-elle en train de devenir suicidaire comme Lucette, son ancienne collègue ? Ne trouvant plus de raison de vivre, la nomade chercherait-elle la mort à tout prix ? L'idée est tellement contraire à son véritable caractère qu'une autre vague de colère remplit son âme.

Bien sûr, ce processus s'accélère par le fait que Lou est maintenant mature et qu'il la quittera bientôt pour entreprendre sa propre vie de prédateur. Pour s'encourager, elle se rappelle qu'elle a vécu la même chose avec Allie l'an dernier et qu'elle peut visiter la jument aussi souvent qu'elle le veut. Mais Lou est un loup : il ne s'installera pas dans une vallée près de la grotte. Il rejoindra une meute plus loin, au centre de la forêt. Elle ne le reverra plus. « Je serai seule… je mourrai en solitaire… »

Pendant que le soleil fait un bout de chemin dans le ciel, Nadine reprend le contrôle de ses émotions. Son corps cesse de trembler. Elle peut maintenant porter son attention sur sa blessure. Elle retire sa botte, examine sa cheville enflée. C'est avec soulagement qu'elle note qu'elle n'est pas cassée. Elle s'en tire avec une bonne foulure. « Les réflexes qui m'ont poussée à rouler de côté pour éviter une fracture grave sont toujours aussi vifs… » Son pied fait mal, mais, après quelques tentatives, elle réalise qu'elle peut marcher. « Au moins, ça va me ralentir… » Elle remet sa botte et replace la sangle de façon à serrer sa cheville; une manipulation permettant de prévenir que l'enflure ne s'intensifie. « Je n'ai même pas apporté de thé des bois. » Cet analgésique naturel l'aurait aidée à supporter la douleur.

Lentement, elle se lève et observe le ruisseau qui coule dans un tumulte étourdissant tout au fond du ravin. Nadine se trouve sur le côté ouest du cours d'eau. En face, elle repère le sentier qu'elle devra suivre pour retourner au bivouac 3. « Je serai obligée de traverser à nouveau. Quelle maladresse ! » Pendant un moment, la situation lui donne froid dans le dos. Puis, détournant son regard vers sa gauche, elle éclate de rire. Lou se tient de l'autre côté du ravin, à moins de 100 mètres d'elle. Il jappe. « Cher Lou ! Je t'ai élevé et je t'ai montré tant de choses depuis notre première rencontre. Maintenant, c'est toi qui m'indiques le chemin… Merci mon beau ! »

— J'arrive ! Attends-moi !

Péniblement, Nadine rejoint son protégé; un passage à gué lui permet de traverser la rigole de façon sécuritaire, en marchant plus ou moins facilement, d'une roche à l'autre. Un peu plus loin, privée de sa lance, elle récupère un bout de bois qui lui servira de bâton de pèlerin. Soudain, un souvenir remonte en elle : celui d'une perche semblable ramassée dans la forêt au nord, au cours des premiers jours de sa quête pour chercher le chemin vers chez elle, il y a presque deux ans. Ce nouveau bâton de pèlerin l'aidera certainement à mieux cheminer à travers les dédales d'une expédition qui l'aide, en dépit des nombreux obstacles, à préserver sa santé mentale. « J'en ai assez de toute cette colère… » Sur le coup, elle envisage de se rendre aussitôt que possible vers la péninsule sud. « J'ai besoin de vacances sur la belle plage de sable blond au bord d'un lagon… » Cette décision lui fait du bien et ramène un peu de sérénité dans son âme plus meurtrie que sa cheville.

— Bon ! Lou ! Aide-moi ! Qu'est-ce qu'on fait maintenant ?

Déjà, sa tête reprend du service. Elle calcule la distance vers le bivouac 3. Huit ou neuf kilomètres à parcourir si elle revient sur ses pas, c'est-à-dire en marchant vers l'est afin de contourner le lac. Si elle rebrousse chemin, tout de suite, elle ne saura pas ce qu'il y a plus à l'ouest. « Je préfère satisfaire ma curiosité, tant qu'à être si proche … » Elle estime que la grande falaise qui tombe sur la Terre de la grotte se trouve à environ deux kilomètres. En s'y rendant, elle repérera peut-être un moyen de traverser au bout du lac, histoire de retourner plus rapidement vers son camp. « Cinq kilomètres peut-être… » Bien sûr, il y a un hic : s'il n'y a pas de passage, elle devra rebrousser chemin et se taper tout de même les neuf kilomètres. Nadine lève les yeux vers le ciel et soupire. « Tout ça en boitillant… tu es vraiment une parfaite imbécile ! »

Elle frotte son pied. « De toute façon, j'aurais autant mal si j'étais assise avec la patte appuyée sur la bavette du poêle... » Son raisonnement est simple. Si sa foulure était grave, Nadine ne pourrait pas se tenir debout, encore moins marcher. Tout le reste dépend de sa tolérance à la douleur. « Dans ce domaine, je suis championne ! » C'est ainsi qu'elle décide de poursuivre son chemin vers la paroi, juste pour voir. Ensuite, elle s'arrêtera pour réévaluer la situation.

Elle avance lentement, protégeant son membre blessé en s'appuyant sur son bâton de pèlerin. Elle observe l'énorme lac dont les rives se collent de plus en plus, jusqu'à ce qu'il se transforme en rivière au fur et à mesure qu'elle s'approche de la falaise. Si le courant semble faible, Nadine n'est pas dupe : ce calme relatif démontre plutôt que le cours d'eau est particulièrement profond. Elle a vu un morceau de bois y flotter à grande vitesse.

Avant qu'elle n'atteigne sa destination, elle entend le bruit infernal de cette chute qui a pour source l'immense lac. Sa découverte confirme cette présomption qu'elle a depuis son arrivée dans le coin. Elle comprend ainsi qu'il n'y aura pas de passage et qu'elle ne traversera pas à cet endroit. En ce moment, elle se retrouve au-dessus de l'immense cataracte qui donne naissance à la rivière aux brochets. Le bruit est tel qu'elle ne peut rien entendre d'autre.

« Bon ! Il ne faut pas s'énerver. Je m'y attendais de toute façon. C'est le moment d'arrêter. » Elle s'assoit sur une grosse roche et, avec l'aide de son bâton, élève sa cheville pour soulager la douleur lancinante. Perdue dans ses pensées, elle sort quelques bouts d'apios de sa besace et les grignote machinalement. Lou gambade à gauche et à droite, la queue en l'air; il donne l'impression d'être pris de folie face à toutes ces odeurs et ces traces qui stimulent ses sens. Alors qu'un lièvre tout brun saute en avant de lui, il l'attrape d'un simple coup de gueule. Nadine sursaute face à l'efficacité de son ami le loup. Deux larmes coulent sur sa joue : l'une, pour la bête qui vient de mourir, et, l'autre, pour elle-même qui perdra bientôt son Lou.

Elle tourne son regard pour modifier le tableau dans sa tête. Elle est contente de sa découverte : elle a trouvé la source de la rivière aux brochets. Ainsi, elle arrive à comprendre un peu mieux l'environnement dans lequel elle vit depuis presque deux ans. Elle sait qu'elle pourra poursuivre sa route vers le nord. « Mais, d'ici là, je prendrai des vacances… »

Elle profite d'un instant de repos pour le moment. Devant elle, un magnifique paysage s'ouvre entre les branches de cette forêt de sapins qui borde la Terre juchée. Sa position lui offre une vue aérienne superbe sur la Terre de la grotte, 250 mètres plus bas. Ce qu'elle observe à l'horizon l'émerveille. Rien n'obstrue sa vision sur plusieurs dizaines de kilomètres à la ronde.

Presque sous ses pieds, la cataracte tombe dans la rivière aux brochets qui, à son tour, se déverse dans la mer par le biais d'une autre chute. Du haut de son perchoir, elle identifie le lac aux brochets, ainsi que l'amoncellement de rochers qui cachent son antre. Elle devine son pont camouflé par quelques arbres. Vers la droite, elle admire le plateau herbeux; plus au nord, il y a le ravin qui donne accès à la caverne d'Ali Baba. Plus loin encore, elle observe de minuscules taches en mouvement : des membres de la harde des chevaux à la fourrure pâle, peut-être ? Plus près de la grande falaise, de l'autre côté de la forêt aux castors, se trouve la vallée aux noisettes. Pendant un moment, elle examine l'angle de vision vers ce point précis situé dans la zone boisée, juste au pied de l'escarpement. Elle réalise, ainsi, que le ruisseau, dans lequel elle a pris un bain forcé, est la source du torrent qui surgit de la paroi dans un bouillon enragé, donnant naissance à la rivière qui coule dans cette région. Sur le coup, elle avale une gorgée d'eau de travers. Sans ce sauvetage *in extremis,* son corps aurait été transformé en charpie pour, finalement, retomber en miettes au pied de la falaise... « Je l'ai échappé belle. »

De l'autre côté, vers le sud, elle voit la forêt aux érables. Là aussi, il est fort probable que le ruisseau qui coule près de son bivouac 3 soit la source de la cascade qui dévale la pente vers le fond de l'érablière. La zone boisée au sud de la rivière camoufle sa hutte; elle est également trop dense pour qu'elle puisse apercevoir la harde de Jack avec Allie, Plumo et Blondie à ses côtés.

Pendant un instant, elle effectue un tour d'horizon, poussant son observation de géographie le plus loin possible, à partir de la forêt au nord, en passant par la mer à l'ouest, jusqu'à la péninsule sud. Une grande fierté se glisse dans son corps. Ce paysage qu'elle voit à ses pieds ressemble en tout point à l'image qu'elle s'en était faite en le parcourant à pied. « Je suis la meilleure cartographe du Pays de la Terre perdue ! Une émule de Christophe Colomb ! »

À ce moment précis, le soleil fait briller la Terre de la grotte, conférant des allures féériques à cette magnifique contrée : un trait étincelant perce un bout de forêt, laissant éclater des millions de tons de vert. L'eau des ruisseaux et des rivières reflète une parcelle de l'astre scintillant, réfléchissant la lumière comme le ferait un miroir. Un aigle, passant par là, coupe un rayon, provoquant une ombre grandiose qui se déplace sur le sol. Quelques nuages s'amusent à bloquer les rayons solaires temporairement, créant des zones plus sombres ici et là. « Ce pays est vivant. Je suis en vie. J'ai besoin de lui comme il ne peut plus se passer de moi. Nous vivons en symbiose. »

Puis, l'âme en paix, Nadine s'approche de l'eau froide pour y tremper son pied meurtri et ainsi en réduire l'enflure. Une fois soulagée, elle jette un dernier regard sur ce monde où elle vit depuis vingt et un mois; quand sa tête n'a plus de place pour emmagasiner les images exceptionnelles, elle reprend sa route vers son bivouac n° 3, marchant lentement et protégeant sa cheville blessée.

Comme c'est souvent le cas, ce retour sur l'évènement majeur de la journée, cette chute qui aurait pu être mortelle, lui donne l'opportunité de scruter le fond de son âme. Elle comprend mieux la source de cette rage qui l'affecte depuis quelque temps. Elle accepte sa honte, associée aux remords, face au fait d'avoir laissé tomber sa quête. « C'était nécessaire pour survivre, mais cela m'a fait mal. » Maintenant qu'elle connaît les raisons de son comportement, réussira-t-elle à reprendre le contrôle de ses émotions ? Ça aussi c'est une question de survie.

Parviendra-t-elle à menotter sa témérité une autre fois ? Arrivera-t-elle à se donner de nouvelles règles et à changer sa philosophie afin de sauver sa peau ?

« J'ai mal à la tête et ça ne vient pas de ma blessure à la cheville. Toute cette effervescence émotive me chavire. » Sa détermination remarquable reprend sa place dans son âme alors qu'elle contourne le lac. Elle se sent mieux alors qu'elle respire l'air frais à grandes gorgées. Face à la mer, un peu plus à l'est, elle voit la lune pâle sortir de l'eau, même si le soleil est encore présent dans le ciel.

– Tu es prisonnière de l'urgence… Aujourd'hui, moi j'ai appris à ne plus l'être...

Elle arrive à son camp en fin d'après-midi. L'interminable marche sur sa cheville blessée l'a complètement épuisée et la douleur lancinante risque de l'empêcher de dormir. Lentement, parce que plus rien ne presse, elle allume un petit feu, le temps de réchauffer son repas et d'infuser son thé des bois. Ce breuvage aux propriétés anti-inflammatoires engourdira un peu son mal et l'aidera à mieux se reposer. La jambe allongée, et son pied surélevé pour tenter de diminuer l'enflure, elle sirote une tisane pendant qu'elle revient sur ses découvertes des derniers jours.

Somme toute, elle est satisfaite de sa randonnée sur le haut plateau. Elle comprend un peu mieux ce Pays de la Terre perdue qui l'a vue se débattre pour sa survie depuis tant de saisons. De plus, elle sait que les prochaines semaines seront bien occupées à poursuivre son exploration de la Terre juchée et tout cela la remplit de bonheur. Elle devra prendre, tout d'abord, quelques jours de vacances et elle en profitera pour soigner sa cheville blessée. Puis elle se remettra avec plaisir à son existence de nomade.

Demain, elle reviendra vers le bivouac 2. Comme une bonne partie du matériel est déjà sur place, elle bâtira sa hutte de pierre ainsi qu'un des collecteurs. Puis, partant sur un pied un peu plus solide, elle se rendra au camp 1. Ensuite, elle redescendra vers la péninsule pour refaire une provision de bois et de nourriture… et s'offrir un congé.

Quelque part, au cours de ces journées, un orage viendra arrêter ses travaux pour un jour ou deux. Ce n'est pas grave. Les huttes sont sécuritaires et elle pourra s'y protéger des éclairs meurtriers.

Au cours des derniers jours, Nadine a véritablement saisi toute l'importance de poursuivre l'exploration du Pays de la Terre perdue. S'il lui importe de mieux comprendre son environnement, elle ressent aussi un immense besoin de fouiller la profondeur de son âme.

Couchée sur son lit improvisé, Nadine laisse Morphée la transporter au pays des rêves ou, à tout le moins, là où son subconscient peut lui parler.

— Nadine, regarde-moi !

La femme se redresse et observe ce qui l'entoure. Elle est étendue sur la plage du lagon. Qu'est-ce qui l'a ainsi réveillée ?

— Nadine, regarde-moi !

Elle reconnaît la voix de son ami d'enfance, mais elle n'arrive pas à le trouver. Puis, elle aperçoit l'image plutôt floue du médecin se former devant elle.

— Bernard ? Comment m'as-tu repérée ?

— C'est toi qui m'as appelé, ma belle. J'imagine que tu veux que je te réprimande.

— Me gronder ? Mais pourquoi ? Je suis si contente de te voir ! Où sont les autres ?

— Non, Nadine. Ne change pas de sujet. Tu as fait l'enfant terrible aujourd'hui. Pourtant, c'est toi qui nous as habitués à prendre des précautions lors de nos expéditions. Je te rappelle tes propres paroles : « Il ne faut jamais que les autres voyageurs aient à s'occuper de vous... » Combien de fois as-tu martelé ce point lors de nos randonnées pédestres ?

— Tu ne comprends pas Bernard. Ici, je suis exilée et solitaire. Je ne nuis à personne, si je m'emballe un peu.

— Non ! S'il n'y a pas d'autres humains sur qui tu peux compter, c'est encore plus important que tu prennes soin de toi ! De toute façon, tu n'es pas seule. Souviens-toi d'Allie, de Jack, de Plumo, de Lou, de Tigré, de Max, de Louise et d'Anatole. Et, te connaissant, il y en aura d'autres. Ils ont tous besoin de toi.

— Bernard, tu ne comprends pas. Aucun d'eux ne pourra s'occuper de moi quand je serai vieille, comme nous le faisons pour maman. Et si un cancer se développait ? Qui m'aiderait à…

— NADINE ! Qu'est-ce que tu fais ? Je ne te reconnais plus ? Tu as toujours été mon modèle pour vivre le moment présent, un petit bonheur à la fois.

— J'ai tellement peur de mourir dans d'atroces douleurs…

— Serais-tu devenue défaitiste ? Pour toi, le futur n'aurait plus qu'une seule issue ? Pourquoi envisager une fin si négative ? Tu dois assurer ta survie ! Tu m'entends ! Vis intensément chaque instant !

Un silence inconfortable tombe entre les deux amis. Puis, alors que l'image s'estompe, l'homme fait une dernière tentative.

— Tu me l'as répété si souvent ! On ne connaît pas l'avenir tant qu'on n'y est pas rendu… Promets-moi que tu vas dorénavant prendre soin de toi et rester en vie le plus longtemps possible… On ne sait jamais d'avance ce que demain nous réserve.

— Bernard ! Ne t'en va pas ! Je te le jure ! Je ferai tout ce que tu voudras, mais ne me laisse pas seule !

Nadine se redresse sous son abri. Ce geste brusque la réveille complètement. « Bernard était avec moi… non… c'était juste un rêve… » Elle reste pantoise, coincée entre son désir de hurler le départ de son ami ou son envie de pleurer sur son sort d'exilée solitaire. L'air froid de la nuit lui coupe le souffle. Elle laisse retomber sa tête sur le sac qui lui sert d'oreiller et remonte la peau de renard jusqu'à son cou. Puis, les paroles de Bernard reviennent hanter son cerveau avec plus de puissance encore. Sur le coup, elle lui en veut d'avoir été aussi inflexible avec elle. Puis elle se souvient que son subconscient parlait par la bouche du médecin. L'homme avait raison. Quoi qu'il arrive, elle doit vivre dans le présent, même si le futur lui fait terriblement peur. L'avenir viendra bien assez vite.

— Merci mon ami. Tu as toujours su me dire mes quatre vérités. Je suis prête à tenir ma promesse. Je dois chasser cette rage qui affecte mon cœur et vivre un jour à la fois.

Une longue expiration sort de sa bouche et dégage une légère brume chargée d'un peu de frimas. La fièvre, comme toute cette colère, se dissout dans l'air trop pur.

— Oui, Bernard. Je reste déterminée, mais je dois ralentir mes élans. Quand mon futur se présentera, je prendrai les décisions qui s'imposent, sans honte et sans remords. Vivre, c'est apprendre, n'est-ce pas ? Merci de venir m'enseigner la sagesse, car, sans elle, il ne peut y avoir de véritable intégration des acquis.

Chapitre 12

Jour 666 – 11 mai

– Lou ! Où es-tu rendu ? Je ne t'ai pas aperçu depuis presque trois jours… tu as même passé tout le temps de l'orage dehors…

L'aventurière pourrait entreprendre cette nouvelle expédition sans lui : le loup la retrouverait à la trace sans difficulté… Mais elle aimerait mieux le voir avant de partir… s'assurer qu'il se porte bien, qu'il est encore en vie... « Ce Pays est sans merci… » Elle secoue la tête. « Allez, Nadine, reste positive… »

La femme boit une gorgée de tisane et examine le sol saturé d'eau. La tempête s'est terminée très tard dans la nuit. Il pleuvait toujours à son réveil. La nomade attendait avec impatience ce moment. Elle n'en peut plus de cette vie rangée que son domaine, niché au cœur de la péninsule, lui procure. Elle désire vagabonder à pied encore quelques semaines avant de prendre la mer. Elle trépigne d'enthousiasme à l'idée de poursuivre l'exploration de la Terre juchée par-delà du grand lac. Elle est prête depuis une bonne heure, même si le soleil se fait toujours désirer.

L'humaine lève les yeux pour vérifier l'arrivée de l'aube puis, constatant que ce ne sera pas pour bientôt, elle ferme les paupières afin de mieux replonger dans ses souvenirs des derniers jours. « Bernard avait raison de me houspiller comme il l'a fait… » Bien sûr, la femme réalise très bien que son ami d'enfance lui a parlé par le truchement d'un rêve. Elle sait, qu'au fond de son âme, elle possède déjà toute l'information, mais semble toujours refuser d'y voir plus clair. Ainsi, son subconscient a profité de son sommeil pour lui faire comprendre le bon sens… et l'accepter aussi.

Elle a mis une semaine pour retrouver son attitude sereine face à la vie. Chaque pas accompli, même le plus difficile, l'a rapprochée de la guérison. « Bien sûr, je devrai encore et toujours me battre... mais je connais bien ce genre de combat... après tout, le Pays de la Terre perdue m'a forcée à en apprendre les rudiments et... le pratiquer si souvent. » Elle se répète chaque jour les paroles de sagesse de son ami : « Prends soin de toi, reste en vie le plus longtemps possible et profite du moment présent... histoire de voir ce que le futur t'apportera... » Au gré de ses aventures et de ses échecs, l'exilée aura fini par perdre de vue cette belle philosophie qui collait si bien à son tempérament positif d'avant.

Aujourd'hui, le repos aidant, elle se sent beaucoup mieux; elle est prête à affronter ce que la vie lui présente. Parce qu'ici, elle ne connaît jamais ce qui va traverser son chemin... Une multitude d'images de la dernière semaine refont surface sous ses paupières fermées. Elle a eu si mal. Physiquement et moralement. Son retour de la forêt rabougrie s'est effectué péniblement. Sa cheville la faisait beaucoup souffrir. Tout cet effort consenti lui procurait des courbatures et le lourd havresac ballotant sur son dos rendait son existence encore plus misérable. Elle devait serrer les dents pour ne pas désespérer. Elle résistait surtout à sauter dans le vide, que ce soit l'abîme au bas de la falaise ou celui au fond de son âme.

En partant du lac juché, elle a mis plus de cinq heures afin de revenir au site du bivouac 2. Elle a cru pendant un moment devoir passer une nuit sur le plateau à mi-chemin entre les deux postes, à la merci du vent et sans la protection d'un campement. Heureusement, elle est arrivée à bon port alors que la lumière du soleil déclinait rapidement.

La douleur faisait grincer ses dents : son pied était enflé de façon démesurée et les élancements montaient jusqu'à son genou. Toute cette fatigue l'obligeait à se reposer. De toute évidence, elle devait interrompre sa marche pour un jour ou deux. Elle se souvient d'avoir scruté l'horizon à l'est avec un air de dépit, se demandant si le Pays de la Terre perdue ne profiterait pas de ce moment d'infortune pour lui compliquer la vie. Est-ce que le ciel ne lui tombera pas sur la tête avec son fracas habituel plus tôt que prévu ? L'amertume s'immisçant lentement dans son âme, elle se sentait coincée.

Tant qu'à rester là, elle a décidé de commencer l'édification de la hutte; histoire d'occuper son temps jusqu'à ce qu'elle puisse retourner à la péninsule pour guérir complètement. L'organisation de ses journées, afin d'arriver à mieux surmonter des complications en tous genres, lui sera bénéfique pour mieux éloigner d'elle les idées sombres. De plus, le boulot accompli lui permettra de résister à un éventuel orage s'il se pointait.

Elle en a profité pour dresser l'inventaire de tous les matériaux qu'elle a transportés sur son travois, choisi les pièces de bois nécessaires pour ce projet de construction et vérifié l'état de la grande courtepointe de peaux qui servira de toit. Par précaution, Nadine a aussi calculé ce qui reste de ses réserves de nourriture et d'eau.

Durant les deux jours suivants, l'architecte a monté lentement les murs de sa hutte, transportant des roches de toutes formes et les alignant à la manière des ouvriers néolithiques de l'Irlande celtique. Elle s'arrêtait tout de même souvent afin de s'occuper de son pied blessé. Avant qu'elle ne reprenne sa route, elle a réussi à installer le toit sur sa cabane, ainsi qu'à terminer la construction d'un des trois collecteurs d'eau que comprendra le bivouac. Pendant ce temps, la teinte violet de sa cheville a commencé à se changer en mauve, puis la peau a commencé à prendre une couleur jaunâtre. Elle parvenait tout de même à marcher sans trop boiter, même si cette enflure provoquait de douloureux élancements.

C'est ainsi que Nadine a décidé de poursuivre son chemin. Si le vent venant encore de l'ouest lui laisse toujours le choix, sa réserve d'eau et de nourriture baisse beaucoup trop vite. Elle devrait se rendre au bivouac 1, une halte plus sécuritaire. Plaçant ses bagages sur son travois, elle est partie avant l'aube. Le fait de devoir tirer le chariot l'obligeait à forcer avec les pieds plus qu'elle ne l'aurait cru, ce qui augmentait d'autant sa douleur. Prenant son courage à deux mains, Nadine a poursuivi la route sur le sentier de roches pour atteindre ce camp qui contient une bonne provision d'eau, de nourriture et de bois, ainsi qu'une hutte qui sera en mesure de la protéger d'un éventuel orage. Elle a progressé lentement, s'assoyant souvent pour enlever sa botte et frotter ses muscles afin d'atténuer sa souffrance.

Elle arrive à destination plus tard que prévu, marchant même dans la pénombre qui succède au coucher du soleil. Bien que la lune camouflée par les nuages n'éclaire pas suffisamment les lieux, Nadine réussit à allumer son feu en repérant ses outils malgré l'obscurité opaque, grâce à une habitude consommée. Épuisée, la femme mange à peine, mais elle avale une tasse de thé des bois qui aidera à atténuer les douleurs à sa cheville. Puis, elle pénètre dans sa hutte, à l'abri du vent, pour déposer avec satisfaction son corps courbaturé entre les deux courtepointes de peaux. Avant de s'endormir, elle n'a qu'une idée qui tourne dans sa tête : « Qu'il vienne ce maudit orage ! J'en serais même soulagée ! »

Nadine aurait accepté de passer un jour ou deux de plus sur la Terre juchée… pour ne pas marcher tout de suite avec son pied douloureux. Mais le Pays de la Terre perdue ne lui donne jamais de répit. Vérifiant l'état de sa cheville, tout en surveillant la météo locale, elle décide de poursuivre sa route plutôt que de rester prisonnière quelques jours dans ce camp. Lentement, la nomade a donc entrepris une randonnée sur cette pente descendante qui l'a amenée jusqu'à la partie basse de la péninsule. Pour s'aider, elle a laissé le travois rouler devant elle, se contentant de retenir sa course. Ainsi, elle a parcouru le chemin plus facilement, y consacrant cinq heures à peine, en dépit de la condition de sa cheville qui a nécessité de nombreux arrêts.

Elle a même fait un détour par le lagon pour sauter dans la mer et, ensuite, profiter de la chaleur du soleil sur sa peau. Elle a tellement aimé l'expérience qu'elle a décidé sur-le-champ d'y revenir tous les jours durant sa semaine de repos. Bien sûr, la tempête tant attendue a raccourci ses vacances, l'enfermant deux jours dans sa cabane de pierres et de peaux.

Aujourd'hui, son tempérament un tantinet hyperactif la force à abandonner cette idée de prendre quelques jours de congé doucereux; elle veut remonter dès que possible sur le haut plateau. Son plan est simple : construire le camp 3 et explorer le territoire au-delà de la forêt rabougrie. Son chariot contient tout ce dont elle a besoin pour survivre un bon moment. Elle apporte aussi quelques outils en pierre de schiste, ainsi que des ustensiles de cuisine en bois qu'elle laissera dans chacune des huttes pour ne plus avoir à les transporter à chaque voyage.

Ayant accès à de l'eau et de la nourriture au lac juché, elle aura le temps d'identifier le lieu idéal pour le bivouac 4 et commencer son aménagement avant de devoir revenir dans la péninsule. Ce serait bien de trouver une autre zone boisée; elle ne redescendrait à son campement au bord de la mer qu'à la fin du mois de juin. « Bon ! Je tombe encore dans l'excès… même si, cette fois, c'est positif… c'est une invitation à être très déçue… comme l'été dernier quand je m'emballais… Non ! Ça ne donne rien ! Je dois oublier ces échecs… Allez, Nadine ! Reste dans le moment présent ! »

En attendant que le soleil se pointe, elle retourne à sa planification… « Ouais... Ce sera probablement mon dernier voyage dans ce coin pour cette année… » Établir ses camps de plus en plus au nord nécessitera de nombreux jours de transport, car la distance entre le chantier de débitage, situé plus au sud, et le bivouac en construction s'étirera graduellement. Elle baisse le front. C'est sans importance. Elle ira le plus loin possible, jusqu'en juin. Par la suite, ce sera le temps de retourner à la grotte afin de préparer la deuxième expédition de l'été sur la Terre de la Forêt verte. « J'ai tellement hâte… je naviguerai enfin vers le sud… »

Elle n'aura jamais été absente aussi longtemps depuis la découverte de sa grotte : quatre mois en tout. Mais elle ne ressent aucune nostalgie. Bien sûr, ce trou dans la pierre était synonyme de sécurité depuis son arrivée; c'est « sa maison » au Pays de la Terre perdue après tout. Cependant, elle se sent de plus en plus à l'aise avec l'idée de résider loin de ce lieu pour une longue période. « Mon chez-moi c'est l'endroit où j'installe mon camp, là où j'allume mon feu et où je trouve de l'eau et de la nourriture… je deviens de plus en plus nomade… »

Cette constatation la fait sourire. Elle a discuté si souvent, avec son groupe de trekking, de cette notion de vivre sans domicile fixe. Chacun s'imaginait que le fait d'accomplir des randonnées de plusieurs jours en montagne les rapprochait de cette sensation de vivre en migration constante. « S'ils savaient à quel point le fait de se balader dans des sentiers balisés, tout en utilisant des gîtes au confort sommaire, est loin de ressembler à cette vie d'errance… » Le mode de vie d'itinérante imposé par son exil lui convient de plus en plus. Ses nouveaux bivouacs lui procurent autant de liberté que ne l'a fait son radeau, l'an dernier. Si elle ne voit plus le trekking de la même manière, son besoin constant d'explorer le monde est toujours aussi vif. À Montréal, elle parcourait des kilomètres en auto, en train ou en avion; ici, elle n'a que ses pieds et, bien sûr, son voilier le Liberta.

Le fait d'être confinée dans la grotte de nombreux mois pour survivre à l'hiver lui fait apprécier le grand air, la baignade, la pêche, la chasse et la cueillette des végétaux. Elle a appris à vivre d'un campement à l'autre, que ce soit sur le plateau herbeux, dans la forêt aux érables, dans la vallée aux noisettes, à la péninsule sud, sur la Terre de la Forêt verte et, maintenant, sur la Terre juchée.

Elle penche la tête et sourit, tentant d'imaginer ce qu'elle découvrira quand elle ira plus au sud, de l'autre côté de l'océan, dans quelques semaines. Est-ce que ses prochaines huttes seront faites de pierres ? En bois, en bambou et feuille de palmier, peut-être ? Son cœur s'emballe à nouveau face à cette anticipation générée par sa vie de vagabonde; elle secoue sa caboche pour mieux se raisonner. « J'aime toujours autant voyager et découvrir de nouveaux lieux... je suis une aventurière et je m'assume ! S'il y avait une civilisation ici, je me ferais pirate ! » Impatiente, la femme se lève, place ses mains en porte-voix et crie en direction de la forêt :

– Lou ! Où es-tu ? Je vais devoir partir sans toi si tu n'arrives pas bientôt !

Rien. Aucun jappement. Son cœur se resserre. Est-ce qu'il est blessé ? Étendu au cœur d'une sylve, baignant dans son sang... « Non ! Arrête de t'en faire ! Lou est capable de survivre sans toi ! Reste positive... » Ce coup de gueule lui rappelle amèrement qu'il la quittera sous peu, pour de bon... Il n'y a pas à dire, elle doit bouger pour chasser cette idée noire. Elle éteint son feu et, profitant de la pénombre qui précède l'aube, décide de faire un bout de chemin jusqu'à la plage du lagon. « J'adore observer ce paysage quand le soleil sort de la mer... Ça va aussi donner à Lou le temps de me rejoindre. » Elle peut l'attendre pour quelques minutes de plus, puisqu'elle ne se rendra qu'au bivouac 1 aujourd'hui. Elle pourrait progresser directement au deuxième, mais elle préfère protéger sa cheville qui lui fait encore mal lorsqu'elle marche trop longtemps.

Une heure plus tard, Nadine avait fini par laisser son lourd travois en bordure du sentier de la Terre juchée et elle se tenait debout sur la plage, le visage tourné vers l'est. Dès que le soleil apparaît, un vent léger glisse sur sa peau, comme s'il y avait connivence entre les deux éléments pour mieux lui faire ressentir cet immense bonheur. Puis, le cœur rempli de sérénité, elle s'assoit en face du lagon pour attendre son compagnon d'aventure.

Nadine est surprise que Lou ne soit pas revenu la rejoindre plus tôt. À l'accoutumée, il habite avec elle durant les orages, en sécurité dans la hutte. Il n'est pas sorti de la forêt cette fois-ci. Pourtant, la tempête a été particulièrement violente : le tonnerre a fait trembler la terre, la pluie a été plus abondante qu'à l'accoutumée, envahissant même le campement malgré les toiles étanches et les murs de pierres. Une forte odeur de soufre flotte encore dans l'air.

Soudain, Nadine entend un grand fracas tout près d'elle, juste à sa droite. « Qu'est-ce que c'est encore ! » La rage imprimée sur son visage, elle se retourne d'un bond et reste là, figée par la terreur. À quelques centimètres au-dessus de la plage, elle aperçoit une lumière d'une blancheur aveuglante, comme si l'espace s'était déchiré. Elle lève la main devant son front pour bloquer le reflet et tente de mieux voir afin d'être en mesure de réagir face à ce nouveau problème. L'éclat est si vif que les larmes coulent de ses yeux et elle doit les fermer quelques instants.

« Qu'est-ce qui arrive maintenant ? Une autre plaisanterie du Pays de la Terre perdue pour empoisonner ma vie et m'empêcher de faire ce que je veux ? » Elle sent une colère noire envahir son cœur et elle serre les dents.

— Serais-tu déjà excédé de me voir explorer la Terre juchée ? C'est ça ? Que me veux-tu encore ? Pourquoi m'embêtes-tu à nouveau ?

L'air se remplit d'une odeur nauséabonde d'œuf pourri si forte que Nadine se retient de ne pas vomir sur place. Puis, la lumière disparaît aussi subitement qu'elle est apparue, laissant deux traînées charbonneuses sur le sol; une fumée épaisse et blanche couvre une partie de la plage du lagon, comme si l'éclair avait brûlé le sable. La femme reste interloquée. « J'ai déjà vu des traces comme ça… mais où ? »

Lorsque la fumée se dissipe, Nadine observe la scène sur la plage avec incrédulité. Les bras ballants, la bouche ouverte, elle cligne des yeux pour s'assurer que son cerveau ne lui joue pas de tour… Elle se pince le bras pour en être certaine… « Aïe ! Non ! Je ne rêve pas… » Quatre corps demeurent étendus, éparpillés sur le sable. Des humains. Nadine est si estomaquée qu'elle n'arrive pas à bouger. Puis, une rage vive lui fait grincer des dents :

— Je repère enfin des traces de civilisation et c'est pour tomber sur des morts ? Non ! Je ne peux pas le supporter ! Maudit pays de merde !

Nadine est clouée sur place, incapable du moindre mouvement. Ils sont à vingt mètres d'elle, mais elle ne parvient pas à faire un seul pas dans leur direction. Puis, l'un des corps bouge. Une femme se lève, lentement, secouant ses vêtements pour y enlever le sable. La nouvelle venue possède une longue chevelure chatoyante et bouclée. Nadine pense aussitôt à Marie. « Ne prends pas tes souhaits pour la réalité… Ça ne se peut pas, car cette femme est trop jeune. » Puis, la rouquine aide les autres à se relever. Un seul humain reste étendu. Un homme grand et gros.

Nadine s'approche lentement. Les nouveaux venus ne l'entendent pas. La femme se retourne et, apercevant Nadine, elle sursaute et lance un cri d'effroi. Nadine reconnaît Marie… plus jeune qu'elle devrait l'être, mais elle est certaine que c'est Marie. Elle se met aussi à hurler. L'étrange duo vocal ressemble à des chants de gorge : haletant et effrayé devant cette apparition.

Nadine se sent étourdie; son cœur est rempli d'euphorie face à l'arrivée de ces gens, même si elle ne comprend pas vraiment ce qui vient de se passer. Elle s'avance et examine les autres. Elle aperçoit un jeune André qui tient une jeune Lucette par le bras pour la soutenir. Comme c'est étrange ! À l'époque où elle les avait connus, ils s'entendaient comme chien et chat ces deux-là. Alors qu'ici, ils se regardent avec une expression amoureuse ? Vraiment bizarre. Puis, elle se tourne vers l'homme toujours étendu par terre. « Ah non ! Pas Jean-Pierre ! J'en ai fini depuis sept ans avec cet être abject. Il ne peut pas être ici, dans MON ROYAUME ! Ce n'est pas possible. Ce n'est pas juste ! »

Elle ne veut pas accepter la présence de Jean-Pierre ! Elle refuse l'idée et se mutine. « Qu'il crève ! »

Perplexe, enivrée par l'étrangeté du moment, choquée par cette situation inusitée, Nadine regarde les quatre personnages qu'elle reconnaît fort bien en dépit du décalage : Jean-Pierre, son ancien patron, Lucette et André, ses collègues de l'époque, et Marie, sa meilleure amie. Le cerveau de Nadine tourne comme jamais pour tenter d'expliquer avec logique ce qui vient de se produire. Elle ressent un vertige et la nausée la bouscule… « Merde ! Je m'attendais à tout dans ce pays de fou… mais à ça… jamais ! »

Elle tente d'absorber cette distorsion du temps. Il y a douze ans, quand elle les a connus, ils avaient tous 45 ans, comme elle; sauf pour Jean-Pierre qui était de deux ans leur aîné. Nadine a travaillé cinq ans avec eux à l'Agence Écho Personne et Jean-Pierre était leur directeur. Tenant compte des deux années passées au Pays de la Terre perdue, sept années se sont écoulées depuis que la conseillère en ressources humaines a quitté son emploi, parce qu'elle ne supportait plus le comportement narcissique, autoritaire et malveillant du gros homme. D'ailleurs, surpris à piger dans la caisse, il a dû envisager sa retraite prématurée pour éviter un congédiement. Maintenant, c'est Marie qui occupe le poste de direction. André y travaillait toujours au moment de l'exil de Nadine. Quant à Lucette, elle s'est suicidée à l'automne 2010.

Malgré le vertige causé par ce tourbillon d'émotions trop vives, Nadine examine Marie de plus près. Ses paramètres sociaux s'étant quelque peu effrités au cours des derniers deux ans, la nomade dévisage la jeune femme sans retenue. À l'Agence, Nadine et Marie sont devenues rapidement de bonnes amies et elles le sont toujours… « Du moins, c'était le cas quand je suis disparue de Montréal. Ici, elle ne me connaît pas encore… » L'exilée tente de comprendre ce qui vient d'arriver. « Ça ne donne rien… de toute façon, ici, rien n'a de sens… je rêve peut-être… » Elle se pince si fort que ce geste lui arrache un cri. Elle regarde Jean-Pierre toujours inconscient sur la plage. « Non ! Ce n'est pas un cauchemar… c'est la réalité du moment… merde alors ! »

Aujourd'hui, sur cette plage, les nouveaux arrivants ont à peine 30 ans. Quinze ans de leur vie se sont écoulés avant que Nadine ne les rencontre. Elle secoue la tête pour chasser son malaise. « Qu'est-ce que je fais, maintenant ? Maudit Pays ! Tu ne peux jamais rien faire de correct ! Pour cette fois, tu aurais pu te forcer ! J'aurais aimé ça retrouver Marie… la Marie que je connais ! Pas celle-là ! » Elle se sent étourdie par la tournure des évènements. L'odeur insistante du soufre dans l'air lui donne mal au cœur. Elle a le goût de vomir.

Son cerveau marche à plein régime. En contrepartie, elle est totalement incapable de parler. De toute façon, que pourrait-elle leur dire ? « Bonjour, je m'appelle Nadine, je fais partie de votre futur comme vous êtes de mon passé… » Elle choisit donc de se taire… du moins pour le moment. Elle s'approche de Jean-Pierre. Il a une coupure profonde au niveau du cuir chevelu et celle-ci saigne abondamment. Il ouvre les paupières, regarde Nadine, fronce les sourcils puis, d'une voix pâteuse, déclare :

— Une sorcière…

Puis, l'homme referme les yeux, inconscient à nouveau. Nadine voit rouge. « Ah ben ! Cet énergumène ose me traiter de sorcière ! J'aurai tout entendu ! » La femme est fâchée, comme si de la boucane tentait de sortir de ses oreilles. Elle voudrait hurler sa rage. Tant bien que mal, elle reprend le contrôle sur ses émotions, pour ne pas laisser éclater le flot des paroles qui se bousculent dans sa tête. Avant de faire quoi que ce soit, elle doit essayer de mieux comprendre comment ils sont arrivés ici.

Puis, un sourire narquois, doublé d'un regard presque sadique, s'étire sur son visage. « C'est vrai que je dois avoir l'air d'une sorcière selon les standards de Montréal… » Ses longs cheveux sont blancs et nattés. Une sangle autour de sa tête empêche les mèches rebelles de voler au vent. La nomade de 57 ans est habillée de peaux. Elle pèse moins de 50 kilos. Bref, si elle se regardait dans un miroir, elle verrait peut-être, elle aussi, une sorcière. « Mais cela ne donne pas le droit à Jean-Pierre de me dénigrer encore une fois ! Ici, c'est MON royaume ! Je suis une reine et non pas une mémère ! »

Marie, André et Lucette s'adressent tous en même temps à celle qui semble habiter ce lieu étrange où ils viennent de débarquer. Affichant volontairement un air ébahi, Nadine les laisse faire. Ils cherchent à évaluer ce qui s'est passé. Comment pourrait-elle leur faire comprendre ? Ils n'ont aucune idée de l'endroit où ils sont. La nomade ne parle pas parce qu'elle n'en sait pas plus qu'eux. De toute façon, comment pourrait-elle expliquer cette situation sans queue ni tête avec des mots ? Il vaut mieux se taire. Ils ont chaud. Ils sont habillés pour l'hiver, avec de lourds manteaux, des écharpes de laine, des bottes et des gants. Elle finit par comprendre que, pour eux, c'est le 3 mars. Mais, de quelle année au juste ? Rien ne l'indique.

« C'est semblable à ce que j'ai vécu, mais pas tout à fait… » Nadine a quitté son ancien monde en avril et elle est arrivée en juillet. Cette similitude la trouble, même si, au fond d'elle-même, elle souhaite qu'il y en ait d'autres. Une foule d'idées se bousculent si violemment dans son cerveau qu'elle ne peut pas se concentrer; elle a l'impression que quelque chose de très important lui échappe. Elle secoue la tête pour arrêter le flot. Elle croise les bras sur sa poitrine afin de mieux contrôler les tremblements de ses membres qui menacent de la faire tituber. Aussitôt, les nouveaux venus se taisent, interprétant son attitude comme la preuve de son incapacité à répondre à leurs questions… ce qui en fait est exact… « Wow ! Je commence à me perdre dans les dédales de mes réflexions… »

Le visage de la nomade arbore une impression si ahurie que les autres restent immobiles un moment puis, ne tenant plus compte de cette « sorcière » qui est incapable de les aider, ils discutent entre eux. Nadine comprend qu'ils ont mal à la tête. Puis, elle réalise qu'elle n'a pas le choix. « Il va falloir que je m'occupe de Jean-Pierre... » Elle aimerait mieux le laisser à son sort, mais son intuition lui dicte qu'elle doit en prendre soin. Elle les écoute parler ensemble pendant qu'elle marche jusqu'à la forêt pour récupérer son travois. Même si elle a le cœur qui bat la chamade, et que ses membres sont encore secoués par des tremblements, la femme vide le chargement que contient le véhicule; elle dépose tous les morceaux de sa future hutte en bordure du sentier de la Terre juchée. « J'ai l'impression que je ne retournerai pas là-haut de si tôt... »

Quelques minutes plus tard, quand elle revient sur la plage, elle tire la manche d'André et lui a fait signe de l'aider à placer Jean-Pierre sur l'engin devenu une civière de fortune. Le colosse hésite, puis à contrecœur, il accepte de lui prêter main-forte tout en bougonnant. Ainsi, le gros homme toujours inconscient se retrouve sur le chariot.

Dès qu'il en a l'occasion, le grand gaillard de plus de six pieds s'éloigne. Même quand Marie le fusille du regard, André ne fournit aucun effort pour contribuer au transport du blessé. Elle se tourne et les observe un instant. Puis, d'un geste de la main, Nadine indique la direction à prendre : elle pointe le brancard tout en fixant André droit dans les yeux. Ce dernier se pince les lèvres et secoue la tête. « Ça ne se peut pas ! Personne ne m'aidera donc ? » Elle constate qu'André n'est pas plus vaillant à 30 ans qu'il ne l'était à 45 ans... hum... ne devrait-elle pas dire « qu'il ne le sera plus tard » ? Elle redresse ses épaules pour se dégager un peu du stress qui l'affecte; elle essaie aussi de chasser l'effet dissonant de ce paradoxe. Elle n'aime pas cette distorsion du temps qui lui donne la nausée.

Un air de dépit bien planté sur son visage, la résidente des lieux empoigne les manchons, soulève la civière et fait quelques pas. Elle marche difficilement sur le terrain accidenté et sa cheville lui fait mal. Finalement, une fois qu'elle eût tenté une dernière fois sans succès de convaincre le paresseux de participer, Marie s'approche de la brouette et prend l'une des poignées pour aider à la tirer. En guise de remerciement, la nomade lui offre un magnifique sourire. Ensemble, sans communiquer verbalement, les deux femmes qui deviendront d'excellentes camarades dans quinze ans, complètent lentement le chemin jusqu'au campement. Elles immobilisent la civière près du foyer central. Épuisée par cet exercice et bouleversée par ce qui arrive, Nadine a la chair de poule. Elle voudrait parler, mais une idée solidement ancrée au creux de son cerveau lui interdit d'entreprendre une discussion avec son amie… plutôt sa future amie. Elle a besoin d'un moment de réflexion afin d'établir le comportement qui sera assorti à la situation.

Elle frissonne. Des bribes de conversations surgissant de son passé, qui correspond au futur de Marie, lui reviennent en tête pour confirmer son malaise : les séries télévisées *Star Trek, la porte des étoiles* et toutes les causeries sur les voyages dans le temps. Est-ce que ce type d'interrogations revêtait une plus grande importance aux yeux de la rouquine ? Ça expliquerait certainement l'intensité avec laquelle Marie insistait sur certains principes… comme celui de la distorsion de l'espace-temps… « Ouf ! Il y a une heure, je trouvais ma vie plutôt compliquée ! C'est bien pire maintenant. »

En marchant, la nomade a écouté André et Lucette discuter de la situation. Centrés sur eux-mêmes, ils vivent dans un monde à part. Un jour, Nadine a demandé d'où venaient leurs éternelles chicanes. Marie a expliqué qu'ils devaient se marier. Puis, un incident a fait comprendre à Lucette que l'homme qu'elle s'apprêtait à épouser était égoïste et foncièrement lâche. La rouquine s'était abstenue d'en dire plus et, à l'époque, Nadine avait apprécié sa discrétion. Aujourd'hui, la nomade regrette de ne pas avoir été plus curieuse.

En arrivant au campement, la propriétaire des lieux fait signe à André de l'aider à transférer Jean-Pierre encore évanoui dans la hutte de pierres. Il refuse net et il se détourne avec une expression de dégoût imprimée sur son visage. Nadine n'en revient pas. Puis, Marie se fâche. Elle pointe son doigt dans la face d'André, perchée à 40 cm au-dessus de la sienne. Du haut de ses 1,60 m, elle engueule le colosse :

– André ! Espèce de flanc mou ! Donne un coup de main à la vieille dame !

– Pourquoi je ferais ça ! Je n'en ai rien à foutre ! Aide-la, toi !

– Allons ! Un petit effort ! Ça ne te tuera pas !

– Tu n'es pas mon boss ! Ne te mêle pas de cela ! Fiche-moi la paix !

Lucette se met à pleurnicher et parle d'une voix nasillarde :

– André ! Tu sais que je déteste les chicanes ! Pourrais-tu t'occuper de Jean-Pierre s'il te plaît ?

André prend un air tout penaud et, le dos presque courbé, s'amène pour aider la nomade. « Quelle ironie ! C'est comme si tout cela se déroulait dans mon temps à moi ! » Ou devrait-elle plutôt dire que « ça se déroulera dans leur futur à eux » ? Plantées face à Nadine se meuvent des versions plus jeunes de ces personnes qu'elle a connues dans son passé. André qui esquive toutes les tâches et Lucette qui pleure tout le temps. Puis il y a son amie, la solide Marie qui, gênée en public, était capable d'organiser efficacement le travail quand les évènements le requéraient. Ils étaient donc déjà comme ça à 30 ans !

Nadine n'en peut plus. Elle se met à rire de cette hilarité nerveuse que l'on ne peut pas contenir. Pliée en deux, elle se bidonne à en avoir mal aux côtes. Les trois autres la regardent d'un air hébété et elle lit dans leurs yeux une expression qui semble dire : « C'est vraiment une sorcière. » Elle explose de plus belle, pleurant et riant à chaudes larmes. Son état d'agitation intérieure, engendrée par l'arrivée inopinée de ses visiteurs, se dissipe dans cet éclat impossible à retenir. Il n'y a rien à faire pour endiguer ce fou rire de démente. Est-ce que, après deux ans de solitude totale, elle serait devenue complètement folle ?

« C'est ça ! J'ai pris trop de soleil… mon insolation a provoqué une sorte de mirage… » L'idée renouvelle cette réaction bien involontaire qui la pousse à se rouler par terre. Elle touche son front. « Pourtant je ne fais pas de fièvre… » Nadine ferme les yeux quelques secondes, puis elle les ouvre à nouveau. « Non ! Ils sont encore là, à me regarder sans comprendre. » Elle rit de plus belle, juste à voir l'expression comique sur le visage de ses visiteurs.

« Eh bien ! Ils pensent vraiment que je suis une sorcière ! Qu'ils gardent cette impression pour le moment. Ça fait bien mon affaire ! » Elle n'a pas dit un mot depuis leur arrivée sur la plage. Ils ne la connaissent pas encore. Quand elle les a rencontrés, pour la première fois, ils avaient quinze ans de plus, elle, douze ans de moins.

Une idée saugrenue s'infiltre dans sa tête. Est-ce que ce nouvel évènement lui permettra de comprendre sa propre situation ? Elle se sent juste un peu plus confuse. Cette distorsion évidente du temps la dérange plus qu'elle ne l'aide. Elle nage en plein paradoxe. Certes, les circonstances présentes créent un immense malaise au fond de son âme, mais, trop émue par l'arrivée de ses visiteurs, elle est incapable de comprendre ce qui peut bien l'indisposer autant. Peur ou bonheur ? Tout cela fait éclater à nouveau ce rire nerveux si difficile à contrôler. Elle plie en deux sous l'effort et plaque ses bras sur ses côtes qui lui font mal. « Je ne suis pas une sorcière… je suis juste un peu folle… »

Ils ne sont pas au courant qu'elle peut communiquer avec eux; dans leur langue à part ça ! De toute façon, elle ne sait absolument pas quoi leur dire pour le moment. Elle doit réfléchir afin de choisir ce qu'elle peut et ne peut pas raconter. Il n'est pas question qu'ils réalisent qu'elle vient de leur futur. « Au moins, je sais ça… Parce que trop en dire pourrait bouleverser ma vie, mon passé. »

Quand la tension dans son corps se dissipe un peu, elle passe aux choses sérieuses. D'abord Jean-Pierre. Après qu'il ait été étendu sur la plateforme dans la hutte, Nadine parvient à se faire aider par le bougon afin de retirer les bottes du gros homme, ainsi que son manteau et sa cravate. Ils ne ménagent rien pour que le malade soit plus à l'aise. André se sauve aussitôt et Nadine reste seule pour s'occuper de son ancien patron. Elle doit soigner la blessure car, de toute évidence, ses compagnons n'ont aucune idée de ce qu'il convient de faire.

Elle retourne à l'extérieur et, avec ses roches à pyrite, elle allume le feu qu'elle avait éteint il y a un peu plus de deux heures. Se servant d'une outre, elle remplit un bol en bois qu'elle place sur une pierre plate au-dessus des flammes. Marie la suit partout et son comportement fait sourire Nadine, car elle connaît la curiosité légendaire de son amie. En prenant bien son temps, autant par nécessité que pour permettre à la nouvelle venue d'observer tous ses gestes, la nomade fait bouillir l'eau en y ajoutant des cailloux chauffés dans le feu. Puis, quand elle sort la pharmacie de son sac à dos pour y piger quelques feuilles de sagittaire, la rouquine demande ce que c'est.

Afin de bien camper son rôle de femme muette, Nadine choisit d'ignorer la question, donnant ainsi à Marie l'impression que la sorcière ne connaît pas leur langue. Marie place sa main sur la plante pour arrêter le mouvement de Nadine. Avec un doigt, cette dernière trace une ligne au-dessus de son oreille, puis elle pointe vers l'intérieur de la hutte. Marie fait signe qu'elle comprend et la laisse faire. Une fois l'infusion terminée, la soignante retourne dans l'abri avec le bol et un bout de tissu pour nettoyer la plaie qui entaille le cuir chevelu de Jean-Pierre et lui faire un bandage. André l'aide, en bougonnant bien sûr, pour tourner le blessé afin qu'elle ait accès plus facilement à la coupure. Puis, à la seconde où on ne l'observe plus, le flanc mou s'esquive.

Comprenant que le malade a probablement subi une commotion cérébrale, elle doit s'assurer qu'on le réveille souvent. Elle ne peut expliquer différemment le fait qu'il soit toujours évanoui, alors que les autres n'ont qu'un simple mal de tête. Nadine attire l'attention de Lucette puis, avec quelques gestes, elle lui indique qu'elle doit s'occuper de Jean-Pierre et lui donner un peu d'eau.

Afin de maintenir une bonne aération de la hutte, elle relève la toile de la fenêtre ainsi que les parties amovibles des murs. Une image, logée dans un coin de sa mémoire, lui revient en tête, pendant qu'elle accomplit sa besogne. La blessure de Jean-Pierre laissera une cicatrice sur son cuir chevelu au-dessus de l'oreille : celle-là même que Nadine a souvent vue quand ils travaillaient ensemble. « J'avais cru à une bataille rangée, mais je m'étais trompée sur la raison… C'est comme cette bosse qui garnissait mon front à mon arrivée… il aura eu un atterrissage plus difficile que celui de ses copains… »

Du coup, Nadine se redresse vivement, sort de la hutte en coup de vent et, la douleur à sa cheville complètement oubliée, s'élance à toute vitesse vers la forêt, loin des visiteurs. Sa course éperdue n'arrive pas à la calmer. Dans une petite clairière, le corps de la femme se plie en deux sous le coup de la douleur et la nomade vomit violemment. Un tremblement soutenu secoue tous ses os. Sa respiration est difficile et ses dents claquent dans sa bouche. Malgré elle, l'exilée tombe à genoux et hurle face à ce qui vient de percer son cerveau :

— Ils retourneront à Montréal, la blessure de Jean-Pierre maintenant deviendra une vilaine cicatrice dans le futur; c'en est la preuve !

Elle a enfin trouvé ce qui jetait un malaise si intense au fond de son âme depuis l'arrivée de ses anciens collègues. Cette découverte lui donne un tel coup au cœur qu'elle a peur de mourir, là, en ce moment. Les questions fusent dans sa tête alors qu'elle peine à gérer les émotions que cette réalisation provoque. Ils ne la connaîtront que dans quinze ans. Combien de temps resteront-ils dans son royaume ? Que font-ils ici ? Pourquoi ? Comment ?

Puis, une autre interrogation sème l'horreur au fond de son âme. Quand repartiront-ils ? Et elle ? Pourra-t-elle aussi reprendre sa vie d'avant ? Cette idée la chamboule et fait chavirer son cœur. S'ils sont à Montréal, évoluant dans son passé qui correspond à leur futur, alors elle devrait pouvoir retourner chez elle en réintégrant son présent ! Soudain, tout tourne autour d'elle et la nomade croule sur le sol; elle se couche en position fœtale et tente désespérément d'éviter la désintégration totale de son âme. Des hurlements de rage se bousculent hors de sa bouche :

– J'ai cessé de croire ! Je n'ai pas été assez forte ! J'ai abandonné ma famille et mes amis !

Elle enfonce son front dans la boue, pour s'empêcher de crier sa douleur. La fraîcheur qui monte du sol l'aide à contrôler son désir de laisser ses visiteurs en plan et de courir dans les bois pour mieux vider son corps de toute cette adrénaline qui se décharge dans ses veines. La révolte coule sur son âme comme une chute d'une violence extrême. Nadine a si mal; elle craint que la digue de son humanité cède à la folie la plus totale. Entre le passé et le futur, elle se sent ballotée comme un coquillage fragile. Cette fracture dans son cerveau est insupportable.

Chapitre 13

Jour 667 – 12 mai

Lou s'approche de sa mère adoptive roulée en position fœtale sur le sol encore mouillé de la petite prairie au cœur de la forêt. Le cri déchirant qu'elle venait de lâcher a vite fait accourir le loup à pleine vitesse. Il place une patte sur l'épaule de l'humaine et, avec son museau, il cherche le visage camouflé par les bras de la femme. Ce geste est suffisant pour redonner vie au corps inerte.

Épuisée par ce vif déchaînement émotif, Nadine se redresse lentement et tente de reprendre son souffle. Elle a besoin de réfléchir, mais la douleur dans son âme est si grande que ses idées s'entremêlent de manière débridée. Machinalement, pour obtenir un peu de réconfort et retrouver un semblant d'équilibre, elle prend le canidé par le cou et l'incite à se coucher à côté d'elle.

— Lou, je m'en veux tellement… j'ai perdu confiance… j'ai honte… Ce maudit Pays de merde vient encore de jeter le trouble dans ma vie ! Tu peux m'aider à y voir clair ?

Elle est maintenant persuadée que l'avenir des nouveaux venus est étroitement lié à son propre retour à Montréal. « À partir d'aujourd'hui, ma tâche la plus importante sera de les garder en vie jusqu'à ce qu'ils retournent vers leur temps, une garantie que mon passé restera le même et que je puisse, à mon tour, retourner vers les miens. » Elle serre les dents un moment, puis elle respire profondément pour libérer son corps d'une part de cette douloureuse tension.

— Lou, je ne sais pas encore comment ça se passera, mais j'y arriverai… il le faut…

La certitude de son retour auprès des siens se concrétisant, Nadine sent une nouvelle énergie dynamiser ses neurones. Elle va donc s'acharner avec une détermination renouvelée afin de reprendre le fil conducteur de cette grande quête et, cette fois, atteindre son but.

— Lou, dorénavant je ne perdrai pas espoir… plus jamais.

Après un moment de désordre total, les tremblements cessent et sa respiration redevient normale. Elle ressent toujours ce tumulte qui bouleverse son âme, mais elle est maintenant convaincue qu'elle arrivera à y trouver le sens de son exil si bizarre. Au fur et à mesure que les visiteurs parleront de leur expérience, ils dévoileront, sans le savoir peut-être, la clé de son retour.

La nomade reprend le chemin du camp pour commencer cette nouvelle aventure, cette fois, avec quatre humains à sa charge. Elle marche avec vigueur alors que, peu à peu, le calme revient en elle. Quand Nadine retrouve ces gens qu'elle n'a aucunement invités dans son royaume, elle aperçoit André qui est en train de savourer une cigarette. Elle rit dans son for intérieur et un sourire sadique s'étire sur son visage. Il n'y a pas de tabac au Pays de la Terre perdue. Si André est déjà le fumeur chronique qu'elle connaîtra plus tard, il aura fini son paquet le soir même. Il passera une nuit agitée et les prochains jours ne seront pour lui qu'une suite d'agonies, aussi difficiles les unes que les autres. Une expression malicieuse s'imprime sur le visage de la nomade : « C'est tout ce que tu mérites ! Espèce de flanc mou ! »

Elle secoue la tête. Qu'est-ce qui lui arrive ? Pourquoi est-elle si méchante ? Pourquoi cet homme fait-il sortir d'elle autant de rancœur ? Puis elle ferme les yeux devant une évidence qui se dessine dans son futur immédiat : « Non ! En ce moment, c'est encore tolérable. Il faudra attendre que Jean-Pierre se réveille pour que je montre le pire de mon caractère… » L'idée lui arrache un soupir de découragement.

Nadine s'approche lentement de son foyer extérieur et commence l'infusion d'une tisane à base de thé des bois. « Ça aidera à diminuer les céphalées… Lucette est si pâle qu'elle pourrait s'évanouir à tout moment… ils ont l'air tellement fatigués… ils font pitié à voir. » De toute façon, que pourrait-elle faire d'autre ?

Voyant la nomade s'activer autour du feu, André, Lucette et Marie la rejoignent. Aucun d'eux ne fera de commentaires sur l'état de ses vêtements qui sont maintenant barbouillés de boue séchée et de traces d'herbes. Puis, les trois convives dégustent le breuvage chaud sans trop se faire prier. Marie lui envoie un beau sourire et hoche la tête en remerciement. Lucette et André, collés l'un à l'autre, n'ont même pas un regard pour celle qui les aide. Nadine se dirige vers la hutte pour disposer quelques peaux sur le sol de terre battue. Elle fait un geste en direction de ses visiteurs : le signe universel du repos, c'est-à-dire les deux mains appuyées sur une oreille et les yeux fermés. Sans un mot, l'homme et les deux femmes rentrent dans l'abri pour dormir.

C'est ainsi que Nadine retourne sur la plage du lagon pour se donner un temps de réflexion. Comme toujours, le fait de porter un pied devant l'autre suivant un rythme continu berce son âme et l'aide à faire baisser cette tension qu'elle sent entre ses deux épaules. Il y a tellement de questions dans sa tête ! Par où devrait-elle commencer pour y faire un minimum d'ordre ? Que va-t-elle faire avec ses visiteurs ? Si elle connaît la rigueur de ce pays, eux n'ont aucune idée de ce qui les attend.

De toute évidence, la suite de l'exploration sur la Terre juchée s'arrête pour le moment. Tout cela la déçoit énormément. Encore une fois, l'aventurière avait tout préparé avec soin; elle y avait mis tout son cœur, anticipant ce grand bonheur de découvrir une autre parcelle du royaume qui, maintenant, lui appartient. Elle lève les yeux vers le ciel et d'un air boudeur elle s'adresse au vent :

— Je devrais pourtant être habituée ! Chaque fois que ma vie s'organise et devient plus régulière, le Pays de la Terre perdue me garroche des obstacles en pleine face.

Aujourd'hui, elle n'en est pas totalement vexée. Bien sûr, elle n'est pas contente de voir Jean-Pierre, mais la présence de sa meilleure amie la transporte de joie. Certes, cette Marie est trop jeune et Nadine ne peut pas vraiment lui parler; par contre, le seul fait de pouvoir regarder sa tête rousse et ses yeux verts jette un baume sur vingt-deux mois d'isolement le plus total. Afin de pouvoir l'apprécier, elle accepte de vivre avec le reste... pour le moment...

Nadine se recroqueville et berce son corps dans ses bras pour se calmer. « Je ne devrais pas leur en vouloir, surtout si le principal bénéfice de leur arrivée impromptue est de me fournir le moyen de retourner auprès des miens... » Une larme coule sur sa joue. « Je suis ingrate... je devrais remercier le Pays de la Terre perdue de mettre ces personnes sur ma route. » La femme réalise que sa quête, celle de retourner à Montréal, s'enflamme à nouveau dans son cœur. Elle redresse la tête et laisse le vent ébouriffer les mèches rebelles qui sortent de son bandeau frontal. « Merci la vie... »

Puis, quelque part au beau milieu de sa randonnée, Nadine réalise qu'elle ne peut pas rester dans la péninsule avec les nouveaux venus. Même ici, au sud, les bêtes sauvages rôdent. Ses visiteurs seraient incapables de se défendre. Ils ne savent pas comment composer avec les éléments bruts de la nature. Ils ne saisissent pas le sens de ce qui leur arrive. En fait, ils prennent cela à la légère. En plus, contrairement à la nomade qui a déjà passé des années à courir les bois et gravir des montagnes avant que ne débute son aventure, ceux-là sont de vrais citadins. Ils ne mettent les pieds dans la nature que pour visiter des parcs bien aménagés, choisissant ceux qui ne sont pas trop vastes pour que la sortie soit la plus courte possible.

À Montréal, à son époque, ils l'ont souvent taquinée pour son goût prononcé pour ce qui est de faire de la vadrouille en forêt ou sur les escarpements, l'été comme l'hiver. On l'appelait la montagnarde ou la fille de brousse. Elle sourit : « Maintenant, il faut ajouter "la sorcière" à tous ces surnoms… » Puis le fou rire lui fait perdre le pas. Elle les imagine déjà subissant leur premier orage… ils comprendront la vraie signification de la vie en nature. « Ils détesteront l'expérience. Je jubilerai à la vue de la peur intense sur le visage de Jean-Pierre… je vais m'arranger pour qu'il subisse sa première tempête dehors… » Non ! Elle ne peut pas faire ça ! Il pourrait mourir ici... malgré tout ce qu'il lui a fait endurer là-bas, dans son royaume, la nomade doit le protéger pour que son propre passé ne s'altère pas. « C'est tellement dommage… »

Arrivée au lagon, Nadine retire ses bottes et marche une bonne heure sur la plage caressée par les vagues. Le bruit régulier du mouvement de l'eau facilite sa réflexion. Puis, pour donner un répit à sa patte malade, elle s'assoit un moment sur le sable blond et, face à la mer, elle laisse le vent léger flatter son visage. Cet effet calmant l'aide à prendre les décisions qui s'imposent.

L'exilée est convaincue qu'elle doit ramener les visiteurs à la grotte. Le plus tôt sera le mieux. Elle sonnera le départ dès que Jean-Pierre sera réveillé. « Peut-être qu'il pourra m'aider afin de prendre soin du groupe… après tout, il fait du ski de fond l'hiver et du vélo l'été. » Il est donc plus en forme que les autres malgré son poids supplémentaire. À moins qu'il ait commencé plus tard ? Ouf ! Elle en perd son latin avec ce phénomène de distorsion du temps. Nadine baisse la tête, ferme les yeux et frotte ses épaules pour chasser le malaise. Elle n'attend plus rien de cet homme qui a empoisonné cinq ans de sa carrière et saccagé sa dernière année de travail à l'Agence Écho Personne. Elle ne veut rien devoir à cet être narcissique et égocentrique. « De toute façon, il finirait par faire tourner l'exercice au vinaigre. »

Marie l'aidera dans sa tâche de protectrice; Nadine en est certaine. D'expérience, elle sait que la rouquine est toujours là pour ses semblables. L'arrivée de cette femme rousse de 30 ans bouleverse l'exilée, alors que l'absence de l'autre Marie, celle qui a maintenant 57 ans, pèse lourd sur son âme. Que fait-elle en ce moment ? A-t-elle encouragé Alex à poursuivre sa vie sans son épouse disparue ? Deux ans c'est si long… une grosse larme coule sur la joue de la nomade. La conviction qu'elle rejoindra un jour les siens marque aussi le retour de ce tourbillon d'émotions qu'elle a si difficilement fait taire au cours du dernier hiver.

Nadine ferme les yeux un instant pour empêcher son cœur de déborder. Elle doit porter son attention sur l'énorme boulot qui lui tombe sur les bras : aider les nouveaux venus à apprendre comment survivre dans ce pays rude et intransigeant. Pour le moment, la nomade fera comme si elle ne comprenait pas leur langue. De cette façon, elle évitera les questions pour lesquelles elle n'a aucune réponse, ainsi que celles qu'elle doit résolument ignorer. D'ici les prochains jours, son défi sera particulièrement exigeant : faire voyager en direction de la grotte quatre personnes qui se croient autonomes, mais qui dépendent totalement de l'habitante locale pour leur survie. Tout ça, sans pouvoir leur fournir la moindre explication.

Pendant un instant, elle scrute l'orée du bois dans l'espoir d'apercevoir Lou. Elle était heureuse de sentir sa présence dans la forêt, mais il s'est éclipsé aussitôt qu'elle a pris le chemin du campement. Elle craint certaines réactions du loup domestiqué, mais encore si sauvage, face à ce groupe d'humains qui foulent son territoire. « Ce serait mieux si c'était moi qui parcourais le boisé pour le trouver... il est si intuitif… je suis convaincue qu'il réagirait mieux. »

Son esprit rassuré par toutes ses réflexions, son cœur se gonfle d'espoir. Nadine retourne au campement de la péninsule sud, là où les visiteurs dorment encore. Elle tire le travois derrière elle. Ayant pris la précaution de l'emporter lors de sa randonnée, elle l'a rempli à nouveau de tout le matériel laissé en bordure du sentier de la Terre juchée. « Pourquoi n'ai-je pas laissé tout ce barda là-bas ? Personne ne me l'aurait volé. J'aime l'ordre, mais tout de même… bon ! Je suis presque arrivée, maintenant… chialer ne m'apporte rien de plus… »

Marchant lentement sur une cheville rendue douloureuse par la randonnée, elle se prépare mentalement à sa difficile acclimatation avec ces visiteurs issus de « la civilisation ». Entre autres, elle devra passer la nuit à la belle étoile, car, à quatre, ils seront déjà à l'étroit dans l'abri de pierres où le sol est entièrement tapissé de peaux.

Il y a un côté d'elle qu'elle ne reconnaît plus. Depuis deux ans, même si elle s'est habituée à vivre ainsi, sa solitude pèse lourdement sur son âme. Pourtant, aujourd'hui, elle se sent inconfortable d'être obligée de partager son intimité avec d'autres humains. Cette distorsion de temps la rend mal à l'aise, certes, mais elle est aussi convaincue que leur arrivée va bousculer ses habitudes de solitaire. Ce constat la fait frémir. Elle a tant souhaité se retrouver à nouveau en présence de ses congénères. Et maintenant qu'une poignée de ses semblables a surgi au Pays de la Terre perdue, elle devient fermée, retirée, presque farouche en leur présence. « C'est sûr que, si j'avais eu à choisir d'éventuels visiteurs, André, Lucette et Jean-Pierre ne seraient pas sur ma liste… »

Elle ressent une grande gêne face à son amie, comme si elle lui mentait en plein visage. Pourrait-elle simplement expliquer à la rouquine qu'elle la connaît très bien, alors que Marie vient tout juste de la rencontrer ? Non, bien sûr. Comment pourra-t-elle éviter que ce qu'elle fera ou dira, ici et maintenant, entre deux mondes, ait un impact sur le futur de la jeune femme, son passé à elle, une époque dont elle est la seule à connaître l'existence ? « Je dois me taire à tout prix… »

De retour à son camp, la nomade enlève de son travois tous les bagages qu'elle avait préparés pour son voyage sur la Terre juchée, un périple qu'elle doit reporter. Elle place le précieux outil derrière sa hutte. « Je n'ai fait que ça aujourd'hui… remplir le travois, puis le vider quelques heures plus tard, le remplir à nouveau, cette fois avec le gros homme, et le vider à nouveau… puis une troisième fois… » Elle a marché au moins vingt kilomètres pour aller nulle part… tournant en rond entre le lagon et sa cabane. Une vraie journée de fou !

Nadine installe une tente pour elle, à une bonne distance de l'abri de pierres, histoire de respecter son besoin de solitude. Elle glisse quelques peaux en dessous. « Mon abri pour la nuit est prêt. Il ne me reste qu'à ajouter quelques dards et des lances… » Elle sait, d'expérience, que certains prédateurs pourraient sortir de la forêt au cours de la nuit; Lou veillera sur elle bien sûr, mais elle sera plus rassurée de pouvoir compter sur ses armes pour se défendre.

Aussitôt que le soleil atteint le zénith, Nadine s'affaire à préparer un repas, car ses visiteurs auront faim à leur réveil. Elle place un bol rempli d'eau sur une roche plate; en dessous de la pierre, elle pousse des tisons et ajoute quelques branches pour raviver la flamme. Elle y dépose plusieurs morceaux de brochets séchés qu'elle laisse ramollir un moment. Puis, elle fait cuire le poisson en ragoût avec des tubercules de quenouille et quelques herbes.

Les émotions fortes de la journée lui ont creusé l'appétit et la bonne odeur agite son estomac. Elle en a l'eau à la bouche. Est-ce que les autres humains apprécieront ses efforts ? Elle hausse les épaules. « De toute façon, ils n'ont pas le choix… ici, c'est moi qui décide ! » Pendant qu'elle s'affaire, elle a senti qu'on l'observait intensément. Des yeux verts. Ceux de Marie. Réveillée, la rouquine a rejoint la nomade au bord du feu afin de pouvoir mieux scruter chacun de ses mouvements.

Épiée avec attention par celle qui deviendra son amie, Nadine commence à préparer son travois pour une autre sorte de voyage : le retour à la grotte avec quatre visiteurs encore plus naïfs qu'elle ne l'était à son arrivée sur le mont Logan. « Je dois m'occuper d'eux. Moi j'ai survécu, mais eux n'y arriveraient jamais sans mon aide… j'aurai besoin de beaucoup d'eau… j'espère qu'ils ne seront pas malades en cours de route… » Le filtre qu'elle utilisait, il y a deux ans, est resté dans son antre sous l'amoncellement de roches. Elle ne l'a pas utilisé depuis près d'un an maintenant. De toute façon, elle n'est plus certaine de son efficacité après tout ce temps. Les nouveaux arrivants devront faire comme elle et boire l'eau de source qu'elle trouvera le long de la route. « Je n'ai pas le choix… eux non plus, d'ailleurs… qui vivra, verra… »

Elle aura besoin de beaucoup de nourriture. Quatre adultes, cinq en incluant la nomade, consommeront beaucoup d'aliments. Bien sûr, elle chassera tous les jours et elle peut toujours compter sur sa réserve d'herbes et de racines séchées cueillies l'automne dernier. Ça fait longtemps qu'elle n'a pas cuisiné pour autant de personnes, alors elle en apportera un peu plus. Puis, en attendant que les autres sortent du sommeil, elle fabrique des assiettes et des ustensiles. Ils seront rudimentaires, mais les visiteurs ne lui ont pas donné beaucoup de temps pour tout préparer. « Quand on sonne à la porte à l'heure du dîner, sans s'annoncer d'abord… il faut prendre ce qu'il y a sur la table ! »

Marie observe tous les mouvements de cette femme aux cheveux nattés pendant un long moment. Puis, elle se lève et se dirige vers la grève en face du campement. La nomade la voit déambuler lentement, le long de la rive. La connaissant vraiment bien, Nadine sait que mille et une questions se bousculent dans la tête de la rousse. La reine des lieux n'est pas la seule à générer des réflexions sur les évènements de la journée. La nomade soupire. « J'aimerais tellement pouvoir partager mes propres réflexions avec mon amie… » À deux, elles trouveraient plus facilement le sens de tout cela. Mais cela devra attendre un certain temps, peut-être même jusqu'au moment où les deux femmes seront de retour à Montréal. « Dans notre futur commun… »

Nadine est plus convaincue que jamais. Si l'espoir de retourner chez elle s'est éteint un peu plus, à chaque tournant de ses explorations et de ses échecs, son optimisme est maintenant de retour avec une force décuplée. Sa quête a été ravivée par l'apparition des quatre personnages et cimentée par la certitude qu'ils seront à Montréal dans quinze ans, ce qui lui permettra de faire leur connaissance dans sa vie antérieure. Elle laisse échapper un rire nerveux. « J'apprendrai à mieux les connaître dans mon passé... une phrase qui n'aurait aucun sens dans un monde normal, mais ici, tout est possible... »

Lucette et André finissent par sortir de la hutte. La nomade les entendait jaser depuis quelques minutes. Leur céphalée est bel et bien disparue si elle se fie à ce qu'elle a capté de leur conversation. « Merci Nadine ! Bon ! Je devrai sûrement attendre pour une telle reconnaissance... » Assis côte à côte sur un rondin en avant du feu, les deux jeunes discutent comme si leur hôtesse n'était pas là. Centrés sur eux-mêmes, ils s'inquiètent de la situation parce qu'ils n'ont pas un petit coin pour se laisser aller à des ébats amoureux. Nadine fait d'énormes efforts pour retenir ce rire sarcastique qui menace d'exploser à tout moment.

Puis, pour changer cette conversation qui lui donne l'impression désagréable d'être une voyeuse, elle leur fait des signes pour savoir s'ils ont faim. La réponse est sans équivoque : une nouvelle lueur dans leurs yeux s'accompagne de vifs hochements de tête. Nadine a préparé un gros repas et elle estime qu'il en restera pour le déjeuner du lendemain. Alors, elle offre une ration raisonnable à André et à Lucette. L'homme gobe le contenu de son plateau sans mastiquer et il s'approche du bol pour se servir une deuxième portion. « Quel goujat ! » Nadine prend le bâton qu'elle est en train de transformer en dard et elle le plaque sur la main d'André, puis elle lui fait signe que « non ». Il repousse violemment la nomade et il crie :

— Je suis grand et fort et j'ai besoin de manger ! Tasse-toi la vieille !

Nadine retient la réponse cinglante qui lui brûle les lèvres. Elle frappe vivement le dessus du bras d'André avec le bout de bois et signifie « non » de la tête. Il la bouscule à nouveau et commence à se resservir. Nadine ne peut rien faire de plus. Elle n'est même plus certaine qu'il restera assez de nourriture pour le repas des autres.

Sur ces entrefaites, Marie revient au campement.

— Hum ! Ça sent bon ! Qu'est-ce que c'est ?

— C'est savoureux, lui répond Lucette. Ça goûte le poisson.

Le visage de la rouquine pâlit, mais la femme ne parle pas. Nadine fouille sa mémoire un moment. « Merde ! Comment ai-je pu oublier ce détail ? Marie ne mange aucun produit de la mer… ni ceux qui proviennent d'une rivière par ailleurs… » Son amie n'est pas allergique : elle a juste un dédain particulier pour ce type de nourriture. Quand on lui dit qu'elle fait la difficile, elle réplique qu'elle est seulement « sélective ». Ce souvenir fait sourire l'exilée. Devant le désarroi évident de la jeune femme, Nadine sort lentement de ses sacs quelques bouts d'apios, de l'ail des bois, quelques bleuets séchés de l'an dernier et elle lui montre des morceaux de perdrix. Marie hume l'odeur d'un air surpris, et lui demande :

— Est-ce du poulet ?

Assurément, Nadine ne peut pas lui répondre, mais elle met la viande avec les autres aliments dans un bol sur la pierre chauffée. Elle y ajoute du suif, puis de l'eau chaude. Marie, qui affiche un immense sourire, s'assoit à côté de son hôtesse et observe attentivement ce processus de cuisson fort élaboré. André, grimaçant, s'exclame avec envie :

— Ouais ! La sorcière a sa préférée, hein !

Puis il lance à l'adresse de Nadine :

— J'en veux aussi de ce ragoût.

Nadine l'ignore. André se lève, pointe le doigt dans sa direction, puis crie à tue-tête :

– C'est à toi que je parle la sorcière !

Dans un mouvement en apparence spontané, Nadine regarde derrière elle, comme pour tenter de comprendre ce qui fait hurler le colosse. Puis, fronçant les sourcils, elle fusille André des yeux, droit dans les pupilles de l'homme. Elle est consciente que son geste est chargé de menaces. André se rassoit et il n'ose plus dire un mot. « Une vraie mauviette… »

Quand le repas de la rouquine est cuit, l'hôtesse le lui sert dans un plat qu'elle vient tout juste de sculpter. André s'approche et tente de prendre l'assiette de Marie. Nadine avait prévu l'action et elle était prête; d'un pas vif, elle se place entre l'homme et la jeune femme et elle appuie le dard, maintenant bien aiguisé, sur la poitrine du bougon. C'est bien ce dont elle se souvenait. André fait le fanfaron devant plus faible, mais, si on lui tient tête, il s'écrase comme un véritable lâche.

Marie observe la scène d'un air surpris. Lucette commence à pleurer. N'en pouvant déjà plus de ce monde qu'elle trouve envahissant, Nadine décide de s'éloigner. Elle doit réduire le tumulte de son âme qui pourrait la pousser à poser un geste regrettable ou prononcer des paroles qui compliqueraient les affaires. Ainsi, prenant sa ration de poisson, elle marche vers l'est et s'assoit sur son mur de pierres, tournant le dos à ces intrus qui bouleversent un peu trop sa vie de solitaire bien rangée.

Pendant un bon moment, elle laisse le va-et-vient continu de l'océan bleu calmer son esprit. Le son des vagues qui cassent avec fracas sur la grève agit comme un baume pour son âme meurtrie. La journée est si longue ! Elle n'est pas du tout certaine d'être heureuse d'avoir retrouvé la civilisation… ou plutôt qu'une civilisation l'ait rejointe. « Maudit pays de merde ! Je voulais Alex. À la place, tu m'as envoyé André et Jean-Pierre ! » Sa consolation, c'est Marie. La nomade est au comble du bonheur de la voir, même si elle ne peut pas lui parler ouvertement.

Puis, quand elle revient au campement, elle prépare de la tisane pour tous. Elle vérifie l'état de Jean-Pierre qui ne s'est toujours pas réveillé. La respiration du malade est bonne, alors elle ne s'inquiète pas. Puis, elle aperçoit Lucette et André partir ensemble, vers l'ouest, le long de la péninsule. Un peu comme s'ils étaient au restaurant, ni l'un ni l'autre ne proposera d'aider Nadine à tout nettoyer. « Au moins au bistrot, ils assumeraient les frais de nettoyage par le truchement de la facture. » Quant à Marie, elle s'occupe de surveiller Jean-Pierre.

Alors, une fois les restes du repas ramassés, Nadine place en bandoulière une petite gourde et sa besace, puis, une lance à la main, elle part en direction de la forêt vers le nord. Elle cherche un peu de solitude afin de permettre à sa tête de se faire une raison. La civilisation, du moins les échantillons qui sont atterris dans son royaume, lui pèse déjà beaucoup. La tension qui s'est installée entre ses deux épaules depuis leur arrivée lui fait mal. Également, elle doit chasser et pêcher si elle veut nourrir ce groupe envahissant; car, elle le réalise très bien, ce n'est pas eux qui le feront. « Peut-être que je verrai Lou… je tenterai de le convaincre de rester loin de mes visiteurs… »

Si elle n'était pas convaincue qu'ils détiennent la clé de son retour à Montréal, elle abandonnerait à leur sort ces trois trouble-fêtes afin qu'ils se débrouillent tout seuls. Probablement qu'ils mourraient de faim, ou seraient frappés par un éclair meurtrier, à moins qu'ils ne rendent l'âme sous la dent d'un prédateur. « Je suis persuadée que l'humanité entière s'en porterait mieux… » Une telle action changerait son passé et elle ne peut qu'en imaginer les conséquences sur sa vie… Ce serait inacceptable. Elle doit donc s'occuper d'eux pour les renvoyer au plus vite dans leur monde.

Soudainement, alors qu'elle s'enfonce dans la forêt, le gros loup arrive en trombe. Il affiche un comportement enjoué, la queue en l'air et la tête bien haute.

— Hé ! Tu es content de me voir ! Moi aussi !

La femme dépose un genou par terre pour éviter que l'énorme prédateur ne la renverse. Elle flatte son protégé, puis elle prend sa caboche dans ses mains pour lui parler doucement.

– Tu dois rester dans la forêt. Mes invités ne comprendraient pas ta présence. Tu leur ferais peur. De toute façon, tu ne les aimeras pas du tout !

Puis, Nadine libère Lou et le regarde s'éloigner. « Est-ce que je te reverrai un jour ? Tu ne t'approcheras pas de ces humains… je le sais et c'est mieux comme ça… » Comment le loup réagirait-il avec les nouveaux venus ? Lui, si sensible aux humeurs de sa mère adoptive, comprendrait-il la haine de Nadine contre Jean-Pierre ? Attaquerait-il ce goujat en se laissant gagner par les seules émotions de l'humaine ? Après tout, le canidé a si bien appris à décrypter les états d'âme de Nadine au fil de son exil. Elle ne veut pas que Lou le tue, même si Jean-Pierre le méritait. Le gros homme doit absolument retourner dans le passé de la nomade, afin que la vie de cette dernière ne se transforme pas. Elle regarde Lou s'enfoncer dans les profondeurs de la forêt. « Oui, c'est mieux que tu restes loin pour le moment. »

À son retour au campement, Jean-Pierre dort toujours et les trois autres sont assis autour du feu presque éteint. « Vraiment ! Quels engourdis ! Vous apprendrez bien assez vite ! » D'un geste vif et teinté d'impatience, Nadine y ajoute du bois pour s'assurer qu'elle n'aura pas besoin de le rallumer. Puis, elle se dirige vers son établi pour apprêter les trois perdrix qu'elle a rapportées de sa chasse et qu'elle leur servira pour le dîner.

Quelque temps plus tard, alors que le soleil disparaît dans la mer et que la lune prend sa place de reine dans le ciel, les trois anciens collègues de la nomade mangent leur portion en discutant de tout et de rien. Sans se préoccuper du lendemain, ou de l'homme qui dort encore, ils avalent tout le contenu du chaudron de bois. Nadine se sent tout simplement désarmée par leur totale insouciance. Elle-même s'assure toujours de garder un reste pour le prochain repas; dans ce pays aux événements si imprévisibles, c'est une question de survie. Marie a bien tenté de s'interposer, mais le gaillard est trop égoïste pour profiter de la sagesse de ses paroles. Écœurée par l'attitude du colosse, Nadine s'est contentée de les écouter.

— André ! s'insurge Marie. Il faut en laisser un peu pour Jean-Pierre !

— Ce n'est pas mon problème ! réplique l'homme sur un ton narquois. Il avait juste à ne pas roupiller autant.

— Voyons donc ! tempère la rouquine. Ce n'est pas de sa faute s'il est blessé.

— Justement ! C'est certain que c'est de sa faute puisqu'il dort ! rétorque André en riant à gorge déployée.

Devant ce commentaire sans queue ni tête, Marie abandonne. André gratte cérémonieusement le bol pour mettre le reste de ragoût sur son plateau. La nomade sympathise avec la rouquine qui s'affaire déjà à ramasser les plats pour les laver. Quant aux deux autres, ils traitent celle qu'ils appellent la sorcière comme si elle était leur servante. Nadine trouve leur attitude honteuse et elle en est dégoûtée. « Si j'avais le choix... je vous laisserais crever... » Plutôt gênée du comportement de ses compagnons, Marie les observe d'un air désabusé. Quand les yeux verts se tournent vers la nomade, il est évident qu'elle ne sait pas quoi faire pour aider l'hôtesse des lieux.

Nadine n'en peut plus. Troublée par ses trop vives émotions, épuisée par le va-et-vient constant des dernières heures et bouleversée par l'attitude de ses anciens collègues, elle décide de les laisser à eux-mêmes. Elle se couche sous la toile qui lui sert d'abri, mais elle n'arrive pas à dormir tout de suite.

Machinalement, elle sort son journal de bois pour y inscrire qu'une autre journée vient de s'achever. « Aujourd'hui, je ne peux pas me contenter d'y tracer un cran comme d'habitude. C'est une journée spéciale, comme la naissance de Lou ou de Plumo. » Elle examine cet outil qui permet de noter la chronologie de ses nombreuses aventures. Elle n'a pas remplacé les petites branches qui consignent toujours les premières semaines de son exil. Trente-cinq jours à raison de sept jours par bout de bois. Puis, une fois qu'elle eut compris qu'elle y passerait l'hiver, elle a inséré des pièces plus longues, pour y inscrire 60 jours à la fois. Ainsi, onze morceaux se sont ajoutés. Vingt-deux mois en tout. À la lueur du feu, elle touche les marques, reconnaissant les croix qui indiquent le sauvetage de Lou, de la découverte d'Allie et de toutes les autres rencontres qui ont rempli sa vie d'ici d'un immense bonheur. Il lui semble qu'une telle marque n'est pas convenable afin de souligner l'arrivée des visiteurs. Ces personnages sont des humains… issus de la civilisation… « Je vais faire une encoche plus profonde et, demain, je vais ajouter de l'ocre… ce sera mieux ainsi… » Rassurée que l'évènement critique d'aujourd'hui puisse être facilement discernable, elle replace son journal, bien enroulé dans sa toile imperméabilisée pour le protéger, au fond de son sac à dos.

Elle reporte son regard vers le foyer. Les trois visiteurs discutent un bon moment autour du feu. La nomade écoute leurs questions sans pouvoir leur donner de réponses. Elle sait cependant que le vrai réveil sera brutal quand ils réaliseront que les magasins à propos desquels ils discutent, la station de train et le bateau n'existent pas au Pays de la Terre perdue; il n'y a rien de tout cela ici. Pas plus que de savon ou de brosse à dents.

L'arrivée des quatre personnages laisse Nadine perplexe. La distorsion de temps complique tout. Elle s'est souvent demandée où se trouvait ce coin de terre, mais le « quand » lui a échappé. Rien dans ce que les visiteurs ont révélé au cours de leurs discussions ne lui fournit des informations qui l'aideraient à comprendre comment elle est arrivée dans ce pays; de plus, aucune parole ne lui explique la manière de retourner chez elle. Elle est déçue.

Tous les éléments qu'elle a observés lors de leur venue, que ce soit la lumière éblouissante, la fumée ou les traces de brûlure sur le sol, tiraillent sa mémoire. Pour le moment, elle n'arrive pas à y trouver une signification potentielle. Elle finit par s'endormir en pensant à sa famille qu'elle reverra bientôt... Dans ses rêves, Alex l'attend sur le perron, les bras ouverts et un énorme sourire sur les lèvres.

— Pas tout de suite, Alex. Tu peux mettre le champagne au frais, mais tu devras patienter encore un instant avant de déboucher la bouteille. Je vous retrouve aussitôt que j'aurai compris comment renvoyer ces visiteurs embarrassants hors de mon royaume... à coups de pied dans le derrière s'il le faut...

Chapitre 14

Jour 667 – 12 mai

Dès son réveil, Nadine soupire. « Bon sang ! J'ai tellement mal dormi ! »

Elle se lève lentement, tentant d'évaluer s'il reste au moins un muscle de son corps qui ne lui fasse pas mal. « Ce n'est quand même pas l'âge qui me rattrape en l'espace d'une seule nuit ! » La nomade, habituée à dormir dehors, sur des peaux ou sous son abri, n'est pas dupe. Rien de cela ne constitue la véritable raison de son sommeil si agité. C'est plutôt à cause de l'inquiétude qui la ronge : qu'allait-elle faire de ses visiteurs ?

Elle a occupé une partie de sa nuit à retourner dans sa tête toutes sortes d'idées. L'effervescence de cette réflexion, qui l'a fait bouger en tous sens pendant des heures, s'ajoute à tous les débordements émotifs et éprouvants qui, face aux évènements de la journée d'hier, ont provoqué de pénibles décharges d'adrénaline dans tout son corps. Ce n'est donc pas étonnant qu'elle ait l'impression d'avoir déboulé le long d'un ravin sur plusieurs kilomètres. Elle ne peut s'attarder à cette douleur physique… elle a trop à faire pour s'assurer que son passé reste le même.

Étant responsable de la survie de ses visiteurs, elle réalise que la grotte est le meilleur endroit pour protéger les nouveaux venus et les garder ensemble. Si elle hésite à leur ouvrir son antre de solitaire, elle admet que c'est le seul moyen pour garantir qu'ils repartiront tous, sains et saufs, en direction de leur ancienne vie. Arrivera-t-elle à les aider à accomplir cet exploit en dépit du fait qu'aucun d'eux ne semble en saisir la nécessité ? « C'est insensé ! Je ne sais même pas comment je suis arrivée ici et voilà que je veux leur prêter main-forte afin qu'ils puissent être en mesure de retourner dans leur propre dimension temporelle ! » Elle ferme les yeux pour mieux se souvenir de son père et entendre ses paroles réconfortantes : « Ma puce ! Tu ne la trouves peut-être pas maintenant, mais, avec des efforts soutenus, la solution apparaîtra ! » Thomas avait vraiment le don de l'encourager. Sa confiance en sa petite fille était telle que l'enfant se serait crue capable, si elle avait eu des ailes, de voler jusqu'à la lune. Chaque fois qu'elle s'est sentie dépassée par les évènements qui la bousculaient, comme aujourd'hui, elle n'avait qu'à se souvenir des bonnes paroles de son père.

Ce matin, la nervosité envahit son corps. L'odeur d'été qui imprègne le jour naissant devrait l'encourager à savourer la vie; mais il y a trop de questions qui s'entremêlent dans sa tête pour qu'elle apprécie l'air doux de ce mois de mai. Elle garde les sourcils continuellement froncés, ce qui force tous les autres muscles de son visage à adopter des mouvements saccadés et douloureux. « Je dois vraiment avoir l'air d'une sorcière… »

Une chose est devenue claire au cours de cette nuit blanche. Depuis son arrivée au Pays de la Terre perdue, Nadine a cherché en vain un chemin pour retourner à Montréal. Elle a repoussé les limites de ses connaissances tant pour survivre que pour fouiller ce royaume. Aujourd'hui, elle comprend qu'elle aurait dû plutôt envisager un « moyen » de partir d'ici. Bien sûr, dans les dernières heures, son cerveau hyperactif a produit beaucoup plus de questions que de réponses. Entre autres, elle s'explique mal cette lumière éclatante qu'elle a aperçue juste avant l'arrivée des visiteurs. « Une sorte de portail ? Comme *la porte des étoiles*[5] *?* » Malgré sa façon philosophique et ouverte de comprendre la vie, l'idée est difficile à digérer. « Je nage en plein film de science-fiction… »

Pendant qu'elle ramasse ses affaires pour les placer sur son travois, elle secoue la tête. « J'ai réfléchi durant des heures et je n'ai pas trouvé une seule hypothèse valide. Je

---

5 Série télévisée de MGM selon le film franco-américain réalisé par Roland Emmerich en 1994.

ne comprends toujours pas ce qui m'est arrivé, ce matin d'avril 2011, encore moins ce qui m'a fait perdre une partie de ma mémoire. » Elle ferme les yeux un moment pour mieux intégrer un autre bout d'information. Elle estime qu'une période de quatre mois a été effacée de sa mémoire à cause d'une commotion cérébrale causée par l'hématome sur son front. Aujourd'hui, elle se demande si l'effet de la distorsion de temps ne lui aurait pas plutôt volé ces précieuses semaines. Elle ouvre et ferme ses mains plusieurs fois, puis elle les porte à ses tempes. Elle tente de calmer l'ardeur avec laquelle sa tête génère des questions… « Assez ! Arrête ! Tu me donnes le tournis ! »

Quand la faible lueur du jour s'installe, Nadine est prête pour l'expédition peu commune qu'elle s'apprête à mener avec les quatre personnages qui viennent d'apparaître dans son royaume. Voulant commencer ce périple le plus tôt possible, elle attend impatiemment le réveil des visiteurs. Un départ hâtif lui évitera de camper en forêt avec ces gens inexpérimentés.

En se fiant sur son rythme d'aventurière aguerrie, même avec le travois, Nadine ne prend normalement que quelques heures pour se déplacer d'une hutte à l'autre. Si elle s'est endurcie au gré de sa vie de nomade, les nouveaux arrivants sont sédentaires. Ils voyagent la plupart du temps en auto, même s'il s'agit de parcourir une distance de moins d'un kilomètre. Ils voudront arrêter souvent et ils marcheront beaucoup plus lentement.

La guide soupire : il lui sera nécessaire de les pousser sans ménagement. « Même en ralentissant considérablement la cadence, je devrai tout de même les forcer à continuer, nous n'aurons pas le choix si nous voulons atteindre le gîte dans la forêt aux érables avant la tombée de la nuit. » Ils devront avancer en dépit de leur fatigue. Leur incompréhension face à la situation envenimera leurs réactions. Toutefois, sa volonté de se travestir en muette l'empêchera de leur indiquer clairement la destination où elle souhaite les conduire. Ils résisteront, c'est sûr. « Bon ! Les difficultés, je connais bien ! Je vais tenter de les résoudre une par une… pour le reste, je verrai… »

Nadine sirotait sa tisane matinale quand Jean-Pierre est sorti en trombe de la hutte. Il fait pitié à voir : les yeux hagards, les cheveux hirsutes et le visage blême. Il titube et marmonne. Lorsqu'il aperçoit Nadine, il s'arrête net. Lucette, qui le suivait de peu, le fait s'asseoir sur une roche près du feu presque éteint et tente de le calmer.

Observant la situation de son regard froid, l'hôtesse constate que le gros homme est affaibli. Nadine ressent une immense satisfaction de voir Jean-Pierre ainsi diminué. Elle réalise tout de même que cette condition n'est que momentanée et que l'état normal de ce personnage narcissique reviendra tôt ou tard. Elle a payé cher pour apprendre à quel point il peut se transformer en un être détestable et arrogant. Pour l'instant, sans éprouver aucune forme de remords, elle savoure avec plaisir le spectacle de son ancien boss ainsi amoindri.

Du coup, toutes ces années où il était son patron défilent dans sa tête; sa rage accumulée contre l'individu refait surface, au point que ses yeux deviennent brillants de larmes. Pourquoi a-t-elle encore de la difficulté à se souvenir de cette dernière année à l'Agence Écho Personne ? Elle y a travaillé cinq ans. C'est Jean-Pierre lui-même qui l'avait recrutée et tout allait bien quand elle est arrivée en 2001. Il était satisfait de ses compétences et vantait ses mérites auprès des membres du conseil d'administration. Bien sûr, il avait tendance à prendre tout le crédit pour les réussites de Nadine, prétendant même que la conseillère œuvrait à partir de ses idées à lui. Pourtant, la femme s'en accommodait, puisque l'homme donnait son appui à tous ses projets.

Puis, Jean-Pierre est parti en congé de maladie. Une grave dépression qui l'a maintenu hors du boulot plus de dix-huit mois. À la demande de l'organisation, Nadine a assumé son remplacement. Elle a fait un excellent travail et son équipe a grandement participé à la rentabilité de l'Agence. Ce fut son erreur. Contre toute attente, Jean-Pierre est revenu. Réalisant à quel point cette femme avait obtenu du succès durant son absence, le gros homme s'est mis à la considérer comme une adversaire à éliminer.

En quelques semaines, il a saboté le résultat des accomplissements de Nadine, traitant les idées de cette dernière de « petites merdes » et de projets de peu d'importance. Il a annulé plusieurs décisions prises par sa remplaçante, congédiant même des employés engagés par elle et annulant des promotions qu'elle avait accordées. Beau parleur, il a convaincu ses collègues que la conseillère était incompétente et qu'elle les avait tout simplement bernés.

Cette histoire ancienne lui est restée sur le cœur. Nadine n'arrive pas à oublier tout le mal que Jean-Pierre lui a fait subir. C'est comme une plaie ouverte qui refuse de se refermer; elle contient un liquide visqueux qui suinte régulièrement afin d'infester la blessure. « Ça fait encore mal, même aujourd'hui, après deux ans au Pays de la Terre perdue. » En ce moment, l'homme est assis devant elle. Elle observe celui qu'elle a appris à haïr. Elle voudrait s'en débarrasser : pourtant, elle doit l'aider à rester en vie pour qu'il retourne dans son propre passé. Malgré ses efforts pour garder son calme, elle sent ses muscles se raidir. Les traits de son visage deviennent plus durs.

Alors qu'elle tente de contrôler ses haut-le-cœur, elle s'imagine être en train de mettre fin aux jours de l'homme, là, tout de suite : « Un simple coup de machette sur la carotide… si simple… ce serait rapide... » Non ! Jean-Pierre est trop vulgaire pour qu'elle le tue comme un animal sauvage. Parce qu'elle éprouve le plus grand respect pour toutes ces bêtes qui se trouvent sur sa route. Même si l'envie de l'éliminer est forte, elle ne peut pas se débarrasser de lui pour le moment; pourtant, ce serait si facile... et sadiquement agréable.

Pendant un instant, elle considère le fait que, s'il périssait ici à ses pieds, il disparaîtrait de son existence. Elle n'aurait plus aucun souvenir des tortures psychologiques qu'il lui a imposées, parce qu'elles n'auraient jamais eu lieu. Par contre, cela aurait des conséquences importantes sur le déroulement de sa vie et elle ne veut rien y changer. Peut-être même que la mort du gros homme viendrait bouleverser tellement d'évènements qu'elle resterait coincée au Pays de la Terre perdue... « Non ! Jamais ! Je l'obligerai à vivre et à repartir même si je dois le forcer… »

— Qu'est-ce qui est arrivé ? demande Jean-Pierre. Où sommes-nous ?

— On ne comprend pas vraiment ce qui s'est passé, lui répond Lucette avec une voix douce qui étonne Nadine. On est tombé, ici, hier. Aucun de nous ne sait où nous sommes.

Le gros homme secoue sa tignasse d'une main :

— J'ai vu une sorcière ! précise-t-il, en pointant Nadine du doigt. C'est elle !

— C'est peut-être une chamane ou une ensorceleuse, réplique Lucette. La vieille ne parle pas. Elle n'a pas l'air de comprendre ce que l'on dit. Par contre, hier, elle a bien pris soin de nous. Elle nous a nourris.

Nadine n'est pas certaine de faire une grande différence entre « la sorcière » et « la vieille », mais elle préfère en rire en silence. Elle présente un peu de tisane à ses deux visiteurs. Elle s'approche de Jean-Pierre avec un bol rempli d'un liquide chaud et d'un carré de cuir qui lui sert de débarbouillette. Elle se réjouit de l'expression apeurée qui apparaît sur le visage de l'homme. Le sourire de la femme n'a rien d'engageant… « Je t'ai à ma merci… sale brute… »

— Euh… Lucette ! Elle fait quoi là, la sorcière ?

— Ne t'en fais pas, elle veut juste examiner ta plaie.

— J'ai été blessé ? demande le gros homme sans oser bouger.

— Oui ! Ta coupure sur ta tête. Il faut la nettoyer pour ne pas qu'elle s'infecte.

Jean-Pierre porte ses doigts au-dessus de son oreille droite, ce qui lui arrache un cri aigu. Il regarde la sorcière et son visage exprime une hésitation entre la peur et le désir de recevoir des soins.

— Jean-Pierre ! lui indique Lucette. Ne fais pas l'enfant ! Laisse-la faire !

Sans dire un mot, Nadine retire le bandage et examine la plaie. Il aurait besoin de quelques points de suture. « Je pourrais lui en faire une avec un fil de tendon et une aiguille en os… et ajouter quelques points de plus pour prolonger le supplice… » Elle n'a pas d'anesthésiant, ni de désinfectant adéquat pour le fil. « Il pourrait mourir d'asepsie… non, je devrai le torturer autrement… » Ainsi, l'homme devra vivre avec une grosse cicatrice. Sur le coup, son cœur chavire. Dans son temps, Jean-Pierre portait une marque moins hachurée, plus nette… « Il aurait demandé à un médecin d'arranger cela… il est si vaniteux. »

Sans s'en rendre compte, elle glisse sa main à son bras droit. Elle aussi porte de larges cicatrices laissées par un lynx. « Je vais demander à Bernard de me suggérer un chirurgien en esthétique… quand je serai chez moi. » Cette idée lui plaît tellement que son visage se remplit de bonheur.

— Hé ben ! La sorcière est capable de sourire… indique Jean-Pierre d'un ton narquois.

Sans répliquer, préservant ainsi l'illusion de son rôle, Nadine termine sa tâche, en appréciant avec avidité chaque grimace et chaque sifflement que ses soins brusques provoquent chez Jean-Pierre. Quand elle a voulu mettre une bande de tissu pour protéger la blessure, le gros homme a refusé, alléguant qu'il n'était pas une moumoune. « Tant pis pour lui… la poussière du chemin s'infiltrera dans la plaie et je me ferai un plaisir de la nettoyer en profondeur ce soir. »

Puis, l'hôtesse entre dans l'abri pour brasser Marie et André. Pour ce qui est de la jeune femme, c'est facile : aussitôt que Nadine la touche, elle se réveille et elle sort de la hutte. Pour l'homme, c'est une autre histoire : il la reçoit avec des grognements, puis il la pousse violemment contre un poteau de la cabane. « Merde ! J'ai assez de courbatures comme ça ! Maintenant, ce crétin me gratifie de quelques bleus. »

Devant l'attitude du gaillard, Nadine voit rouge. Elle sait que la route vers la hutte de la forêt aux érables sera longue et il n'est pas question de camper en nature sauvage avec des novices. Alors, elle insiste pour partir tôt. Ainsi, laissant un plaisir fou l'envahir, elle décide de jouer sur la couardise d'André. Elle sort son couteau et l'appuie sur la joue du trouillard. Il ouvre grand les yeux et elle lui fait un sourire machiavélique. Pour qu'il comprenne bien son intention, elle lui montre la lame bien affilée. Il fige. Elle lui fait signe de se lever. Il s'exécute. Elle lui indique de rejoindre les autres, ce qu'il s'empresse de faire. Il sort de l'abri en se plaignant :

— La sorcière m'a menacé avec un couteau !

Connaissant déjà très bien le pleurnichage habituel du colosse, ses compagnons éclatent de rire. Nadine se dépêche de rengainer son arme et de sortir lentement avec, dans les bras, toutes les peaux qu'elle attache aussitôt sur son travois. Elle tient à ce que le message soit bien clair : aucun d'entre eux ne peut rester ici aujourd'hui. De toute façon, elle aura besoin de ces couvertures sur la route pour servir de couche à ses visiteurs. Elle ne croit pas qu'elle aura de la difficulté avec André, mais elle n'est pas certaine en ce qui concerne les autres, particulièrement Jean-Pierre. Elle espère que l'affaiblissement momentané du gros homme lui donnera un avantage; il pourrait être moins enclin à vouloir prendre le pouvoir.

Ils doivent tous rester en groupe pour leur sécurité, mais elle doute encore de sa capacité à contrôler cette troupe hétéroclite. Elle doit trouver le moyen, la détermination et l'énergie de s'occuper d'eux, de les garder tous ensemble, jusqu'à ce qu'ils retournent à Montréal... même Jean-Pierre. « Ça commence aujourd'hui ! C'est moi qui établis les règles du jeu chez moi ! » Avant de les pousser dans l'action, elle présente de la tisane à Marie et André; ce dernier, arguant que ce n'est pas du café, recrache le liquide et lance la tasse au bout de ses bras. Sans ambages, Nadine ramasse le gobelet de bois et le met avec les autres dans un sac de peau, sur le travois. Ce matin, elle n'a pas de temps à perdre avec ce crétin. C'est à ce moment qu'André demande d'un air bourru :

– Qu'est-ce qu'il y a pour manger ?

Poursuivant son rôle de sourde et muette, Nadine ignore la question et continue d'attacher le matériel sur son engin de transport. André la relance :

– Hey, la sorcière ! Je veux que tu me fasses à déjeuner !

Nadine ne répond pas. Il fait le fanfaron espérant que ses compagnons prendront son bord. Étonnamment, c'est Lucette qui lui réplique :

– Si tu n'avais pas fait le goinfre hier, il en resterait peut-être pour notre repas.

Nadine pousse un soupir de soulagement. Une fois le matériel bien installé sur le travois, elle ouvre un contenant pour y chercher des morceaux de chevreuils qu'elle offre à chacun. Puis elle replace le paquet dans son sac à dos. Pour montrer aux visiteurs ce qu'elle attend d'eux, elle se tourne dans leur direction et met la viande dans sa bouche. Lucette et Marie ne se font pas prier : elles mâchent lentement ce produit un peu spécial. Nadine hoche la tête pour les encourager.

– Ce n'est pas aussi bon que le souper d'hier, mais ce n'est pas mauvais, précise Lucette.

– Au moins, ce n'est pas du poisson, répond Marie.

Jean-Pierre, refusant d'être en reste, met le morceau dans sa bouche et il commence à le mastiquer, sans dire un mot. Nadine est soulagée. Le gros homme n'a pas mangé depuis vingt-quatre heures et il aura besoin d'énergie pour affronter la longue marche qui les attend aujourd'hui. Alors, en acceptant un peu de cette viande séchée, il ne s'affaiblira pas trop au cours de la randonnée, ce qui obligerait Nadine à arrêter le mouvement du groupe et faire un camp de nuit au cœur de la forêt.

Quant à André, il lance la nourriture au bout de ses bras et il affiche un air de dégoût. Nadine n'en fait pas de cas. Celui-ci a plutôt bien mangé la veille et il pourra se priver de bouffe durant quelques heures. Elle sait aussi que le grand gaillard n'a plus de cigarettes. Elle a vu le paquet presque calciné dans le foyer. Il devra donc endurer son propre supplice dans les prochains jours. Fidèle à sa manière fanfaronne, il a déjà commencé à bousculer ses collègues. Pour que tout se passe bien, elle devra l'empêcher d'intimider les autres.

Puis, alors que le moment du départ se fait plus pressant, Nadine prend Marie par le bras et l'approche du travois. Elle désigne du doigt les peaux, leurs vêtements d'hiver et les gourdes à eaux. Le visage de la rouquine exprime l'incompréhension et elle se concentre pour tenter d'élucider les gestes de la femme aux cheveux blancs. Nadine pointe sa poitrine, puis chacun des visiteurs; ensuite, elle indique le nord, en direction de la forêt. Quand Marie saisit l'intention de la sorcière, ses yeux verts s'arrondissent et sa bouche se resserre : la peur transparaît à travers ses traits. Nadine refait le signe vers la direction proposée. Marie secoue la tête vigoureusement pour exprimer une réponse négative très vive.

Nadine s'exaspère; elle ne peut plus attendre. Ils doivent partir dans la seconde pour atteindre leur destination avant la fin de la journée. Elle songe déjà à tous les arrêts qu'elle devra négocier pour permettre aux visiteurs de se reposer, pour vérifier leurs pieds et pour s'assurer qu'ils se rendront par eux-mêmes jusqu'au prochain campement. La nomade agrippe les poignées de son travois et s'avance vers le sentier, espérant que les autres la suivent. Serrant les dents sous la tension du moment, elle écoute les quatre personnes discuter derrière elle. Puis, André s'exclame à pleins poumons :

— La sorcière part avec nos affaires ! Ben maudit ! Ça ne se passera pas de même !

Nadine l'entend marcher d'un pas décidé dans sa direction. Un peu soulagée que ce soit lui qui réagisse de cette façon, elle dépose l'engin de transport au sol, se retourne et attend que l'homme soit un peu plus proche; elle ne veut pas que les autres voient son geste. Puis elle sort son couteau de l'étui et fait une grimace plutôt sadique. André s'arrête net. Un vrai trouillard. La nomade est consciente que si le grand gaillard essayait de prendre l'arme, elle serait incapable de l'en empêcher. Mais un poltron se dégonfle toujours vite. Affichant des yeux ronds et serrant les dents, l'homme recule de plusieurs pas. Quand les autres arrivent à côté de lui, leur hôtesse a déjà rangé l'outil et elle braque intensément son regard sur André. D'une voix beaucoup moins assurée, ce dernier explique :

— Euh... dans le fond, je pense qu'on est mieux d'aller avec elle. Elle emporte nos affaires, pis elle connaît le coin. Pas nous.

Soulagée de la tournure des évènements, Nadine reprend son chemin avec ses quatre touristes qui suivent à la file indienne, derrière le travois. Elle vient de gagner la première partie de bras de fer. Il y aura plusieurs autres batailles avant la fin de cette journée qui s'annonce particulièrement longue, mais elle affrontera les défis un à un. « Papa ! Tu serais si fier de moi ! »

En milieu d'avant-midi, le groupe n'a pas encore complété la moitié de la distance et leur rythme ralentit déjà. Nadine est inquiète; ils doivent poursuivre leur chemin, sinon ils seront obligés de dormir en forêt à la belle étoile. Plusieurs prédateurs se feraient une joie de les harceler, voire même de les menacer très sérieusement. La guide a accepté deux fois d'arrêter la randonnée pour leur donner de l'eau, mais elle les a forcés à reprendre la route aussitôt après.

La grogne monte dans la troupe depuis un bon moment. Les filles, en raison de leurs talons hauts, ont mal aux pieds; elles suivent le groupe de peine et de misère. André bougonne sans arrêt, même si son caractère peureux l'incite à serrer de près le chariot. Puis, c'est au tour de Jean-Pierre de faire le difficile :

— Je suis fatigué ! Moi j'arrête ! Pis vous autres aussi ! Je veux que tout le monde cesse de marcher !

Nadine reconnaît bien les « talents de leader » que Jean-Pierre a toujours cru posséder. Son style de gestion est : « Vous faites ce que je dis » et « ce que je veux, tout le monde le veut. » Si Monsieur a besoin d'une pause, alors tous ses compagnons doivent impérativement stopper leur progression.

Nadine se retrouve ainsi face à la deuxième épreuve de la journée. Elle mise sur le fait qu'il n'est pas encore le patron de cette troupe. Il pourrait jouer le jeu de l'aîné, mais pour le moment, il ne peut pas leur imposer ses décisions. Il n'est pas question d'utiliser le stratagème du couteau et de la peur, comme avec André : cela ne marcherait pas. En un rien de temps, elle perdrait son avantage et Jean-Pierre prendrait automatiquement le contrôle du groupe. « Il n'en est pas question. Leurs vies à tous dépendent du succès de ma prochaine intervention ! Bon ! Je me lance ! »

Nadine décide de faire l'ignorante à son égard. Il vient de crier ? Alors elle se retourne et elle le scrute de la tête au pied, comme pour vérifier s'il est blessé, puis elle le regarde en fronçant les sourcils. Jean-Pierre, trop surpris par la réaction de la femme, ne dit pas mot. Soulagée de l'efficacité de son stratagème, elle empoigne les manchons de son travois et elle poursuit son chemin, sans les attendre.

André et Lucette furent les premiers à marcher derrière le chariot. Puis, Marie reprend le rythme, tout en lançant à Jean-Pierre :

— Tu as sauté pour nous suivre ici. Bien maintenant, tu emboîtes le pas.

« Sauter pour les suivre... » Nadine considère que le commentaire est pour le moins bizarre, mais comme cela produit l'effet escompté, elle ne s'en formalise pas pourvu que la troupe avance dans la forêt vers la zone plus sécuritaire. Elle verra par la suite à décrypter tout ce qu'elle entend, histoire d'en saisir le sens.

Ce n'est que lorsque le soleil atteint le zénith que la guide accepte d'arrêter suffisamment longtemps pour prendre un repas et se taper un repos bien mérité. Elle présente de l'eau à tout le monde. Quand André en redemande, elle n'a qu'à lui jeter un regard noir pour qu'il cesse de quémander. Puis, elle leur donne des fruits secs et d'autres morceaux de chevreuil séché en guise de nourriture.

Elle indique aux filles de s'asseoir sur le bord d'un ruisseau et, faisant de même, elle les invite à se déchausser et mettre leurs pieds dans l'eau. Nadine en profite pour masser les muscles de sa cheville qui commençaient à faire mal; le courant froid aide non seulement à réduire l'enflure, mais aussi à engourdir la douleur. Si elle voyageait seule, elle prendrait plus de temps pour soulager son pied; mais, avec les visiteurs à sa suite, elle ne peut pas se permettre de rester trop longtemps à cet endroit, de peur de ne pas atteindre le campement avant la tombée de la nuit.

Ce n'est qu'après s'être assurée que les pieds des femmes ne portaient pas d'ampoules que la guide les laisse se rechausser. Marie et Lucette trouvent d'ailleurs très drôle que leur hôtesse prenne autant de précautions, ce qui les fait ricaner considérablement. En fait, Nadine n'était pas inquiète pour les hommes qui marchaient avec des bottes d'hiver à talons bas; trop chaudes pour la saison, elles procuraient tout de même plus de confort que les bottillons des filles. « De toute façon, si l'un des gars avait une seule ampoule, je l'aurais entendu chialer… les filles ont la couenne dure, elles ! »

La nomade saisit une des bottes rouges de Lucette. Un talon aiguille et un bout pointu… « Dire que j'ai déjà porté des souliers de ce genre… Quand était-ce ? Ça me ramène au milieu des années 80… » Ce n'est vraiment pas convenable pour la marche en forêt et Nadine surveille les filles quand le sentier se remplit de ronces et de racines. Si l'une d'elles se blessait… Elle secoue la tête. « Je dois concentrer mes efforts sur le but de la journée. Reprenons la route ! »

C'est ainsi que la troupe se dirige vers le centre de l'immense zone boisée, là où se trouve le campement de la forêt aux érables. Du coin de l'œil, la nomade voit Jean-Pierre qui observe tout ce qu'il y a autour de lui. Elle sait qu'il aime la nature et qu'il peut nommer presque tous les oiseaux qu'ils rencontrent. À tout le moins, c'était le cas dans les années 2000. Serait-ce suffisant pour le rendre moins désagréable ? Elle en doute. Il attribue son excellente mémoire à une intelligence supérieure, ce qui lui donne un air pompeux. Ce prétentieux utilise toutes les informations qu'il possède pour rabaisser les autres, montrer qu'il est le meilleur et faire des éclats pour qu'on lui dise qu'il est bon. « Du pur narcissisme ! »

En milieu d'après-midi, elle fait une deuxième halte. Pendant que les visiteurs relaxent, elle part à la recherche du dîner. Jean-Pierre tente de la suivre, mais elle le distance rapidement. Après trois coups de fronde, elle revient avec trois belles perdrix qu'elle cuisinera en bordure du feu.

La guide retrouve son ancien patron dans une clairière; perdu, il est fort soulagé de la voir réapparaître. Bien sûr, il ne l'admettra jamais; Nadine se contente d'interpréter avec un plaisir fou l'expression dessinée sur le visage de l'homme. Ce dernier admire les volailles, déjà dépourvues de leurs entrailles, que Nadine suspend au travois afin d'évacuer le sang. Elle observe le teint des deux filles blêmir; leurs yeux s'agrandissent à la vue des proies dégoulinantes et, dans un geste presque convenu, elles glissent une main sur leur bouche pour retenir un puissant haut-le-cœur. La traqueuse sourit en se souvenant de son propre malaise, la première fois qu'elle a chassé. Marie et Lucette devront s'y accoutumer, parce que tuer ce que l'on mange fait partie de la vie, ici, au Pays de la Terre perdue.

Quand la troupe arrive finalement au campement de la forêt aux érables, le soleil est déjà bien bas à l'horizon et ses rayons percent péniblement le feuillage serré et très dense qui entoure le site. « Ouf ! Il était temps ! » Par habitude, elle allume le feu avec ses roches à pyrites, sous le regard narquois de Jean-Pierre.

— Hé, la gang ! dit-il pour attirer l'attention des autres. La sorcière n'a même pas de briquet ! Faut-il être retardé ?

Nadine ferme les yeux quelques secondes. Le ton rabaissant de Jean-Pierre l'a dardée en plein cœur. Elle a de la difficulté à contenir les émotions vives qu'attisent ces paroles désobligeantes. « Je dois garder mon calme… je ne suis pas censée comprendre ce qu'il dit… »

Réintégrant le rôle qu'elle s'est donné, elle retourne à sa tâche tout en laissant son esprit analyser la situation. Son dernier briquet est vide depuis longtemps et il n'y a pas de tabagie dans le coin pour le faire remplir. Très bientôt, ils se rendront tous à cette évidence plutôt déconcertante. « Les déceptions viendront bien assez vite... pour le moment, je leur laisse leurs illusions. » Pourtant, Nadine sait qu'André possède un objet de luxe de type Zippo; elle l'a vu l'utiliser pour allumer ses cigarettes. Mais, jamais le gaillard ne lui offrira de s'en servir pour activer le feu. Il est tellement égoïste ! « Tant pis pour lui ! », se dit-elle en haussant les épaules dans un geste de je-m'en-foutisme. Nadine n'a vraiment pas besoin de son aide pour préparer son foyer.

Avec des mouvements qui démontrent son savoir-faire, elle prend les oiseaux et les dégarnit rapidement de leurs plumes qu'elle jette dans les flammes. Puis elle met les perdrix à rôtir dans une enveloppe de feuilles de vigne, ajoutant quelques condiments. Ce processus de cuisson est plus long, mais ce sera plus savoureux. Ce soir, elle accompagnera le tout avec des cœurs de quenouille qu'elle a cueillis dans la journée sur le bord d'une rivière et qu'elle mijotera en sauce; elle utilisera un reste de farine d'apios pour lier sa recette. Elle lève les yeux au ciel en signe de dépit pendant qu'un soupir sort de son corps. « Mes visiteurs sont tellement lents que j'ai le temps de faire de nombreuses cueillettes le long de la route. Sinon je m'ennuierais sûrement… »

Puis, elle vérifie la hutte, installe des peaux supplémentaires pour en faire des lits. Ce soir, elle ne couchera pas dehors, car les environs grouillent de nombreux prédateurs. Cette belle forêt de feuillus matures abrite des lynx roux, des ours noirs, des renards et des loups. Nadine sourit malgré elle en se souvenant que, en dépit de la terre battue dans sa cabane, il y a toujours des racines et des cailloux qui ressortent; ainsi, elle a la ferme intention de dormir sur sa plateforme qu'elle a sortie à l'extérieur, tentant d'éviter que l'un d'eux ne se l'approprie à son insu. Ils l'ont traitée de vieille, mais ils seront contraints de respecter son âge. « Sinon, ils vont avoir affaire à une vraie sorcière... je serais capable de leur jeter un mauvais sort… » Elle ne peut retenir plus longtemps un fou rire qui, s'exprimant bruyamment, lui fait mal aux côtes.

Très vite, l'odeur des perdrix donne l'eau à la bouche. Son appétit naissant lui fait penser que ses visiteurs ont probablement aussi faim qu'elle. Ils ont marché toute la journée, ne mangeant que quelques morceaux d'aliments séchés pour se soutenir au cours de la randonnée. Quand le repas est prêt, elle place des portions dans des plateaux fabriqués à la hâte, la veille, et qu'elle a emportés dans les bagages. Elle remet à chacun une cuillère en bois.

Du coin de l'œil, elle remarque qu'André l'observe attentivement. « C'est vrai qu'il est grand. Il a aussi cessé de fumer aujourd'hui. » Elle rajoute quelques morceaux dans son assiette ce qui lui donne droit à un immense sourire de la part du gaillard. « Bon ! Est-ce que je me serais fait un ami de ce grand dada ? » Le doute lui fait secouer la tête. C'est plutôt comme un chien qu'on aurait dompté à coup de bâton. Il ne faut jamais lui tourner le dos. En lâche qu'il est, André n'hésiterait pas à la frapper entre les omoplates.

Elle observe les autres membres du groupe. Avec satisfaction, elle voit Jean-Pierre, qu'elle sait bon cuisinier, goûter du bout des lèvres la nourriture, puis avaler le tout avec appétit. Marie regarde son assiette pendant un bon moment, puis elle se décide à consommer lentement le repas. Le fait que cette citadine ait vu la bête en plumes avant de la bouffer ne doit pas lui faire plaisir. Mais Nadine est fière de son amie; il est très important de bien manger pour être en mesure de poursuivre la route. Elle jette un coup d'œil aux deux tourtereaux qui se nourrissent l'un et l'autre avec le contenu de leurs plateaux respectifs. Si elle ne connaissait pas leur avenir, elle les trouverait adorables.

Une fois le dîner terminé, elle installe les visiteurs dans le fond de l'abri sur des peaux. Pour l'instant, elle doit attaquer une tâche supplémentaire, mais essentielle à ses plans... du moins le croit-elle. Elle met la main sur quelques cuirs, ainsi que ses outils pour la couture. Marie la regarde travailler un moment avant que la fatigue de la journée ne la rattrape et que le sommeil la gagne. C'est de cette manière que l'artiste complète deux paires de bottes qui montent au-dessus des chevilles. Demain, elle verra si les filles accepteront de les porter.

Un peu plus tard, Nadine place stratégiquement son lit et ses peaux à l'intérieur, directement dans l'entrée. Elle veut s'assurer que personne ne sortira durant la nuit sans qu'elle ne s'en aperçoive. Déjà, l'arrivée des humains intrigue et les animaux rôdent autour. Elle reconnaît leur race à l'odeur, bien sûr, et leur nombre par le scintillement de leurs yeux dans la pénombre. Elle a aperçu Lou un peu plus tôt; il fait le curieux, mais il ne s'approche pas du campement. Nadine ne peut pas lui en vouloir. Sa présence aux alentours est suffisante pour rassurer sa mère adoptive, puisqu'elle sait que les prédateurs ne viendront pas près de la hutte à cause de la proximité du gros canidé.

Incapable de s'endormir, Nadine réfléchit aux évènements de la dernière journée. Son attitude face à la discipline qu'elle a imposée à ses visiteurs la laisse songeuse. Elle a forcé quatre personnes à faire ce qu'elle voulait; mais, dans les circonstances, elle est certaine que c'était la meilleure solution pour le groupe. Cependant, elle a utilisé la coercition, la menace et la manipulation pour atteindre ses buts. Sous le prétexte qu'elle possède plus d'information que les autres, elle a imposé des décisions sans consulter qui que ce soit, supposément pour le bien de tous. Elle a tu certaines informations et a, finalement, imposé sa volonté à la troupe.

Elle est convaincue qu'ils n'arriveraient pas à survivre seuls. De cette façon, elle a assumé la responsabilité de prendre soin d'eux, de leur assurer un confort relatif et de favoriser leur adaptation à ce milieu hostile, jusqu'au moment de leur départ vers Montréal. Au fond d'elle-même, elle sait que ses intentions ne sont pas basées sur un altruisme pur. En effet, Nadine est persuadée qu'elle doit se charger de la destinée de ces gens pour protéger son propre retour à son existence passée. Il y a donc une bonne part d'égoïsme dans son attitude.

Une autre sensation la rend inconfortable; elle a pris le contrôle des évènements parce qu'elle en avait la possibilité. Elle possède toutes les compétences pour survivre dans ce monde et eux ne les ont pas. Peut-être qu'ils ne les développeront jamais. Alors, il lui appartient, pense-t-elle, d'assurer la protection du groupe. Elle est persuadée d'avoir raison. Elle doit s'occuper d'eux, pour leur bien, qu'ils le veuillent ou non. Cette attitude la laisse perplexe. Entre sa manière d'agir et celle d'un dictateur comme Hitler, y a-t-il une différence ? Il faut considérer, tout de même, que sa troupe est plus limitée et que ses moyens sont moins perfectionnés. « Également, je suis moins cruelle… »

Couchée sur le dos, la tête remplie de contradictions, le cerveau bouillant de questions sans réponses, l'âme pas tout à fait en paix et le cœur redirigé vers un retour éventuel auprès des siens, Nadine cherche le sommeil. Finalement, au son des hululements des hiboux et des hurlements des loups, la nomade solitaire qui tente de redevenir grégaire s'endort en se répétant un petit bout de phrase en boucle : « C'est moi l'experte ! J'ai raison ! Je le sais ! »

Chapitre 15

Jour 668 – 13 mai

« Qu'est-ce que j'avais à me lamenter sans cesse pour retourner à la civilisation ? Ça fait deux jours qu'elle m'a trouvée et j'en ai déjà plus qu'assez ! »

Assise devant le feu, une tasse de tisane à la main, elle plisse le nez. « Ils puent… est-ce que je sens mauvais, moi aussi ? Peut-être quand je suis arrivée, mais une fois mon corps débarrassé de toutes les épices et de la mauvaise nourriture dont j'étais friande… l'odeur s'est améliorée. » Ils ne se sont pas lavés depuis deux jours. Nadine convient qu'elle-même apprécierait la douche revigorante de la cascade dans le fond de la forêt; mais cette activité vivifiante les retarderait indûment. « Demain ! Je verrai demain pour les laver… »

Nadine ferme les yeux pour ne plus voir ses visiteurs et un long soupir s'échappe de sa bouche. « Sans eux, je serais déjà en route vers le bivouac 3… cette oasis paisible sur le bord du lac est si calme… » Juste à penser à son expédition sur la Terre juchée, Nadine sent l'adrénaline courir dans ses veines. Ces randonnées remplies de découvertes lui apportent un bonheur si intense que, pendant un petit instant, elle regrette l'arrivée de ces intrus dans sa vie d'aventurière. Malheureusement, ses plans sont en veilleuse pour le moment.

Elle ouvre grand les yeux sur une nouvelle réalisation. Son cœur bat si fort dans sa poitrine qu'elle est certaine que les autres pourraient l'entendre. « Je ne retournerai pas sur le haut plateau parce que je repartirai chez moi… » Un étrange regret habite son âme, tout à côté de l'anticipation de la joie de retrouver bientôt les siens. « Maudit pays ! Ce que tu m'as fait vivre ici m'a rendue si émotive que je n'arriverai plus jamais à être totalement heureuse... » Le visage de la nomade, contrainte depuis si longtemps à vivre seule avec ses émotions, vient de passer d'une expression de surprise à celle du bonheur, puis de la colère. Ce désagrément pourrait être évacué par le biais de la parole; dire sa façon de penser au Pays de la Terre perdue lui ferait tellement de bien ! Elle tente de retrouver un semblant de calme. « Je suis tellement habituée à converser avec moi-même à haute voix... je pourrais même vendre la mèche à propos de mon mutisme simulé si je ne fais pas attention. »

L'exilée sent qu'on l'observe attentivement. Elle lève la tête pour apercevoir deux yeux verts qui la transpercent d'un regard intense. « Il faut que je me méfie d'elle... sinon, elle va découvrir mon secret... » À l'époque, Marie était capable de lire tous les états d'âme de son amie et de la faire parler facilement. Pour détendre l'atmosphère, la nomade échange un sourire avec la rouquine. Nadine est déçue de ne pas pouvoir discuter avec l'autre des circonstances de leur arrivée ici.

À l'aube, la femme aux nattes rebelles a réveillé ses visiteurs afin de partir le plus tôt possible. S'ils ont grogné pour exprimer leur déplaisir, ils se sont tout de même pliés à ses exigences. Même Marie s'est fait tirer l'oreille. André a ouvert les yeux très grands quand elle l'a bousculé plutôt brusquement; il l'a regardée un instant d'un air menaçant, puis il a décidé de ne pas faire la mauvaise tête. Aux titres de « vieille » et de « sorcière », Jean-Pierre a ajouté celui de « marâtre ». L'hôtesse s'en fout. Elle veut les voir en sécurité à la grotte le plus vite possible et elle continuera de les pousser jusqu'à ce que l'objectif soit atteint.

Respectant son plan de la journée, elle désire se rendre à son campement au sud du pont. Pour elle, il n'y a que trois heures de marche rapide à se taper, peut-être quatre avec son travois bien rempli. Les citadins en arracheront même si le chemin est accessible et agréable à parcourir. Malheureusement, chacun de leurs pas d'aujourd'hui leur rappellera tous ceux de la veille. Elle les voit déjà massant les muscles de leurs mollets, de leurs cuisses et de leur dos : même à 30 ans, les courbatures font mal.

Elle réalise que la randonnée sera remplie de toutes sortes de difficultés. Les visiteurs sont fatigués. Malgré la jeunesse qui coule dans leurs veines, l'exercice forcé d'hier les a vidés de leur énergie. Vivant à l'ère de l'automobile, ils n'ont pas l'habitude de marcher pour se rendre d'un point à l'autre. De plus, peu habitués à humer l'air de la campagne, ils trouvent la forêt aux érables particulièrement oppressante, sursautant à chaque son, que ce soit celui d'un oiseau chanteur ou d'un petit rongeur.

S'il n'y avait que leur corps qui les faisait souffrir, le groupe s'en tirerait bien. Cependant, leur état psychologique se complique d'heure en heure. Quand ils en ont la chance, ils discutent abondamment du prochain village, de leur besoin de se laver, de leur désir de manger des croustilles, des frites en sauce ou des hot-dogs. Ils anticipent le bonheur futur de savourer une bonne bière ou un verre de scotch. Car, selon eux, c'est exactement ce que la sorcière est en train d'accomplir… les amener vers le plus proche hôtel. Si cette illusion les aide à continuer la randonnée, leur hôtesse n'a pas l'intention de crever leur bulle… « Ça arrivera bien assez vite… moi, j'y ai mis 35 jours… eux devront le faire plus rapidement… »

Dès qu'ils furent sortis de la hutte, Nadine leur a servi le petit-déjeuner. Elle a puisé dans sa réserve de thé des bois afin de préparer un breuvage chaud. « Le café serait mieux pour leur donner un peu d'énergie, mais cette tisane aidera au moins à réduire les douleurs… » La guide leur laisse même un bon moment pour dégourdir leurs muscles endoloris. En attendant, elle ramasse les peaux que ces visiteurs ont utilisées comme couchettes et elle fait le ménage de l'abri.

Elle est pressée de partir, mais décide tout de même de patienter encore un peu. « J'ai tellement hâte de visiter la harde de Jack pour revoir l'étalon roux, Allie, Plumo et Blondie. » Elle sourit, anticipant le bonheur de passer quelques heures avec eux, puis sa bonne humeur s'éteint. « J'espère que la présence de ces emmerdeurs ne m'empêchera pas de revoir mes amis… » Parce qu'il n'est pas question qu'elle leur indique la présence des chevaux dans la vallée au-delà de la petite forêt. Elle s'empêchera de les voir s'il le faut.

Pendant que les membres du groupe discutent entre eux, Nadine sirote une dernière tisane, une gorgée à la fois, en observant ces spécimens issus de la civilisation moderne. Son attention se porte d'abord sur Marie : la nomade sent l'expression de son visage s'adoucir et un sourire se dessiner sur ses lèvres. La femme rousse, de nature sensible aux autres, s'aperçoit du regard perçant que lui lance la sorcière et se met à rougir comme une tomate. Aussitôt, Nadine détourne ses yeux pour ne pas faire croître le malaise chez Marie. Cette dernière a toujours été fière d'être plus grande que son amie. À son arrivée à l'Agence, Nadine l'a même délogée de sa place de « plus petite du bureau ». Pourtant, la rouquine ne mesure que trois centimètres de plus. En ce moment, la femme de 30 ans affiche plutôt une stature élancée. Cependant, les années y ajouteront quelques rondeurs, en dépit de tous ses efforts pour prendre soin d'elle-même, se donnant la peine d'ajuster son régime alimentaire à ses besoins pour contrôler son poids.

Ce matin, ses cheveux brillent sous le soleil de leur couleur naturelle : quelques reflets blonds et bruns rehaussent la qualité de cette chevelure abondante qui fait ressortir encore plus ses yeux verts et ses taches de rousseur. Aucune solution synthétique ne pourrait reproduire les tons roux chatoyants qui font tout le charme de cette crinière. Nadine comprend mieux maintenant ce que Marie a toujours appelé « une petite différence » entre l'état original et l'effet de la teinture qu'elle appliquait régulièrement sur ses cheveux. Déjà, conformément à la mode des années 80, Marie porte fièrement une crinière bouclée naturellement qui descend jusqu'au milieu de son dos. « Je devrais lui apprendre à nouer des nattes, un mode de coiffure essentiel dans ce monde de vent et de poussières… »

À son arrivée au Pays de la Terre perdue, Marie portait un tailleur-pantalon gris charbon de bois, en tissu laineux. Bientôt, quand la chaleur du mois de mai s'intensifiera, elle retirera son veston. Cependant, elle gardera déroulées les manches de sa blouse bleu lavande. Connaissant l'épiderme fragile de son amie, Nadine savait qu'en marchant dehors, même sous le couvert des grands conifères, la peau de la rouquine deviendrait aussi rosée que son visage qui, la veille, a brûlé au fur et à mesure que le temps d'exposition s'allongeait, même si cette randonnée les faisait progresser au cœur d'une forêt.

Hier, Marie a porté ses bas-culottes toute la journée. Mais, ce matin, elle est sortie du bois avec son vêtement roulé en boule. Elle a approché Nadine, avec ce tas de tissu dans une main, affichant une moue qui semblait dire : « Qu'est-ce que je fais avec ça ? » La nomade a tout simplement pointé le feu en souriant. Prenant un air de surprise, Marie a secoué la tête. Alors la guide lui a montré les bottes à talons hauts posées sur le travois et elle a vu sa vis-à-vis fourrer ses bas dans l'une de ses chaussures. Nadine apprécie le côté pratique de son amie. Cette dernière est en mesure d'oublier sa coquetterie, pour mieux s'adapter aux besoins de moment.

Du coin de l'œil, Nadine observe Lucette qui, pour imiter sa collègue, rentre dans la hutte pour en ressortir quelques minutes plus tard, son vêtement de nylon dans la main. Quand elle s'approche de son hôtesse, son expression indique clairement qu'elle s'attend à ce que la sorcière s'en occupe. En colère, Nadine a soudainement le goût de le prendre et de le jeter vivement dans le feu, juste pour voir l'air suffisant de l'autre femme s'effacer une fois pour toutes. De toute façon, les bas troués à plusieurs endroits ne seront d'aucune utilité. Nadine a retenu son mouvement. « Ce ne sont pas mes vêtements et je n'ai pas le droit de décider à la place de l'autre. » Péniblement, gardant difficilement son calme, elle pointe d'abord les flammes, puis le travois, laissant Lucette choisir l'option qui lui convient. Le visage de la brunette s'obscurcit et, avec des gestes rageurs, cette dernière fourre elle-même son vêtement dans l'une de ses bottes.

Pendant un moment, l'esprit de la nomade flotte quelque part dans le milieu des années 80, quand elle avait elle-même 30 ans. Elle détestait ces bas de nylon qui empêchaient sa peau de respirer et lui donnaient des boutons. De son point de vue, la société de cette époque exigeait que toutes les femmes s'habillent avec un conformisme tellement inconfortable, les talons hauts témoignant de cet illogisme dicté par la publicité. Dès que le printemps se pointait, même si quelques plaques de neige traînaient encore sur le sol, Nadine chaussait ses bottes et ses souliers sans mettre de bas.

Nadine examine Lucette en détail. Elle mesure tout près de 1,70 m. Actuellement d'allure mince, on dira plus tard qu'elle est maigre. Quand Nadine fera sa connaissance, à 45 ans, Lucette aura les cheveux platine auxquels elle ajoutera des colorants temporaires. Combien de fois a-t-elle vu un Jean-Pierre étonné devant cette crinière pâle teintée de bleu, de vert, de rose, de mauve ou d'orange ? Sans qu'elle puisse retenir le mouvement de ses traits, le visage de Nadine affiche un air boudeur : « C'est sûr que le goujat ne se sentait pas menacé par le comportement de Lucette... sinon il l'aurait fait pleurer tous les jours… »

Aujourd'hui, la chevelure de Lucette semble naturelle : elle se pare d'un châtain clair soyeux. Nadine sait que, s'ils sont actuellement longs et bouclés, les cheveux de la femme sont habituellement droits et raides. La brunette a probablement passé des heures interminables chez la coiffeuse pour obtenir autant de boudins. Contrairement à l'allure soignée de Marie, cette coupe lui confère une tête ébouriffée qui accentue son air plutôt angoissé. Les prunelles de Lucette sont d'une couleur pâle difficile à définir : ni bleu, ni vert, ni gris, mais avec un soupçon de noisette; plus tard dans la vie, quand le stress la rattrapera sans crier gare, ses yeux prendront même un reflet jaune maladif. La femme tendue et instable affiche déjà son comportement de biche apeurée, sursautant nerveusement au moindre imprévu qui survient autour d'elle. Aujourd'hui, de grands cernes s'étendent sous l'orbite, une indication du manque de sommeil des derniers jours. « Peut-être est-ce déjà un manque de médicament ? »

À son arrivée au Pays de la Terre perdue, Lucette était habillée d'une minijupe marine très sexy, mais peu appropriée à ce nouvel environnement. Le veston coordonné a été déposé sur le travois, hier, durant la journée. Elle porte un chandail écarlate à manches courtes qui s'agence avec ses bottes. Très vite, le soleil donnera à ses bras la couleur dorée que la femme affiche normalement l'été.

Ce matin, les deux filles ont enfilé leurs mocassins. Avec son aisance habituelle, Marie s'est adaptée rapidement à ses nouvelles chaussures, ajustant son pas automatiquement. Lucette a plus de difficulté à développer une démarche sans talons hauts. Elle piétine sur le bout des pieds. Nadine soupçonne que l'inconfort vient plutôt de sa minijupe qui gêne ses mouvements. L'hôtesse lui a offert un pantalon en peau, mais Lucette a refusé avec un air de dégoût. « Tant pis pour elle ! » Si elle continue de se dandiner comme une poule sans tête, elle aura des douleurs aux mollets bien avant que le groupe ne soit sorti de la forêt. « Je n'ai pas l'intention de l'attendre… pas plus que les autres d'ailleurs… »

Nadine revoit l'air surpris des deux femmes quand, à l'aube, elle leur a présenté les chaussures de cuir. Elles ont d'abord ri nerveusement. La nomade n'a pas fait de cas de leurs débordements, même si c'était de ses efforts qu'on se moquait. Bien sûr, c'était leur choix : les talons hauts ou les mocassins. Si les filles n'avaient pas accepté l'option de porter des souliers plus confortables, la sorcière n'aurait pas vérifié leurs pieds au cours de la journée, les laissant souffrir de quelques ampoules qui tôt ou tard se seraient étendues à leurs orteils. Le visage de Nadine affiche soudainement une expression machiavélique qui renforce l'image de marâtre qu'elle tient à conserver pour le moment. « J'aurais même pris plaisir à augmenter la cadence... » Finalement, Marie a convaincu sa collègue, affirmant qu'elles feraient mieux de suivre les conseils de leur hôtesse. Elles ont fini par admettre, du bout des lèvres, l'inconfort qu'elles subissaient à marcher en forêt avec des talons hauts.

Les filles ont éclaté de rire de plus belle quand Nadine leur a montré comment porter les mocassins et, surtout, la manière d'enrouler la grande sangle autour de leur cheville; cette fois, la nomade comprenait que c'était de bon cœur, les deux femmes étant gênées par leur gaucherie. C'est ainsi que les chaussures à talons hauts se sont retrouvées sur le chariot avec les vêtements d'hiver.

Nadine réalise que les deux visiteuses ont vécu toute leur vie en ville, ne passant par la campagne que pour se rendre d'un village à l'autre. Leurs rares excursions sur des plages bondées ne les ont pas préparées à faire face à la dure réalité de la forêt aux érables. Quand Nadine fera leur connaissance dans quinze ans, Marie refusera catégoriquement de faire du camping et Lucette parlera de l'endroit comme d'un lieu dangereux où elle ne mettra plus jamais les pieds. Est-ce l'influence de leur séjour au Pays de la Terre perdue ? Encore une fois, Nadine devra attendre un bon moment pour obtenir une réponse adéquate à cette question. Sur le coup, elle lève les yeux au ciel dans un geste d'agacement : « Prendre mon mal en patience… je ne fais que ça ici… »

Les femmes ne réagissent pas de la même façon face à la nature. Hier soir, la nomade observait les habitants temporaires du Pays de la Terre perdue qui étaient assis calmement autour du feu, la fatigue les incitant à garder le silence et à se concentrer sur leurs réflexions respectives. Soudain, un écureuil tout brun a choisi de traverser la quiétude de leur environnement, suivi de près par un renard roux. Comme c'est souvent le cas dans cette forêt, toute la scène n'a duré que quelques secondes. Nadine a regardé le prédateur en pensant à ses mitaines qu'elle avait usées deux hivers durant et qui nécessitaient un remplacement. Marie a observé les animaux passer avec une expression de surprise sur son visage. Elle a jeté un coup d'œil du côté de son hôtesse et, la voyant calme et souriante, elle a reporté son intérêt sur l'incident avec une curiosité renouvelée. Lucette a crié quand l'écureuil s'est pointé et elle a hurlé lorsque le chasseur a bondi à cinq mètres d'elle.

La différence de réponse face à la scène s'est aussi exprimée chez les gars. Jean-Pierre s'est exclamé :

— Un renard roux ! Comme il est beau !

Puis, avec une agilité déconcertante pour un homme de sa corpulence, il a plongé dans la forêt pour tenter de le suivre. Nadine n'était pas inquiète. Un peu peureux, Jean-Pierre n'ira pas très loin. Puis, il est si bruyant qu'elle le retrouverait sans difficulté. Quant à André, il n'a pas vu les bêtes qui ont dû sauter par-dessus sa chaussure pour s'enfuir. Il n'avait d'égards que pour Lucette, en pleine crise de nerfs.

Nadine prend une gorgée de tisane, puis elle porte son attention sur André, ce géant de près de deux mètres de haut. Sa taille compacte ne changera pas au cours des prochains quinze ans. La nomade évalue que son poids est déjà de plus de 135 kilos. Cependant, il n'est pas vraiment gras. Il est plutôt costaud, large d'épaules et très musclé. C'est dommage que cette armoire à glace soit psychologiquement aussi flexible qu'une chiffe molle. Nadine est impressionnée par l'épaisse tignasse châtaine que le colosse garde mi-longue, frôlant ses épaules, à la mode de cette époque. À 45 ans, sa chevelure également fournie sera plus courte et parsemée de fils gris. L'âge mûr lui donnera un air de sagesse et de grandeur, accentué favorablement par ses yeux couleur de noisette. Nadine se désole de savoir que ce beau mec encore si fier aujourd'hui deviendra morose, cynique et aigri.

Le regard de la nomade glisse vers Jean-Pierre qui revient de la forêt. « Que faisait-il encore, celui-là ? Je devrai le surveiller un peu plus... s'il fallait qu'il m'échappe, il pourrait bien rester ici… non ! » L'homme s'assoit au coin du foyer en tentant de reprendre son souffle. Nadine sent une pointe de rage l'envahir; sans qu'elle ne puisse prévenir son geste, elle porte ses doigts sur l'étui qui contient sa machette. Elle respire profondément pour chasser son malaise et ramener le calme dans sa poitrine. Elle se force à reporter sa main sur sa tasse de tisane tout en contrôlant le tremblement. « Décidément, je devrai faire attention… cette rage pourrait bien me faire poser un geste regrettable qui aura un impact indésirable sur mon propre passé. Du calme ! »

Elle prend le temps de mieux observer son ancien patron. À 32 ans, Jean-Pierre souffre d'embonpoint. À 47 ans, il aura le même poids qu'André, mais avec quinze centimètres de moins en hauteur et une carrure moins imposante. Jean-Pierre affiche déjà un front dégarni. Sa crinière châtaine est actuellement aussi longue que celle d'André. Plus tard, la perte capillaire importante, ainsi que l'arrivée de cheveux gris l'inciteront à garder sa tête rasée. De la sorte, avec sa face ronde sans âge, il jouera encore longtemps au don Juan auprès des femmes. Découragé par ses conquêtes manquées, il ne comprendra jamais que son « charme » était surtout contré par une attitude égoïste et misogyne.

Nadine comprend aussi que dans les prochaines années, s'ajouteront un nez cassé et une cicatrice sur l'arcade sourcilière, ce qui changera son visage de chérubin en expression de dur à cuire qui s'arrimera bien avec ses yeux d'un brun violent presque noir.

Les deux gars sont arrivés vêtus d'habits en lainage incluant un pantalon couleur bitume. Les vestons d'époque sont de type croisé : André porte un complet en tweed marbré de beige, de chocolat et de safran, alors que Jean-Pierre s'est affublé d'un ensemble arborant un ton sépia. Curieusement, les deux vêtements sont ornés de fines lignes bleu pâle, ambre et anthracite; ce style à carreaux est un indice supplémentaire qu'ils viennent des années 80. Le grand gaillard porte une chemise beurre-frais alors que celle du gros homme est de couleur sable. En ce moment, malgré la fraîcheur du matin, ils ont balancé leurs vestons sur le travois, les cravates rayées fourrées dans une poche. Hier, ils ont marché toute la journée avec la chemise ouverte sur une camisole encore blanche, les manches roulées au-dessus du coude.

Les vêtements des visiteurs sont maintenant sales et fripés. En citadins qu'ils sont, ils s'en plaignent abondamment, tentant de faire comprendre à leur hôtesse qu'elle devrait nettoyer leurs effets. « J'ai accepté de les garder en vie; je les nourris et je m'occupe de leur sécurité, mais il n'est pas question que je pousse ce gardiennage au stade de femme de ménage… » Ils devront s'occuper eux-mêmes de l'entretien de leurs affaires.

Jean-Pierre, André et Lucette ne se sont pas lavés depuis leur arrivée. Leurs odeurs corporelles empestent la forêt au point de surprendre les rongeurs et de faire fuir les oiseaux. Nadine est habituée à cette vie sans déodorant ou sans crème hydratante. Si elle ne peut changer d'habits tous les jours, surtout quand elle entreprend une expédition, elle prend toujours le temps de nettoyer son corps, même par les pires intempéries. Cette activité revêt une importance capitale pour elle. Tous les jours, elle survit dans la boue, la poussière, les restes de chasse ou de pêche, et la sueur du travail dur. Il n'est donc pas question que cette crasse s'accumule sur sa peau. Le fait de pouvoir se laver souvent lui rappelle qu'elle fait encore partie de l'humanité, qu'elle n'est pas devenue trop sauvage. Malgré la fatigue de la journée, Nadine se sent mieux, reposée et plus calme, une fois qu'elle est propre.

Marie, qui suit son hôtesse partout où elle le peut, lui a emprunté son savon hier soir pour se rafraîchir. Aux yeux de l'habitante du pays, ce geste la distingue des trois autres qui semblent si bien se complaire dans leur crasse, refusant même de nettoyer leurs mains avant de manger. Quand la nomade lui a montré sa brosse à cheveux faite d'arêtes de brochets, Marie est restée interdite, hésitante. Puis, elle a plongé ses doigts dans sa crinière emmêlée. Elle a pris délicatement l'outil néolithique et elle l'a examiné longtemps. Un large sourire sur les lèvres, elle s'est éloignée avec le savon, le peigne et un bout de cuir, en direction du ruisseau. L'hôtesse a respecté le besoin d'intimité de son invitée. De toute façon, même s'il faisait déjà très sombre, la rouquine pouvait trouver son chemin en se dirigeant vers le feu allumé dans le foyer extérieur.

Voyant son amie s'avancer vers le cours d'eau, Nadine a penché la tête pour tenter de camoufler un rictus narquois qui s'étirait sur son visage. « Je n'ai pas l'intention de prêter mes précieux objets aux autres. Qu'ils crèvent dans leur crasse… » La nomade est certaine que Marie restera discrète et qu'elle ne parlera pas de ces prêts plutôt inusités.

L'exilée comprend qu'aucun de ses visiteurs n'est vraiment préparé pour la vie d'aventure, mais elle est tout de même dégoûtée par leur manque d'intérêt face à ce qui les entoure. Pourtant, elle se souvient que, dans les années 80, plusieurs membres de la société québécoise développaient déjà une conscience environnementale et une volonté de protéger les endroits plus fragiles. Les quatre personnages marchent dans la forêt comme des somnambules, sans se soucier de la végétation qu'ils brisent d'un pas si brutal, ni des rives fragiles des cours d'eau qu'ils piétinent sans discernement. Sauf pour Marie. Cette dernière affiche une grande curiosité tout le long de la route et elle cherche à comprendre chacun des faits et gestes de Nadine. Si la pourvoyeuse s'arrête pour observer un ruisseau, pour ramasser quelques plantes ou pour écouter un oiseau, la rouquine s'approche lentement pour voir ce qui se passe, attendant patiemment que son hôtesse lui indique l'objet de son attention. Quant aux autres, ces moments si particuliers les indiffèrent; ils restent plantés au milieu de la forêt, comme des statues de sel qui ne reprennent vie que pour continuer leur interminable marche.

« Je suis déjà tannée de les voir tourner autour de moi. » Il faut dire que leur habitude de la traiter comme une servante lui déplaît énormément. Chacun a déposé ses vêtements trop chauds sur le travois, mais aucun d'entre eux ne lui offre de le tirer. Si elle comprend que les filles ne s'en sentent pas capables, elle trouve que les deux gars pourraient être moins égoïstes. Non, elle n'est vraiment pas impressionnée par la qualité de ses visiteurs. Pendant que ses épaules se courbent, comme pour absorber toute la douleur générée par ses efforts, elle soupire bruyamment, laissant ainsi s'échapper un peu de son amertume.

« Je n'ai pas d'autre choix… si je les laissais s'organiser eux-mêmes, dans cette immense forêt, ils ne survivraient pas deux jours. » Elle sent la rage envahir son cœur. Encore une fois, d'une façon particulièrement tordue, le Pays de la Terre perdue l'empêche de retourner chez elle. Même si elle en connaissait le moyen, elle devrait s'assurer que ses visiteurs repartent avant elle, parce qu'ils seraient bien capables de mourir ici et de changer ainsi le cours de sa vie. Elle se sent coincée et son âme se charge d'une lourde animosité contre ce monde qui lui en fait voir de toutes les couleurs depuis presque deux ans. Elle voudrait courir sur le plateau herbeux, afin de briser cette tension musculaire qu'elle ressent entre ses omoplates et retrouver sa solitude dont elle s'ennuie amèrement.

Même si elle réalise que les visiteurs détiennent le secret de son retour chez elle, elle n'aime pas le poids que cette situation presque absurde fait peser de manière accablante sur ses épaules. Avec des gestes chargés de dépit, elle termine sa tisane et s'assure que son feu est éteint. Sans s'occuper des autres, elle ramasse tous ses effets et vérifie le travois. Quand elle enfile son sac à dos, elle prend conscience que Marie encourage Lucette et André à se lever pour la suivre. C'est l'heure de partir. Nadine empoigne les manchons de son chariot et se dirige vers le sentier qui l'amènera en bordure de la rivière aux brochets.

Comme si ses visiteurs n'existaient pas, elle marche sans savoir comment rétablir le calme dans son âme. Son besoin de solitude, sa volonté de prendre soin de ces gens, son angoisse face à son retour à la maison et sa grande colère contre ce pays qui s'acharne à raviver sa bataille intérieure à chacun de ses pas créent un mélange explosif qui l'habite profondément.

« Est-ce qu'un jour je trouverai à nouveau la paix ? »

Chapitre 16

Jour 668 – 13 mai

« Je veux la paix ! Je ne m'entends même plus penser ! Quand vont-ils repartir pour me laisser enfin seule ? »

Nadine fulmine; elle en a déjà plus qu'assez de cette civilisation qui lui est tombée dessus il y a deux jours. Si elle a cherché éperdument à trouver des humains, elle n'a certainement pas commandé un tel échantillon. À force de s'ennuyer des siens, elle en est venue à idéaliser le fait de vivre à plusieurs. Elle a l'impression que sa condition d'exilée solitaire depuis si longtemps lui a fait oublier tous les désagréments de la vie en société.

Nadine soupire. « Je suis en train d'amener ces personnages indésirables à ma grotte... » Bien sûr, c'est l'endroit le plus sécuritaire qu'elle connaisse. Plus elle les voit agir, plus elle se demande si c'est une bonne idée de les installer au beau milieu de son univers domestique. Ils sont plus nuisibles qu'un ours et ils brisent sa quiétude encore plus qu'un couple de lynx ou une meute de loups. Elle laisse défiler dans sa tête tous les aménagements de son antre sous la roche; surtout, elle fulmine à l'idée qu'aucun des visiteurs ne puisse comprendre tous les efforts qui sont nécessaires pour inventer, construire et confectionner tout ce qu'ils utilisent sans aucune précaution. Ce sont des abrutis de la consommation !

La reine du pays a beau se creuser les méninges à la recherche d'une autre réponse, elle n'a toujours pas découvert d'alternative. Alors elle poursuit sa route tout en sachant que cette tension entre ses épaules augmentera à force de côtoyer ces emmerdeurs. Accoutumés au luxe, ils restent uniquement centrés sur leurs besoins en croyant que la pensée magique leur apportera une solution.

Le groupe en est à sa deuxième journée de marche. La situation est pénible pour tout le monde. Épuisés par cette randonnée dont ils n'ont pas l'habitude, les visiteurs sont courbaturés et ils avancent de plus en plus difficilement sur le sentier. Comme la sorcière ne leur explique pas son plan, ils ne connaissent pas leur destination, ni la durée de leur voyage. Cela n'aide pas du tout le moral des membres de cette bande hétéroclite. Tous sont tendus et de violents éclats de voix fusent régulièrement.

Heureusement, Lucette et Marie, qui apprécient la souplesse des mocassins, progressent plus facilement. L'hôtesse a aussi offert des chaussures de cuir aux deux hommes, mais, comme elle s'y attendait, ils l'ont juste regardée d'un air condescendant, Jean-Pierre allant même jusqu'à lui demander si elle était folle. Alors les gars continuent de marcher avec leurs bottes d'hiver. Elles sont certainement confortables, mais la chaleur ambiante de la mi-mai doit les faire transpirer abondamment, augmentant d'autant le risque d'ampoules. « Tant pis pour eux… j'aurai fait tout mon possible… »

Nadine est de plus en plus anxieuse face à la tournure des évènements. Elle n'a aucune idée de ce qu'elle fera avec eux une fois rendus à la grotte. C'est déjà difficile sur la route alors qu'ils sont obligés de la suivre. Si Marie l'aide à nettoyer et à ramasser leurs effets et autres équipements, aucun des autres ne fait d'effort pour la soulager de la moindre tâche. La nomade a la vive impression de s'être transformée en chasseuse, valet, servante et cuisinière, à la solde de ces êtres sans cervelle; bien sûr, personne ne lui versera le salaire tant mérité, la reconnaissance ou un mot de remerciement.

« C'est bizarre, je ne les trouvais pas si inconscients avant... hum... devrait-on dire plus tard ? » Elle secoue la tête face à l'hésitation que provoque encore cette distorsion de temps, puis elle reprend le fil de sa pensée. Déjà, en 2001, elle les trouvait égoïstes et égocentriques et elle traitait déjà Jean-Pierre de goujat. Par contre, elle n'a jamais considéré ces individus comme étant « sans cervelle »; elle ne les aurait pas qualifiés « d'emmerdeurs » non plus. « C'est la faute de ce foutu pays… les vingt-deux derniers mois m'ont rendue dure, intransigeante même… par contre, j'avais déjà un caractère fort avant mon exil ! »

Nadine jette un coup d'œil derrière elle pour s'assurer que les autres la suivent. Elle craint de perdre un des membres de l'équipe s'il venait à s'égarer dans cette forêt dense. Parviendrait-elle à le retrouver ? Satisfaite, elle poursuit sa réflexion, tentant de faire la sourde oreille face à toutes les chicanes de peccadille qui éclatent avec une régularité déconcertante. « Est-ce que j'avais cette allure d'idiote à mon arrivée ici ? J'étais naïve peut-être, insouciante sans aucun doute, mais certainement pas écervelée. C'est d'ailleurs ce qui m'a permis de survivre. »

Est-ce que le fait d'être seule faisait une si grande différence en bout de ligne ? Peut-être… mais ce sont plutôt ses connaissances et sa détermination sans bornes qui ont permis son adaptation réussie avec ce milieu intransigeant. Comment les nouveaux venus arriveront-ils à survivre dans ce territoire dur ? Ici, l'insouciance ne pardonne pas ! Il faut rester alerte en tout temps et faire attention à tous les détails; sinon, c'est la mort. Elle n'a qu'à penser à sa chute dans le ruisseau enragé sur la Terre juchée et la blessure à sa cheville pour se souvenir des risques associés à la survie dans ce pays.

Si je n'avais pas été là à l'arrivée des visiteurs ? Auraient-ils pris les choses en main par eux-mêmes pour survivre ? Nadine baisse la tête sur sa rancœur. Elle sait très bien ce qui se serait passé. S'ils étaient sortis vivants de la première nuit, ce qui en soi demeurait fort possible, Jean-Pierre aurait assumé le contrôle du groupe. Il se serait rapidement transformé en dictateur, ce qu'il souhaite devenir de toute évidence. Combien de temps auraient-ils mis à mourir lentement sous la direction de ce tortionnaire ? Nadine ne peut pas les laisser crever ainsi; elle souhaite que son passé demeure intact. Elle doit donc les protéger, contre la rigueur du pays et la perfidie de Jean-Pierre. « Je n'ai pas le choix… malgré mes réserves, c'est tout de même la grotte qui offre la plus grande sécurité, même au prix de nombreux compromis. »

« Il n'y a pas d'autres options… Même si cela me trouble de les imaginer dans mes affaires, je dois les ramener jusqu'à cet abri; c'est le seul endroit réellement adapté pour les recevoir. » Sa décision, qu'elle sait fort sensée, ne lui plaît pas du tout. La nervosité s'intensifie au fur et à mesure que ses pas la rapprochent de ce gîte qu'elle a si patiemment aménagé. « Ils saccageront tout… ils ne comprendront pas l'importance de chaque objet dans ma vie et, par le fait même, dans la leur… » Le cœur gros, elle secoue la tête pour tenter de changer le fil de ses réflexions.

Le groupe arrive finalement au campement du pont en milieu d'après-midi. Il aura mis plus de six heures pour traverser la forêt aux érables, puis parcourir le terrain vallonné au sud de la rivière aux brochets. Nadine indique l'arrêt de la randonnée en plaçant son travois à côté de la hutte et en déchargeant tout ce dont elle aura besoin pour la nuit. Seule, elle aurait pu facilement poursuivre sa route jusqu'à la grotte, mais les visiteurs sont fatigués et beaucoup trop irritables. D'ailleurs, ils se sont immédiatement étendus dans la cabane pour dormir quelques heures.

Nadine ne peut s'offrir ce luxe. Il y a beaucoup trop à faire. Ayant accepté la responsabilité de les maintenir en vie, elle fera le nécessaire pour s'acquitter adéquatement de sa mission. De toute façon, la tension du stress qui s'est installée dans son corps l'empêcherait de fermer l'œil; seule une activité physique soutenue pourra lui permettre d'expulser cette énergie négative de ses os. « D'abord la chasse ! Ça prend beaucoup de nourriture afin de préparer un dîner pour cinq personnes… surtout qu'il y a un goinfre qui mange comme dix ! » Comme d'habitude, le Pays de la Terre perdue étant fort généreux, elle n'a pas loin à courir pour accomplir sa tâche. Elle sait déjà que ses efforts ne recevront aucun remerciement, sauf les compliments de

Marie qui se fait un point d'honneur de lui dire tous les jours, par signes bien sûr, que la nourriture est appétissante. Elle baisse les paupières pour retenir ses larmes. « Douce Marie ! Que j'aimerais pouvoir parler avec toi ! »

Considérant le parcours des derniers jours, la nomade évalue qu'il reste une longue journée d'expédition pour se rendre jusqu'à la grotte. Je pourrais prévoir un arrêt d'une nuit au lac aux brochets... ce serait bien... » Elle lève les yeux vers le ciel. Pour le moment, le temps est au beau fixe, mais la situation peut changer vite. Elle doit toujours tenir compte de l'orage qui pourrait les surprendre sur la route. Le cas échéant, il serait préférable qu'ils puissent s'abriter dans un endroit sécuritaire. Ainsi, quand ils quitteront ce coin, les voyageurs se rendront directement à la grotte.

« Si le groupe restait ici une journée entière... je pourrais passer plus de temps dans la vallée aux chevaux... non ! Ce serait la meilleure manière de dévoiler sa position... » L'image du gros Jean-Pierre chevauchant Jack en le brutalisant à coup de cravache lui est si déplaisante qu'elle doit s'arrêter un moment pour empêcher la nausée de l'envahir à nouveau. « Je le tuerais ! » Il n'est pas question que ces quatre personnages apprennent l'existence de la harde. De toute façon, elle serait gênée de présenter ces nouveaux venus à ses amis de la race chevaline; ils ne comprendraient pas.

Nadine poursuit tout de même sa réflexion plus à fond. Face à l'épuisement évident des visiteurs, la décision de passer deux nuits au campement du sud semble être la meilleure option. Nadine les laissera dormir le matin, puis elle les amènera se rafraîchir dans la cascade au milieu de la petite forêt, un peu plus à l'est. De cette façon, ils pourront relaxer dans un site enchanteur qui contribuera, elle en est convaincue, à établir une forme de bonne humeur dans le groupe. Peut-être parleront-ils un peu plus de leur arrivée... elle pourrait ainsi glaner d'autres informations qui l'aideront à mieux comprendre cet étrange dérèglement du temps. Elle regarde sa cheville enflée à cause de ce travois qu'elle doit tirer depuis deux jours. « Ça aussi c'est important… je profiterai de l'arrêt pour réduire l'hématome et soulager ma cheville. »

Une fois la chasse terminée, Nadine revient au camp. Elle accroche ses prises à une branche, pour mieux les vider de leur sang, puis elle se rend au ruisseau pour laver ses mains. Par la suite, assise confortablement sur une roche, elle se donne un temps d'arrêt. Buvant quelques gorgées d'eau, elle poursuit sa planification.

De toute façon, ils ne savent pas qu'une grotte existe à une journée de marche d'ici. Ils seront surpris… eux qui s'attendent à un hôtel, un bar, une bière, un lit douillet… Cette réflexion la ramène vingt-deux mois plus tôt, au cours des trois jours de randonnée entre le mont Logan et la mer; elle avait tellement rêvé pouvoir, enfin, retrouver quelques-uns de ces repères qui témoignent de la civilisation… et elle ne les a jamais trouvés. Soudain, elle éclate de rire. Le son clair se répercute sur les arbres et se glisse sur le sol jusqu'à l'intérieur de la hutte où les quatre visiteurs se réveillent en sursaut. Devant leur air ahuri, elle réalise qu'ils ne comprennent pas pourquoi elle affiche une telle rigolade. « Je n'ai pas l'intention de leur dire ! » Elle plie en deux et son hilarité devient encore plus vive. Les visages se contractent afin de pouvoir exprimer leur pensée : « La sorcière est également complètement folle ! » Sur le coup, les yeux de la nomade se remplissent d'eau et elle éclate de plus belle, laissant ainsi la forte tension sortir de son corps en cascade, au rythme des fous rires.

Lorsque les visiteurs se sont rendormis, Nadine décide de traverser la forêt pour aller voir la harde de Jack, surtout pour vérifier comment Allie se remet de la naissance récente. Pressée de jouer avec Plumo, elle avance dans la zone boisée d'un bon pas. Elle se rend vite compte qu'on la suit. Marie tente de le faire discrètement, mais, même avec ses mocassins, elle fait autant de bruit qu'un troupeau d'orignaux. « Est-ce que je faisais autant de tapage à mon arrivée il y a deux ans ? Probablement. »

Transportée par le bonheur, Nadine laisse faire Marie. Elle réduit même sa cadence. Elle sait que la rouquine adore les ongulés, au point que chaque membre de sa famille possède son animal particulier. Si elle se souvient bien de ce que son amie lui a raconté, l'équitation est au cœur des activités familiales, y compris durant la période des vacances depuis 1986. La nomade sourit. « Marie va être surprise de voir comment je me débrouille bien avec la harde… » Puis, réalisant que la femme qui la suit n'est pas celle qui l'a si bien initiée aux chevaux, sa bonne humeur s'éteint et une larme glisse sur sa joue.

Normalement, Nadine s'adresse de vive voix à Allie, comme elle le fait avec Lou. Cette fois, faisant toujours semblant de ne pas parler le français, elle n'ouvre la bouche que pour émettre des sons réguliers, comme des claquements de langues et quelques grognements, histoire de calmer Allie et Plumo, son gros bébé à la crinière noire qui se dresse en touffe rebelle.

Avant de partir du campement, la nomade avait pris soin de mettre des tubercules d'apios dans un sac qu'elle porte maintenant en bandoulière. Ainsi donc, à son arrivée dans la vallée, elle sourit en voyant la harde s'avancer vers elle au galop avec le beau Jack en tête. Elle n'a pas peur, sachant qu'aucun d'eux ne lui fera de mal. Ainsi, elle se contente de rester simplement immobile dans le milieu du champ pour les attendre, étirant les bras en anticipant les caresses qu'elle allait distribuer.

Quand les chevaux ont dégusté chacun leur ration d'apios et qu'ils sont devenus plus calmes, Nadine se retourne vers la forêt; elle regarde directement Marie et lui fait signe de la rejoindre. La rouquine réalise que la sorcière n'était pas dupe de sa supercherie et elle rougit jusqu'aux oreilles. Elle s'avance lentement. Les bêtes reniflent la nouvelle venue qui demeure complètement immobile, ses grands yeux affichant une expression mitigée entre le bonheur et la terreur. « Décidément ! » Quand Nadine lui donne le sac de tubercules, la jeune femme ferme les paupières pour ne pas voir les animaux s'approcher d'elle. La nomade est fort surprise que son amie reste figée devant les chevaux. Tout ce que l'aventurière aura appris sur les herbivores au fil des ans, c'est Marie qui le lui a enseigné. « Bizarre ! On dirait qu'elle a peur... pourtant je me souviens très bien... son amour pour ces grands mammifères se serait développé plus tard... » Elle secoue la tête pour chasser le doute qui s'installe dans son cerveau à l'utilisation de mots comme « avant », « plus tard » et « je me souviens ». Ces expressions perdent complètement leur sens dans ce royaume !

Nadine en conclut que l'époque d'où proviennent les visiteurs se situe avant 1986. « 1984 peut-être... 1982... » Quel étrange phénomène que cette distorsion du temps ! Ici, c'est Nadine qui doit expliquer à Marie comment se comporter avec les chevaux. C'est comme si les existences des deux amies s'étaient entremêlées et que certains bouts formaient une spirale torsadée qui ne se démêlera qu'une fois les deux femmes de retour à Montréal. Soudain, elle se sent étourdie. Se retrouver ainsi entre deux époques lui donne mal à la caboche ! « Assez ! Reviens dans le présent ! Tout de suite ! »

Repoussant cette sensation bizarre, Nadine montre à son amie comment caresser les bêtes dans le cou et sur le museau. Marie s'approche d'abord des chevaux un peu gauchement, puis elle prend rapidement de l'assurance. Une expression d'émerveillement et d'admiration brille dans ses yeux lorsqu'elle observe Allie déposer sa grosse tête sur l'épaule de la femme aux nattes blanches.

Puis, alors que Nadine flatte Plumo et le gratte derrière l'oreille, elle entend Allie hennir. Un grand bonheur s'immisce automatiquement dans son cœur. « Elle appelle Lou. » Puis, la reine du pays remarque le visage de la rouquine contorsionné par la peur. Elle a tout juste eu le temps d'attirer son attention et de lui faire signe de se taire, un doigt sur la bouche, afin d'éviter que Marie ne crie son désarroi à tue-tête, ce qui aurait fait fuir les ongulés et réagir Lou négativement.

La peur coupant sa respiration, la jeune femme surveille l'énorme loup qui s'avance vers elle sans qu'elle ne puisse bouger un seul de ses muscles. Pourtant, elle voudrait courir loin de ce qu'elle interprète comme un grand danger. Le fait que les chevaux ne se sauvent pas à la vue de l'animal l'aide à demeurer immobile. Puis, c'est avec étonnement qu'elle observe la jument rejoindre le prédateur, baisser la tête au point de toucher le nez du canidé. Marie reste complètement ébahie quand la robuste bête flatte de ses pattes à griffes le museau délicat du cheval. Puis, alors que le poulain s'approche, l'énorme loup se laisse bousculer plusieurs fois. De toute évidence, l'agilité du nouveau-né est moindre que celle de sa mère.

Nadine éclate de rire en observant ce petit manège amical. « Lou est un habitué avec Plumo... » Ainsi, Nadine comprend que son protégé a visité la harde de Jack à plus d'une occasion depuis la naissance du petit. « C'est pour ça qu'il disparaissait pour plusieurs jours à la fois... Si j'avais su, j'aurais trouvé ma solitude un peu moins pénible... » Elle retire une grande fierté de l'expérience. Son attitude face aux rencontres inopinées survenues à l'intérieur de ce royaume aura permis de générer une dynamique qui perdurera après son départ. Le fait d'avoir adopté Lou et d'être parvenue à se lier d'amitié avec Allie représente un nouveau facteur de rapprochement entre certaines espèces plutôt réfractaires au dialogue a priori. Ainsi, elle s'en ira avec le cœur plus léger, sachant que Lou sera là pour défendre la harde. Cette constatation soulage son âme, même si l'idée d'abandonner ses amis ici, alors qu'elle retournera là-bas, lui déplaît beaucoup.

Quant à Marie, elle demeure complètement subjuguée quand l'énorme prédateur s'approche de la nomade habillée de peaux pour déposer une de ses grosses pattes sur l'épaule de cette dernière et lui lécher le visage avec sa large langue râpeuse. De toute évidence, la sorcière ressent un immense bonheur de retrouver l'animal. La femme aux nattes blanches rit aux éclats et bouscule le canidé avec affection. Face à cette scène exempte de tout danger, Marie libère le souffle qu'elle retenait depuis un bon moment. Elle s'exclame :

— C'est un loup ! Mais c'est comme un chien !

Sans aucune crainte, la rouquine s'approche de Lou qui se laisse caresser. Avec un plaisir évident, Marie glisse ses doigts dans la fourrure épaisse, sur la tête de la bête et derrière ses oreilles. Il va sans dire, le canidé est fort heureux d'avoir une amie de plus. Nadine apprécie cette nouvelle source de bonheur. « Je ne suis pas certaine qu'il aimerait beaucoup les autres… vaut mieux qu'il reste loin de Jean-Pierre. »

Nadine est heureuse que son amie ait rencontré sa famille d'ici, même si elle ne peut pas lui raconter, pour le moment du moins, ses aventures au Pays de la Terre perdue. La nomade se console en se disant qu'elle et Marie retourneront dans leur époque respective et, quelque part dans leur futur commun, Nadine expliquera à son amie l'importance que ces deux animaux ont eue dans sa vie. Elle siffle entre ses dents. « Attendre ! Encore ! »

Puis, alors que le soleil commence sa descente vers la mer, les deux amies en devenir reprennent le chemin vers le campement. La rouquine aux yeux verts porte maintenant une grande admiration envers la sorcière. Quant à la tête blanche, elle est déçue de ne pouvoir exprimer sa profonde reconnaissance à la jeune femme suite à son arrivée impromptue dans la vallée aux chevaux.

En route, Nadine s'arrête près d'un ruisseau en cascade dont l'eau est aussi froide que de celle d'une source qui coulerait en altitude. Elle remplit sa gourde et ramasse quelques plants d'apios. Puis, voulant soulager son pied malade, elle se déchausse et trempe ses pieds dans l'eau glacée de la rivière. Marie l'observe puis, à l'instar de la sorcière, elle enlève ses mocassins et baigne ses membres endoloris. Quand Nadine masse sa cheville, elle ne peut complètement éviter la grimace qui tord son visage ni le grognement qui sort de sa gorge. Elle souffre encore beaucoup. Depuis l'arrivée des visiteurs, elle n'a eu aucun moment pour s'en occuper : l'enflure est toujours présente, bien que l'accident date d'une dizaine de jours. Bien sûr, en choisissant de poursuivre ses activités normales, au lieu de s'asseoir calmement pendant la convalescence, elle n'a que prolongé le temps de guérison et, par le fait même, ses douleurs. Mais que pouvait-elle faire d'autre ? Ici, personne ne prépare ses repas, ne chasse pour elle ou ne construit des bivouacs à sa place. De plus, elle doit maintenant s'occuper de quatre personnes de plus. « Le Pays de la Terre perdue ne me donne jamais de répit. »

L'expression de son visage montre soudainement toute la rancœur de Nadine qui s'accroche à sa survie par tous les moyens à sa disposition, y compris les élans de colère et de rage. Marie a déjà remarqué ce malaise sans pouvoir l'interpréter correctement. Elle a d'abord cru que la sorcière boitait en raison de son âge. Voyant le pied violacé et enflé, elle comprend que la femme aux nattes blanches a subi récemment une sévère blessure. L'admiration de Marie pour la nomade monte d'un cran. Elle pointe la cheville malade.

— Aïe ?

Nadine la trouve si drôle qu'elle éclate de rire. Puis elle regarde la rouquine en grognant de douleur. L'effet est satisfaisant : les deux êtres se comprennent. Les amies en devenir restent un bon bout de temps les pieds dans la rivière, enveloppées dans un silence confortable. Elles apprécient ce moment tranquille et intime loin des autres. Puis, soulagée que sa cheville puisse à nouveau supporter son poids, Nadine remet ses mocassins; Marie l'imite immédiatement. C'est ainsi que les deux femmes reprennent le chemin du campement où la chicane fait rage.

Quelques minutes plus tôt, Jean-Pierre avait trouvé les lièvres et les perdrix, ainsi que les cœurs de quenouille. Il avait préparé un tas de branches dans le foyer et s'apprêtait à faire cuire le repas. Avec une étrange bonhommie, il a demandé à André de lui prêter son allume-cigarette; bien sûr, ce dernier a refusé net.

— Espèce de sans-dessein ! crie Jean-Pierre, ne comprends-tu pas que j'ai besoin du briquet pour allumer le feu ?

— La sorcière prend des roches, lui répond André sur le même ton. Fais pareil !

— Niaiseux ! ironise Jean-Pierre. Elle est partie avec les pierres. Allons ! Prête-moi le briquet !

— Non ! s'indigne André. Je ne te donnerai pas mon Zippo !

Au moment où la rouquine et la femme aux nattes blanches entrent dans le camp, la première tente de négocier un dénouement.

— Hé, les gars ! Arrêtez de vous chamailler comme des gamins !

Les deux hommes se retournent vers la nouvelle venue et beuglent en même temps :

— Toi ! Ne te mêle pas de cela !

Lucette, l'air complètement découragé, est assise sur une pierre et regarde nerveusement les autres de ses yeux de biche apeurée. Quand Nadine s'approche du foyer avec ses roches à pyrites, Jean-Pierre la bouscule au point qu'elle se retrouve par terre. Pendant que Marie se dépêche de porter secours à sa nouvelle amie, le gros homme pointe un doigt en direction de la sorcière pour lancer d'une voix menaçante :

— Ne prépare pas le feu avec ça ! Je veux le faire avec le briquet.

— Si je te donne mon Zippo, je ne le reverrai plus ! clame André.

Nadine sait très bien que le grand gaillard a raison. Elle ne cherche surtout pas à se bagarrer avec Jean-Pierre, mais elle en a eu assez de tout cela... « Si je reste ici, je provoquerai un malheur… non ! » Alors, avec l'aide de Marie, elle se relève, met son sac à dos sur ses épaules et quitte les lieux. Au passage, elle ramasse un lièvre et quelques cœurs de quenouille, puis elle marche en direction de la forêt.

Elle n'a pas l'intention de se rendre très loin. À deux cents mètres, il y a la grosse pierre où elle laisse régulièrement les entrailles des bêtes qu'elle chasse, un cadeau pour les charognards. En peu de temps, elle accumule du bois et allume un petit feu. Rapidement, sa viande taillée en morceaux cuit sur une roche chauffée au-dessus des flammes. Elle est certaine qu'on peut sentir l'odeur alléchante à des kilomètres à la ronde. Bientôt, elle aperçoit Marie qui s'approche lentement. Pour l'encourager, Nadine lui sourit et, d'un geste de la main, l'invite à s'asseoir à côté d'elle.

À la lumière du feu, les amies voient le campement du pont et elles entendent l'engueulade qui fait toujours rage. Puis, Lucette s'avance vers leur position. Ses yeux sont bouffis et de grosses larmes coulent sur ses joues. Marie l'attire dans ses bras pour la consoler.

— Je déteste les chicanes, affirme Lucette.

— Moi aussi, lui répond simplement Marie.

Puis, alors que les cris cessent près de la hutte, les femmes aperçoivent André qui s'amène avec la perdrix et d'autres cœurs de quenouille; il a même ramassé au passage quelques feuilles de vigne. Nadine lui fait un grand sourire et elle prépare la volaille pour la faire cuire tout à côté du lièvre ajoutant son odeur suave à l'invitante chimie déjà présente dans l'air. Quand tout est prêt, les quatre humains si différents mangent en silence pendant que la nuit tombe lentement autour d'eux. La hutte est à peine visible à la lumière de leur petit feu. On ne voit pas Jean-Pierre et on ne l'entend pas non plus.

Le savoureux dîner englouti, Nadine sort une pièce de cuir de son sac à dos, y dépose les restes du repas, puis elle roule le tout dans un paquet qu'elle place dans son havresac. Sous le regard intrigué des visiteurs, elle prend une lanière qu'elle enroule de manière serrée au bout d'une branche, puis elle trempe le bout de peau dans la graisse résiduelle. Elle allume cette torche improvisée et la remet à André en pointant vers la hutte. Comprenant la nature sa demande, l'homme lui décoche un de ses plus beaux sourires alors que la fierté illumine son visage. Sans perdre de temps, le gaillard se dirige vers le campement pour s'occuper de l'autre feu en face de l'abri de pierres.

Une fois qu'elle voit les nouvelles flammes briller, Nadine éteint les siennes puis, elle se rend également à la cabane; Marie et Lucette la suivent de près. À leur arrivée, tous remarquent que Jean-Pierre est assis sur une roche en avant de la hutte; les bras croisés, il les observe d'un air renfrogné. Dans la pénombre, ses yeux noirs brillent d'un éclat mauvais. Avec une attention soutenue, pour que tous en comprennent le sens, il dévisage longuement Nadine.

Face à l'intensité du regard meurtrier, Nadine saisit que, l'instant d'un dîner, elle s'est fait un ennemi redoutable. Par dépit devant l'attitude de Jean-Pierre face à André, la nomade s'est éloignée du groupe, offrant bien malgré elle une alternative aux autres. En la suivant, ils ont par le fait même laissé Jean-Pierre de côté. Ainsi, sans le vouloir, Nadine a défié le gros homme. À cause de sa nature narcissique, il n'accepte pas cet outrage et il identifie maintenant la sorcière comme une rivale. À l'instar de sa dernière année de travail à l'Agence Écho Personne, il fera tout pour la détruire.

Après ce constat, Nadine sent la rage envahir son âme. « Je ne m'en sortirai donc jamais ! Je suis maintenant en guerre contre ce goujat ! Cette fois, il est sur MON terrain et je ne le laisserai pas faire ! Sale emmerdeur ! » Même si elle n'est plus la femme sensible que Jean-Pierre supervisait il y a sept ans, l'attitude de l'homme à son égard lui fait encore mal.

Pourtant, la vie au Pays de la Terre perdue l'a endurcie. Elle a appris à se débarrasser des êtres indésirables qui menacent sa sécurité ou celle de ses amis en les tuant sans remords. En fait, chaque fois qu'elle a ainsi causé la mort, elle en a retiré une profonde satisfaction. Elle serre les dents pour tenter de contrôler les tremblements qui secouent ses os. « Non ! Je ne veux pas ! » Cette réflexion vive lui fait réaliser qu'elle serait capable d'enlever la vie à Jean-Pierre s'il la poussait à bout. Elle ferme les yeux pour mieux absorber ce nouveau coup du sort qu'elle trouve particulièrement difficile à encaisser. « Je ne perdrai pas ce qui me reste d'humanité pour lui ! Je retiendrai mon geste… jusqu'à ce qu'il retourne dans mon passé. »

Cette réflexion lui fait peur. Si elle a une raison valable de ne pas porter le geste fatal durant leur présence au Pays de la Terre perdue, qu'en sera-t-il si elle le croise une fois de retour ? Son corps tremble de façon incontrôlable face à ce qu'elle est devenue en moins de deux ans. Elle serait prête à tuer un autre être humain… Non ! Pas n'importe quelle personne ! Juste Jean-Pierre. Elle voudrait crier et hurler, mais elle doit se retenir… encore.

En raison de toute cette rage qu'elle ressent vivement contre le gros homme, Nadine sera contrainte de rester sur ses gardes, de nuit comme de jour; elle devra se méfier autant d'elle-même que de lui. En effet, dominé par son caractère compétitif maladif, Jean-Pierre tentera bien évidemment de prendre le contrôle du groupe. Pour y arriver, il s'attaquera à celle qu'il perçoit maintenant comme un obstacle majeur face à ce rôle qu'il convoite. L'homme narcissique se sentira forcé d'agir de la sorte. La grande question est de savoir si Nadine pourra résister suffisamment aux méthodes offensantes du goujat afin d'éviter de le tuer. Cette idée lui donne froid dans le dos.

Pourquoi est-ce si compliqué de vivre en société ? Ils ne sont que cinq à habiter le Pays de la Terre perdue, un monde rude qui ne pardonne pas la moindre insouciance, où il faut trimer dur pour survivre. Pourquoi ne peuvent-ils pas unir leurs forces pour mieux préparer leur voyage de retour ? En deux jours, ils n'ont fait que se chamailler et combattre tout changement. Même elle, qui connaît pourtant si bien la dynamique de groupe, a réussi à déclencher un conflit qui aura de grandes conséquences sur les évènements à venir. Peut-elle faire quelque chose pour améliorer cette ambiance ? Est-il possible de trouver une manière pour mobiliser les efforts de cette troupe hétéroclite ?

« J'en doute... pour le moment, c'est très mal parti… je m'en veux tellement. Non ! Honnêtement, c'est Jean-Pierre le goujat ! »

Chapitre 17

Jour 670 – 15 mai

« Une belle gang de casse-pieds ! Sauf Marie… Pourquoi faut-il que je perde mon temps avec eux ? »

Bien sûr, Nadine n'a besoin de personne pour trouver la réponse : elle doit protéger ses arrières comme elle l'a déjà si bien fait. Depuis hier, une autre question tourne dans sa tête et l'embête; cette idée l'a même empêchée de dormir la nuit dernière. Qu'arriverait-il si l'un de ses visiteurs mourait ici ? Elle ne pourrait plus l'avoir rencontré dans son passé. Deviendrait-il de manière automatique, dans le temps présent, une personne totalement inconnue pour la nomade ? Garderait-elle plutôt le souvenir de cet individu présent dans son ancienne vie ? Alors que son décès au Pays de la Terre perdue aura fait en sorte qu'il cesse de vivre pour les autres ? « Tordu… totalement dingue comme raisonnement… »

Elle se redresse et secoue ses membres pour chasser l'inconfort que lui procure cette réflexion. « C'est vraiment fou… ça n'a aucun sens… comme un rêve impossible… un vrai cauchemar… » Pour la vingtième fois depuis l'arrivée de ses anciens collègues, Nadine se pince le bras si fort qu'il en restera marqué. Rien ne change autour d'elle et elle entend le ronflement des trouble-fêtes encore endormis dans la hutte. Un soupir s'échappe bruyamment de sa bouche.

Fermant les yeux, elle laisse la trame de ses idées décousues défiler dans sa tête. Déjà, un autre dilemme s'immisce dans les plis de son cerveau. Est-ce que son implication auprès d'eux transformera le cours des évènements de sa propre vie. Aurait-elle dû éviter de se présenter à eux ? Leur permettre de vivre sur son territoire sans qu'ils ne découvrent jamais son existence, ici ? Elle sait pourtant qu'ils seraient tous morts... ou plus mal en point, c'est une évidence.

Elle porte ses mains à sa tête et frotte ses tempes pour soulager la céphalée qui s'installe. « Comment puis-je faire taire ma caboche ? J'en ai marre de tous ces conflits d'idées... » Elle ne peut pas revenir en arrière. Ils se la représentent comme une sorcière et elle ne peut pas changer cela. De toute façon, elle a peur de les laisser se mesurer seuls à ce pays fort dangereux; au risque de provoquer la mort d'un de leurs camarades... volontairement ou non; ce qui aurait des conséquences encore plus grandes sur son passé. « La grotte... c'est l'endroit où j'arriverai à les garder ensemble... jusqu'à ce que je comprenne comment repartir... C'est encore la meilleure solution. »

Elle prend une grande inspiration et elle expire lentement afin de retrouver son calme. « Vivre ici et maintenant devrait me suffire. » Ce geste la soulage un peu de tout ce stress qui ne la quitte plus depuis l'arrivée des visiteurs. Cette situation déstabilise cette existence qu'elle a si bien ordonnée depuis bientôt deux ans. De plus, elle est découragée de l'attitude de ses nouveaux compagnons : ils sont totalement désorganisés.

Nadine n'arrive pas à imaginer une façon de les forcer à reconnaître rapidement la précarité de leurs conditions; ce qui permettrait, à son avis, d'augmenter la cohésion du groupe et, ainsi, qu'ils puissent mieux faire face aux éventuels dangers. De cette façon seulement, analysant les informations prises dans leur ensemble, ils parviendront à trouver la manière de repartir. « Sinon, à cause de leur insouciance, ils pourraient devoir passer l'hiver ici... » L'idée déchire son âme et fait trembler tous ses os. Elle ne réussit même pas à imaginer le reste de l'été avec eux... surtout après la journée difficile d'hier.

Comprenant que ses visiteurs avaient besoin de repos, elle a gardé la troupe au campement du pont. Elle les sait très fatigués à cause des deux jours de marche depuis la péninsule. Ils devront récupérer un peu d'énergie avant d'entreprendre le dernier bout de chemin pour atteindre la grotte. Elle souhaite que les quelques activités prévues permettent de générer une certaine harmonie et d'alléger le climat.

Elle se trompait. Même la sortie à la rivière au milieu de la forêt n'a rien donné. Quand Jean-Pierre a vu la petite cascade, il a tout de suite fait un grand sourire. Nadine ne comprend pas son enthousiasme soudain pour la baignade. Le gros homme s'est déshabillé rapidement et, en caleçon, il s'est jeté dans l'eau, insistant avec véhémence pour que ses compagnons le rejoignent. André a refusé, de peur que l'autre n'en profite pour lui piquer son briquet. La femme aux nattes blanches sait, bien sûr, que le gaillard avait raison; d'ailleurs, cela expliquait parfaitement le comportement joyeux de son ancien patron. « Trop calculateur celui-là ! »

André démontre une grande nervosité et ne tient pas en place. Il a cessé de fumer bien malgré lui et tout cela le rend irritable et agressif. Il est si intolérant avec Lucette qu'elle a pleurniché toute la journée. Pour la femme trop émotive, toutes les raisons sont bonnes pour crier, hurler ou simplement rechigner sur tout : un insecte, une grenouille, un tamia rayé, un brin de foin, le regard d'un compagnon ou même la sollicitude de leur hôtesse.

Sauf pour un moment où tout a semblé... harmonieux. Nadine a décidé de s'éloigner du groupe, de peur de porter un geste irréparable. Elle marche dans la forêt et s'arrête çà et là pour ramasser des végétaux qui lui serviront pour le repas du soir. Elle a déjà récolté une grande quantité de plantes nouvelles et elle salive à l'idée de manger une salade d'herbes fraîches garnie de noix, de graines de tournesol cueillies l'automne dernier et de quelques raisins noirs séchés. Le calme revient lentement dans son âme et son corps se libère de sa douloureuse tension.

Puis, elle entend une voix mélodieuse flotter dans le courant d'air léger qui se glisse dans le feuillage printanier de la forêt mixte. « Marie-Michèle Desrosiers… bon ! C'est sûr que je rêve… qu'est-ce qu'elle ferait ici… » Estomaquée, Nadine écoute les vers délicieux :

Un couloir, un plancher qu'on astique
Elle s'applique à son cours de musique
On lui apprend la vie sur piano mécanique
Elle s'invente la nuit des rêves symphoniques; magiques.
Rien n'est important et pourtant
Je voudrais dépasser le temps
Au-delà du vent, à contre-courant.
Aimer, aimer pour aimer
Trembler rien que d'y penser
Voler avant de marcher
Aimer, aimer pour aimer.[…]

Nadine reconnaît aussitôt la chanson, *Aimer pour aimer*[6]. Elle s'arrête au milieu de la forêt, redresse la tête pour mieux sentir le vent sur son visage et ferme les yeux pour laisser ses oreilles se gaver des sons mélodieux qu'elle n'a pas entendus depuis si longtemps. Des larmes coulent sur ses joues et son âme bataille pour ne pas craquer complètement.

Quand elle réalise que Marie suggère des pièces vocales du groupe Beau Dommage, Nadine comprend que celle qui chante si bien n'est nulle autre que Lucette. « Étrange… je ne l'ai jamais entendue livrer une telle performance auparavant… ni plus tard d'ailleurs. C'est vraiment dommage, car elle a un talent fou. » C'est au son de *la complainte du phoque en Alaska*[7], et de la chanson 23 *décembre*[8], que Nadine sort de la forêt pour rejoindre ses visiteurs. Elle tombe sur une scène plutôt irréelle dans ce monde normalement sans

---

6 *Aimer pour aimer,* Marie-Michèle Desrosiers, Polydor, 1985.

7 *Beau dommage,* groupe Beau Dommage, Capitol, 1974

8 *Ibid*

civilisation. Trois des personnages sont confortablement installés sur la rive. Prenant place sur le sol herbeux, André a le dos appuyé sur un érable, ses bras entourant Lucette dont le visage s'illumine de bonheur. Marie est assise en tailleur à côté du couple, ses yeux fermés pour mieux écouter la mélodie.

Du coin de l'œil, Nadine repère Jean-Pierre dont le corps est au trois quarts immergé. L'expression faciale de l'homme démontre une telle colère que Nadine s'arrête immédiatement, cherchant à déceler un danger potentiel. Puis elle comprend : Lucette vient de capter l'attention des autres et c'est intolérable pour cette brute narcissique. De rage, le goujat ramasse un rondin qui flotte à la surface de l'eau et le lance avec force en direction du trio. Si ce n'était du réflexe d'André qui a poussé sa blonde au sol, la protégeant de son corps, le bout de bois aurait frappé la jeune femme en plein visage. Mais le mal était fait. Le son percutant de la branche sur le tronc de l'érable a brisé la magie du moment.

Jean-Pierre est furieux. Son plan pour obtenir le briquet n'a pas marché et Lucette a malencontreusement fait dévier l'attention que les autres auraient dû diriger vers lui. Il est sorti de l'eau en bougonnant et en bousculant tout ce qu'il rencontrait, que ce soit un bosquet ou une personne.

Au cours de la randonnée en direction du camp, les yeux noirs du goujat et ses commentaires acides ont rendu la vie de ses compagnons d'infortune plus misérable. Même l'âme de Nadine se remplit graduellement d'une humeur malsaine. Marie s'est éclipsée, et comme une forte odeur chevaline colle à ses vêtements à son retour, Nadine a compris qu'elle aura préféré rendre visite aux bêtes plutôt que d'endurer l'attitude de ses collègues. Sachant le groupe en sécurité dans la petite forêt, la guide les a laissés s'entredéchirer si telle était leur volonté. Elle a besoin d'un peu de temps en solitaire afin de retrouver l'équilibre. Elle en a assez de cette civilisation qu'elle a recherchée, malgré tout, avec toute la détermination dont elle est capable.

Ainsi, la nomade a enfilé son sac à dos puis, deux lances en main, elle est partie à la course vers l'ouest, au-delà de la vallée aux chevaux. Sur ce petit plateau qui tombe dans la mer en se métamorphosant en falaise morcelée, le vent fort ébouriffe ses mèches de cheveux rebelles qu'elle n'arrive pas à garder en nattes; son souffle court et régulier lui permet de remettre de l'ordre dans son corps et son cœur. Lou la rejoignant, elle a senti un grand bonheur revenir dans son âme. Le voyant sortir de la vallée aux chevaux, elle a compris que, s'il évitait bel et bien les visiteurs, il ne se privait pas de rencontrer Allie et sa famille. Une fois calmée, elle s'est dirigée vers le troupeau d'herbivores pour passer un bon moment avec eux. « Je suis devenue sauvage… je préfère la compagnie d'un loup et d'une jument à celle de mes semblables… »

Quand elle est revenue au campement, le soir venu, personne ne s'était occupé du feu qui s'est éteint au cours de la journée. Les visiteurs ont mangé froids les restes qu'elle avait heureusement laissés dans la hutte. Il n'y a plus aucune trace de l'autre lièvre qu'elle avait attaché à une branche afin qu'il se vide de son sang; un charognard l'aura probablement piqué en son absence. « Je dois tout faire moi-même… » De ce pas, elle allume ce feu si essentiel pour la nuit, puis elle sort de son sac quelques morceaux de chevreuil séché, des bouts d'apios et du gingembre. Elle trouve sa tasse pour faire une tisane. Dans un grand bol, elle prépare la salade dont elle rêvait depuis le début de l'après-midi. Bien sûr, Marie s'approche pour lui donner un coup de main, mais aucun des autres ne posera le moindre geste pour aider à préparer le repas.

La nomade s'aperçoit très vite que l'atmosphère autour du groupe s'est envenimée en son absence. Jean-Pierre et André sont assis, l'un en face de l'autre, de chaque côté du foyer. Nadine entend Lucette pleurer; la brunette est quelque part dans la hutte. Marie affiche un air contrit et ses doigts se tordent de nervosité. À l'évidence, elle n'est pas très fière de ses compagnons. Contre toute attente, elle ne semble pas savoir ce qu'il conviendrait de faire pour améliorer les choses. Nadine lui fait un sourire, histoire de la rassurer.

Longtemps après que la pénombre les ait enveloppés et que les visiteurs se soient endormis, Nadine a décidé de poursuivre sa réflexion sur la situation, sans toutefois trouver de solutions. Une autre nuit blanche n'a réussi qu'à mélanger un peu plus ses idées, ajouter des questions supplémentaires, sans réponses bien sûr. Tout ça augmente de quelques crans sa grande fatigue, tant intellectuelle, émotive que physique. Quand l'aube s'est pointée, la nomade avait tout de même pris sa décision. « Aujourd'hui, je rentre à la grotte avec eux. Je verrai pour la suite des choses... » À leur rythme, la journée de marche sera longue et difficile, mais c'est le seul moyen à sa disposition pour les garder ensemble et en vie jusqu'à leur retour à Montréal; puis, ils y seront en sécurité contre le prochain orage qui viendra tôt ou tard.

Comme à son habitude, Nadine était prête à partir avant même que le soleil ne se montre le bout du nez. Son sac à dos était déjà appuyé sur la hutte. Il ne lui reste qu'à compléter les bagages du travois. Elle trépigne et voudrait prendre la route tout de suite, mais elle accepte d'attendre encore un moment pour que les visiteurs se lèvent. En ce matin si calme, alors que quelques passereaux roucoulent, elle hésite à réveiller ses encombrants compagnons d'infortune; ils bousculeront cet environnement si charmant par leur chicane. Ils l'embêtent juste à leur façon bruyante de se mouvoir autour du camp. « J'ai encore le temps... Au pire, nous coucherons au lac aux brochets... »

Ce coup de gueule lui permet de profiter un peu plus longtemps de cette solitude qu'elle apprécie par-dessus tout. Lou passe la voir puis, dès qu'il perçoit des mouvements dans la hutte, il disparaît dans la forêt. Elle attise le feu dans le foyer extérieur. Elle prépare le déjeuner pour ces affamés qui ne sont pas assez dégourdis afin de pourvoir eux-mêmes à leurs besoins. Puis, comprenant que l'attente durerait encore un moment, Nadine sirote une tasse de thé des bois en écoutant tous les sons mélodieux que ses oreilles parviennent à capter. Elle ferme les yeux pour mieux savourer les odeurs. À sa droite, le vent fait vibrer les feuilles des bouleaux alors qu'un renard fouille les talus. Elle entend une petite cascade chanter au fond de la forêt. Un moustique bourdonne autour de sa tête. Quand une bûche craque dans le feu, elle ouvre les paupières pour observer les quelques étincelles qui s'échappent dans le jour naissant. La paix de l'aurore agit comme un baume sur son quotidien bouleversé.

Nourrie par l'espoir revenu de retourner chez elle, la femme admire ce qui l'entoure avec un nouvel émerveillement, comme si elle voyait ce lieu pour la première fois. « J'ai hâte de reprendre mes crayons et mes pinceaux… avec ma plume, je ferai de belles descriptions… est-ce que je témoignerai de l'arrivée de mes visiteurs ? Hum… je veux que les images restent bellissimes… mais ils tiennent, tout de même, un rôle essentiel qui me permettra peut-être de retrouver les miens. Il me faudra, donc, raconter ce bout-là aussi… » Sans vraiment s'en rendre compte, la femme masse sa cheville plusieurs fois pour chasser la douleur; son pied persiste à la faire souffrir malgré le repos de la veille. « C'est long comme processus de guérison… », murmure-t-elle à voix basse.

Puis, la nature environnante, qui prend note des moindres mouvements des visiteurs, se tait. L'enchantement produit par le magnifique lever du jour disparaît peu à peu pour laisser la place à la grogne qui colle à tout le groupe. Jean-Pierre sort le premier de l'abri. Il regarde à peine Nadine, comme s'il ne faisait que tolérer sa présence. Même s'il ne s'adresse jamais directement à la femme aux cheveux blancs, elle sait qu'il la traite de « sorcière » ou de « vieille folle » dans son dos. Elle ne s'en fait pas pour autant; le gros homme ne porte intérêt qu'aux gens qui peuvent lui procurer quelque chose ou qui le vénèrent comme l'individu supérieur qu'il croit être. Il n'a pas encore compris qu'il a besoin de son hôtesse pour survivre ici. Son ego ne voit que lui !

Par contre, il a vite saisi que Nadine n'avait pas d'admiration pour lui; de la sorte, il la perçoit comme une source de concurrence à éliminer. L'antipathie est réciproque. D'ailleurs, ce matin, c'est en l'ignorant complètement qu'il mène son jeu, lui signifiant qu'elle n'est qu'une nullité, un insecte qu'il pourrait écraser de son pouce. Même si la nomade estime qu'il n'y aura pas de guerre ouverte pour le moment, elle se méfie de ce Jean-Pierre imprévisible et sournois. Il peut exploser n'importe quand avec une perfidie difficile à imaginer. Elle baisse la tête, happée par ce qui la trouble : elle devra aussi faire attention à ses propres réactions qui pourraient être vives et trop rapides. Ses réflexes sont trop bien aiguisés; elle pourrait le tuer sans même y penser. « Mieux vaut que je me comporte prudemment en demeurant à l'intérieur de mon personnage… »

Jean-Pierre s'éloigne dans les bois pour évacuer son urine du matin, puis il revient s'asseoir auprès du feu. Nadine dépose un plateau contenant deux galettes à la farine de quenouille et aux fruits, juste à côté de lui. Sans même regarder son hôtesse, il éclate d'une voix dure :

— Moi, en me levant, je mange des œufs, des toasts et je bois du café.

Puis, du bout d'un de ses doigts boudinés, il picosse dans l'assiette, tassant les biscuits d'un côté, puis de l'autre. Intérieurement, Nadine bouillonne. « Ce casse-pied repousse ma nourriture, sans même considérer tous les efforts que j'y ai mis : les heures nécessaires pour cueillir des racines, les faire sécher, fabriquer la farine, chasser pour obtenir la graisse, ramasser des fruits et cuire le tout sous forme de biscuit… Vraiment nul ! »

Bien sûr, elle observe le comportement du gros homme sans parler ni faire voir qu'elle a compris ce qu'il a dit. Elle a l'eau à la bouche à l'idée de s'offrir une omelette. À Montréal, les œufs produits par le biais de l'élevage des poules n'ont pas été fécondés et, comme on n'assassine pas la vie en cuisinant quelques œufs de cet acabit, elle se permettait d'en consommer régulièrement. Par contre, Nadine ne se résigne pas à manger un seul œuf du Pays de la Terre perdue, ce qui empêcherait un futur oiseau de prendre son envol et nuirait d'autant à la survie de la race. « Je n'en ai pas mangé depuis mon arrivée ici. Pour qui se prend-il pour m'en donner le goût ce matin ? Quelle brute ! »

Puis, André et Lucette, se tenant par la main, sortent de la hutte. Nadine les a vus s'éloigner dans le bois au cours de la soirée; quelques minutes plus tard, le bruit de leurs ébats amoureux était perceptible au campement. Elle n'était pas inquiète pour eux, car, tapi dans la noirceur de la nuit, Lou veillait au grain. Sans le savoir, les deux tourtereaux étaient en sécurité. Dès qu'ils s'assoient à côté de Jean-Pierre, Nadine leur présente leur déjeuner. C'est avec une grande surprise qu'elle entend la jeune femme la remercier. Elle l'observe un peu plus pour réaliser que le « merci » ne constitue qu'un réflexe appris dans l'enfance. La brunette l'a dit sans y penser, sans émotion et sans égard pour la cuisinière. Nadine mord sa lèvre pour mieux contrôler sa déception et éviter qu'une réplique surgisse sans ménagement de sa bouche, brisant d'office son rôle de sourde et muette.

Elle est incapable de voir André et Lucette ensemble, se promenant main dans la main, s'embrassant langoureusement; encore moins en train de faire l'amour. Ce qu'elle connaît d'eux, de leur futur, est tellement différent. L'homme se transformera en un individu amer face à tout ce que l'existence peut lui apporter; connaissant l'avenir du gaillard, Nadine doute même de sa capacité à devenir un jour aussi épris de sa compagne que présentement. Quant à la jeune femme, elle restera seulement préoccupée par elle-même, passant d'une dépression à l'autre, sa vie ponctuée de tentatives de suicide, qu'elle finira par réaliser. La connaissance de ce fait rend Nadine fort mal à l'aise. « J'ai d'abord refusé d'aller aux funérailles... c'est

Marie qui m'a fait changer d'idée… Bon ! Ça suffit ! Je ne peux quand même pas me culpabiliser pour une décision future… tout de même ! »

Elle ne parvient pas à voir, ici et en ce moment, ces deux beaux jeunes si affectueux et pleins de vie. Qu'est-il arrivé dans leur existence pour provoquer des changements si profonds ? Elle voudrait en parler avec Marie pour comprendre. La rouquine de 30 ans ne le sait pas encore, mais celle de 57 ans a sûrement une bonne idée de ce qui s'est passé. Sa réflexion se porte sur cette femme qu'elle n'a pas vue depuis deux ans. Qu'a-t-elle fait de tout ce temps ? Se souvient-elle de cette visite au Pays de la Terre perdue ? A-t-elle expliqué à Alex la vérité ? Sinon, a-t-elle participé aux recherches pour retrouver son amie ?

Marie sort de l'abri, au même moment où la nomade secoue sa tête pour casser le fil douloureux de ses questions sans réponses. Elle a les bras chargés de peaux et s'avance pour les déposer sur le travois. Nadine lui sourit : il fallait compter sur la rouquine pour enfin avoir droit à un petit coup de pouce. La femme aux prunelles vertes comprend que, les bagages de la sorcière étant prêts, le groupe repartira aujourd'hui sur la route. Nadine s'émerveille de voir la jeune Marie si active, volontaire et serviable. Toutefois, la nomade ne se souvient pas que son amie était timide à ce point. Il suffit que l'exilée porte les yeux dans la direction de l'autre pour que son visage devienne rouge tomate. Cette confiance en elle, qui faisait sa force quand Nadine a travaillé avec elle, viendrait-elle avec la maturité ?

Pendant qu'elle observe les visiteurs en train de déjeuner, Nadine ressasse, dans sa tête, une facette de cette distorsion du temps qui la perturbe beaucoup. Marie, André, Lucette et Jean-Pierre vivent ici à 30 ans, alors qu'ils avaient 45 ans quand elle les a connus. C'est en soi une preuve qu'ils retourneront à Montréal avant qu'elle ne se mette à travailler avec eux. Pourquoi n'ont-ils jamais parlé devant elle de cette aventure ? Sans doute, s'ils devaient rester au Pays de la Terre perdue, sa propre mémoire changerait, non ? Car elle ne les rencontrerait jamais, ou plutôt ne les aurait jamais rencontrés ? Elle ne peut se souvenir d'eux que s'ils repartent dans un futur rapproché. N'est-ce pas ? Auraient-ils fait un pacte pour ne jamais dévoiler leur séjour ici ? Pourquoi donc ?

Depuis l'arrivée des quatre visiteurs, Nadine cogite sans arrêt à propos de cette idée; elle en a mal au crâne à force d'y réfléchir. La reine du pays aimerait pouvoir les reconduire chez eux, tout de suite, histoire d'interrompre ce flot incessant de questions inconfortables. Mais comment ? Rien dans les échanges n'a fourni des informations que Nadine pourrait utiliser pour trouver ce fameux « moyen ». Ils sont tout aussi incapables qu'elle de comprendre ce qui leur est arrivé. Une autre idée pénible flotte dans sa tête : si elle ne découvre pas comment retourner, elle restera coincée ici… avec eux… sur le coup, ses yeux deviennent sombres et ses poings se referment sur sa colère. « Non ! Je vais prendre mon radeau et me sauver jusqu'à l'ouest, au-delà de la mer… j'inviterai Marie… juste mon amie… et j'abandonnerai les autres à leur sort. »

Nadine continue de les observer discrètement tout en attachant le matériel sur le travois. C'est alors qu'une altercation explose. Jean-Pierre éclate :

– André ! Arrête de gigoter ! Tu m'énerves !

– Je n'ai plus de cigarettes depuis trois jours ! Cela me rend nerveux !

– Pis après ? Je n'ai pas eu mon scotch non plus ! Pis, je ne suis pas mort ! Prends sur toi ! Fais un homme de toi ! Mauviette !

André ne répond pas à la dernière invective; il baisse la tête et commence à se ronger les ongles. On vient de le traiter comme de la merde et il réagit en s'écrasant… Nadine se souvient de ce comportement qui l'a si souvent ébahie. En toute occasion, André plie l'échine devant Jean-Pierre. Toutefois, le gaillard est plus grand et plus fort que l'autre, ce qui lui procurerait un avantage certain dans une bataille rangée.

Puis, un bout de mémoire fait irruption dans la tête de la nomade, il s'agit d'une conversation entre elle et André à propos de la cigarette. Jean-Pierre venait de le traiter de femmelette parce qu'il ne voulait pas cesser cette habitude. Pourtant, Nadine ne comprenait pas que ce barbare, si imbu de lui-même et macho, ne fume pas lui-même. En riant, le gaillard lui avait expliqué que le gros homme avait essayé d'inhaler la boucane d'une cigarette quand il était adolescent; il avait tellement vomi, qu'il n'avait jamais osé réessayer. Par la suite, fidèle à sa manière narcissique de voir les choses, il s'était convaincu d'être « l'homme fort qui résiste à la pression du groupe ». Ce qui confirme qu'il ne fumera jamais. En bref, Jean-Pierre avait su, encore une fois, tourner l'histoire de son échec à son avantage.

À ce moment, Lucette se colle sur André qui la repousse vivement. Comme il fallait s'y attendre, la jeune femme commence à pleurer. Au travail, elle rechignait souvent pour tout et rien; dès ses débuts au sein de l'équipe, Nadine a dû apprendre à faire preuve de beaucoup de tact quand il fallait acheminer des demandes cléricales auprès de Lucette.

Un jour, peu de temps après son arrivée, elle a simplement dit à l'adjointe administrative :

— Je n'ai plus de stylos; est-ce que je pourrais en avoir un à l'encre bleu pâle ?

Malgré le magnifique sourire invitant et bien planté sur le visage naturellement rieur de Nadine, Lucette avait éclaté en sanglots, sans que la nouvelle venue comprenne pourquoi. Puis, sous l'influence de Marie, la conseillère s'est habituée à ponctuer ses requêtes d'une voix suave :

— Bonjour Lucette ! Je suis certaine que tu pourrais m'aider; j'aimerais obtenir des stylos à l'encre bleu pâle; est-ce que tu peux faire quelque chose pour moi ?

Ainsi, encouragée par ce ton engageant et toutes ces phrases doucereuses, l'adjointe parvenait à répondre de bon cœur à cette nouvelle requête.

Au Pays de la Terre perdue, Nadine fronce les sourcils. Elle ne sait plus comment parler d'une voix mielleuse. Elle a abandonné cette habileté quelque part dans ses vadrouilles sur ce territoire dur et impitoyable. « Lucette devra s'habituer… ici, on n'a pas de temps à perdre avec ces frisettes verbales… »

Pendant ce temps, les hommes continuent de se chicaner et Marie, une irritation non contenue dans la voix, tente de calmer l'atmosphère :

— Voyons les gars ! La situation est assez compliquée comme cela ! S'il vous plaît ! Essayez donc de vous entendre !

— De quoi te mêles-tu, toi ? crache Jean-Pierre. C'est une conversation entre nous, alors tais-toi ! Pis, Lucette, arrête de chialer !

Bien sûr, le débit des sanglots de la brunette prend de l'ampleur. Nadine réagit en plissant le nez de dégoût. « Je me rappelle de ça aussi… » Si on ne joue pas son jeu, la névrosée répond en beuglant ou en parlant de ses maladies. Quelle manière désagréable de prendre sa place dans la société !

« Je n'en peux plus ! J'en ai assez ! Je pense que je pourrais en frapper un ou deux… il vaut mieux que je parte… » Sur le coup, Nadine glisse sa gourde et une besace en bandoulière, puis elle enfile son sac à dos par-dessus ses épaules. Elle jette de l'eau sur le feu, puis elle ramasse les assiettes, les tasses et les ustensiles dont elle aura besoin à la grotte. Ils n'ont toujours pas fini de manger, mais elle s'en fout royalement. Face à l'air ahuri des visiteurs, elle empoigne les manchons de son travois et elle prend la direction du pont.

Après quelques minutes, Jean-Pierre change de ton. Il place sa main grassouillette sur l'épaule de son collègue :

— Tu sais, Marie a raison. Nous ne devrions pas nous chicaner. Tu me pardonnes de t'avoir traité de mauviette ?

Sur ces paroles totalement imprévisibles, compte tenu du caractère de Jean-Pierre, Nadine se retourne pour mieux observer la scène. Son ancien patron affiche un comportement avenant si extraordinaire que la nomade ne peut que se poser la question : « Il s'est excusé ! Ça cache quelque chose... qu'est-ce qu'il cherche à obtenir en minaudant auprès de celui qu'il traite comme de la merde depuis trois jours ? » Puis Nadine ferme les yeux sur sa trouvaille. « Le Zippo ! Il veut obtenir l'allume-cigarette. » Quel rapace ! Clairement, à sa façon, le manipulateur prépare une fable de son meilleur cru. Il ne sera pas question d'un morceau de fromage comme dans « Le Renard et le corbeau » de Jean de La Lafontaine, mais plutôt d'un briquet dans « Le barbare et le naïf ».

L'expédition d'aujourd'hui devrait être plus courte et donc agréable; si elle était seule, elle songerait même à se rendre dans la forêt à l'est pour aller voir Tigré le lynx boiteux. Cependant, Nadine comprend que la randonnée sera interminable; la nomade ne peut déjà plus supporter trois de ses quatre visiteurs. Il n'y a qu'une belle note dans le décor : tant que Jean-Pierre n'aura pas obtenu ce briquet tant convoité, il la laissera tranquille. Malgré tout, Nadine ne peut que sourire en anticipant le spectacle que les deux hommes vont lui fournir au cours de la journée; toutefois, elle est certaine que le tortionnaire gagnera la bataille...

N'offrant aucun choix aux visiteurs, la femme aux nattes blanches avance d'un bon pas sur le sentier qui monte vers le nord. Grognant et tempêtant, encouragés par Marie, ils finissent par suivre la nomade en direction du pont. Les membres de ce groupe discordant, se déplaçant plus ou moins à la file indienne, affichent leur mauvaise volonté en maugréant sans arrêt.

Avant de traverser la rivière, Nadine s'arrête, comme à son habitude, pour s'assurer que l'état de la structure lui permettra de marcher dessus sans danger. Elle dépose son sac à dos à côté de son travois, puis elle examine les poutres. Elle jette un coup d'œil aux visiteurs. Ils sont encore loin, alors elle a le temps de vérifier l'état du palier d'un bout à l'autre. Lorsqu'elle revient du côté sud, Nadine sourit en voyant Jean-Pierre prendre André par les épaules comme s'ils étaient deux frères. Le barbare met en place ses assises... pour s'assurer de gagner son prix. Le gros homme sait se montrer patient quand le résultat espéré l'avantagera. La nomade ne s'en mêlera pas, en autant que ce nouveau scénario lui ménage quelques heures de paix. Elle s'installe donc à l'entrée du pont pour attendre les nouveaux venus.

La passerelle est en ordre et stable, mais elle aimerait mieux que les gens ne s'y engagent pas tous en même temps. Ainsi, elle doit un peu manipuler certains membres du groupe pour y arriver. Comme elle les connaît plutôt bien, sa supercherie ne nécessite pas trop d'effort. D'abord, elle se place dans le chemin, pour leur barrer la route. Elle arrête les visiteurs, puis elle leur explique, par des gestes plus ou moins clairs, qu'il est nécessaire d'emprunter le pont, un à la fois. Comme elle l'avait prévu, elle n'a pas le temps de terminer ses instructions que Jean-Pierre la bouscule et traverse en quelques enjambées, lui adressant au passage :

— Maudite folle ! Tu ne vas pas me barrer la route comme ça !

Nadine affiche une expression de satisfaction à la vue du gros homme qui se laisse prendre au piège. « Il est passé tout seul ! Je l'ai bien eu ! » Cette grimace narquoise n'échappe pas à la perspicace Marie qui observe la sorcière afin de comprendre la situation. Puis, le stratagème devenant clair, elle sourit à son tour. Elle indique « deux » de sa main, puis elle pointe les tourtereaux. Nadine hoche la tête. Alors la rouquine explique aux amoureux qu'ils peuvent traverser ensemble sans problème.

Une fois le couple rendu de l'autre côté, Marie désigne le sac à dos, puis sa poitrine; ensuite, elle indique le pont. Encore une fois, Nadine ne peut qu'être ébahie face à l'intelligence de son amie. Par son intention de porter une partie du bagage, elle permet de tout transporter en un seul voyage. Elle hoche la tête avec un grand sourire pour démontrer qu'elle accepte l'offre. Après que la femme rousse eût traversé, Nadine emprunte enfin le passage de bois avec son travois. C'est en arrivant de l'autre côté qu'elle entend les deux gars faire des commentaires sur la stabilité de son ouvrage.

– C'est vraiment bien fait, affirme André. C'est solide.

– C'est ingénieux, réplique Jean-Pierre, mais l'architecte aurait dû utiliser deux poutres d'acier. Ça dure plus longtemps.

Nadine voudrait expliquer que ce « il » dont parle son ancien patron n'existe tout simplement pas. Il ne viendrait pas à l'idée de cet homme misogyne que Nadine, une femme, ait pu construire ce pont. Puis un rire étouffé secoue son corps : Jean-Pierre a-t-il vraiment suggéré des poutres en acier ? À quel endroit les aurait-il dénichées ? Réconfortée par cette grande fierté qui remplit son cœur et éclaire son visage, la nomade touche la terre ferme puis, d'un bon pas, elle bifurque à gauche en direction du lac aux brochets. Marie s'approche d'elle, le havresac bien installé sur ses épaules et la sangle attachée à l'avant, indiquant ainsi qu'elle a l'intention de le porter un bout de temps. Nadine lui est reconnaissante de l'aider. De toute évidence, la rouquine a compris que ce bagage lourd contribue à rendre la marche difficile pour sa compagne à la cheville malade, surtout lorsqu'elle doit tirer le travois.

La nomade n'est pas enchantée de voir une autre personne s'occuper de ses affaires. Il contient tout son matériel de survie et elle ne s'en départit jamais. Si elle voyageait seule, elle l'aurait tout simplement déposé sur son chariot. Cependant, n'ayant aucune confiance en certains de ses compagnons de route, elle refuse de le laisser hors de sa portée. Si Jean-Pierre fouillait dans le sac, il trouverait son couteau en schiste, son savon, ses pierres à feu, sans oublier sa brosse à cheveux. Toute cette panoplie d'objets usuels vaut son pesant d'or pour cette pionnière qui n'a pas accès à une quelconque forme de technologie. Alors, il n'est pas question que les autres mettent leur main sur ses précieux instruments. Bien sûr, malgré son malaise, la nomade peut se fier à son amie; elle souhaiterait d'ailleurs pouvoir le lui dire. En absence de parole, elle se contente de hocher de la tête en guise de réponse; elle sourit pour la remercier.

Sur l'heure du déjeuner, Nadine décrète un arrêt au lac aux brochets, cette petite oasis qu'elle aime tant. Pour bien faire comprendre sa décision, elle appuie son travois sur une roche au bord de la forêt. Puis elle récupère le sac à dos. Malgré tout, le groupe a fait bonne route; cette marche plus rapide a limité les échanges et éliminé les chicanes. Alors qu'elle s'apprête à pêcher le repas, elle aperçoit les deux gars en caleçon batifolant dans l'eau froide du lac. André semble apprécier l'attention que lui porte Jean-Pierre depuis ce matin. Nadine, qui n'est pas dupe, reconnaît la mise en place graduelle de la manœuvre de son ancien patron. « Il faut lui donner ça ! Son plan est brillant… » Elle a même hâte de voir comment le gros homme s'y prendra pour voler le briquet.

Pendant que la nomade prépare son gréement de pêche, Marie sort les roches à pyrites, s'accroupit et tente d'allumer un feu avec quelques brindilles. Nadine la laisse faire un moment, puis, après que l'essai se soit avéré non concluant, elle s'approche pour faire une démonstration. Remettant les pierres à son amie, elle l'incite à essayer de nouveau. La rouquine fait trois pratiques avant de parvenir à enflammer le matériel. Elle s'exclame de joie puis, elle fait la moue lorsque le feu s'éteint. La nomade sourit et l'encourage à recommencer. De cette façon, Marie allume son deuxième feu et réussit à le maintenir assez longtemps pour ajouter quelques brins d'herbe, puis de toutes petites branches. La femme aux yeux verts répète ainsi, avec beaucoup d'habileté, les gestes de la sorcière qu'elle a observés ces derniers jours. Nadine est particulièrement fière de son amie et elle savoure le bonheur qui éclaire le visage de l'autre. Quand elle sent ses propres yeux se remplir de larmes, elle refuse que Marie ne prenne conscience de son désarroi. Dans les circonstances, la nomade prend un dard et marche vers son coin préféré pour pêcher. En moins de deux, elle revient avec quatre beaux brochets qui serviront pour le repas du soir.

Plouf !

Jean-Pierre est sorti de l'eau et il vient de pousser André dans le lac. Il bouscule Lucette, qui était censée surveiller les effets de son copain, puis il trouve facilement le briquet dans une poche du pantalon. « Voilà ! Le goujat a réussi son coup ! » André est furieux. Le temps qu'il s'accroche au bord herbeux, le gros homme a déjà remis ses vêtements et ses bottes. Le grand gaillard n'a aucune chance, alors que l'autre le repousse vivement dans le lac.

Lucette éclate en sanglots, impuissante devant ce vol à la tire. André hurle de rage. Nadine lève les yeux vers le ciel avec un geste de dépit. « Bon ! L'état de crise est de retour ! » Maintenant qu'il a mis la main sur le briquet, le barbare ne fait plus de finesses à celui qu'il traitait comme un frère le matin même. Le gros homme lance des injures, taxe son confrère de mauviette et l'invite à reprendre son Zippo. Chaque fois que le gaillard tente de revenir sur la berge, Jean-Pierre se contente de le repousser du bout du pied, laissant éclater un rire sarcastique.

Nadine ne s'en mêle pas. Tout d'abord, cette histoire de briquet est en soi plutôt banale; puis, il vaut mieux ne pas attirer l'attention sur elle pour le moment. « Je sais que mon tour viendra bien assez vite… » Ainsi, elle s'assoit sur une roche et partage avec Marie des galettes à la farine de quenouille; elles sont agrémentées de fraises des champs et de noisettes. Il s'agit de son biscuit préféré et elle remarque avec satisfaction l'appréciation se dessiner sur le visage de son amie. Sur le feu allumé par la rouquine, elle prépare de la tisane. Puis, une fois que les deux femmes ont eu mangé et bu, Nadine éteint les flammes sans se soucier des trois autres.

Quand elle voit que leur guide s'apprête à partir, Marie installe le sac à dos sur ses épaules, confirmant son intention de le porter pour le reste de la journée. Sans s'occuper des visiteurs, l'hôtesse ramasse les poignées de son travois et, accompagnée de son amie, prend la route vers le nord pour contourner la rocaille qui longe la cascade. Elles marchent d'un bon pas. À plusieurs reprises, Nadine s'assure que les autres suivent. C'est ainsi qu'elle remarque que Jean-Pierre harcelle constamment André. « Tant mieux ! C'est égoïste, je sais... mais je n'ai pas le temps de faire de batailles avec cette brute narcissique. Puis je pourrais gagner... le tuer... Ce n'est pas une bonne idée. »

Sans vraiment en prendre conscience, la troupe est en train de compléter, lentement mais sûrement, ce voyage qui les mènera jusqu'à la grotte. Pendant qu'elle marche en silence, Nadine cherche un moyen de développer cette cohésion qui permettrait à la troupe d'assurer sa survie dans ce Pays de la Terre perdue qui, lui, ne leur donnera aucun répit. De toute évidence, elle devra, elle-même, trouver une façon de les renvoyer à Montréal. Plus elle y pense, plus elle est convaincue que son propre retour en dépend aussi.

Soudain, le visage de son métèque préféré lui revient en tête. Georges Moustaki s'était exilé en terre de France. Il s'est adapté à sa nouvelle réalité et, malgré l'adversité, il a conquis le monde avec sa voix de miel. Il avait trouvé le moyen de chanter sa liberté. Cette image la séduit.

« Georges, mon mentor, aide-moi s'il te plaît ! Je dois survivre à cette nouvelle épreuve qui m'apparaît plus difficile que toutes celles subies au cours des deux dernières années... »

Chapitre 18

Jour 670 – 15 mai

– Ça suffit ! J'en ai plus qu'assez !

Cet éclat de voix correspond plutôt bien avec la colère que l'on peut lire dans les yeux noirs du gros homme. Ses poings fermés indiquent que Jean-Pierre est à la veille d'exploser. Nadine n'en fait pas de cas. Combien de fois, dans les dernières heures, les a-t-elle entendus discuter de hot-dog, de hamburger, de frites, de bières, de lits moelleux, de douche chaude, de shampoing et de spaghetti ? Elle comprend que ses visiteurs soient particulièrement déçus de se retrouver ici, dans une grotte souterraine à peine plus confortable que les huttes qu'ils ont connues sur la route. Même si elle pouvait leur parler, ils n'arriveraient pas à absorber la situation sans passer d'abord par une importante phase de déni. C'est certain qu'ils ne la croiraient tout simplement pas.

Pendant que Nadine s'occupe de transférer les bagages de son travois vers l'intérieur de sa résidence, sans aucune aide bien évidemment, Lucette éclate en sanglots et les autres personnages expriment leur grogne :

– Ça ne se peut pas ! explose André. La maudite folle a l'air particulièrement fière de nous montrer son trou à rats !

– Je ne comprends pas non plus son intention, tempère Marie. Attendons pour voir si elle ne veut pas nous en dire un peu plus…

– J'en ai assez de tout ça ! hurle Jean Pierre. Je veux retourner chez moi ! Marie ! La vieille sorcière semble t'aimer… Va lui expliquer : nous réclamons un hôtel, un restaurant et une auto pour repartir vers Montréal.

Le barbare pousse brusquement la rouquine en direction de la femme aux nattes blanches. Devant la brutalité du geste, Nadine doit faire un effort surhumain pour ne pas crier comme une bête sauvage et sauter sur le goujat avec sa machette. Heureusement, seul un œil particulièrement attentif aurait pu déceler l'éclat meurtrier que lancent ses yeux bleus. Marie s'approche lentement et met sa main sur l'épaule de la propriétaire des lieux pour attirer son attention. La conversation qui s'ensuit prenait un ton loufoque, tout à fait dans l'air du temps, la situation devenant de plus en plus étrange.

— Euh… commence Marie. Nous aimerions… aller… à l'hôtel.

Évidemment, campée dans son personnage de sourde et muette, Nadine regarde la rouquine avec une expression d'interrogation sur le visage; bien sûr, elle souhaiterait plutôt rire de cette jeune femme qui tente d'ajouter des gestes à ses paroles. Marie porte ses mains à une oreille et ferme les yeux. Nadine sourit, signifiant qu'elle comprend qu'ils désirent dormir. Elle pointe son lit, puis sa poitrine; ensuite elle montre les peaux qu'elle vient de placer sur le sol, dans l'ancien coin d'Allie, et montre du doigt chacun des visiteurs.

— Il n'en est pas question ! hurle André. Je veux une chambre fermée pour moi et ma blonde ! Ce n'est pas raisonnable !

Nadine examine André d'un regard plein d'incompréhension, puis elle dirige ses yeux vers Marie pour lui donner la chance de traduire le tout aux visiteurs. Marie pointe les couches et secoue la tête. La propriétaire des lieux hausse les épaules et se retourne afin de poursuivre ses tâches.

— Marie ! beugle Jean-Pierre. Tu n'es pas capable. Tasse-toi ! Je vais le faire moi-même.

Il s'approche à son tour de la sorcière et la force à se tenir directement devant lui. Il n'en fallait pas plus pour que Nadine explose. Gardant difficilement son rôle de muette, elle sort les dents et grogne comme elle a vu si souvent Lou le faire. Ainsi, elle veut que Jean-Pierre comprenne que la communication se fera par l'entremise de Marie et non pas par lui. Jean-Pierre, surpris par cette violente réaction, recule de quelques pas. Puis, alors qu'il lève la main pour frapper son interlocutrice, la rouquine s'interpose.

— Laisse-moi faire ! Je vais essayer de nouveau.

Se plaçant devant l'homme, Marie attire l'attention de la sorcière.

— Nous cherchons... un restaurant... s'asseoir sur des chaises... devant une table.

Tout cela est accompagné de signes que leur guide ne semble pas comprendre. Puis, quand Marie porte ses doigts formant une pointe, vers sa bouche, le visage de la femme aux nattes blanches s'éclaire. Elle hoche la tête en riant à gorge déployée. D'un geste vif, elle prend deux lances et place ces dernières dans les mains des deux gars, alors que deux dards se retrouvent dans celles des filles. Le message est clair : ici, pour manger, il faut chasser et pêcher. Jean-Pierre fulmine.

— Calvaire ! s'imagine-t-elle que je vais courir après le gibier ?

Dans un mouvement rempli de colère, histoire de montrer son désaccord, il pousse le javelot de côté. La propriétaire des lieux hausse à nouveau les épaules et lève les bras en signe d'indifférence. Puis, en ayant assez de cette conversation futile, elle poursuit sa tâche. Apparemment à court d'arguments, affichant un air de dépit, trois des visiteurs s'assoient en tailleur sur les peaux, comme pour attendre la suite des évènements. Quant à Marie, elle a le réflexe d'aider au rangement.

Le groupe a mis trois heures pour parcourir le sentier entre le lac aux brochets et la grotte. C'est plus du double du temps qu'elle aurait pris si elle avait été seule. Pourtant, leur rythme avait été suffisamment rapide pour qu'ils puissent atteindre leur destination tôt en après-midi.

Les étranges personnages s'habituent déjà à la rigueur du Pays de la Terre perdue. Ils ne se plaignent plus des crampes aux jambes. « C'est bien. Maintenant, ils doivent apprendre à chasser, pêcher, cueillir des plantes, faire la collecte du bois, tanner et coudre des peaux… tout cela avec des moyens néolithiques… ouf ! » Nadine se répète dans sa tête une phrase apprise de son père : « à faire un pas à la fois, ma puce, tu peux aller loin… »

L'exilée est inquiète. Il leur reste tellement de choses à apprendre pour survivre dans ce pays ! L'attitude des visiteurs est toujours aussi insouciante et débonnaire. Si, grâce à son sens pratique, elle a mis 35 jours pour réaliser qu'elle était coincée ici, ceux-là prendront probablement plusieurs semaines de plus… peut-être des années. C'est pourtant une étape essentielle pour les inciter à orienter leur énergie vers la recherche d'une solution susceptible de leur permettre de repartir. Le partage de leur expérience, sur la plage du Lagon il y a quelques jours, comme la sienne sur le mont Logan il y a vingt-deux mois, permettrait sûrement d'y arriver.

Nadine souhaite que ce processus se fasse rapidement. Toutefois, elle devra se contenter de leur vitesse plutôt lente pour s'acclimater au groupe. Elle s'accommodera de leur tempo, car, au cours des quatre jours d'expédition, l'intégration forcée avait tout de même commencé à produire des effets. Par contre, le processus menant à une adaptation complète à cet environnement impitoyable sera ardu et long. Toujours aussi impatiente face à la vie, l'exilée voudrait les retourner immédiatement chez eux; pour protéger son existence passée bien sûr, mais également pour qu'elle puisse elle-même repartir vers les siens. « Je ne sais pas encore comment, mais entretemps, je dois les forcer à s'initier à un mode survie effectif… » Un long soupir s'échappe de sa bouche. « C'est plus facile à dire qu'à faire ! »

Pendant qu'elle range ses affaires sur ses étagères, elle se remémore l'arrivée du groupe, il y a une heure environ, à ce lieu de résidence qui sera le leur jusqu'à ce qu'elle trouve le moyen de les retourner à Montréal. Nadine a levé les yeux vers la paroi rocheuse et elle a souri. Les visiteurs se tenaient en face de la grotte, mais ils n'en discernaient pas l'ouverture. Alors elle réalise que le camouflage créé avant qu'elle ne quitte est particulièrement efficace. Sachant qu'elle serait absente plusieurs semaines, elle a voulu s'assurer qu'aucun animal ne puisse pénétrer dans son logis si précieux.

Avant son départ, Nadine a déversé, sur la toile du haut du toit, plusieurs litres d'eau chaude dans laquelle elle avait mis une bonne quantité de résine de sapin. Puis, sur la substance gluante, elle a laissé tomber un nuage poudreux de sable fin. De loin, c'est comme si la bâche qui ferme l'ouverture faisait partie de la falaise. Bien sûr, dans son monde privé de toute civilisation, ce camouflage servait à simuler des odeurs de terre et de conifère. Elle tentait, ainsi, de protéger sa résidence contre l'invasion de prédateurs qui auraient pu être attirés par les effluves de cuisson, de viande et de peaux. L'aspect visuel n'était qu'un effet secondaire qu'elle n'avait pas prévu, mais aujourd'hui, elle trouvait bien drôle la tête des visiteurs face à cet étrange subterfuge.

Un grand bonheur transparaît sur le visage de la nomade. Nadine appuie les manchons du travois sur une grosse pierre placée à la droite de la grotte, puis commence à déplacer, un par un, les morceaux qui en dissimulent l'entrée : des troncs d'arbres, des branches aux feuilles maintenant séchées, ainsi que quelques roches.

Les bras ballants et interloqués, Jean-Pierre, André, Lucette et Marie observent la situation alors que la propriétaire s'applique à bouger les pièces empruntées à la nature. Accoutumés par ce genre de scène, comme s'ils regardaient un documentaire à la télévision, les visiteurs attendent la suite qui ne devrait pas tarder. Fatigués, les traits tirés, ils constatent que, si la sorcière s'affaire à vider son chariot, c'est que le voyage est terminé pour aujourd'hui. Leur visage est interrogatif et Nadine écoute d'une oreille distraite leurs commentaires. Les plus curieux cherchent à comprendre ce que la nomade leur prépare. Ils se questionnent bien sûr à propos de cet endroit particulier au pied d'une falaise haute de 25 mètres et observent les alentours pour trouver une hutte. Ils examinent les lieux pour découvrir une information qui les aiderait à mieux s'orienter : une tour de communication, un chemin quelconque ou une bâtisse. André s'approche de l'établi. Jean-Pierre inspecte l'échelle qui monte sur le toit.

Les filles se dirigent vers la bécosse avec de grands cris de joie. Nadine rit, en catimini bien sûr. Les citadines ont émis plusieurs commentaires tout au long de la route parce qu'il n'y avait pas de toilette à chasse d'eau. Les dures conditions de vie de l'expédition ont déjà transformé leur vision du monde : une simple latrine, sans eau courante, devient presque un objet de luxe vu les circonstances.

Lucette et Marie explorent ce nouvel équipement avec un immense bonheur. Déjà, leur perception du confort a changé; cette rigoureuse expédition les oblige à se passer de technologie. Décidément, ce Pays de la Terre perdue marque rapidement ceux qui s'y rendent ! La rude existence de ce pays oblige les gens qui s'y frottent à s'adapter très vite… ou à renoncer à la vie, sans le savoir.

Qu'en est-il de sa propre façon de percevoir le progrès, la science et la civilisation ? Obligée de vivre dans ce lieu depuis bientôt deux années, elle a bataillé si dur pour survivre qu'elle n'a pas eu le temps de réaliser tout ce qui a changé en elle. Elle regarde ses pieds chaussés de mocassins et repense à tous les souliers à talons hauts que contient sa penderie de la maison à Montréal. « Est-ce que je reporterai ces chaussures coquettes un jour ? Je n'en suis pas certaine… je devrais peut-être me fabriquer d'autres bottes de cuir avant de partir… il n'y en a pas de semblables là-bas… »

Elle tourne la tête pour observer les visiteurs, cherchant un détail particulier. Puis elle rit à pleines dents. « Je n'avais même pas remarqué qu'ils portent tous une montre. Bizarre... ici, je ne ressens aucunement le besoin d'utiliser cet accessoire qui ne quittait que rarement mon poignet avant... Pourtant, à mon arrivée, j'ai piqué une crise quand je me suis aperçu de l'absence du bijou... C'est comme pour le briquet, j'ai ressenti une peur bleue qu'il se vide trop vite. »

Le contact avec cet échantillon représentatif de la société, ainsi que leurs discussions interminables sur l'inévitable technologie, tout cela confronte de plein fouet ce qu'elle est devenue : une exploratrice en parfaite symbiose avec son environnement. Entre autres, ce retour à la civilisation par le biais de la venue des visiteurs lui apparaît maintenant aussi difficile que toutes les douleurs accumulées durant son exil de près de deux ans. « Nadine ! Tu n'es jamais contente ! Arrête de te plaindre ! » Avec un soupir, elle met sa réflexion sur la glace dès son arrivée à la grotte.

Une fois que le blocage devant la porte fut enlevé, Nadine s'est empressée de relever un coin de la toile. C'est avec une grande fierté, qu'elle camouflait d'ailleurs en tournant le dos à ses invités, qu'elle savoure leur surprise à la vue du trou dans la paroi. Le tout est accompagné de « ha ! » et « ho ! » Puis, quand Jean-Pierre affirme narquoisement « qu'il fallait bien s'attendre à ce qu'une sorcière habite un tel trou à rats », son sourire s'éteint subitement et ses yeux bleus garrochent des éclairs. Elle secoue la tête pour chasser ses idées noires et relâche sa main qui s'était spontanément agrippée au manche de sa machette. « Tout doux... contrôle cette rage... tu ne peux pas le tuer, même si cela te ferait un grand plaisir... »

Nadine prend une grande respiration pour permettre au bonheur de réintégrer son âme. Elle est tout de même heureuse de retrouver sa grotte qu'elle n'avait pas visitée depuis plus de deux mois. Elle se pince les lèvres. « Est-ce que la solitaire que je suis devenue parviendra à vivre dans ce logis avec autant de monde ? » Elle ne sait pas comment elle réussira à s'adapter à la nouvelle tournure des évènements. « Maudit pays de merde ! Tu aurais pu choisir un peu mieux mes compagnons de voyage ! » Sauf pour Marie, bien sûr, qui se distingue radicalement du lot.

Elle laisse les visiteurs examiner la grotte et le terrain tout autour. De la sorte, ils prennent note de toutes ses installations; l'établi, la bécosse, les petits foyers surélevés ici et là, les aménagements à l'intérieur de cet antre de pierre et l'arrangement de plusieurs sentiers qui partent dans différentes directions. Une grande fierté s'ajoute à sa joie, quand elle voit de l'admiration dans leurs yeux, même dans ceux de Jean-Pierre… qui se demande d'ailleurs où est passé le « gars » qui a fabriqué tout ça. De plus, il émet l'hypothèse qu'ils soient plusieurs, ce qui gonfle un peu plus l'orgueil de Nadine envers ses acquis et ses réalisations. « S'ils voyaient le radeau… non ! Ces imbéciles pourraient mourir en mer… »

Comme à son habitude, l'exilée allume le feu dans le foyer central afin de chasser l'humidité de son logis. Puis, elle rentre le matériel qu'elle a apporté sur le travois; chaque article, y compris les vêtements d'hiver de ses invités, est rangé avec soin. Plus tard, elle ajoutera des cintres dans sa penderie, mais, pour le moment, elle se contente de les plier et de les déposer sur les rayons. Dans l'emplacement jadis occupé par Allie, elle place les couvertures qui, sur la route, ont servi de matelas à ses visiteurs. Puis elle déroule ses propres peaux sur son lit, dans le coin qui lui sert de chambre.

Elle insiste pour que tout soit en ordre dans sa grotte. Vivre à plusieurs dans cet endroit clos nécessitera une rigueur certaine, elle le sait. D'autant plus qu'elle déteste chercher ses affaires. Ici, perdre un objet dont elle a besoin, ne serait-ce que momentanément, fera toute la différence entre manger et souffrir de la faim, se défendre ou mourir. Lentement, elle fait le tour de ses possessions, vérifiant un contenant dont le couvercle en cuir a été grugé par un rongeur, solidifiant une attache et glissant la main sur une peau qu'elle avait laissée à sécher. Elle fouille dans divers sacs pour évaluer ses réserves, sachant qu'elle devra maintenant partager avec quatre autres personnes.

Quand ses invités finissent par comprendre qu'il n'y a pas d'hôtel à proximité, ni de restaurant, ils s'installent sur les courtepointes. Ils sont si démoralisés que Nadine cherche comment elle peut réintroduire un peu de soleil dans leur journée. C'est ainsi que, avant de préparer le dîner pour tout ce monde, Nadine décide d'aller prendre un bain. « De l'eau chaude… du savon… un bon trempage. C'est sûr qu'ils apprécieront… » Puis, d'un air songeur, elle choisit ce dont elle a besoin. Toute seule, elle n'a pas de difficulté à se dévêtir sur la plage. Mais en groupe, elle ne sait toujours pas quelle attitude adopter. Elle retire donc deux panneaux de son mur qu'elle attache solidement à son travois. Puis, elle ajoute des habits propres, son chaudron cabossé, deux chaudières, ainsi que le sac qui contient ses effets personnels comme son savon et sa brosse à cheveux. Du coup, elle ramasse le peigne qu'elle a fabriqué lors de son premier automne dans ce pays. « Il n'est pas question que je leur prête ma nouvelle brosse… ils devront se contenter de mes vieilles affaires… heureusement que je n'avais pas lancé l'objet dans le feu… »

Avec de grands yeux empreints d'interrogation, les autres observent chacun des mouvements de la sorcière. Puis, quand elle emprunte le sentier de la grève, la curiosité l'emporte et ils la suivent avec une sorte d'appréhension imprimée sur le visage. La nomade sourit. Arrivée en bas de la falaise, elle se dirige vers ce bassin creusé dans la roche par la rivière aux cailloux et qui lui sert de bain. Sous le regard incrédule des autres, elle allume un feu sur le foyer surélevé situé tout à côté. Le dernier orage datant de plusieurs jours, la petite chute est à sec. Elle doit donc chercher de l'eau à la mer. Ayant bouché le trou de la cuve avec un bout de cuir, elle fait un premier voyage pour remplir le bac naturel. Avec son chaudron cabossé, elle prend un peu de ce liquide et s'empresse de déposer l'outil sur les flammes.

Après que tout ce scénario élaboré fut terminé, elle se tourne vers ses visiteurs pour voir leur réaction. Ça y est ! Marie a compris !

— Une baignoire ! s'exclame la rouquine. La sorcière est en train de préparer un bain.

Avec un geste vif, la jeune femme empoigne les chaudières et se dirige vers la mer pour les remplir à nouveau. Entretemps, Nadine explique aux deux gars comment l'aider pour installer les panneaux qui lui procureront un peu de vie privée. Ses signes sont clairs, mais André bougonne face au travail à entreprendre; encouragé par Lucette, il finit par se prêter au jeu.

Puis, pour que le contenu de son chaudron cabossé bouillonne plus vite, Nadine utilise deux cuillères avec de longs manches qui lui permettront de prendre des pierres chauffées sur le feu et de les déposer dans le liquide. Elle apprécie le sifflement des roches au contact de l'eau. Même si ce processus est lent, et qu'elle doive répéter plusieurs fois l'opération avec la casserole, elle peut finalement profiter d'un bon bain chaud. C'est le retour à un état de grand confort après tous ces mois en expédition. C'est un peu comme si elle franchissait le seuil d'un hôtel cinq étoiles après une randonnée d'une semaine en forêt et en montagne, alors que le camping sauvage représentait la seule avenue possible… « Quel bonheur ! »

C'est alors que ses visiteurs s'agitent et commencent à se chamailler… ils veulent savoir qui prendra son bain en premier. Ils ont vraiment du front ! Quels égoïstes ! Une bande d'ingrats ! Ça ne se passera pas comme ça ! « C'est MON bassin ! C'est à MOI d'en profiter la première ! » Elle pointe la plage de son bras allongé et les désigne un par un pour qu'ils comprennent la marche à suivre. Ensuite, elle indique la cuve remplie d'eau, puis frappe sa poitrine. Quand André tente de faire le fanfaron, elle ne fait que toucher du doigt l'étui de son couteau pour calmer le jeu; les yeux chargés d'éclairs de Nadine, tout comme son visage sévère, reflètent toute sa détermination à affronter une éventuelle bataille. Puis, alors que la tension monte, Marie éclate de rire. Elle entraîne ses compagnons vers la plage en leur disant :

– La sorcière a raison. C'est à elle de prendre son bain en premier.

Les visiteurs ne sont pas contents, mais l'expression de Nadine montre une telle détermination à défendre son espace vital, que la femme convainc les autres qu'elle serait prête à tuer l'un d'eux pour y arriver. Aucun n'ose répliquer. Jean-Pierre hésite un bon moment devant le visage courroucé de la sorcière, puis il finit par laisser Marie le bousculer jusqu'à la plage.

Cachée par ses panneaux, Nadine se déshabille et plonge son corps fatigué dans l'eau chaude où flottent déjà quelques pétales de roses ramassées la saison dernière; même sèches, elles arrivent à dégager un arôme suave qui ajoute une touche supplémentaire au confort de la femme. Elle accompagne son geste de grognements bien sentis et de soupirs de satisfaction. Elle sent que ses muscles fourbus peuvent enfin relaxer. « Que c'est bon ! L'enflure de ma cheville s'estompe ! » S'aidant au moyen de son chaudron cabossé, elle remet de l'eau chaude. Elle lave ses cheveux dont elle a défait les nattes, puis elle les brosse longuement. Elle ajoute encore de l'eau chaude. De loin, elle entend les autres chialer et, du fond du cœur, elle remercie Marie de si bien pourvoir à leurs doléances.

Elle ferme les yeux un instant, pour mieux savourer le moment. « Hum… Ça fait du bien ! » Elle n'a pas ce luxe dans la péninsule sud où elle se baigne directement dans la mer froide. Quant à la Terre juchée... le peu d'eau qu'elle possède là-bas lui sert uniquement à étancher sa soif... Quand elle sort finalement du bassin, elle prend quelques minutes pour laver ses vêtements sales. Par la suite, elle vide la cuve naturelle, remet le bouchon et ajoute du bois sur le feu. Habillée d'un pantalon et d'une chemise propres, ses cheveux flottant au vent, Nadine accueille une grande sensation de bonheur qui se glisse dans son cœur. Ainsi revigorée, elle rejoint les autres sur la plage avec les deux chaudières.

Dans l'intervalle, les visiteurs ont tiré à la courte paille pour savoir dans quel ordre ils prendront leur bain. Il semble que ce sera Lucette d'abord, puis André, Marie et, en dernier, Jean-Pierre. Le gros homme n'aime pas perdre l'avantage, même quand c'est le fruit du hasard. Alors, il a déclaré que ce jeu aléatoire le favorisait, puisqu'en se lavant en dernier, il en profitera plus longtemps. Nadine aide Lucette à préparer son bain. Puis, quand elle voit qu'André n'a pas l'intention de partir, Nadine laisse les deux tourtereaux seuls.

Du coin de l'œil, elle remarque que Jean-Pierre et Marie arpentent le sentier qui monte vers la grotte. L'homme se penche, ramasse une chose par terre, la nettoie de ses doigts et la porte à sa bouche. « Des champignons… il y en a dans ce coin-là. » Elle adore ajouter cet aliment à ses repas, mais, ici, elle n'ose pas en manger; par manque d'expérience, elle n'arrive pas à distinguer les bons des mauvais. Elle a tout simplement peur de s'empoisonner. Par contre, son ancien patron jardine beaucoup et ses connaissances en matière de botanique sont peut-être meilleures. Si quelqu'un peut identifier des champignons comestibles, c'est bien lui. De son travois, elle retire un panier puis, d'un pas allègre, elle les rejoint.

Nadine s'approche de Jean-Pierre, pointe la talle de bolets, puis lui présente le récipient. Il lui fait un magnifique sourire en prenant le contenant. Bien sûr, en ouvrant la bouche, il réussit à gâcher ce qui aurait pu se transformer en belle complicité :

— Elle est pas idiote cette sorcière, elle comprend que je suis un spécialiste des plantes ! Je vais lui montrer comment faire un bon repas.

Malgré tous ses efforts pour se camper dans son rôle de sourde et muette, la gaieté sur le visage de Nadine s'estompe d'un coup sec. Avec soulagement, elle entend la réplique de Marie :

— Sur la route, tu ne t'es pas plaint et tu as bien festoyé à nos côtés. Comment oses-tu prétendre que tu puisses faire mieux qu'elle ? Si tu te trompes de champignons, c'en est fini de notre vie, je te signale !

Jean-Pierre jette sur Marie un regard noir rempli de malice. De son côté, l'exilée est fort surprise d'observer que son amie puisse traiter le gros homme avec autant de dureté. Elle sait que ce comportement provocateur s'amenuisera quelque part au cours des prochains quinze ans. En effet, quand Nadine faisait équipe avec eux, elle était impressionnée de voir comment la femme rousse arrivait à travailler avec ce barbare narcissique : sans jamais le confronter directement, elle s'accommodait de son caractère de chien, manipulant même ce spécimen égocentrique afin d'être en mesure d'atteindre les objectifs de l'Agence. Est-ce que le séjour de Marie au Pays de la Terre perdue aura contribué à changer son attitude et sa façon d'agir ? « J'ai hâte d'en parler avec mon amie… celle de 57 ans… »

Ne se préoccupant plus de ses visiteurs, Nadine empoigne les manchons de son travois et retourne à la grotte. Maintenant, elle doit préparer un dîner pour cinq. Elle révise dans son cerveau ce qu'il lui faut accomplir. Les brochets constitueront un bon substitut pour la viande de perdrix qu'ils ont mangée un peu trop souvent sur la route. Elle ferme les yeux un moment. « J'allais oublier… Marie n'en mangera pas… » Esquissant un sourire, elle se souvient de la scène au bord du lac. Pour bien se faire comprendre, la rouquine a pointé vers les poissons déposés sur l'herbe, puis elle a dirigé son geste vers elle-même, faisant un grand signe de tête qui signifiait non. L'expression si dégoûtée sur son visage avait fait rire Nadine. La femme aux yeux verts déteste tout simplement les aliments qui sortent de l'eau. « Ce n'est pas grave, car il reste du lièvre séché en quantité... Marie s'en accommodera... »

Pendant qu'elle marche sur le sentier, entre la falaise et l'amoncellement rocheux, elle cherche des options qui conviendraient à l'arrivée inopinée de ces quatre personnages sortis de son passé. Pour le moment, ils ont l'air de se fier uniquement sur leur hôtesse pour leur survie. Par contre, les réserves vont baisser rapidement et la nomade n'est pas certaine de pouvoir suffire à la tâche de les nourrir, même en y mettant plusieurs heures tous les jours. Elle devra bientôt les obliger à participer à la chasse et la pêche, comme à la cueillette de végétaux comestibles. Si les visiteurs restent au Pays de la Terre perdue encore longtemps, ils devront apprendre à survivre, qu'ils le veuillent ou non.

Si Nadine n'avait pas été assise sur cette plage lors de leur arrivée, les visiteurs auraient été obligés de s'organiser par eux-mêmes, apprenant à se débrouiller plus vite. Auraient-ils saisi avec plus d'acuité la précarité de la situation dans laquelle ils se trouvent ? Est-ce que la présence de la nomade et sa manière de s'occuper d'eux les ont empêchés de réaliser toute la gravité de leurs conditions ? Sans elle, auraient-ils été en mesure de se débrouiller ? De survivre ? Elle secoue la tête : elle ne peut pas changer le fait qu'elle a été un témoin participatif de cette venue impromptue. Un retour en arrière est impossible. Elle doit maintenant vivre avec le résultat de ses décisions prises sur la plage du lagon. « Je ne peux aller que vers l'avant... eux aussi d'ailleurs... »

Soudainement, un fou rire l'étouffe au point qu'elle doive stopper sa marche et s'asseoir par terre un moment. Le paradoxe des voyages dans le temps lui revient à l'esprit; il lui fait réaliser que sa dernière affirmation n'est pas tout à fait véridique. « Je peux changer mon passé... j'ai juste à en tuer un... » Bien sûr, elle ne le fera pas parce qu'elle souhaite que sa vie reste inchangée... mais cette possibilité est là. Une idée saugrenue s'immisce dans sa tête. « Si je tue Jean-Pierre, il ne retournera pas dans son temps et, ainsi, il ne fera pas partie de mon passé. Quand il débarquera ici, je ne le connaîtrai pas et je n'éprouverai donc aucune haine à son égard. Donc, je ne tuerai pas cet homme qui risque de retourner chez lui pour me faire la vie dure pendant cinq ans; quand il arrivera la même situation haineuse risque de se répéter… » Ce scénario en boucle lui donne la nausée. Puis, son rire change de forme pour se transformer en rictus plein de colère. « Je ne peux jamais gagner… Cet homme continuera d'empoisonner ma vie… que je le tue ou pas. Si Napoléon a éprouvé le poids de l'échec à Waterloo face aux Anglais, le mien c'est ma relation pourrie avec ce Jean-Pierre… »

Nadine se relève lentement, puis reprend sa marche. « Je dois cesser de vouloir me débarrasser de lui… mais, c'est difficile de résister… parce que ce serait si facile… » Elle serre les dents pour tenter de retrouver sa détermination. Pour le moment, elle veut juste profiter de sa grotte en toute tranquillité, avant que les autres n'envahissent son environnement paisible avec leurs chicanes. « Je dois faire un gros effort pour les endurer… » En assumant la responsabilité de les garder en vie, d'ici leur départ vers Montréal, elle s'assure que sa future existence soit toujours aussi belle. « C'est ça qui compte ! Certainement pas la vie ou la mort d'un indésirable… je dois apprendre à vivre avec eux, m'armer de patience et trouver le moyen de ne pas tuer trois d'entre eux... »

Malheureusement, Nadine n'est pas née avec une grande provision de patience. Bien sûr, le Pays de la Terre perdue l'a forcée à développer un certain talent pour ce qui est de prendre son temps et d'être patiente. Par contre, saura-t-elle appliquer ces nouvelles habiletés pour être en mesure de mieux tolérer ces êtres sans cervelle et égoïstes ? Elle n'en est pas convaincue. Un soupir soutenu s'échappe de ses lèvres pincées. « Je devrai lâcher prise et persévérer encore… »

Dans sa tête s'égrènent les paroles si mélancoliques de son métèque préféré. Georges Moustaki l'accompagne dans sa volonté de réapprendre à vivre en groupe.

Chante ta nostalgie
Au lieu de ne rien dire
De chercher à mentir
Avec un faux sourire
Chante ta nostalgie
Au lieu de ne rien faire
Figé devant un verre
D'une eau-de-vie amère
Chante ta nostalgie
Laisse venir tes pleurs
Laisse aller ta douleur
Fais taire ta pudeur
Chante ta nostalgie
Surtout si tu es seul
À te faire une gueule
Plus triste qu'un linceul
Il suffit d'une guitare ou d'un accordéon
Et d'avoir en mémoire
Un p'tit bout de chanson[9] *[...]*

Au Pays de la Terre perdue, Nadine n'a pas de guitare ou d'accordéon à empoigner, mais elle a son cœur pour chanter sa nostalgie. Au contact de ses invités, elle réalise que plus rien ne sera jamais pareil. Ça l'excite, mais cela lui fait en même temps terriblement peur… parce qu'elle traînera sa solitude pour le reste de sa vie, ici ou à Montréal. Fermant les yeux, elle siffle à travers ses dents.

— Aide-moi, Georges ! Tu étais l'étranger partout où tes pas t'ont mené; ni Italien, ni Grec, ni Français, ni Égyptien, mais tout cela à la fois… Je ne suis plus une femme

9 Georges Moustaki, album *Le séducteur,* 1989 étiquette ULM

moderne, je suis devenue plutôt une nomade sauvage et aventurière, une solitaire à peine civilisée… une métèque prise au piège !

Chapitre 19

Jour 676 – 21 mai

« Dans quelle galère suis-je encore coincée ? Maudit pays de merde ! C'est de ta faute aussi ! C'est toi qui me retiens ! J'en suis plus convaincue que jamais ! Tu le fais exprès ! »

Les visiteurs sont arrivés au Pays de la Terre perdue il y a dix jours et ils sont installés à la grotte depuis six jours. Nadine n'en peut plus. Ils sont turbulents, insolents, intransigeants et surtout, totalement insouciants. Ils fouillent sans vergogne dans ses affaires et cela la met en colère. D'ailleurs, voulant éviter que l'un d'eux ne repère du matériel provenant de Montréal ou, pire encore, les gréements du voilier, Nadine a déplacé ses effets les plus importants dans la zone boisée au nord de l'amoncellement rocheux. Nuit après nuit, elle a transposé ses objets précieux dans un lieu secret au milieu d'une talle de cèdres très serrés. Puis elle a recouvert ce bagage d'une bâche de peau, sur laquelle elle a déposé de nombreux débris forestiers. Que peut-elle faire d'autre ? S'ils trouvaient son sac à dos et ses vêtements, fabriqués dans un tissu qui n'existait pas à leur époque, elle devrait faire face à des questions auxquelles elle ne peut pas répondre.

Ils n'ont aucune idée de la gravité de la situation dans laquelle ils ont été projetés. Irrités d'être obligés de survivre dans les conditions primitives qui sont le lot du quotidien de la nomade, ils veulent repartir chez eux. Ils ne saisissent pas pourquoi la sorcière refuse de les amener à une station de train ou un aéroport. Ils se sentent prisonniers. « Je dois clarifier la situation; pour cela, je dois sortir du rôle que je me suis donné et briser le silence… » Ils réaliseront qu'elle sait parler le français aussi bien qu'eux. Elle devra accepter de subir leur incompréhension, leur fureur, même, face à la supercherie. Est-ce qu'elle sera capable d'écouter sans broncher toutes les questions qui fuseront, pour lesquelles elle n'a aucune réponse ? Sans oublier tous ces sujets qui concernent leur futur et que Nadine devra esquiver, pour le bien de tous. Elle ferme les bras sur sa poitrine pour se ressaisir. « Je dois me faire une raison… de toute façon, je n'ai pas le choix… »

La propriétaire des lieux réfléchit à la question depuis quelques jours. S'ils ne l'aident pas à trouver du gibier et à procéder à la collecte de végétaux, ils ne survivront pas deux semaines de plus. Elle n'y arrive tout simplement pas. C'est pour cela qu'à l'intérieur des sociétés amérindiennes, tout comme dans celles qui se sont établies en Europe à l'époque néolithique, la distribution des tâches était si cruciale. Chacun collaborait au bien de tous. Ils devaient, impérativement, participer à des travaux collectifs, comme la cueillette, ou à des activités en groupe, comme la chasse. On enseignait dès l'enfance l'importance du ramassage du bois pour le feu. En ce moment, elle doit s'occuper de tout, seule, comme si ces énergumènes s'étaient trouvé une esclave. Même si Marie accepte d'apprendre chaque fois qu'une occasion se présente, Nadine n'a tout simplement pas le temps de l'entraîner.

« Encore une fois, je suis piégée ! » Il n'y a pas de bonne réponse, mais seulement deux options pleines de risques et de conséquences désagréables. « Et merde ! Je n'en verrai jamais le bout ! » Elle s'encourage en se rappelant qu'en parlant, elle pourrait mieux obtenir leur collaboration. Par contre, elle perdra cette barrière qui, créée par l'absence de communication, lui permet de maintenir une indépendance relative face au groupe. Son rôle de sourde et muette la place à l'écart et protège sa liberté. Une fois le chat sorti du sac, leur indifférence se transformera en colère. Son niveau d'esclavage pourrait monter d'un cran. « Ils sont quatre contre moi… je ne peux même pas les abandonner à leur sort… un vrai guêpier… impossible de gagner… »

Elle en a assez de ces gens, mais l'idée que l'un d'eux pourrait mourir en ce lieu d'exil et disparaître de son passé la fait frémir de peur; elle n'obtiendrait jamais la clé de son propre retour vers son ancienne vie. En restant auprès d'eux pour les questionner, elle arrivera mieux à comprendre ce qui les a amenés jusqu'ici et qui pourrait, elle le souhaite de tout cœur, les renvoyer tous chez eux.

Assise en solitaire sur le patio aménagé sur le toit de sa grotte, Nadine boit sa tasse de tisane matinale qu'elle vient de préparer avec des pierres chauffées sur son foyer. D'une main distraite, elle flatte le gros loup qui est venu la rejoindre il y a environ une heure. Même si sa tête est en ébullition constante, elle profite du soleil qui surgit tout bonnement à l'horizon, sans égard pour la grisaille qui habite son cœur depuis des jours. Elle aime ce spectacle qui souligne que la vie peut encore être belle et colorée. Depuis l'arrivée des visiteurs dans son existence, elle apprécie au plus haut point les doux moments de solitude procurés par son réveil matinal.

Cette situation lui rappelle Montréal, quand les enfants grandissaient et qu'elle travaillait. Toujours matinale, elle avait la maison à elle toute seule une bonne heure avant que le reste de la famille n'occupe l'espace autour d'elle. C'était son temps privilégié pour écrire, dessiner, observer l'astre du jour prendre sa place dans le ciel, admirer les brins de neige flottant dans l'air ou, simplement, observer les gouttes de pluie glisser le long des larges vitres de la porte-fenêtre. Elle entrait dans sa bulle et concentrait toute son attention à profiter de cet instant qui la faisait vibrer si intensément.

Au Pays de la Terre perdue, elle maintient cette habitude de se lever tôt, souvent même bien avant le soleil. Elle peut réfléchir, planifier et contempler cette belle nature qu'elle peindra un jour avec des couleurs ou avec des mots. Ce sont des moments privilégiés pour penser à sa famille, imaginer ce qu'ils sont devenus en deux ans; elle essaie de trouver un sens à ce qu'elle vit et profite de ce temps pour prendre des décisions. Comme ce matin. Son choix est maintenant fait. Elle doit dévoiler sa capacité de parler la langue des visiteurs et essuyer leur colère, même si elle appréhende leur incompréhension dans un premier temps. Aujourd'hui, pour le bien de tous, elle doit converser avec eux.

Un soupir sort douloureusement de sa gorge. « Il ne me reste qu'à choisir le meilleur moment… » À cet instant précis, alors que le soleil réchauffe son âme et que la décision difficile pénètre dans tout son corps pour se transformer en action, Lou se redresse, hume l'air, puis se recouche à ses pieds. Avant que la tête rousse n'apparaisse au bout de l'échelle, la nomade savait que Marie s'apprêtait à la rejoindre. Si un autre de ses visiteurs s'était amené, Lou aurait déguerpi aussi vite que l'éclair. Le canidé accepte celle qui est déjà une grande amie de sa mère adoptive. La jeune femme s'engage dans le petit sentier qui monte en pente raide jusqu'au patio. Elle porte ses mocassins et elle est habillée des vêtements en peau que Nadine lui a prêtés, le temps que les siens sèchent. Elle tient une tasse vide à la main.

Un large sourire illumine le visage marqué de taches de rousseur et met en valeur les yeux verts rieurs. Aussitôt arrivée près du foyer, Marie remplit sa tasse avec de la tisane que Nadine a fait chauffer dans un grand bol de bois, sur une pierre plate placée au-dessus du feu. La rouquine s'approche de Lou et le flatte pour le saluer. Cette routine déjà vieille de quelques jours réconforte les deux amies. Même sans la parole, cette camaraderie teintée d'un immense respect mutuel s'affirme un peu plus d'heure en heure.

Nadine a beaucoup réfléchi sur cette relation affectueuse qui les liait, naguère à Montréal, depuis leur rencontre à l'Agence Écho Personne. Elle est d'avis que Marie a compris que la femme aux cheveux de couleur sel et poivre était la sorcière du Pays de la Terre perdue. À l'époque, l'attitude de la rouquine visible dès les premiers jours, ainsi que certains de ses commentaires, lui ont donné l'impression que cette dernière la connaissait depuis longtemps. Comme pour ce thé et cette tisane qui sont apparus à la cantine deux jours avant l'arrivée officielle de Nadine, alors que personne au bureau n'en buvait avant. Les autres employés ont beaucoup parlé de cet achat, affirmant que la nouvelle conseillère en avait fait une condition d'embauche. Marie ne les a jamais contredits. Quant à Nadine, elle appréciait ce geste même si elle savait que le sujet n'avait jamais été abordé lors de l'entrevue.

Marie l'avait probablement reconnue dès cet entretien d'embauche. C'est d'autant plus impressionnant qu'elle ait gardé le silence sur leurs aventures communes durant toutes ces années. Dix ans ! Quelle force de caractère ! Nadine réussira-t-elle, à son tour, à protéger son amie de la sorte ? Pourtant il le faut, même si, en ce moment, elle trouve cela fort difficile de ne pas pouvoir lui parler ouvertement. « Les paradoxes temporels sont tellement compliqués ! »

La jeune femme s'installe à côté de son hôtesse, sur une bûche, et pose sa tasse sur une roche du foyer afin de garder sa tisane chaude. La dame d'âge mûr observe, durant quelques secondes, l'autre agir de la sorte. Est-ce un bon moment pour ouvrir la conversation ? La rouquine acceptera-elle facilement que la nomade ne puisse répondre à toutes ses questions ? De toute façon, Nadine imagine que Marie a réalisé depuis un bout de temps qu'elle comprenait le français. De ses yeux verts, elle observe la sorcière depuis plusieurs jours, et ce, d'un drôle d'air.

« Bon ! Aussi bien maintenant ! Prends ton courage et plonge dans le risque ! Allez ! » Nadine ferme les paupières un instant et tente de calmer les battements de son cœur. Nerveusement, elle prend un peu de tisane, puis une grande respiration. Elle racle sa gorge, puis énonce de sa voix rauque :

— Marie… je dois te… parler.

Avec un sourire qui n'exprime nullement la surprise, Marie lui réplique :

— Comme ça, vous savez converser. En français à part ça.

— Oui.

Puis, une pause inconfortable s'installe. Nadine, qui n'a pas usé de la parole depuis presque deux ans, sauf avec des chevaux, un loup, des aigles et un lynx, ne trouve pas ses mots. Marie intervient :

— Pourquoi ne pas l'avoir dit ?

La réponse de Nadine est prête. Elle sait comment expliquer ce silence sans pour autant dévoiler la raison principale.

— Premier mot… « sorcière ».

Marie éclate de rire.

— C'est vrai que ce n'était pas très invitant.

— Difficile… deux ans…

— Ça fait deux ans que vous êtes ici ? Vous n'avez conversé avec personne ?

— Parler à Lou et Allie.

— Qui sont Lou et Allie ? Vos enfants ?

— Oui… Non… Lou est le loup… Allie est la jument dorée avec le poulain.

Marie regarde la grosse bête à côté d'elle. Elle le flatte un moment derrière les oreilles :

— Alors tu t'appelles Lou ! Ça te va bien.

Nadine observe la jeune femme et cherche à comprendre sa réaction. Un autre long silence s'installe entre les deux exilées. Puis Marie le brise à nouveau :

— Vous avez entendu tout ce qui s'est dit. Sans broncher ?

Nadine se tait. Elle n'a aucune réponse à donner. Quand les yeux verts la dévisagent, elle hoche la tête. La rouquine reprend :

– Pourquoi dévoiler votre secret maintenant ?

Pour se calmer un peu, la nomade avale une gorgée de tisane, puis inspire profondément. Les dés sont jetés, elle ne peut plus reculer.

– Besoin d'aide. Chasser. Pêcher. Cueillir fruits, légumes, herbes, thé. Sinon tous mourir.

Marie observe son interlocutrice de son regard très perçant. Elle réfléchit longtemps avant de parler. L'exilée voit passer, sur le visage de son amie, une multitude de questions. Puis, fidèle à cette habitude que Nadine a si souvent admirée, la rouquine décide de mettre l'accent sur l'essentiel. Ainsi, quand elle reprend la parole, elle saute directement dans le vif du sujet :

– Est-ce que vous êtes prête à le dire aux autres ?

– Pas le choix.

Le silence s'installe à nouveau. Consciente du bouillonnement d'idées et de questions qui se bousculent dans le cerveau de Marie, la nomade attend patiemment. Puis, après deux gorgées de tisane, son amie énonce ce qui suit :

– D'accord. Je m'en occupe pendant que vous allez inspecter vos collets.

– Merci.

Puis, avant que Marie ne quitte le patio, par le biais du petit sentier et de l'échelle, Nadine ajoute :

– Marie ? Pas « vous », mais « tu ». OK ?

La jeune femme lève son visage vers la sorcière. Alors qu'un sourire s'étire sur ses lèvres, elle hoche la tête en signe d'assentiment. Nadine regarde son amie disparaître en bas de la paroi. L'eau au bord des yeux, l'angoisse dans le cœur, le brouillard dans l'âme, Nadine éteint le feu, enfile son sac à dos et ramasse sa lance qu'elle avait pris la peine de sortir de la grotte. Lou la suivant de près, la nomade emprunte le sentier à l'arrière de l'amoncellement pour aller lever ses pièges dans la petite forêt au nord. Pendant sa randonnée, la conversation avec Marie tourne dans sa tête comme un clip en boucle. « J'ai de la difficulté à faire des phrases complètes. Quand j'ouvre la bouche, je sens qu'une boule d'émotions m'empêche de parler. Pourtant mes idées sont très claires. » L'exilée est soucieuse. A-t-elle perdu l'habileté d'articuler ses pensées ? Est-ce que cette capacité reviendra ? Quand ? Comment ?

Une heure plus tard, Marie rejoint la pourvoyeuse installée à son établi pour dépecer les quatre lièvres que ses collets lui ont procurés. Elle affiche un air si sérieux que Nadine s'imagine le pire. Elle voudrait, sur le coup, rentrer dans le sol. Pourquoi cette peur soudaine ? La crainte du rejet ? Si cela arrivait, comment les garderait-elle en vie ? Elle ne respire plus et son teint devient blême. La rouquine voit l'embarras se glisser sur le visage de la sorcière et s'empresse d'expliquer :

— Mes collègues sont furieux. Ils ont l'impression d'avoir été bernés.

Nadine hausse les épaules. Elle s'en fout de les avoir trompés. Elle n'a rien à faire de leur susceptibilité. Eux, ils l'ont traitée de « sorcière », de « vieille folle » et plusieurs autres expressions encore moins acceptables. Est-ce qu'ils vont s'excuser maintenant qu'ils savent qu'elle a saisi toutes ces méchancetés dites à son sujet ? Bien sûr que non !

— Ils sont quand même prêts à t'écouter, continue Marie.

Les yeux de Nadine crachent le feu. Elle n'en revient tout simplement pas. Inconscients face aux circonstances qui les tiennent prisonniers de ce lieu, ces barbares mangent toute sa nourriture… puis ils « acceptent » de l'écouter ! Vraiment ? Face à une telle attitude, arrivera-t-elle à leur expliquer, leur faire comprendre la gravité des dangers qui les menacent tous ? « Je n'ai plus le choix… »

— Ils t'attendent dans la grotte, poursuit Marie.

Nadine braque ses yeux sur ceux de son amie. Longuement. Intensément. Son instinct lui dicte qu'elle doit prendre le contrôle de la situation, tout de suite. Son sourire devient machiavélique. « Je vais utiliser quelques trucs que Marie elle-même m'a enseignés, il y a quelques années de cela. » Cette annonce les a déstabilisés et ils entendent répondre par la colère. C'est normal et elle le réalise. Elle tient d'ailleurs à maintenir l'effet de leur inconfort encore un moment…

— Non, réplique Nadine. La rencontre se passera dehors. Va chercher les autres.

— Qu'arrivera-t-il s'ils ne veulent pas sortir de la grotte ?

— Je pars d'ici, seule.

Puis, sans attendre, Nadine s'éloigne en direction de la rivière là où la nature a disposé plusieurs roches en cercle. Elle s'assoit sur l'une d'elles, dos au soleil. Ils devront supporter une lumière intense qui les frappera au visage, surtout celui qui lui fera face. « Je suis prête à parier que ce sera Jean-Pierre… » Ainsi, l'inconfort sera de leur côté et la propriétaire des lieux pourra prendre les choses en main. Leur vie à tous dépend de son habileté à les convaincre. Que peut-elle dire ? Que doit-elle taire ? Un équilibre délicat qu'il lui faudra maintenir.

Ses compétences en planification reprenant du service, elle a tout prévu. Nadine a tout de même jonglé attentivement avec toutes sortes d'idées, au point d'avoir l'impression que son cerveau se mette à bouillir. Le fait que les visiteurs doivent repartir vers Montréal pour protéger son passé n'aide pas à clarifier sa réflexion. Elle hésite constamment sur le comportement à adopter, sur les décisions à envisager. Est-ce qu'une action de sa part, maintenant, les empêchera de retourner chez eux plus tard ? Est-ce qu'afficher telle ou telle attitude rendra leur départ impossible ? Et, si l'un d'eux mourait ici ? Nadine ferme les yeux. « Cette dernière question me harcèle…

c'est devenu une obsession... » Il faut ajouter à tout cela le fait qu'aucun d'eux n'ait évoqué son expérience, ici, durant les cinq années qu'elle a travaillé avec eux. Dix jours de cette curieuse vie de survivants ne s'oublient pas... quand même ! Pourtant, elle est certaine que Marie se souviendrait...

Bref, l'angoisse associée à la distorsion de temps se greffe sur cette peur presque maladive de changer son passé; les deux émotions fortes combinent leurs efforts pour paralyser la détermination habituelle de l'aventurière. « Ça ne peut pas continuer comme ça... Dorénavant, plutôt que de forger mes actions dans la crainte, j'agirai selon mon gros bon sens; mon instinct est plus garant de la réussite que l'indécision. Les aider à retourner à Montréal devient mon unique but... ça commence d'abord par survivre... » Pour le reste, sachant que trois d'entre eux ne se souviendront pas d'elle, elle présume que les conséquences des gestes posés maintenant seront minimes. À moins, bien sûr, d'en tuer un. Elle siffle sa réponse entre ses dents.

— Assez ! Tu sais que tu ne le feras pas !

Aujourd'hui, son plan de match est clair : les visiteurs acceptent de participer à la vie en communauté, ou bien Nadine les abandonne. Elle ne s'épuisera plus pour eux. Elle ne mettra pas en péril sa propre survie pour eux. Elle se rendra ailleurs, dans un secteur du Pays de la Terre perdue qu'ils ne connaissent pas, quitte à aller vivre sur la Terre de la Forêt verte.

Soudain, les intrus arrivent à la file indienne et s'assoient sur les roches. Nadine échappe un sourire narquois quand elle voit son ancien patron bousculer André pour prendre place directement en face de la sorcière. Elle note aussi que les visages sont marqués par la colère, sauf pour celui de Marie qui affiche plutôt une certaine perplexité. Les visiteurs attendent que leur hôtesse parle en premier. Elle ne le fera pas, sinon, elle se retrouverait sur la défensive. « Un autre truc que tu m'as enseigné, chère Marie. » Elle prend un air détendu et se prépare à patienter le temps qu'il faut. Marie assume le rôle de diplomate et casse la glace.

– Comment t'appelles-tu ?

Du coup, les autres parlent tous en même temps, criant et l'abreuvant de bêtises. Ils la traitent de tous les noms, même s'ils savent désormais qu'elle comprend fort bien leur propos. Nadine tente sans succès de retenir un geste de dépit; elle lève les yeux vers le ciel et se pince les lèvres. « Maudit Pays ! As-tu vu ce piètre échantillon d'humanité que tu m'as envoyé ? Tu es vraiment un emmerdeur ! » Cette boutade aide la résidente des lieux à garder son calme. Elle sourit à Marie pour éviter que cette dernière n'intervienne auprès de ses collègues. Cette frustration est engluée dans la colère et, probablement, aussi dans la peur; elle doit s'épuiser avant que l'écoute du groupe puisse être possible.

En traitant son hôtesse avec respect et en lui parlant doucement, même en utilisant des gestes, la femme rousse s'est mise à part du groupe. Elle n'éprouve pas de grogne envers la sorcière. Faisant preuve d'ouverture d'esprit, la rouquine accepte candidement l'une des raisons qui ont poussé la nomade à utiliser son subterfuge. Nadine ne lui dévoilera jamais le deuxième motif, ce qui la forcerait à raconter une autre rencontre, dans un autre temps, alors qu'elle serait plus jeune et Marie plus âgée. Elle imagine déjà l'incrédulité s'inscrire sur le visage de son amie…

Finalement, les trois personnages finissent par s'apaiser; du moins, ils se taisent. Nadine regarde directement vers Marie pour répondre à sa question :

– Appelez-moi « la sorcière ».

La femme rousse éclate de rire. Ses compagnons, devenus plus calmes, ricanent aussi, même si leur nouvelle attitude semble un peu empruntée. Ainsi la conversation peut démarrer :

— Tu ne veux pas donner ton nom ? demande Jean-Pierre.

Nadine secoue la tête négativement.

— Tu es ici depuis deux ans, poursuit André, en ermite ?

— Non, répond Nadine. Pas le choix.

— Comment ça ? réplique André. On a toujours le choix.

Nadine hausse les épaules. De toute façon, elle ne possède pas cette information.

— Pourquoi nous gardes-tu en ce lieu ? interroge Lucette. Dis-nous où est la gare la plus proche.

Nadine respire profondément avant de poursuivre.

— Ce lieu est le Pays de la Terre perdue. Il n'y a pas de train. Pas d'auto. Pas d'avion. Pas de bateau. Pas de route. Pas de pylône électrique.

Essoufflée d'avoir prononcé autant de mots dans un seul trait, Nadine baisse la tête; après un silence de quelques secondes, elle reprend :

— Sur ce territoire, il n'y a aucune civilisation.

— C'est quoi la distance pour aller à Montréal ? demande Marie.

Nadine hausse les épaules; elle ne le sait pas.

— Où sommes-nous, ici ? demande Jean-Pierre.

La nomade secoue la tête; elle ne sait pas.

— Comment te nommes-tu ? reprend Marie.

— La sorcière, rétorque aussitôt Nadine. Appelez-moi « la sorcière ».

— Qu'est-ce qu'on va faire ? s'inquiète Lucette d'un ton tremblotant.

Nadine prend quelques secondes, observant chacun de ses visiteurs dans les yeux, avant de répondre d'une voix claire qui ne laisse aucun doute :

— Survivre. Par tous les moyens à notre disposition.

Les quatre personnages fixent leur regard éberlué sur la femme aux cheveux blancs. Il est évident que la vérité ne passe pas bien. Nadine poursuit son explication pour tenter de les sortir de leur inertie intellectuelle :

— Je vis au Pays de la Terre perdue depuis bientôt deux ans. Je n'ai vu aucune trace de civilisation, ni de technologie.

L'hôtesse souligne l'importance de trouver la nourriture, ramasser le bois pour le feu, cuisiner. Au moment où elle précise la nécessité de se défendre contre les prédateurs, les visiteurs l'écoutent avec scepticisme. Pendant qu'elle poursuit son récit, la boule qui bloquait sa gorge se dissout peu à peu; les mots deviennent plus faciles à assembler. Quand elle énumère ce qu'il faut faire, en parlant d'entraide et de la participation de tous, elle voit le dégoût s'installer sur les visages. Elle regarde André dans les yeux et elle tente de les forcer à comprendre :

— Ce sera dur, mais chacun de nous doit collaborer pour que le groupe puisse s'organiser et, chemin faisant, assurer la survie de tous. Nous ne connaissons pas la durée de notre séjour au Pays de la Terre perdue. Entretemps, c'est en travaillant ensemble que nous y parviendrons.

Pendant qu'elle capte leur attention, elle énumère les corvées qu'ils devront se partager : les collets, la chasse du gros gibier, la pêche, la cueillette des plantes, des racines, etc. Elle ajoute, pour que leur vision des choses soit complète, le tannage des peaux, la couture, le séchage des aliments, la cuisine et l'entretien ménager. Devant leur visage rendu livide par l'étonnement, elle mentionne :

— Nous ne sommes pas nombreux. Pour jouir d'une plus grande polyvalence, chacun de vous devra apprendre à maîtriser toutes les tâches. Tous, sans exception. Je vous les enseignerai.

Nadine n'est pas certaine qu'ils aient bien absorbé tout ce qu'elle vient de leur raconter. Leur regard est incrédule, même celui de Marie. La nomade cherche ce qu'elle pourrait bien ajouter pour les convaincre. Devrait-elle leur parler de l'hiver ? Celui qui se pointera dans plusieurs mois ? « Non ! Pour le moment, ça ne ferait que leur faire peur… il serait même possible que nous repartions avant… » Une vague d'espoir pénètre son âme. « Non ! Ne t'emballe pas… vis le moment présent. »

De toute façon, le Pays de la Terre perdue se chargera de leur faire voir la dure réalité de la vie d'ici, bien avant l'arrivée de la saison froide. Dans ces conditions, elle n'ose même pas aborder LA question existentielle : comprendre comment et pourquoi ils sont débarqués sur la plage du lagon et, surtout, découvrir le moyen de retourner chez eux. Leur réaction, empreinte de méfiance, face à ce qu'elle vient de dire lui indique qu'elle devra les interroger de façon subtile...

Comme personne ne réagit, Nadine précise que tous les objets, tous les outils et tous les aménagements qu'ils voient autour de la grotte et des campements ont été faits à la main; ça prend beaucoup d'effort, c'est difficile à confectionner et il faut parfois des semaines pour dénicher la matière première. Elle leur demande de les utiliser avec précaution. Ils devront également apprendre à en fabriquer.

C'est à ce moment précis que Jean-Pierre éclate d'un rire sarcastique. Il regarde Nadine avec insolence.

— Pourquoi perdrais-je mon temps à produire des outils aussi primitifs ?

Nadine n'en fait pas de cas. Le gros homme réagit vivement parce qu'il réalise que le contrôle lui échappe; elle n'entre pas dans son jeu. C'est déjà assez difficile pour eux de comprendre d'un seul coup. Quoi qu'il en soit, elle veut progresser le plus vite possible. C'est une question de survie. Elle tient à débuter l'enseignement dès maintenant. Alors elle dévoile son plan pour la journée :

— D'abord, nous ferons le ménage de la grotte : secouer les peaux, passer un coup de balai, ramasser les effets, réarranger les espaces pour dormir. En après-midi, nous irons à la pêche, au lac aux brochets. Je dois vous enseigner la technique. Notre survie, à tous, en dépend.

— J'espère que tu as de bonnes cannes à pêche et que les moulinets sont souples et bien huilés, s'informe Jean-Pierre.

Nadine lui présente les dards qu'elle tient dans sa main, en souriant. Elle possède quelques lignes à plusieurs hameçons, mais ils doivent d'abord apprendre à manipuler ces petites lances qui peuvent aussi servir à assurer leur auto-défense. Nadine se lève pour mettre fin au débat. Elle jette un coup d'œil au soleil pour réaliser que l'avant-midi est déjà très avancé. Dans son dos, elle entend Jean-Pierre annoncer en pointant ses collègues :

— Vous autres, vous vous occupez des jobs de femme dans la grotte. Moi, je vais aider la sorcière avec les peaux.

« Il a pris sa voix de boss exécrable… » Cependant, l'homme n'occupant pas encore cette position d'autorité, ses compagnons ne répondent pas à son commandement directif. Personne ne réplique pour le remettre à sa place; ce phénomène permet à Nadine de mieux comprendre pourquoi le style de gestion du barbare s'est si bien installé au fil des ans : on lui a d'abord laissé croire que cela marchait, puis, avec le temps, le mécanisme s'est mis à fonctionner tout seul. Quand il a finalement obtenu l'emploi, il n'y avait plus aucun retour possible. Nadine ne peut que lever le nez sur la situation, même si elle est soulagée par la réaction des autres. « Pendant un moment, j'ai bien cru être allée trop loin… que j'allais échouer… »

Nadine se rassure quand les visiteurs finissent par s'activer selon ses directives. En un rien de temps, André, Lucette et Marie s'affairent à sortir les couvertures en peaux pour les secouer et les aérer en les accrochant à des branches d'arbre. Puis, jasant allègrement entre eux, ils s'occupent des effets du groupe. L'un d'eux plie les vêtements, un autre les dépose sur des rayons d'étagère à l'entrée de la grotte ou les suspend sur les cintres que Nadine a fabriqués récemment. L'atmosphère est conviviale et Lucette se permet même de chanter. Nadine reconnaît les chansons de Robert Charlebois, de Claude Dubois et de Jacques Brel. « Ça ajoute à l'harmonie du groupe… c'est bien. »

Jean-Pierre, pour qui les menues corvées ménagères ne sont pas dignes de son rang, s'est porté volontaire pour apprendre à nettoyer les peaux de lièvre. Nadine décèle chez son ancien patron, une certaine curiosité. Par contre, sans qu'elle ne puisse en être certaine pour le moment, elle est convaincue que l'homme convoite cette tâche comme un moyen d'obtenir un éventuel avantage. Comme il est naturellement très habile, il n'a eu qu'à observer quelques minutes la technique de la sorcière pour l'appliquer correctement. Refusant d'utiliser l'une des roches aiguisées que lui offre la femme, il trouve rapidement un bout de bois de la bonne forme pour gratter le résidu de chair. Nadine, quand à elle, préfère poursuivre son travail avec un outil qui a déjà fait ses preuves.

À l'heure du déjeuner, leur gîte est déjà beaucoup plus propre. La propriétaire jette quelques branches de cèdre dans le feu pour que l'odeur envahisse l'habitacle. La viande de lièvre a pris sa place dans la cuve-réfrigérateur, aménagée dans le fond de la grotte, et les nouvelles peaux sont plongées dans une solution d'eau de mer afin de pouvoir débuter le processus de nettoyage. Elle prévoit faire une démonstration de tannage au bénéfice des autres, dès le lendemain.

Alors que les visiteurs affamés s'apprêtent à manger, on s'aperçoit qu'André a disparu. Mortifiée par le comportement de son fiancé, Lucette décide de partir à sa recherche. Nadine n'est pas surprise qu'il se soit éclipsé; l'avant-midi comportait son lot de besognes qui ont vite provoqué la fuite du paresseux. Sa blonde avait beau mettre du miel dans sa voix pour l'encourager à participer, l'homme restait impassible. Une fissure s'installe dans leur idylle. L'expérience au Pays de la Terre perdue accentue la fainéantise du gaillard et la brunette tolère de moins en moins l'attitude de son amoureux.

C'est comme la veille. Après la visite journalière à la grève, André a couru à la grotte avant tout le monde; ainsi, sans que personne ne puisse intervenir, l'égocentrique avait déjà dévoré la moitié du souper prévu pour les cinq. Quand Nadine s'est pointée dans l'abri, il l'a regardée avec un sourire en coin qui disait : « Je t'ai bien eue ! Cette fois, tu n'as pas gagné ! » Dès l'arrivée de ses collègues, il a fait le fanfaron :

— Pourquoi as-tu fait ça ? a demandé Marie d'une voix à peine contenue.

— Moi, je suis grand et fort ! a simplement répondu le gaillard. Je dois bouffer plus que vous ! La vieille folle m'empêche tout le temps de manger à ma faim !

L'homme, affichant un air buté qui déformait ses traits, a plongé ses mains dans les poches de son pantalon et relevé les épaules pour faire face aux autres. Lucette était scandalisée face à une telle attitude. Elle s'est tournée vers Marie :

— Je vous laisse ma part. Quant à André, il est mieux de ne pas y toucher...

Bouleversée, incapable de compléter sa phrase, la brunette est sortie de la grotte en pleurant. André n'a même pas tenté de la rejoindre pour la consoler. Jamais il ne s'excusera. De plus, il a attendu impatiemment que les autres terminent leur repas, puis il a avalé tous les restes.

L'homme tient à manger comme un ogre, mais il s'esquive devant toute forme d'action consistant à repérer sa propre nourriture. André est un parasite de la pire espèce; non seulement suce-t-il toute l'énergie de la troupe, mais il nuit à sa santé en ingurgitant beaucoup plus que ses besoins le nécessitent. Alors que les autres ont maigri depuis leur arrivée, lui a gagné du poids.

Se remémorant ses lectures à propos de l'histoire des peuples ancestraux, Nadine réalise qu'André aurait perdu la vie rapidement dans de telles circonstances. Les sociétés néolithiques étaient tolérantes lorsque les circonstances étaient favorables, mais en période de stress, par exemple une catastrophe naturelle réduisant l'apport en nourriture, elles étaient forcées de protéger le groupe aux dépens des individus. Dans la nature, tout est une question de survie de la race, même chez l'Humain. Ainsi, quand il le fallait, les vieux se laissaient mourir dans le désert pour sauver les enfants. Ceux qui n'assumaient pas leur lot de responsabilités, comme André, étaient systématiquement ostracisés.

Malheureusement pour le reste de la troupe, le glouton doit vivre parce qu'il fait partie du passé de la femme aux cheveux blancs. Aujourd'hui, André s'était réfugié sur le toit pour ne pas travailler. Au passage, le goinfre avait piqué plusieurs cubes de sucre d'érable, ceux que Nadine ne peut fabriquer qu'à l'arrivée du printemps et qu'elle ne mange qu'un petit carré à la fois pour en avoir toute l'année. L'homme vient de gober, presque en une seule bouchée, une bonne partie de sa réserve. La femme aux nattes blanches est hors d'elle, puisque ce geste égoïste la touche particulièrement : l'égocentrique lui a chipé un des rares petits bonheurs qui l'aidait à survivre ici. « Je devrai mieux le surveiller et, surtout, j'aurai à garder un meilleur contrôle sur mes émotions; sinon le colosse pourrait m'exaspérer assez pour que je le tue un de ces jours... »

En après-midi, le groupe se rend au lac aux brochets pour pêcher. Nadine procède d'abord à une première démonstration avec un dard. Bien entendu, elle a l'habitude et elle sort rapidement trois poissons. Puis, les autres, accroupis au bord de l'eau, un harpon en main, expérimentent la technique pendant que leur coach distribue les conseils.

— Je sais que ce n'est pas facile. J'ai mis plusieurs jours de pratique pour y arriver.

Elle ne s'attend donc pas à ce que ses visiteurs réussissent tout de suite. Mais elle exige qu'ils fournissent tous les efforts nécessaires pour maîtriser cette technique. Quelques minutes plus tard, Jean-Pierre décide de faire la forte tête :

— C'est complètement idiot de procéder de cette façon ! Je veux une canne à pêche !

— Ici, il n'y a que les dards, lui indique Nadine avec une patience qu'elle ne ressent pas vraiment. Il n'y a pas de fil de nylon, ni d'hameçon; encore moins de matériaux appropriés pour en fabriquer.

— Foutaise ! Prête-moi ton couteau et je vais t'en confectionner une.

Nadine regarde, incrédule, la main tendue de l'homme. Il n'est pas question qu'elle cède son *Laguiole* à ce moron. Cet outil lui permet de survivre; elle ne le laissera pas à la disposition de quelqu'un qui ne comprend pas qu'il n'y en aura jamais d'autre au Pays de la Terre perdue.

— Jamais !

Jean-Pierre sort de ses gonds :

— Maudite folle, je ne le briserai pas ton couteau ! Pis, si je le casse, je te le remplacerai quand on retournera à Montréal ! Il y en a de bien meilleurs chez Canadian Tire !

Nadine sait fort bien que, si Jean-Pierre met la main sur l'outil, elle ne le retrouvera plus jamais. Son instinct lui hurle de refuser. Elle essaie de garder son calme malgré la rage qui lui serre le cœur :

— Montréal n'existe pas sur ce territoire. Il n'y a pas de Canadian Tire. C'est le seul couteau qui existe ici et je ne te le prêterai pas.

André, faisant le fanfaron pour épater la galerie, s'appro che et s'en mêle. Lorsque Jean-Pierre fait un mouvement pour prendre l'arme de force, Nadine frappe. Rapidement. Par pur réflexe. Deux coups de poing; un de la droite sur le menton du barbare, le deuxième de la gauche dans le plexus solaire du colosse. Aucun des deux hommes n'avait prévu le geste. Ils ne s'attendaient pas à ce que cette vieille femme aux cheveux blancs réagisse si vite, avec force et avec autant de défiance. Les deux batailleurs tombent à la renverse. L'un a le souffle coupé, alors que l'autre est complètement sonné. Lucette éclate en sanglots pendant que Marie s'approche des gars pour les aider.

Les hommes se relèvent péniblement et se tiennent face à Nadine. Du bout des doigts, la nomade ouvre les étuis qui contiennent son couteau et sa machette. Ses yeux bleus transpercent ses deux adversaires jusqu'au fond de l'âme. Le message est aussi clair que de l'eau de roche. Ses antagonistes hésitent. Dans leur cerveau, l'histoire de la sorcière qui s'est battue avec un lynx, racontée sur la route quand Marie a voulu savoir d'où provenaient les marques sur l'épaule de la sorcière, prend tout son sens. Nadine les regarde avec une telle furie imprimée sur le visage qu'ils n'osent pas poursuivre l'échange. Jean-Pierre se contente d'entraîner André avec lui :

— Laisse la vieille folle ! Moi j'en ai assez ! Viens ! Retournons à la grotte.

Pendant qu'ils s'engagent dans le sentier, Nadine baisse la tête et ferme les yeux. Elle tremble comme une feuille. « Belle réussite ! Cette fois, tu peux être fière de toi ! Vraiment contente ! » Cette boutade l'aide à chasser l'inconfort qui s'installe de plus en plus dans son corps. « Ils ne m'ont pas donné le choix… au moins, je ne les ai pas tués… c'est déjà ça de pris... »

La nomade soupire bruyamment, puis elle retourne à sa tâche. Sa journée est loin d'être terminée. Il lui faudra tout de même pêcher le poisson en quantité nécessaire pour les nourrir quelques jours. Elle se tourne vers les filles :

— S'il vous plaît, restez un peu ici pour m'aider.

Marie et Lucette se consultent des yeux, puis acceptent d'un hochement de tête. En une demi-heure, Nadine ajoute une autre demi-douzaine de brochets qu'elle vide rapidement de leurs entrailles. Puis, elle distribue les prises dans trois sacs de transport que les femmes porteront jusqu'à la grotte. De retour au logis, la nomade s'occupe de préparer les poissons pour qu'ils puissent se conserver. Travaillant en solitaire, elle puise de l'énergie de chacun de ses mouvements précis et répétitifs, ce qui contribue à chasser la colère de son âme. « Je n'arriverai jamais à m'en sortir… je vais devoir faire l'esclave… est-ce que je peux contenir encore longtemps mes réflexes violents, ceux qui tuent… »

Pendant qu'elle termine sa tâche, mettant les pièces dans un sac de cuir imperméabilisé pour les déposer dans la cuve-réfrigérateur, personne ne lui offre son aide. « Je n'ai même pas le loisir de refuser… » Ses visiteurs discutent vivement à l'intérieur de la grotte. Jean-Pierre est furieux. Ses diatribes comportent des expressions comme : couteau, folle, sorcière et imbécile. De son côté, Marie tente de faire comprendre à ses collègues qu'il serait préférable de suivre les conseils de la nomade. Les autres l'engueulent violemment, en la traitant de « chouchou de la vieille femme ». Ils utilisent des mots aussi durs que « traître » et « vendue ». Tout ça parce qu'elle prend la défense de sa nouvelle amie. « Pauvre Marie ! » Nadine lui est très reconnaissante de tenter de raisonner ses compagnons, même si elle doute de plus en plus de l'efficacité de ce type d'intervention.

Au fur et à mesure que le calme revient dans son corps, Nadine accepte un constat plutôt difficile : si elle a gagné la bataille en après-midi, la guerre ne fait que commencer entre elle et Jean-Pierre. Tout cela la déçoit énormément. Aurait-elle pu agir différemment ? Lui laisser le couteau peut-être ? Après tout, elle pourrait se débrouiller sans cet outil… Non ! Ce serait lui permettre d'être le maître des lieux. Le tortionnaire s'en servira pour terroriser ses compagnons, les martyriser même. La situation deviendrait rapidement invivable. Elle ne peut pas faire ça. Sinon pour elle-même, du moins pour les autres qui seront totalement sans défense. Nadine voudrait crier, mais se contente de laisser sortir un souffle entre ses dents.

– J'en ai assez… je ne peux cependant pas lâcher prise… ce serait d'accepter de ne pas retourner chez moi et de mourir au Pays de la Terre perdue.

Soudain, toute la douleur et l'amertume qui l'ont affligée au cours du dernier hiver lui reviennent avec une telle violence qu'elle tombe à genoux sur le sol. Se relevant péniblement, elle marche vers la rivière et, alors qu'elle est assez loin des intrus pour qu'ils n'entendent pas, elle libère sa colère à tue-tête.

– Non ! Je suis convaincue que je peux revoir les miens ! Je ne retournerai pas dans cet abîme creusé par le désespoir. Même si ça signifie d'accepter que mes épreuves se poursuivent encore un moment.

Rassurée par son hurlement, elle déplie ses poings serrés pour tenter de retrouver un peu de calme. Elle regarde le courant violent du cours d'eau qu'elle a su dompter en y posant un pont. « Si j'ai vaincu cet obstacle, je suis capable de passer au travers de cette nouvelle épreuve. » Relevant la tête, elle projette sa voix au loin, vers le sud.

– Je gagnerai cette guerre qui s'installe entre moi et Jean-Pierre ! Pour favoriser la survie du groupe, je trouverai la méthode ! Je le casserai ! Il ne me détruira pas deux fois.

Chapitre 20

Jour 678 – 23 mai

— Je suis si fatiguée ! Je n'en peux plus ! Ils empoisonnent ma vie ! Je devrais les laisser là ! Qu'ils crèvent ! Je n'en ai rien à foutre !

Debout sur son patio, Nadine exprime sa rage au vent. Elle marche en tous sens, de long en large, poussant ses orteils dans le vide, comme pour défier le destin. Nadine ne dort presque plus. Les perturbations provoquées dans sa vie par les visiteurs la déstabilisent. Puis, il y a les trop nombreuses heures de chasse, de pêche et de collecte de nourriture. Elle est continuellement épuisée. Son cœur est en constante palpitation. Un point de stress ne quitte plus son dos. « Quand l'hiver arrivera, je devrai leur coudre des vêtements aussi… NON ! Je les laisserai tous mourir de froid ! »

Face à ses efforts continus pour maîtriser son caractère fougueux, son corps est toujours crispé et ses nerfs sont aussi tendus que les cordes d'un violon. Les dernières journées lui ont réservé une pression supplémentaire. Jean-Pierre fait tout ce qu'il peut pour lui enlever son couteau; il la bouscule chaque fois qu'il le peut. « Il va finir par attraper cet outil, d'une manière ou d'une autre… » La situation devient invivable !

Un peu plus tard, une fois ses tâches de la journée terminées, Nadine a ramassé ses affaires et elle s'est dirigée vers son bain. Pour se calmer, elle répète sans cesse dans sa tête : « Ça me fera du bien… Je vais me détendre un peu… un petit moment de solitude juste à moi… » Lucette et André y étaient déjà. Elle a dû se contenter d'une anse un peu isolée du reste du site, un recoin que les autres ne connaissent pas, pour plonger dans la mer.

La propriétaire de la grotte n'a plus de place dans son propre royaume. Ses endroits favoris et les lieux qu'elle a si patiemment aménagés sont envahis par ces quelques représentants de l'humanité. Cette situation ironique la frappe de plein fouet. Quand elle était seule, elle cherchait à tout prix à retrouver la civilisation; maintenant qu'elle a trouvé un morceau de société, elle voudrait s'en débarrasser pour retrouver sa solitude. « C'est à n'y rien comprendre… Nadine, tu es la contradiction même ! »

Alors, elle est revenue à la grotte pour infuser une tisane. Sur son patio, elle pense retrouver un peu de calme et réfléchir un moment. « Je ne sais plus quoi faire… » Même seule, elle était beaucoup mieux préparée à vivre en nature que ces quatre-là. Puis, il n'y avait pas de « sorcière » pour s'occuper d'elle. De toute façon, si quelqu'un lui avait dit, au bout de douze jours, qu'elle ne trouverait pas de trace d'une quelconque civilisation, elle ne l'aurait pas cru non plus. Ainsi, elle doit donc accepter que ses visiteurs ne soient pas encore en mesure d'ouvrir les yeux sur leur nouvelle réalité. Puisqu'ils sont quatre et qu'elle est là pour prendre soin d'eux, le temps qu'il leur faut pour comprendre l'incontournable semble particulièrement long. Comme si la phase de déni s'étirait indûment parce qu'ils vivent le processus d'immersion à plusieurs.

Sirotant sa tisane, Nadine cherche dans sa tête des options différentes pour accélérer le processus de réveil; sans succès. Au fond de son âme, elle sait qu'elle ne peut rien faire de plus; de toute évidence, la solution doit venir d'eux. Elle a cependant peur que la réaction cruciale arrive trop tard et que son passé subisse des changements majeurs et immuables. Cette idée la torture. Elle aime sa vie comme elle est, avec tous ses souvenirs, même les plus inconfortables. Elle veut reprendre cette existence-là et non une autre.

Malgré cette réflexion qui sème la douleur dans tout son corps, l'aventurière a fini par admettre qu'elle devait laisser le temps faire son œuvre. Elle était disposée à attendre que ses visiteurs entreprennent leur cheminement psychologique à leur rythme. Plus calme, Nadine descend de son patio. Elle aperçoit André, debout à côté de l'entrée; il se tortille les mains et affiche une grande nervosité. Elle décide de l'ignorer et, passant devant lui, pénètre dans la grotte. C'est ainsi qu'elle surprend une conversation troublante.

— Non ! Je ne veux pas !

— Ben oui. Tu vas voir; ça sera meilleur qu'avec André.

— Je ne veux pas ! Arrête ! André !

Reconnaissant les voix de Jean-Pierre et de Lucette, Nadine s'avance dans l'habitacle, le gaillard la suivant de près. Elle aperçoit le barbare, le pantalon baissé, étalé sur Lucette dont la jupe est relevée au-dessus de ses hanches. La victime se débat dans le refus, mais l'agresseur est beaucoup plus fort. Conscient du nouveau bruit, l'homme tourne la tête vers l'entrée et crie :

— André, je t'ai dit de ne pas venir ici ! Sors de la grotte !

Nadine, complètement ahurie, constate que le colosse retourne sur ses pas, un doigt dans la bouche pour se ronger l'ongle. Pourtant il a bien vu que sa fiancée était en train de se faire violer ! Quel lâche ! Nadine n'a aucune hésitation, pas même une seconde. Elle prend un rondin au bord du foyer et, en quelques pas, elle franchit la distance entre elle et cette scène horrible, puis elle assomme Jean-Pierre. Poussant du pied le gros homme, elle aide Lucette à se relever pour sortir de la grotte. La jeune femme pleure bruyamment. Quand André s'approche d'elle avec un air de chien battu, elle le gifle avec une rage à peine contenue. D'une voix marquée par la colère, elle hurle presque :

— Tu l'aurais laissé faire ! Pourquoi n'es-tu pas venu à mon secours ? Tu n'es qu'un trouillard ! Tu es un lâche ! Je ne veux plus jamais te voir. Jamais je ne t'épouserai. C'est fini !

Estomaqué, André reste là sans rien dire, les bras ballants, la bouche en rond et les yeux exorbités. Il est cloué sur place par l'impact de la haine que libère le corps entier de celle qui était son amoureuse il y a quelques instants à peine.

L'exilée n'en revient tout simplement pas. « Ouais ! La civilisation m'a vraiment trouvée ! » Cet échantillon d'humanité contient tout ce qu'elle peut comporter de beauté, à l'instar de cette belle amitié qui se développe entre Nadine et Marie. Mais, d'un autre côté, il offre à voir des aspects pas très ragoûtants, comme les comportements de Jean-Pierre le salaud ou d'André la mauviette. Puis, il y a ceux qui paient de leur santé mentale, comme Lucette qui souffrira toute sa vie et qui finira par se donner la mort. Nadine est dégoûtée; elle retenait à peine sa rage envers l'ignoble barbare.

Marie, qui arrivait du bain à ce moment-là, jette un coup d'œil à la scène de l'extérieur, puis elle entre en vitesse dans la grotte. Quand elle revient, quelques secondes plus tard, elle prend Lucette dans ses bras. Le visage de Marie, habituellement si jovial, est marqué par le désarroi et la colère. Ses lèvres plissées et le tremblement de son corps confirment que, de toute évidence, elle n'ose pas prononcer un seul mot.

— André a refusé de venir à mon aide, lui indique la brunette. Il aurait laissé Jean-Pierre me violer. Heureusement, la sorcière a assommé mon agresseur.

Il n'y avait rien d'autre à dire. Nadine comprenait, désormais, cette dynamique malsaine qui semblait régner entre ces deux-là quinze ans plus tard dans leur vie. Pourquoi ont-ils travaillé au même endroit, ensemble, aussi longtemps ? Comme si aucun des deux ne voulait lâcher prise dans leur terrible bataille. « Quelle façon horrible de s'arracher le cœur… » De plus, ils ont accepté que ce monstre devienne leur patron. Ils ne sont pas partis ! Ni Marie d'ailleurs ! Pourquoi donc?

Nadine reste perplexe face à ce qui vient de se produire. Elle a l'impression que ce qui se passe ici ne se transpose pas complètement dans leur existence à Montréal après leur retour. Certaines conséquences qu'on pourrait prévoir, comme le refus de travailler avec Jean-Pierre, se sont perdues en cours de route. Une perte de mémoire en cours de route vers leur futur ? Peut-être qu'elle s'est trompée ? Ce qu'elle vit au Pays de la Terre perdue ne serait qu'une bulle flottant hors du temps qui s'égrène dans la vraie vie ! Une émotion vive se glisse sans qu'elle ne puisse la prévenir : une satisfaction qui frôle la jouissance. « Je pourrais le tuer… m'en débarrasser… Ça n'aurait pas de conséquences sur le déroulement de mon passé… » Pourtant, deux constatations l'empêchent de mettre à exécution ce souhait particulièrement vif. D'abord, il y a Marie qui, elle en est certaine, gardera un souvenir de son passage ici. Comment expliquer la présence de tous ces livres qu'elle lui a offerts au fil des ans et qui ont été si importants pour sa survie ? Puis, la cicatrice au-dessus de l'oreille de Jean-Pierre sera encore là quand elle le rencontrera à nouveau. Deux preuves tangibles au cœur d'une multitude de contradictions.

« Quel beau gâchis. » Nadine ne pouvait rien faire pour éviter la présente situation. C'est ça la vie en communauté; il faut faire du mieux que l'on peut avec les êtres imparfaits qui la constituent. Parfois, l'humanité est tout simplement magnifique; d'autres jours, la société est absolument abjecte. Elle doit composer avec les personnages qui sont apparus il y a quelques jours dans son royaume où elle n'est déjà plus la reine, mais l'esclave.

Quand Jean-Pierre sort finalement de la grotte, il titube et une plaie à l'arrière de sa tête saigne abondamment. Avec soulagement, l'aventurière réalise qu'elle s'est retenue dans son geste; elle ne l'a frappé que pour l'étourdir et non pas pour le tuer. Cette nouvelle blessure ne laissera aucune cicatrice sur son crâne rasé. « Je devrais être fière de la modération de mes actes… mais je ne ressens que de la déception… » Le barbare survivra. Il sera là dans quinze ans. Nadine place ses mains sur ses hanches et plante ses pieds bien solidement. Elle s'adresse à Marie :

— Cette fois, je ne le soignerai pas. Qu'il se débrouille.

Notant à peine le hochement de la tête de son amie, la nomade tourne les talons et s'élance à la course vers le plateau herbeux. Elle devait vider son corps de toute cette tension qui ne la quitte plus et qui l'étouffe. Nadine voudrait les laisser se démerder tout seuls, mais elle est convaincue que ces quatre-là n'en sont pas capables. Elle se sent obligée de rester auprès d'eux pour les garder en vie. Arrivera-t-elle ainsi à comprendre comment retourner chez elle ? Ça, c'est de moins en moins sûr. Elle étouffe, comme si un étau géant s'emparait de son existence et siphonnait son énergie, goutte à goutte, comme un supplice qui ne peut se terminer que dans la mort.

Comme toujours, Lou rejoint Nadine qui se pousse dans une course effrénée vers le calme. Elle s'arrête pour le flatter et profiter du bonheur que sa présence lui procure. Assise par terre, elle enfonce son nez dans cette fourrure dense et soyeuse, juste dans le cou de l'animal; de gros sanglots secouent son corps, la libérant enfin de la rage et de la peur qui l'habitaient. Lou attend simplement que la tornade d'émotion se calme, puis, l'étreinte se relâchant, il lèche abondamment le visage de sa mère adoptive. Nadine le serre dans ses bras.

— Je t'aime très fort. Je te remercie pour ton amitié.

Un semblant de sérénité se glisse dans son âme. Elle retrouve un peu de quiétude, malgré cette désagréable impression d'être coincée dans ce cycle vicié de la vie des quatre personnes sous sa responsabilité. La femme aux nattes blanches revient lentement vers la grotte pour préparer ce repas que personne d'autre ne fera, mais que tous mangeront avidement sans lui dire merci. Sauf Marie.

Combien de temps cet épisode déplorable, digne d'un mauvais film psychologique, va-t-il se poursuivre ? Sa vie, qu'elle a si bien organisée depuis son arrivée au Pays de la

Terre perdue, a été complètement chamboulée par la venue de ces personnages si différents d'elle. Or, ils détiennent peut-être le secret de son propre retour à Montréal.

« Je dois encore trouver le moyen de survivre… »

Chapitre 21

Jour 683 – 28 mai

Jean-Pierre avale le repas que Marie vient de lui servir sur un plateau en bois, puis il lance l'objet dans le milieu du feu, s'assurant ainsi que personne ne sauvera l'outil des flammes vives. Nadine fulmine :

– Qu'est-ce que tu fais là ? Pourquoi ne comprends-tu pas qu'ici il faut tout faire à la main ?

Le gros homme fait semblant de ne pas avoir entendu les récriminations de la propriétaire des lieux. Exaspérée par la brutalité du barbare, Nadine ferme les poings et s'approche de lui. Elle n'est même plus capable de saisir qu'elle joue le jeu du despote. Il lui a tendu un piège et elle est tombée dedans. Marie intervient en se plaçant entre les deux protagonistes. Bloquant le chemin de la sorcière, elle lui chuchote à l'oreille :

– Le couteau… attention !

Ces simples mots raniment le bon sens dans le cœur de Nadine. Le visage de son adversaire s'étire dans une grimace de colère, cette fois contre Marie.

– Espèce de niaiseuse ! Tu viens de m'empêcher de prendre son arme ! Ne te mêle plus jamais de mes affaires ! Sors de la grotte ! Tout de suite !

– Tu crois vraiment que tu peux gagner la bataille contre la sorcière ? réplique la rouquine. C'est toi que je protège, imbécile !

La tête rousse connaît bien son collègue. Elle sait qu'elle pousse la provocation un peu fort en insultant son intelligence et sa masculinité. Elle l'a fait volontairement pour aider sa nouvelle amie. Le gros homme est incapable de s'occuper de deux affaires en même temps. S'il décide de s'en prendre à elle, il lâchera un peu la femme aux nattes blanches. Quand Jean-Pierre se lève à une vitesse qu'on pourrait juger impossible pour un lourdaud de son espèce, et qu'il s'approche de Marie, cette dernière ne bouge pas d'un poil. Il ne la frappera pas si elle ne le provoque pas physiquement; elle le sait. Un peu comme si les éclats violents du goujat avaient d'abord besoin d'une provocation de la part d'un vis-à-vis pour se déclencher. Peu importe qu'il s'agisse d'un geste généré par l'agressivité ou un besoin de légitime défense. Cependant, une réponse froide, dépourvue d'émotions, réussit à neutraliser les élans du barbare.

— Je ne sortirai pas de la grotte, lui signifie Marie d'un ton posé. Je fais ce dont j'ai envie quand je le veux.

— C'est moi qui commande ici ! Toi, tu fais ce que je dis ! Ne reste plus autour de moi ! Va-t'en !

— Tu ne contrôles rien. Nous sommes tous libres de nos choix. Franchement, je pense que la sorcière a plus de jugement que toi.

— J'en ai assez ! Elle aussi, elle fera ce que j'ordonne. Je veux le couteau et je l'aurai ! Quant à son plateau, elle n'a qu'à en fabriquer un autre ! Je n'en ai rien à foutre !

L'engueulade se poursuit un bout de temps; la jeune femme parle lentement d'une voix calme pendant que l'homme crie et fait des gestes menaçants pour provoquer une réaction quelconque de sa victime. Comprenant ce que son amie voulait accomplir et se souvenant de toutes les discussions dont elle a déjà été témoin entre ces deux-là, Nadine n'intervient pas. Elle est certaine que la rouquine possède le doigté nécessaire pour dissiper la crise. C'est ainsi que le ton de Jean-Pierre s'essouffle peu à peu, jusqu'à ce que ses idées de tortionnaire s'orientent sur autre chose.

Cette scène fort disgracieuse s'est déroulée il y a quelques heures. Depuis, Nadine s'était réfugiée sur son patio pour s'éloigner des excès du barbare. Lou l'y attendait, comme il le fait tous les jours, ces temps-ci. Comprend-il le drame qui se dessine dans la vie de sa mère adoptive ?

N'empêche que leurs rencontres matinales contribuent à ces quelques petits bonheurs qui lui restent dans cette existence rendue si difficile. La propriétaire des lieux ne peut plus supporter de voir des étrangers s'immiscer dans ses affaires. Aucun d'eux ne saisit que chaque chose confectionnée ici est indispensable à leur survie.

Les visiteurs agissent comme s'ils étaient dans un camp de vacances. En se bataillant comme deux gamins, André et Jean-Pierre ont démoli une de ses étagères. Non contents du saccage, ils ont jeté plusieurs pièces de bois et les précieuses lanières dans le feu. La propriétaire était hors d'elle et elle leur a fait savoir. La réponse des gars lui fait encore mal :

— De toute façon, ces bouts de cuir puaient ! indique André. C'est un bon débarras !

— Tu ne comprends vraiment pas ! réplique Nadine. Il faut des heures pour les fabriquer…

— Arrête de chialer tout le temps ! insiste Jean-Pierre d'un ton hautain. Je te ferai parvenir de vraies armoires quand je retournerai à Montréal. Elles seront certainement plus belles et plus modernes !

Ainsi, Nadine a dû prendre des mesures pour se protéger un peu de cet environnement problématique. En plus du matériel de Montréal et du gréement du voilier qu'elle a caché dans la forêt au nord, elle a dû sortir de la grotte plusieurs de ses outils : quelques lances, ses meilleurs dards, un couteau, un marteau et un grattoir en schiste, ainsi que quelques poches de cuir remplies de lanières et de peaux. Elle a dû subtiliser des roches à feu, une chaudière, une tasse et une assiette en bois. Elle a fourré tous ses vêtements et tous ses accessoires de soins personnels dans deux sacs imperméabilisés pour les camoufler, aussi, à l'extérieur de cette habitation qui n'est plus la sienne.

Cela n'a pas été facile, car il y a presque tout le temps quelqu'un dans la grotte. Elle ne voulait surtout pas demander de l'aide à Marie, afin d'éviter d'avoir à subir un interrogatoire sur des sujets qu'il n'est pas question d'aborder pour le moment. Par exemple, elle ne pouvait pas se permettre d'informer le groupe qu'elle avait un radeau. « Les innocents seraient capables de partir en mer sans elle et d'y mourir... » Dans sa tête défilent les images des baleines bleues et des vagues de la mer du sud. Non ! Il n'en est pas question !

Alors elle a sorti tous les effets sélectionnés, quelques-uns à la fois, avant l'aube, plusieurs jours d'affilée, pour les monter sur le toit. Puis, par le sentier arrière, qui descend au nord de l'amoncellement de rochers qui recouvre son gîte, elle a apporté ce matériel dans la petite forêt au nord, pour l'ajouter à celui qu'elle a déjà caché dans la talle de cèdres. Même s'ils décidaient de s'aventurer dans cette zone boisée, ce qu'aucun d'eux n'est enclin à faire, les visiteurs ne trouveront jamais tous ces précieux effets. Quand elle doit s'y rendre, elle s'assure de ne pas être suivie.

Sur le toit de sa grotte, là où seule Marie ose monter, elle garde en permanence tout ce dont elle a besoin pour s'alimenter, chasser, faire du feu et dormir. Elle a aussi camouflé le sentier menant à la petite baie abritant le radeau pour qu'il reste invisible.

Elle ferme les yeux et un long soupir s'échappe de son corps : il y a, bien sûr, le sac de couchage qu'elle n'a pas pu extirper des pattes grasses de Jean-Pierre. Elle s'en veut tellement. Au cours de la dernière semaine passée dans sa grotte, en mars dernier, elle a nettoyé les peaux qui lui servent de couvertures. Par nostalgie peut-être, elle a sorti l'accessoire en nylon avec l'intention de l'utiliser en attendant que les courtepointes sèchent. Mais elle n'a pas été capable de s'en servir, préférant dormir sans aucune protection contre le froid plutôt que de souffrir de l'absence des siens, ce que lui rappelle ce bout de tissu. Ainsi, encore prisonnier de son enveloppe de transport, le duvet s'est retrouvé entre son lit et le mur de pierre. Pressée de partir vaquer à sa vadrouille du printemps, elle n'a pas mené une inspection minutieuse de l'endroit et le paquet est resté là, dans l'oubli. C'est pourquoi Jean-Pierre a pu se l'approprier avant qu'elle ne puisse le placer en sécurité. Nadine sent la tension s'installer dans ses épaules; ses poings se ferment malgré ses efforts pour demeurer calme. La peau de son visage brûle de rage et, elle en est certaine, ses yeux clairs crachent le feu. « Ressaisis-toi ! Ta colère contre eux te fait tomber dans le jeu du barbare ! Agis avec froideur ! Ignore-le ! » Nadine sait que son cerveau lui propose une solution réaliste : suivre l'exemple de Marie. Toutefois, elle n'y arrive tout simplement pas…

Elle flatte le gros loup qui s'est couché à ses pieds. Elle tourne la tête à droite et à gauche. Son patio devient son nouveau havre de paix. Heureusement, sauf dans le cas de Marie, les visiteurs n'y montent pas. D'ailleurs, ils sont peu aventureux et ils restent autour de la grotte ou se rendent à la plage par le sentier de la falaise que Nadine a si bien aménagé. Les idiots ne comprennent toujours rien à cette situation qui les affecte tous.

Soudain, la femme à la tête blanche tremble de tous ses membres; ce qu'elle s'apprête à faire lui fait peur. Elle est incapable de mesurer les conséquences de sa décision. « Je n'en peux plus… C'est la seule solution… sinon je vais le tuer... » Aujourd'hui, elle voyagera en direction du nord, pour y passer quelque temps. Elle n'ira pas au sud, car les visiteurs connaissent le coin et pourraient s'y rendre pour la rattraper. Elle est certaine qu'ils tenteront de la suivre, de la retrouver. Particulièrement Jean-Pierre qui est littéralement obsédé par le couteau et la machette. Ces instruments modernes représentent pour lui les symboles du pouvoir. Il veut être empereur… Qui a dit qu'on ne devient pas roi et que ce rôle est inné ? Jean-Pierre n'en sera jamais digne… il a déjà la fibre d'un dictateur et il le restera jusqu'à sa mort. « Un despote narcissique, égoïste, insensible… le pire qui soit… »

Au cours des derniers jours, l'homme a essayé plusieurs fois de mettre la main sur ses armes; même quand elle dormait. Jusqu'à présent, elle a réussi à conserver ses précieux outils qui représentent sa survie dans ce dur pays, mais, tôt ou tard, il arrivera à ses fins. D'ailleurs, elle ne couche plus dans la grotte depuis la tentative de viol. Elle s'installe dehors, sur le patio, à la belle étoile, ou, s'il pleut, sous une tente en toile. Quand l'échelle est remontée, elle s'y sent plus en sécurité. Heureusement, la météo lui donne un peu de répit. Il n'y a eu aucun orage depuis l'arrivée des intrus, ce qui lui permet de vivre en symbiose avec la nature, loin des autres. Mais tôt ou tard, il y aura une tempête qui la forcera à se réfugier dans la grotte. « Ce serait ma perte : deux jours emprisonnée avec mon tortionnaire dans un endroit clos… l'un de nous deux en mourrait. Inévitablement. Je dois donc partir, le temps que le prochain ouragan passe… » D'ailleurs, l'orage devrait se pointer bientôt… dix-sept jours depuis le dernier, c'est très long.

Depuis trois jours, Nadine n'a chassé et pêché que pour ses besoins quotidiens; elle n'a préparé des repas que pour elle-même. En laissant ses visiteurs se débrouiller tout seuls, elle espère qu'ils finissent par prendre conscience de la précarité de leur situation. Bien sûr, ils mangent ses aliments séchés, toujours disponibles dans les provisions de l'hiver dernier, mais ces réserves sont presque épuisées. Avec ces goinfres sans vergogne, elles ne dureront que quelques jours, tout au plus. Le briquet d'André leur procure du feu; puis, quand il sera vide, Marie pourra utiliser les roches à pyrites. Lucette est bonne cuisinière et Jean-Pierre connaît bien les plantes et les champignons. Ensemble, ils possèdent donc tout ce qui est nécessaire pour survivre… pourvu qu'ils règlent leur discorde permanente.

Nadine lève la tête vers le ciel bleu et sans nuages. Il fait beau et chaud encore aujourd'hui. Respirant profondément, elle tente de ralentir les battements de son cœur. Elle ferme les yeux un instant. La rebelle cherche une nouvelle source de détermination au fond de son âme. Elle étire la main pour flatter Lou, trouver un peu de réconfort.

— Je dois partir, sinon ils continueront de se fier uniquement sur mes talents, avec insouciance et égoïsme. C'est le moment. À eux de se débrouiller, maintenant.

La nomade n'a pas le choix. Les visiteurs doivent prendre conscience de la gravité de leur situation et cela n'arrivera jamais si elle reste avec eux. Vivre ainsi, une semaine, un mois tout au plus, au sein de cette nature brutale, les réveillera peut-être. Comme un effet-choc. De toute façon, ils sont tous gras. Jeûner un peu ne les tuera pas. Pour ne prendre aucun risque, elle viendra vérifier la troupe de temps en temps, à leur insu, pour s'assurer que tout va bien. Seront-ils plus conciliants à son retour ?

Si cette manœuvre ne marche pas, Nadine restera au loin. S'il le faut, elle passera l'hiver dans l'un de ses campements; elle les empêchera de la suivre, quitte à se rendre à sa première caverne sur son radeau. Mais, pour le moment, elle souhaite se rendre dans la vallée aux noisettes qu'ils ne connaissent pas. Elle retrouvera une part de son bonheur dans la quiétude de ce havre de paix qu'elle aime beaucoup. Lou la rejoindra. Ils chasseront à nouveau ensemble. Une idée déclenche un magnifique sourire sur son visage. « J'irai voir Allie à l'insu des visiteurs. Je rendrai visite à Tigré, ainsi qu'à mes amis ailés… ce sera la belle vie… »

Elle a beaucoup observé ses visiteurs depuis la sordide tentative de viol. Bien sûr, elle les a surveillés pour éviter de se faire surprendre par Jean-Pierre, mais aussi pour glaner d'autres informations qui pourraient lui être utiles afin de pouvoir organiser son propre retour chez elle. Elle n'a rien appris de nouveau. « Quelle déception ! Je ne suis pas capable de découvrir ce secret que leur arrivée devrait me livrer… »

Nadine se souvient d'un incident particulier qui la fait sourire. « Ils sont si naïfs ! » Il y a quelques jours, juchée sur son toit, elle a remonté l'échelle pour éviter qu'ils la suivent, au grand déplaisir du gros homme. Comme il est impossible de grimper directement par la paroi, elle a observé André servir d'appui pour que Jean-Pierre puisse atteindre le sentier qui se profile à plusieurs mètres du sol. Nadine l'attendait avec une lance bien pointue, mais elle n'en a pas eu besoin. Le grand gaillard n'a pas tenu le coup.

Puis, son ancien patron a construit une échelle qui n'a pas supporté son poids. Jean-Pierre a fait une magnifique chute pour se retrouver cul par-dessus tête dans la haie de cèdres, égratignant au passage ses bras et son visage. On aurait dit un acrobate professionnel ! Toute cette scène l'a fait rire aux éclats, ce qui a contribué à enflammer la rage du manipulateur narcissique à son égard. Nadine n'a pu s'empêcher de se gonfler d'orgueil, constatant que son échelle est capable de résister non seulement au poids du gros Jean-Pierre, mais également à celui du très costaud André. « Ouais ! C'est moi la meilleure ! »

Elle est d'ailleurs fort étonnée qu'aucun d'eux n'ait fait le tour de l'amoncellement de rochers pour voir s'il n'y aurait pas un autre chemin. Bien sûr, elle s'est bien gardée de leur indiquer l'accès, s'assurant aussi qu'il n'était pas visible. Elle chasse et pêche tôt le matin, bien avant que ses visiteurs ne se lèvent. Puis, elle camoufle son passage secret en effaçant la trace de ses pas et en y installant des pierres et des bouts de branches.

Nadine baisse les yeux pour observer ses bagages. À partir d'aujourd'hui, malgré son appréhension face aux conséquences de sa décision, elle les laisse se débrouiller seul. Ainsi, alors que les vacanciers sont tous réunis sur la grève pour se baigner dans la mer, Nadine s'est rendue dans la grotte pour prendre ce dont elle a besoin. Elle tient à tout prix à récupérer la gourde d'eau et la besace qu'elle porte généralement en bandoulière. Elle leur abandonne toutes ses réserves disponibles sur les étagères. « Je peux trouver de la nourriture par mes propres moyens, alors qu'eux en sont incapables. Ce serait méchant de tout leur enlever… »

Sur le toit, elle a préparé deux poches en toile hermétique contenant ses outils de camping qu'elle a utilisés dans les derniers jours. Glissant le paquet dans le trou autrefois habité par une marmotte et sa famille, elle en a camouflé l'entrée; au cas où ses visiteurs parviendraient à grimper sur le patio durant son absence. Puis Nadine est retournée à la grotte par le sentier qui passe au nord. Elle a rempli son sac à dos neuf, celui qu'elle avait fabriqué l'hiver dernier, de tout le matériel dont elle aura besoin pour survivre en forêt.

Marie, revenue plus tôt de la baignade, regarde la nomade ramasser ses bagages tout en affichant un air songeur. Elle ne prononce pas un seul mot, mais Nadine la connaît bien. La tête rousse est en ébullition. La jeune femme saisit-elle que la sorcière les abandonne à leur sort ? Probablement.

— Je dois partir. Si je reste ici, je le tuerai. Je n'ai plus le choix.

Marie l'observe un bon moment avant de répondre.

— Je sais. Par contre, ton départ me rend fébrile. J'ai peur de Jean-Pierre.

La nomade se contente de hocher de la tête. Elle comprend. Même si elle s'absente souvent, l'hôtesse parvient à suivre quotidiennement les débats du groupe. Jean-Pierre est en train de prendre le contrôle de la troupe. À 32 ans, il possède déjà cette façon de manipuler les gens pour les amener à faire ce qu'il veut. Lucette, qui ne regarde plus André, mais qui ne peut pas se passer d'un homme, se colle au barbare comme à une deuxième peau. Il n'y aura plus de tentative de viol, mais, dorénavant, on parlera plutôt de consentement.

Il y a quelques minutes, du haut de la falaise, elle a vu Jean-Pierre discuter avec les trois autres. Il s'exprimait à coup de grands gestes; comme un candidat d'élection qui cherche le vote. C'est à ce moment que Marie a secoué vivement la tête et s'est dirigée vers la grotte. Bref, quelque chose se trame et la rouquine ne veut pas y prendre part. Nadine est certaine que cela la concerne. « Je ne ferai pas les frais de la folie de cet homme qui a besoin de tout contrôler. J'ai assez donné dans le genre ! Je ne paierai plus jamais pour ce genre d'excès. »

De plus, incapable de contrôler sa rage si elle reste à la grotte, elle finira par tuer cet homme. « Il vaut mieux que je m'éloigne un petit bout de temps. Dans la solitude et le calme, je serai plus en mesure de développer d'autres pistes afin de solutionner cette crise engendrée par la présence des visiteurs au Pays de la Terre perdue. »

Elle voulait partir sans que ses visiteurs s'en aperçoivent. Malheureusement, elle n'a pas pu quitter les lieux avant qu'ils arrivent; elle a tout juste eu le temps de se retirer à l'écart de leur itinéraire. Pour camoufler sa fuite, elle a placé stratégiquement ses bagages, avec son carquois de dards, sa gourde et sa besace en bordure du sentier qu'elle empruntera pour se rendre au nord.

Rapidement, elle se glisse dans une talle de cèdres, à quelques mètres de l'entrée de la grotte. Comme elle est passée par l'extérieur, son échelle est toujours sur le toit. Marie est dans l'habitacle et Nadine ne la voit pas. Mais elle sait que la rouquine, à défaut de pouvoir empêcher Jean-Pierre de prendre le leadership, ne participera pas à ce jeu perfide. Réalisant que la sorcière est en mesure de faire face au défi, la jeune femme désire conserver une posture de neutralité au niveau des échanges en groupe.

Du coin de l'œil, la nomade aperçoit son ancien patron qui arrive devant la grotte. Gardant la tête haute, imbu de lui-même, il marche d'un pas décidé, en bombant le torse, sachant que « sa gang » est derrière lui. Il s'approche de l'entrée et lève son visage vers le toit.

— Aye la sorcière ! Descends de là ! On veut te parler !

Personne ne répond.

— On dirait qu'elle n'est pas en haut, chuchote André.

Jean-Pierre rentre en vitesse dans la grotte, puis il revient vers ses collègues.

— Elle n'est pas à l'intérieur, alors elle doit être sur le dessus du tas de rochers. Cela fait assez longtemps qu'elle vit ainsi. Elle va descendre, sinon nous y mettrons le feu.

Surpris par la violence de cet énoncé inquiétant, Lucette et André se regardent l'un et l'autre; un air de dégoût déforme leur visage. Il est évident qu'ils ne sont pas du tout d'accord avec ce que propose Jean-Pierre. Mais aucun des deux ne se risquera à défier leur nouveau leader. Jean-Pierre continue d'enguirlander la sorcière :

— Je le sais que tu es là-haut. Maudite innocente ! Descends tout de suite !

Nadine en a assez entendu. Elle se glisse derrière eux pour se placer en terrain découvert, puis elle répond d'un ton aussi froid qu'elle le peut.

— On me cherche ?

L'étonnement est total. Aucun d'entre eux ne s'attendait à la trouver en bas du toit, encore moins derrière eux. Mais l'effet de surprise tombe rapidement. Jean-Pierre s'adresse à elle avec une hargne qui le fait presque baver :

— Tu es là ! Ton petit jeu a assez duré. Tu me donnes ton couteau et ta machette, puis tu t'en vas. On ne veut plus te voir la face ici. On a décidé que c'est moi le chef, pis je n'ai pas besoin de toi dans mon groupe.

Nadine aurait ri à gorge déployée, si la situation n'était pas aussi pathétique. Elle lui rétorque sans merci :

— Je dirais plutôt que TU désires être le meneur, que TU as décidé que je te remettrai mes précieux outils. Je pense que tes deux acolytes n'ont pas réalisé que TU désires me chasser de ma maison.

Jean-Pierre, confiant dans son nouveau rôle de seigneur, ne regarde même pas les autres. Il se dirige d'un pas décidé vers Nadine, l'air mauvais en tendant la main :

— Donne-moi le couteau et la machette ou bien je vais les prendre de force !

André tente de s'avancer pour appuyer son chef, mais, à la surprise du colosse, Marie sort de la grotte et elle se place devant lui. Elle tient une lance et elle vise le costaud avec la pointe acérée. Alors qu'il tente de la contourner, elle lui pique l'épaule. C'est suffisant pour que le trouillard cesse de bouger.

Nadine voit la scène du coin de l'œil. Soulagée par la présence d'esprit de son amie, elle porte toute son attention sur Jean-Pierre. Il n'est pas question de lui donner le couteau et la machette; elle ne le laissera pas les prendre non plus. Elle devra se battre et, cette fois, elle n'a d'autre choix que de gagner la bataille. « Pourquoi ce goujat fait-il toujours sortir le pire de mon caractère ? J'aurais dû le pousser en bas du pont… » Bien sûr, ce coup de gueule n'a aucun fondement parce que Jean-Pierre doit vivre afin de retourner dans le passé de Nadine… pour empoisonner sa vie. « Merde ! Ça me donne la nausée, rien que d'y penser ! »

Jean-Pierre affiche un comportement menaçant et, en deux enjambées, il s'approche un peu plus de Nadine. Elle pointe sa lance dans sa direction et elle tente de le piquer à l'épaule. L'homme écarte violemment le javelot d'un coup du revers de la main. Il rit de la déconfiture de son opposante et, d'un air baveux, il l'invite à venir le frapper à nouveau. Il est plus grand qu'elle d'une bonne tête; il a 32 ans alors qu'elle en a 57. Il jouit d'un avantage décisif et il le sait. Nadine pourrait partir à la course et Jean-Pierre ne pourrait jamais la rejoindre. Mais, quelque chose la retient. Si elle se sauvait ainsi, il gagnerait même s'il ne parvenait pas à lui confisquer son couteau et sa machette. Il serait encore vainqueur. Le souvenir de la scène qui a provoqué son départ de l'Agence Écho Personne lui revient en bouche comme un vin âcre qui vient de tourner en vinaigre.

Cette fois-ci, elle affrontera son ennemi. Elle ne fuira pas. Elle fera face à ce monstre une fois pour toutes. Sous l'effet d'une violente poussée d'adrénaline, Nadine sent quelque chose se briser en elle. L'amertume, le désarroi et l'immense haine envers Jean-Pierre, supportés péniblement depuis toutes ses années, refont surface comme un ouragan sur son âme. Nadine perd totalement le contrôle. Elle ne retient plus ses émotions trop longtemps refoulées. Toute la colère accumulée pendant qu'elle travaillait pour ce monstre revient sous la forme d'un désir de vengeance qui consume son corps; la violence de sa rage décuple sa force.

Elle frappe la première : un coup de poing en plein sur le nez. Jean-Pierre recule, mais la femme transformée en tornade le rattrape par sa queue de chemise. Elle cogne à nouveau à la tête du gros homme qui tombe par terre, sans avoir réussi à donner le change. Elle ne peut plus retenir ses pieds, ni ses mains, qui semblent sous l'emprise d'une férocité qui échappe à sa logique. Ainsi, elle frappe sans arrêt sur les chairs rendues molles sous le coup de l'évanouissement. Le visage déformé par une colère incroyablement puissante, la sorcière frappe encore, et encore. Puis, alors que Nadine s'empêtre dans cette crise qu'elle ne maîtrise plus, le hurlement de Marie réveille finalement sa conscience :

– C'est assez ! Tu as gagné ! Laisse-moi voir ses blessures.

Chapitre 22

Jour 683 – 28 mai

– Je l'ai tué…

Les cris de Marie, comme s'ils parvenaient d'une autre époque, ont l'effet d'une douche froide. Nadine s'écarte de la bataille et elle regarde le corps inerte de Jean-Pierre. Avec une jouissance qui la dégoûte, elle contemple le visage en sang et les vêtements déchirés. Puis, alors qu'elle tremble comme une feuille, sa nature humaine reprend le dessus. Elle titube et s'accroche à une branche de cèdre pour rester debout. « Comment ai-je pu faire ça ? Je déteste la violence ! » Comme toujours, ce tortionnaire l'a provoquée. Il a empoisonné cinq ans de sa carrière et, de toute évidence, elle ne lui a jamais pardonné. Cette fois-ci, il s'est surpassé en la poussant à perdre totalement le contrôle de ses émotions.

Le Pays de la Terre perdue lui a appris à faire face aux dangers avec agressivité afin de pouvoir survivre, pour rester en vie. « Heureusement, je n'ai pas sorti mon couteau et ma machette… je l'aurais mis en charpie… Maudit pays ! Tu as fait de moi un démon ! » Aujourd'hui, alors que l'instinct seul dictait ses mouvements, elle a réagi contre le monstre avec une atrocité non contenue. Nadine ne porte aucune coupure ou ecchymose, sauf à son amour-propre. Jean-Pierre n'a jamais réussi à porter le moindre coup. Elle ne lui en a simplement pas laissé la chance.

Marie vérifie les blessures de l'homme. Elle ne trouve aucune fracture, mais il a subi beaucoup de lacérations et de tuméfactions, particulièrement au visage. Cependant, toutes ces plaies guériront en quelques semaines. Par contre, elle ne peut se prononcer sur l'effet que cette raclée risque de produire sur le caractère déjà irascible de Jean-Pierre. Elle s'adresse à la sorcière :

— Tu es chanceuse. Il n'est pas mort. Étonnamment, tu ne lui as cassé aucun os. Je peux savoir ce qui t'a pris ? Il est détestable, mais tu aurais pu te retenir ! Quand même !

Nadine reste debout, tremblant de tous ses membres et claquant des dents. Ses yeux hagards et sa peau blême ne sont qu'une mince indication de la bataille intérieure qu'elle subit depuis trop longtemps. Elle est déçue qu'il soit encore vivant. Pourtant, elle est tout de même soulagée de ne pas l'avoir tué. Elle est heureuse qu'une part de son humanité, profondément arrimée à son âme, l'ait aidée à retenir le coup fatal.

Faisant mentir ses réflexes développés depuis près de deux ans, la rebelle n'a jamais sorti ses armes. Peut-être que la volonté de protéger son passé supplante son envie viscérale de tuer cet emmerdeur.

Pendant tout l'épisode, surpris par la brutalité de la bataille, Lucette et André n'ont pas bougé. Sur leur visage blanchâtre transparaît une peur si vive qu'ils sont tout simplement paralysés. Les bras le long du corps, les épaules courbées, la bouche en rond, ils suivent la scène sans s'impliquer; ils attendent une réponse de la sorcière. Nadine ne peut pas fournir les vraies explications à son amie. Déçue de devoir lui mentir à nouveau, elle s'explique :

— Je ne sais pas ce qui m'a pris. Ce monstre m'a provoquée, insultée... Marie, je dois partir, sinon je pourrais le tuer… Ce serait catastrophique.

Nadine a mal partout. Son corps a libéré d'un seul coup une immense dose d'adrénaline et elle s'en ressentira pendant plusieurs jours. Elle regarde ses mains qui saignent; comme si la douleur constituait une sorte d'ancrage la ramenant à la réalité. Ses habits sont couverts de sang; celui de Jean-Pierre. Elle tremble comme une feuille. Une violente nausée la fait courir vers la bécosse pour y vider son estomac qui se rebelle avec force.

Quand elle revient vers le groupe, Jean-Pierre est toujours inconscient. Sans parler, elle observe les trois autres; elle ne peut pas leur expliquer son comportement. De toute façon, aucun d'eux ne comprendrait. Jean-Pierre l'a poussée à bout; il lui fallait se défendre pour garder ses armes et, ainsi, les sauver tous. Les faits restent les mêmes : c'est elle qui a perdu le contrôle et porté les coups; provoquée ou pas, elle est l'unique responsable de toute cette violence. Personne d'autre n'est coupable des gestes qu'elle a posés; elle doit en assumer l'entière responsabilité. Nadine a honte de ce qu'elle est devenue. Face à l'expression de dégoût qu'elle lit sur le visage des visiteurs, y compris celui de Marie, elle voudrait disparaître, se cacher, mourir même. Elle se trouve méprisable.

Elle enfile son carquois, sa gourde et son sac à dos. Elle ramasse sa lance et file en titubant sur le sentier qui la conduira loin de ces gens qui représentent un facteur déterminant pour cette montée en crescendo d'une violence qui la dépasse. Elle part, là, maintenant. Elle ne peut plus rien ajouter, ni faire quoi que ce soit pour eux. Elle serre les dents, refuse de les regarder, puis elle marche avec détermination vers sa nouvelle destination.

Marie se lève, reprend le vieux javelot qu'elle a trouvé dans la grotte, puis s'élance à la suite de Nadine :

— Attends la sorcière, je pars avec toi.

Quand Nadine se retourne, elle remarque enfin que Marie porte ses vêtements usés et que les cheveux roux sont attachés en nattes. Son premier havresac en peaux, celui qu'elle avait laissé dans le gîte, est bien installé sur le dos de la jeune femme. La nomade fixe son amie, droit dans les yeux. Marie soutient ce regard de la sorcière rempli d'une immense douleur et mouillé de larmes. Celle-ci sourit puis, incapable de parler, elle se contente de hocher la tête. Ainsi, les deux exilées marchent côte à côte, vers l'est… pour le moment. Quand André et Lucette tentent de les suivre, la rouquine les repousse tout simplement avec sa lance. Aucune autre parole ne sera prononcée, alors que l'existence humaine au Pays de la Terre perdue vient de prendre une tournure dont personne ne peut, dorénavant, prévoir l'issue. Les récents évènements qui ont constitué la trame du présent, le passé de Nadine ou le futur des visiteurs, peu importe où l'on se situe dans le temps : l'avenir semble incertain.

Arrivées au bout de l'amoncellement de rochers, les deux amies bifurquent vers leur gauche. Cognant énergiquement le dos de leur lance sur le sol, elles avancent d'un pas alerte. Chacune de son côté, en silence, elles cherchent à se convaincre que cette décision de partir constitue le présage d'une avenir serein qui s'ouvre devant elles.

Jusqu'à ce que le soleil soit au zénith, les deux femmes habillées de peaux marchent sur le sentier dégagé qui mène très loin en direction du nord. Elles s'enferment dans un mutisme confortable, mais essentiel. La nomade essaie de faire le ménage dans ses émotions. Comprenant que la sorcière a besoin de temps pour retrouver un semblant d'équilibre, Marie décide d'attendre que les circonstances s'améliorent avant de poser toutes les questions qui se bousculent dans son cerveau. Les randonneuses ne font que quelques arrêts pour étancher leur soif. Au moment de traverser le ruisseau aux cailloux, la batailleuse en profite pour laver ses mains dans l'onde glacée afin d'être en mesure de mieux les inspecter. Un peu plus loin, la rouquine surprend son amie en sortant de son sac une gourde à eau, quelques fruits et un paquet de viande séchée. Nadine éclate de rire, puis, sans ambages, elle aide l'autre à installer l'outre en bandoulière. Puis les deux femmes reprennent la route dans un silence de plus en plus complice et réconfortant.

En milieu d'après-midi, Nadine s'arrête sur une grosse roche en bordure d'un ruisseau pour jouir d'un repos un peu plus long. Mocassins enlevés, les pieds dans le courant froid, les deux amies mangent des fruits et un bout de viande séchée en observant le magnifique environnement autour d'elles. Pendant que le clapotis de l'eau jette un baume sur son âme profondément troublée, Nadine en profite pour examiner sa cheville : il n'y a aucune douleur et son pied n'est pas enflé. La guérison est maintenant complète. De son côté, Marie hésite, puis elle interroge la sorcière.

— Comment as-tu subi cette blessure ?

Nadine ne lui répond pas tout de suite. Connaissant l'esprit inquisiteur de Marie, elle cherche les mots qui conviennent tout en évitant que d'autres questions ne s'ajoutent. Curieusement, l'évènement semble lointain dans sa mémoire; pourtant, sa chute dans la rivière a eu lieu il y a moins d'un mois. Alors que son amie se tortille d'impatience, elle explique :

— Je suis tombée dans un torrent. Je te raconterai un jour. Laisse-moi un peu de temps. S'il te plaît.

Percevant le trémolo qui secoue la voix de la sorcière, Marie saisit qu'elle devra attendre encore un peu, même si son cerveau brûle à force d'essayer de comprendre.

— D'accord. Cependant, jure-moi que tu répondras à quelques questions plus tard.

— Ça va. J'en fais le serment.

Consciente qu'elle vient de faire une promesse qu'elle ne pourra peut-être pas tenir, Nadine entoure ses genoux de ses bras, penche la tête et ferme les yeux. Malgré cet exercice qui devrait normalement la réconforter, le calme ainsi recherché se dérobe et son cœur bat si fort qu'elle ne peut pas réfléchir.

De nouveau en marche, la guide scrute constamment en direction du sud, car elle craint que la troupe menée par Jean-Pierre se lance à leurs trousses. La nomade doit faire obstacle à tous leurs efforts. Elle sait que la vallée aux noisettes se trouve directement à sa droite, vers l'est, mais elle ne changera pas tout de suite de direction afin de profiter d'un terrain rocailleux qui l'aidera à confondre les éventuels traqueurs. Un kilomètre plus loin, les deux randonneuses se retrouvent sur une immense pierre à fleur de terre.

— Marie, attends-moi ici quelques minutes.

Puis, ne s'occupant pas de l'interrogation qui se dessine sur le visage de la jeune femme, la nomade suit le sentier en direction du nord sur environ trois cents mètres, en laissant des empreintes bien visibles. Elle rebrousse chemin en marchant sur les roches, puis elle trace une deuxième série de pas sur le sol meuble, à côté de la première. De retour auprès de son amie, elle l'entraîne vers l'est en marchant sur les pierres pour ne laisser aucune marque visible et ce, aussi loin que possible. Une fois qu'elle est satisfaite de sa ruse et que le moment est plus propice, elle s'explique :

— Je suis désolée d'avoir entretenu tout ce mystère. Je me suis assurée de faire vite au cas où les autres seraient à nos trousses.

Marie l'observe et, son cerveau fonctionnant au maximum de sa capacité, saisit le stratagème que Nadine a mis en place :

— Tu souhaites que les traces laissées dans une direction différente de la nôtre suffisent pour que mes collègues pensent que nous avons poursuivi notre randonnée plus loin vers le nord.

— Tu as compris. J'ai besoin de prendre une distance de ces énergumènes, surtout de Jean-Pierre. C'est essentiel qu'il ne me trouve pas.

— Les autres te dérangent, mais pas moi, c'est ça ?

— Ne te compare pas à ces idiots ! Tu n'as pas du tout le même caractère !

— Souviens-toi que ce sont mes collègues ! Je travaillerai avec eux encore quand nous retournerons à Montréal !

Nadine baisse la tête et prend quelques secondes avant de répondre, laissant ainsi la rouquine se débarrasser de cette colère subite; puis, d'une voix calme, elle affirme :

— Tu les définis comme tes collègues… les appellerais-tu aussi tes amis ?

Marie ne lui donne aucune réplique, mais Nadine a porté le coup au bon endroit. La jeune femme rougit comme une tomate et jette un regard rempli de peur vers la sorcière. Pour détendre l'atmosphère, la nomade prend l'autre par l'épaule et l'entraîne à nouveau sur la route.

— Ne t'en fais pas ! Je ne les aime pas, mais je te promets de ne pas chercher à les tuer ! Allez ! Notre destination du jour est toute proche.

Les deux amies repartent le long du sentier. En fin d'après-midi, Nadine s'arrête au bord de la vallée pour mieux observer l'expression de Marie à la vue de la beauté de cette oasis qui se déploie devant elles. Malgré la fatigue, la rouquine reste époustouflée face à l'aspect féerique de cette dépression herbeuse rendue toute dorée par un soleil chauffant dans sa course vers l'ouest. À la vue de ce spectacle magique, le visage de la jeune femme s'éclaire d'émerveillement. Sur le coup, toute l'expression de détresse engendrée par l'horrible scène de la matinée s'efface de ses yeux verts. Elle se redresse et porte lentement son regard sur les lieux.

— C'est magnifique ! Je comprends pourquoi tu voulais venir à cet endroit pour retrouver le calme ! Est-ce qu'on peut s'y baigner ? Il n'y a pas de pollu…

Marie se tait soudainement, réalisant à quel point sa question ne fait aucun sens dans cet environnement. Nadine éclate de rire.

— Ici, au Pays de la Terre perdue, il n'y a pas de civilisation… donc aucune pollution. Si tu le désires, nous pourrons sauter dans la rivière aussitôt que notre camp sera installé.

— Merveilleux ! J'aperçois une cabane là-bas…

— Je nomme ces petites structures des huttes. Celle-ci nous protégera de l'orage.

— Quel orage ? J'ai l'impression qu'il fait toujours beau dans ce coin de pays.

— Il éclatera un jour. Tu verras bien.

Puis, les deux amies se dirigent vers l'abri de roches pour y déposer leurs effets; elles agissent d'un commun accord, presque en silence, parce qu'elles n'ont pas besoin de paroles. « C'est comme dans mon temps à Montréal. Nous utilisons peu de mots pour nous comprendre. »

En chemin, Nadine a tué une perdrix avec sa fronde, sous les yeux ébahis de Marie. La visiteuse n'a même pas eu le temps de voir la sorcière prendre l'arme et tirer, avant d'apercevoir l'oiseau tomber devant elle. Se fiant aux conseils de la nomade, elles cueillent des herbes fraîches dans le sous-bois en prévision du dîner, puis les deux amies sautent dans la rivière, à grands cris pour neutraliser la morsure de l'eau glacée sur leur peau.

Quelques heures plus tard, Nadine prépare le repas sous l'œil observateur de son invitée. À la manière d'un chef cuisinier d'expérience, Nadine taille la perdrix en morceaux, tout comme les tubercules de quenouille; elle ajoute des graines de tournesol, quelques bleuets séchés et des racines d'angélique. Elle assaisonne le tout avec un peu de gingembre frais. Une fois la mixture prête, Nadine utilise les feuilles de vigne des rivages pour confectionner des rouleaux à l'intérieur desquels elle place la préparation; ensuite, elle attache le tout avec de minces fils de tendon. Elle obtient ainsi six petits paquets qu'elle dépose à l'intérieur de son foyer central, sur une pierre plate collée contre le sol et qu'elle recouvre de cailloux. La cuisinière ajoute des tisons ardents qui favoriseront une cuisson égale et rapide.

Marie hume l'air pour savourer d'avance l'odeur agréable qui s'évade de cette nourriture. Intriguée, elle questionne son hôtesse :

— La sorcière, où as-tu déniché toutes ces bonnes recettes ? Tu nous gaves de repas succulents depuis des semaines et je n'ai encore aperçu aucun des légumes que je retrouve normalement à l'épicerie. Par exemple, j'aurais ajouté quelques oignons…

La rouquine observe le visage de son amie se fermer rapidement. « Pas encore ! C'est inoffensif comme question, non ? Pourquoi se sent-elle menacée ? » Faute de trouver les bons mots, Marie se tait tout simplement. Quant à Nadine, la question vient de la transporter quelques années auparavant, alors que Marie lui avait offert ce livre intitulé : *Plantes sauvages au menu*[10]. Combien d'heures les deux amies ont-elles passées à chercher des aliments naturels et tester les recettes de ce bouquin ? Un autre segment de l'histoire de ces deux femmes aux aventures entremêlées de secrets et de connivences multiples. Nadine respire profondément, puis tente de s'expliquer, même si elle sait qu'elle ne peut pas satisfaire la curiosité de Marie. « Un jour… je lui raconterai… pour le moment… »

— J'aime ça cuisiner. Je connais bien les plantes comestibles. Puis, ici, j'ai mené toutes sortes d'essais afin de trouver les mélanges qui convenaient le mieux à mes besoins alimentaires.

Nadine passe soudainement à une autre activité, s'assurant que Marie ne tentera pas de poursuivre la conversation. Nerveusement, elle fouille dans son sac à dos et sort son journal de bois. « Quoi qu'il en soit, mon carnet de bord permet d'orienter cette conversation autour de mon existence dans cet univers sauvage… » Assise en tailleur, en avant du feu, Nadine pose le paquet sur ses jambes et déroule la toile imperméabilisée qui conserve l'objet à l'abri des intempéries. Elle étend l'ensemble de branches qui composent ce recueil et s'attarde un moment à compter les vingt-sept entailles sur le dernier bout de

---

10 Fleurbec, *Plantes sauvages au menu,* 2e édition 2005, Fleurbec éditeur

bois. Sachant de mémoire que la pièce précédente se terminait un 30 avril, elle s'apprête à faire une marque qui soulignera le 28 mai.

Marie est fort intriguée par ce… peut-elle nommer ça un « sculpture » ? Une sorte d'agenda, on dirait. Ne pouvant contenir sa curiosité, elle tente d'entamer un nouveau dialogue sur des bases nouvelles, sans effaroucher son hôtesse un peu sauvage.

— Qu'est-ce que c'est ? Ça a l'air important…

— J'appelle cet objet mon journal de bois. J'y dénombre les jours qui passent depuis mon arrivée ici.

Nadine sort son couteau et s'affaire à ajouter une encoche. « Devrais-je tailler une trace particulière pour marquer cette journée mémorable ? » Sa bataille avec Jean-Pierre revient la hanter. Elle pourrait mettre du rouge pour représenter sa colère et le sang qu'elle a versé, celui de son tortionnaire. « Non, l'écarlate ne représente pas convenablement ma honte… il faudrait du noir… la couleur de la boue au bord de la rivière… c'est ça… »

Marie est fascinée par le nombre d'entailles et voudrait en savoir plus sur les mésaventures de cette femme. Constatant que son hôtesse est complètement perdue dans ses pensées, la rouquine se contente d'observer le coup de couteau porté par la sorcière pour ajouter une marque au journal. Puis, cette dernière se lève pour se rendre en bordure de la rivière afin de tremper un morceau de tissu dans la boue. Quand elle revient, Nadine frotte le bout de cuir sur l'entaille jusqu'à ce qu'elle soit certaine que le noir tiendra longtemps.

— Pourquoi cette couleur dans l'encoche ? ose demander Marie.

— Parce que j'ai honte de ce que j'ai fait aujourd'hui. C'est la première fois que je tabasse quelqu'un et je veux m'en souvenir. Pour ne jamais répéter ce comportement que je méprise.

Lorsqu'elle voit des larmes perler aux coins des yeux de la nomade, Marie choisit de ne pas pousser la conversation plus loin, pour le moment, même si plusieurs questions se bousculent dans son cerveau. La rouquine change de sujet afin d'aider sa camarade à reprendre le contrôle sur des émotions qu'elle imagine particulièrement vives.

— Est-ce que tu crois que ces fameux cigares à la vigne sont cuits ? J'ai une faim de loup…

— Des « cigares à la vigne » ? J'aime ça ! C'est comme des cigares aux choux, mais avec de la vigne cueillie sur le bord des rivages… J'adopte !

La noirceur enveloppe finalement la vallée. Leur estomac rassasié par cette excellente nourriture, les femmes se sont couchées sur la plateforme et ont enroulé leur corps dans une couverture. Marie n'ose toujours pas s'adresser à la sorcière pour obtenir des réponses à toutes les questions que lui refile sans cesse son cerveau impatient. Comprenant le besoin de sa nouvelle amie de retrouver un peu de calme, elle décide de ne pas bousculer l'enchantement des dernières heures et d'attendre un meilleur moment. Grâce au vent léger qui siffle dans la vallée, accompagné par le hululement des hiboux, les deux âmes en harmonie ont dormi paisiblement. C'était la première vraie nuit de sommeil de Nadine depuis l'arrivée des intrus, il y a de cela dix-sept jours.

Quelque part dans la pénombre, Lou est venu visiter les lieux, histoire de s'assurer de leur sécurité. Puis, les trouvant assoupies, il est retourné chasser encore quelque temps.

Au moment de s'endormir, son cerveau flottant entre la réalité et le rêve, Nadine s'est souvenue d'une conversation qu'elle a eue avec son amie quand elle a dû prendre la décision de quitter son emploi au sein de l'Agence Écho Personne.

— Marie, j'ai l'impression de fuir devant la bataille. Jean-Pierre me force à partir et il gagne la partie sans que je ne puisse rien y faire. Ce n'est pas juste.

Avant de répondre, la rouquine avait cherché les bons mots permettant d'atténuer la douleur de l'autre. Puis, elle avait lancé avec conviction :

— Tu sais Nadine, le temps arrange bien les choses. Un jour, tu feras le ménage dans toutes ces émotions engendrées par toute cette rage.

Nadine avait cru, à l'époque, que son amie voulait l'encourager à sortir de cette mauvaise passe afin de pouvoir se concentrer sur son avenir. Ce soir, la nomade saisit que Marie, celle du futur, connaissait déjà l'épreuve qui se présenterait plus tard dans la vie de la sorcière. En fait, la rouquine avait gardé en mémoire ce qui était arrivé dans son passé à elle… ce que les deux femmes ont vécu aujourd'hui. Marie se souviendra de tout à son retour à Montréal. Mais ici, est-ce qu'elle possède déjà les informations qui seraient susceptibles de l'aider à mieux comprendre leur situation ?

Le sommeil la gagnant, la nomade est obsédée par une seule pensée qui roule en boucle dans son cerveau embrumé.

« Je dois savoir à tout prix… »

Chapitre 23

Jour 686 - 31 mai

— Je te trouve bien agitée ce matin, s'inquiète Marie.

La jeune femme est assise dehors, devant le foyer d'où s'échappe une boucane humide indiquant qu'on y a jeté du bois mouillé. La nomade ne s'en laisse plus imposer par cette nature qui s'acharne à lui faire la vie dure… comme les tempêtes d'ici; elle a donc allumé ce feu en un tour de main, sous le regard ébahi de son invitée.

— C'est toujours comme ça après les orages. Mon corps accumule la colère de l'ouragan et, lorsque celui-ci disparaît, cette énergie tente de sortir de moi à toute vitesse. Ça me donne la bougeotte et des fourmis dans les jambes.

Nadine tourne en rond depuis plus d'une heure. Elle a nettoyé la hutte, épongé le peu d'eau qui s'y était infiltré, ajusté les sangles qui retiennent le toit de toile, préparé le feu et cuisiné un petit-déjeuner. Maintenant, elle ne tient plus en place, sautant à cloche-pied en attendant que le jour se lève.

Un orage colossal a finalement éclaté au cours de leur deuxième nuit dans la vallée aux noisettes. Depuis, les deux femmes ont été confinées dans la cabane de pierres, de perches et de peaux.

Ce soir-là, sous les yeux amusés de la seule architecte du Pays de la Terre perdue, Marie examine minutieusement la hutte, s'émerveillant de l'habileté de la propriétaire. Tout est si primitif, mais la rouquine y découvre aussi un brin de modernité. Malgré leur aspect rudimentaire, les étagères ressemblent aux armoires dans sa maison. Les contenants, remplis de réserves et d'objets en tous genres, ont été cousus comme le faisait sa grand-mère du temps où l'on ne pouvait pas compter sur l'électricité; même les sacs ont la même dimension que ces pochettes à usage multiple qu'elle-même utilise pour le rangement hors saison. Les ustensiles, ceux pour la cuisine comme ceux pour la construction, ont été fabriqués en bois taillé ou en pierre aiguisée, mais leurs formes rappellent certains outils modernes qu'elle entrepose dans les établis de son garage.

Les couvertures de peaux dégagent une odeur de… forêt, mais elles offrent un confort douillet. Au cours de ce deuxième soir passé dans la vallée, la jeune femme a l'impression de manipuler des objets qui la maintiennent entre deux mondes… « La sorcière n'est pas d'ici et semble vouloir reproduire son ancien environnement... d'où vient-elle ? » Malgré les questions qui se bousculent dans son cerveau, auxquelles s'ajoutent celles qui ont surgi durant l'examen de la cabane de pierres, Marie décide d'attendre un peu avant de discuter avec son hôtesse. Cette nomade farouche possède un sens aigu qui lui permet d'éviter les sujets d'importance capitale. La tête rousse devra être patiente si elle souhaite vraiment obtenir ce qu'elle veut : le moyen de retourner chez elle. Pour le moment, la nuit enveloppe la hutte et les deux amies s'endorment, bien au chaud sous les couvertures.

Puis, alors qu'un premier coup de tonnerre éclate au-dessus du campement, brisant la musique douce de la forêt, Marie hurle à pleins poumons. Non seulement a-t-elle peur de cette foudre qui fait vibrer le sol, mais, dans la lueur provoquée par l'éclair, elle a aperçu les yeux brillants de cette grosse bête qui a réussi à se coucher sur les peaux, entre les deux dormeuses. Lou est venu s'abriter contre la tempête. Le pauvre animal, réveillé brutalement, sursaute au cri aigu de la femme. Il bondit littéralement à l'autre bout de l'habitation, grondant, prêt à affronter ce danger qui semble menacer les deux humaines, mais qu'il ne discerne pas.

Nadine éclate de rire face à cette scène digne des meilleurs films burlesques. Ce son clair et franc retentit dans la nuit et remplit l'habitacle. Elle a entendu Lou se glisser dans la hutte, ce qui lui a confirmé que l'orage se déchaînera dans les heures suivantes. Elle n'a cependant pas prévu la réaction de son amie. Puis, elle cesse de ricaner quand un second éclair illumine l'intérieur de l'abri comme si c'était en plein jour. Éclairée par cette vive lumière, Marie tremble comme une feuille et son visage affiche non seulement le désarroi le plus total, mais aussi une rage non contenue provoquée par le rire de la sorcière. Lou observe les deux femmes, un peu sur la défensive et presque sur le point de passer à l'attaque. Compatissante, se souvenant de sa première expérience sous un tel orage, l'habitante du pays entoure les épaules de son amie avec ses bras pour l'aider à se calmer.

— Ça va maintenant. J'aurais dû te dire que Lou nous rejoindrait au cours de la nuit.

— Il est gros et j'étais empêtrée sous les peaux. Sur le coup, je ne l'ai pas reconnu.

— Il se couche à côté de moi depuis que je l'ai adopté. Quand il était bébé, je dormais avec lui dans les bras, comme un toutou.

L'orage se déclenche soudainement en rafale. En succession, trois éclairs menaçants se fracassent brutalement sur le sol, ce qui rend impossible toute forme de conversation. Marie se couvre les oreilles et ferme les yeux à chaque coup. Arrondissant son dos, comme pour protéger son cœur, elle crie pour percer ce vacarme.

— Que se passe-t-il ? Un ouragan qui va tout emporter ? C'est comme s'il se tenait juste au-dessus de nous.

— Tu crois que c'est fort ? Tu devrais entendre l'orage quand on est dans la grotte ! Les murs vibrent et le tonnerre se répercute sur les parois comme si c'était une caisse de son géante.

Le fait d'imaginer les trois scélérats collés les uns sur les autres, hurlant dans le noir de la grotte, privés du réconfort d'un bon feu, lui apporte un plaisir fou. Elle les imagine tremblant de peur au point de pisser dans leur pantalon.

« C'est bien fait pour eux ! » Nadine éclate à nouveau. Cette fois, c'est un son différent qui se répercute, narquois, méchant même.

— Pourquoi ris-tu comme ça ? demande Marie. Je ne trouve pas ça drôle, moi !

— J'aimerais seulement être une petite souris dans la grotte pour voir la réaction de ces idiots. Ils se lamentent probablement aussi fort que le tonnerre. Je me rappelle la première fois que je l'ai entendu. Je pensais que j'allais mourir et que la terre était en train de m'avaler.

Marie ramène la peau de renard sur ses épaules pour tenter de calmer le frisson qui la secoue. Elle imagine ses collègues en émoi, incapables de supporter le vacarme de la grotte, courant en hurlant dans la nuit, entre les éclairs guidés par la femme aux nattes blanches qui brandit sa lance afin de signaler méthodiquement ces couards pris de panique, pour que la foudre les incinère sur place. « Est-ce que la sorcière est capable de contrôler ainsi la nature ? Bien sûr que non ! » Entre deux éclats de la tempête, la rouquine retrouve un peu son calme. Alors qu'un faible sourire se dessine sur ses lèvres, Lou en profite pour s'approcher et quémander une caresse. Puis un autre coup de tonnerre les fait tous sursauter à nouveau.

— Cet orage me fait peur ! réplique Marie.

— N'aie pas de crainte. J'ai construit la hutte pour qu'elle résiste à ces ouragans monstrueux. De toute façon, les éclairs ont l'embarras du choix pour frapper où ils veulent dans cette forêt avant de prendre l'abri pour cible.

Marie, dont les yeux verts affichent toujours un air effrayé, tente de scruter le visage de son hôtesse pour y déceler un quelconque réconfort. Il faut dire que les paroles de Nadine sont plutôt stressantes. Le prochain zigzag lumineux lui permet de constater que la sorcière est calme. Cela parvient à peine à rassurer la rouquine. Elle ravale sa peur, puis, pour que son activité cérébrale prenne le dessus sur ce tourbillon d'émotions qui l'étouffe, elle cherche à comprendre ce phénomène.

— Ça arrive souvent ici ?

— En moyenne, l'ouragan fait rage à tous les dix ou douze jours. Cette fois-ci, presque trois semaines se sont écoulées entre les deux. Mais il se peut qu'il n'y ait que quelques jours qui les séparent.

— Tu as parlé d'orage, hier. Comment pouvais-tu le deviner s'ils ne sont pas réguliers ?

— Juste avant que la tempête éclate, le vent vire de bord et souffle directement de l'est. Quand cela se produit, je n'ai que quelques heures pour me mettre en sécurité, parfois une journée complète.

— Au moins, ce genre de tourmente ne dure jamais très longtemps.

— Hum...

Dans la faible lueur du feu, Marie ne voit plus le visage de la sorcière, mais elle devine, en se fiant sur le ton de sa voix, qu'une révélation désagréable s'en vient. Même si elle aurait préféré ne pas le savoir, elle ne peut contenir sa curiosité.

— Quoi encore ?

— Au Pays de la Terre perdue, ces orages peuvent perdurer deux jours durant, parfois trois.

— Est-ce que nous serons coincées ici pendant tout ce temps ?

— Oui… presque…

Nadine note que le découragement et l'inquiétude se dessinent sur les traits de son amie. Puis un éclair plus puissant que les autres, suivi d'un terrible coup de tonnerre, fait hurler à nouveau la rouquine. Lou, ne sachant pas comment l'aider à se calmer, pose simplement sa tête sur le genou de Marie. La nomade alimente le feu pour améliorer le confort ambiant; puis, les trois occupants s'assoupissent sur la couchette. Les deux femmes se recroquevillent sous leurs peaux, alors que Lou se laisse emporter par le sommeil, son corps étendu sur les toiles qui ont été posées entre les deux dormeuses. Ils dorment, protégés des soubresauts de l'orage, laissant la nature se déchaîner à l'extérieur de l'habitacle chaleureux.

Nadine se lève dans la lueur du jour naissant. Comme à son habitude, usant de gestes qui minimisent l'effort et qui rendent Marie admirative, elle flatte le canidé, ajoute du bois sur le feu et vérifie la température de l'eau dans un bol qui a passé la nuit sur la roche plate. Elle prend une peau de renard et elle entoure les épaules de Marie pour l'aider à cesser de frissonner dans l'air encore frais de cette fin de mai. Puis, elle inspecte le mur de l'abri, tant la partie en pierre que celle en toile, pour s'assurer de son étanchéité. Satisfaite, elle explique :

— Nous sommes en sécurité et au sec. Nous avons de quoi faire un feu et de la nourriture pour plusieurs jours. Il ne reste qu'à attendre la fin de l'orage.

— Tu n'as pas emporté de jeu de cartes ? Un jeu de backgammon peut-être ? J'accepterais même de jouer aux serpents et échelles…

— Je suis désolée, mais il n'y a rien de tout ça ici. Pour passer le temps, je fabrique des objets avec mon couteau, je tanne des peaux et je couds des pièces de cuir. Je planifie les prochains jours…

C'est ainsi que la longue attente a débuté; les deux femmes sont restées dans le petit habitacle pendant toute la tempête, sauf pour quelques accalmies qui ne duraient que quelques heures à la fois. Profitant de ces occasions, elles sortaient dans la pluie battante, pour bouger leurs membres endoloris par l'inactivité. Entretemps, Nadine instruit son amie à l'art de la cuisine néolithique, de la couture primitive et du tannage des peaux.

De son côté, Marie ronge son frein. Elle accumule toutes les questions qu'elle aimerait poser afin de comprendre cette situation bizarre qui a propulsé les quatre visiteurs dans ce lieu indéfini. Elle doit attendre et attendre encore. Dès que la conversation devient un peu plus personnelle, la sorcière se ferme comme une huître qui sent le danger rôder. La rouquine, consciente du confinement obligatoire dans l'habitacle exigu, évite de créer un vent de chicane entre elle et sa nouvelle amie. Heureusement, sa génétique lui a donné de la patience en abondance.

Au cours de la nuit suivante, un éclair plus puissant que les autres fait sursauter les deux femmes et le loup, interrompant leur sommeil. Un craquement distinctif et une odeur de soufre indiquent que la foudre vient d'atteindre de plein fouet une cime dans la forêt. Les yeux verts de Marie se sont remplis d'une peur si vive qu'elle tremble et claque des dents.

— Qu'arrive-t-il ? Allons-nous passer au feu ?

— Non. Rassure-toi. L'orage déverse trop de pluie pour que la zone entière brûle. Par contre, je pense que nous venons de perdre un arbre, tout près d'ici.

Les deux femmes sont restées éveillées jusqu'à ce que l'odeur de fumée s'estompe et que le crépitement de l'eau sur l'incendie cesse. Marie était tout de même fort inquiète.

— J'espère que les autres sont en sécurité. La violence de la nature sur cet environnement n'est pas rassurante. Tu n'es pas là pour les guider.

Un sourire en coin s'étire sur le visage de Nadine. « S'ils demeurent encore dans ma mémoire, celle d'il y a douze ans, c'est qu'ils sont toujours en vie… du moins, je le suppose. » Elle se contente de répondre plutôt narquoisement :

— Ne t'en fais pas pour eux ! Je suis convaincue qu'ils survivront. Après tout, ils ont un chef maintenant.

Marie ne sait pas quoi penser face au commentaire incisif de la nomade. Comment cette femme aux nattes blanches peut-elle connaître à distance le bien-être des autres ? « Ce serait une vraie sorcière ? Une sorte de médium qui peut sentir la vie des autres de loin ? Voyons donc ! Qu'est-ce qui me pousse à inventer de telles sornettes ? » Sous le regard amusé de son hôtesse, la rouquine secoue la tête pour sortir de son cerveau toutes ces idioties ésotériques auxquelles elle ne porte jamais d'attention.

C'était hier. Depuis, la nature violente du Pays de la Terre perdue a finalement poussé sa rage vers l'ouest. Elles ont beaucoup dormi durant ces deux nuits et un jour. Nadine se sent reposée comme elle ne l'a pas été depuis des mois. Comme à son habitude, l'énergie débordante coule dans ses veines. Elle a hâte que le jour apparaisse pour de bon. L'air humide de la zone boisée l'attire et elle a besoin de vagabonder dans ce riche habitat; histoire de profiter de sa nouvelle liberté. Aujourd'hui, elle amène Marie loin dans la vallée pour lui montrer toute sa beauté sauvage. Elle veut que son amie se souvienne de cet endroit magnifique afin de nourrir leurs conversations lorsqu'elles se retrouveront à nouveau dans leur futur commun.

Tel que convenu, aussitôt que la lumière du jour filtre dans la forêt plus à l'est, Nadine réveille son invitée. Lou, qui comprend que Nadine prépare une expédition, suit des yeux tous les mouvements de sa mère adoptive avec une anticipation visible : la langue pendue, le regard clair et joyeux, la tête dressée sur son corps alerte. La grosse bête grogne d'impatience et piétine. Marie sourit de les voir s'énerver ainsi :

— Vous êtes tous les deux hyperactifs ! C'est certain !

Marie et Nadine, assises sur les pierres encore mouillées en bordure du foyer, prennent d'abord un petit-déjeuner de galettes, de fruits et de tisane. Une fois le feu éteint, elles installent leurs havresacs sur leur dos; préparés la veille, ils contiennent chacun un peu de nourriture, des vêtements secs et une trousse de survie. Une lance en main, elles partent vers l'est, dans l'humidité du petit matin.

Le sol est gorgé de toute cette eau que l'orage a déversée durant les derniers jours. Ainsi, les femmes se retrouvent rapidement trempées par tout ce qui coule des arbres de la forêt et colle aux plantes. Mais Nadine est heureuse de pouvoir marcher avec son amie dans ce paysage enchanteur où le soleil fait briller les tons de vert tendre nouvellement lavés par la pluie intense. Comme de petites larmes, de nombreuses gouttes s'accrochent aux feuilles et les alourdissent. Avec un plaisir fou, la nomade s'arrête pour indiquer, ici et là, un insecte qui s'y abreuve ou l'éclat d'un rayon de lumière qui transperce ce liquide transparent pour y dessiner un mini arc-en-ciel.

Marie remarque que la sorcière nage dans un bonheur incommensurable; elle est si heureuse de lui montrer tous les coins de ce bout de pays. Bien que la jeune femme n'aime pas habituellement la campagne, trouvant la forêt oppressante et menaçante, elle se sent tout de même en sécurité avec cet étrange personnage qui lui parle de cette région comme s'il s'agissait d'un château enchanté. Le long de la route, la rouquine écoute avec beaucoup d'intérêt son hôtesse raconter ses aventures dans cette vallée. « Pour une fois, la conversation prend une tournure personnelle… enfin ! » En passant à côté de la rivière, Nadine lui désigne les plantes qui sont devenues essentielles pour sa survie :

— Tu vois là, en bordure ? Bientôt, je pourrai cueillir les racines de ces plants d'apios. Dans quelques semaines, les tiges de sagittaire s'étireront au-dessus des flots.

Déplaçant la branche basse d'un large saule, elle montre quelques petites pousses. Elle frotte une feuille de ses doigts et invite son amie à faire de même pour la porter à son nez; puis elle voit avec satisfaction l'émerveillement se glisser dans les yeux de Marie.

— Ça sent le gingembre !

Un peu plus loin, Nadine s'arrête près d'un gros noisetier pour expliquer que ces fruits constituent une importante source de protéines pour son alimentation. Le visage de la rouquine se colore d'un rouge vif qui vire presque au mauve. Soudainement, elle a honte de ce qu'elle vient de comprendre.

— Les noix que les deux larrons se sont amusés à jeter dans le feu ! Ça sentait si bon ! Maintenant, je comprends mieux pourquoi tu étais si furieuse !

— Oui, mais, j'aime aussi cette odeur. Même quand je brûle leurs coquilles, j'ai l'impression de nager dans le *Nutella*.

— Qu'est-ce que le Nutella ?

Le cœur de Nadine bondit dans sa poitrine. Est-ce que ce produit était disponible dans les épiceries du Québec au début des années 80 ? Ses deux enfants en mangeaient… en 85 ou 88 ou 90… Soudainement, elle n'est plus certaine. « Merde ! Je viens de commettre une bourde… » Ravalant sa salive, elle tente de réduire l'impact de son commentaire.

— C'est une crème au chocolat et au goût de noisette. J'en achète quand je me rends aux États-Unis.

— Tu voyages seule ?

Nadine prend quelques minutes avant de répondre, au point que Marie soupçonne qu'elle l'a peut-être insultée. « Tout allait bien ! Il ne faut pas qu'elle fasse l'huître à nouveau ! » Délicatement, Marie touche le bras de l'autre pour la sortir de sa bulle.

— Je suis vraiment désolée. Je ne voulais pas te déplaire.

— Non. Ce n'est pas toi. C'est plutôt la situation avec nos deux larrons. Tu comprends, au Pays de la Terre perdue, tout prend du temps. Obtenir ces noisettes exige que je me rende ici d'abord, puis, que je les cueille et les transporte à la grotte. Ensuite, je passe des heures à les extirper de leurs écorces piquantes. Alors, quand tes amis se sont amusés à les jeter au feu, j'ai vu tout mon travail disparaître dans les flammes, ce dur labeur qui me procure cet aliment essentiel à ma survie. C'est tellement décourageant !

— Ce ne sont pas mes amis !

La réplique est si vive que Nadine observe un moment le visage durci de Marie. Puis, elle poursuit ses explications. Tout cela est nécessaire pour que la rouquine comprenne bien la gravité de la situation et l'aide, par la suite, à trouver le moyen de repartir dans leur monde à eux.

— Tant que vous ne retournerez pas à Montréal, vous devrez vous investir ici. Rien n'est facile et on doit tout faire à la main : comme le pont, les huttes et les sentiers. Pour manger et se vêtir, il faut chasser, pêcher et cueillir ce dont on a besoin; cela implique d'inventer les outils qui conviennent. Puis, il y a le feu. Quand l'hiver arrivera…

— L'hiver ? Il n'est pas question de passer la saison froide ici ! Ce serait épouvantable !

Devant le visage impassible de son hôtesse, Marie comprend qu'elle a connu l'horreur… à deux reprises. Quel caractère ! Survivre ainsi deux années de suite ! Marie baisse la tête pour tenter de dissimuler son trouble.

— Je ne serais pas capable. Je veux retourner chez moi avant ça. Tu dois m'expliquer comment.

L'expression de Nadine se remplit d'une telle tristesse que Marie voit des larmes briller au coin des yeux bleus. Le sourire, pourtant si naturel de la nomade, meurt sur ses lèvres pour laisser la place à des traits tirés, marqués d'une immense fatigue. Le cœur de la rouquine se décompose et son visage devient livide, alors qu'elle réalise la signification de ce changement d'attitude :

— Tu ne sais pas comment retourner… c'est pour cela que tu es ici depuis deux ans. C'est ça ?

Nadine ne veut pas en parler. La discussion frôle plusieurs informations qu'elle ne peut pas livrer. Elle hausse les épaules, tourne le dos à son invitée et se pousse un plus loin dans la forêt. Marie, déçue de l'échec de cette conversation et estomaquée par ce qu'elle vient d'apprendre, ne peut faire autrement que de suivre son guide et espérer avoir une autre chance de trouver ce qu'elle cherche. Elle est de plus en plus convaincue que, même si elle ne semble pas le savoir, la sorcière détient le secret de leur retour chez eux. Par dépit, presque par impatience, elle mord sa lèvre et lève les yeux au ciel; puis, elle s'engage sur le sentier, derrière la coureuse des bois.

Juste en haut de la cascade, les randonneuses découvrent un arbre calciné, celui que la foudre a frappé avec violence au cours de la dernière nuit orageuse. Marie reste debout sans parler, stupéfaite par cette scène qui évoque tant de ravage. La sorcière explique que seules la force et l'abondance de la pluie empêchent la forêt au complet de prendre feu. Heureusement, la nature possède une grande capacité de régénérescence, ce qui lui permet de se remettre rapidement de l'affront meurtrier; les traces de cette violence disparaîtront d'ici quelques mois sous le vert de la végétation renouvelée. Devant l'air ahuri de Marie, Nadine décide de passer sous silence l'évocation des animaux morts, foudroyés et calcinés sur place; elle en a souvent découverts sur le plateau après un tel orage.

Parcourant la forêt, Nadine désigne toutes les racines qu'elle utilise dans son alimentation et sa pharmacie : l'angélique, l'achillée, la mélisse officinale à l'odeur de citronnelle, la quenouille, la vigne des rivages et bien d'autres dont la rouquine ne parvient pas à retenir les noms. Tout en parlant, Nadine ramasse, au fur et à mesure, les plantes que ses pas croisent et dont elle a besoin; elle est ravie que cette fin de mai lui permette de renouveler ses réserves. Elle ajoute à sa cueillette des feuilles nouvelles en tous genres et une bonne quantité de têtes de violon. Sa besace, qu'elle avait placée en bandoulière, se remplit peu à peu. Marie est étonnée par le savoir de la sorcière :

— Tu connais tellement de choses essentielles pour la survie d'une nomade. Tu étais botaniste avant d'arriver ici ?

Nadine se retourne vivement pour cacher ce choc apparent qui marque certainement son visage. Elle voudrait rire et pleurer à la fois. Mais elle ne peut rien expliquer, pas encore du moins; tous les livres sur la nature que Marie lui a offerts, lors de plusieurs anniversaires, ont contribué à sa survie. Ces souvenirs viennent confirmer que, lorsque les deux femmes se sont rencontrées, en 2001, Marie savait déjà que Nadine était la sorcière du Pays de la Terre perdue. Comprenant rapidement que son amie n'avait pas de bouquins sur les plantes, les roches, les arbres et d'autres sujets nécessaires pour son séjour dans ce monde si dur, elle s'est évertuée à garnir sa bibliothèque. « C'est comme les chevaux… c'est pour ça qu'elle m'a forcé la main avec l'équitation… »

Tout bonnement, le temps s'y prêtant bien, Nadine commence à chantonner. Lucette lui ayant mis en tête le refrain, il y a à peine quelques jours, la nomade fredonne un vieil air des années 80 : *Aimer pour aimer* de Marie-Michèle Desrosiers. C'est alors que Marie saisit le bras de son hôtesse avec une vigueur insoupçonnée.

— Si tu es arrivée ici il y a deux ans, comment se fait-il que tu connaisses si bien cette chanson ? Elle a été endisquée l'an dernier ?

Bousculée par cette nouvelle intervention… la sorcière tente d'enregistrer ce qu'elle vient d'apprendre… De sa mémoire, elle ressort cette belle image de sa fille qui, à genoux sur ceux de sa mère, tenait à deux mains le visage de Nadine en disant : « Chante maman ! Aimer, aimer ! » La nomade ferme les yeux un instant pour chasser ce désarroi profond qui l'affecte. Combien de fois la petite avait-elle exigé que sa mère chante ainsi ? Comme un enfant qui redemande constamment la même histoire, Anne préférait cette chanson à toute autre. Nadine se refuse à pleurer au souvenir de l'évènement et poursuit sa réflexion. « Anne n'avait pas tout à fait deux ans… la chanson date donc de 1985… Les visiteurs sont donc partis de Montréal en 1986… plus précisément en mars 1986… » La femme aux nattes blanches enregistre le fruit de ses réflexions, ne sachant pas trop si cette information lui sera utile par la suite. Elle se contente de répondre sur un ton qu'elle veut badin :

— Ben voyons ! Lucette n'arrête pas de la chanter depuis votre arrivée ! Je commence à connaître les paroles par cœur ! Je sais que Marie-Michèle fait carrière seule depuis un bon moment; avant, elle faisait partie du groupe Beau Dommage. Quand même !

Sans pouvoir faire autrement, Marie doit se satisfaire du commentaire lancé de façon bourrue. Pourtant, Lucette n'a appris que les deux premiers couplets et elle ne fredonne plus cette chanson de peur de déplaire à Jean-Pierre. Comment la sorcière aurait-elle pu l'apprendre au complet ? Si un côté de son cerveau lui indique qu'il y a anguille sous roche, elle décide de remettre le sujet à plus tard. Pour le moment, elle se contente de suivre la femme aux nattes blanches le long d'un sentier tortueux.

Au barrage de castors, Nadine tente de camoufler les émotions vives provoquées par ses souvenirs et les propos de son amie. Elle a failli se faire prendre… à deux reprises. Ainsi, pour reprendre le dessus, elle raconte l'incident où Lou a chassé le bébé castor lors de leur premier automne. Constatant que la sorcière a encore les larmes aux yeux, Marie interprète, à tort bien sûr, que ce retour sur cet évènement provoque de nouvelles émotions chez la nomade.

Puis, sur un coup de tête, Nadine décide de longer la rivière jusqu'à sa source. Elle marche sans parler, rapidement, complètement perdue dans ses pensées… plutôt dans ses souvenirs récents. Constatant l'état de fébrilité qui affecte la femme aux nattes blanches, Marie respecte ce silence et ajuste ses pas au rythme accéléré de la sorcière, sans dire un mot malgré la fatigue. Au lieu de fournir des réponses à ses questions, cette randonnée ne fait qu'en accumuler d'autres dans son cerveau surchargé. « Patience… » De son côté, comme s'il réalisait que sa mère adoptive rumine des idées sombres, Lou pousse sa main de son nez froid afin d'attirer son attention. Nadine le flatte machinalement sans sortir complètement de ses pensées moroses.

À la source de la rivière, la femme aux nattes blanches reste les bras ballants, debout en bordure du cours d'eau. Elle penche la tête pour tenter de calmer les battements de son cœur, sans succès. Son regard se porte sur un éclat dans l'herbe. Elle se courbe pour ramasser l'objet : une pointe de flèche en os; celle de la lance perdue par sa chute dans le torrent qui grondait à côté du lac juché. Elle observe attentivement le jet agité qui sort de la paroi. Ce flot gonflé par le dernier orage est si puissant qu'il se déverse presque à l'horizontale.

La présence de ce bout de javelot taillé de sa main confirme que ce cours d'eau tire son débit de l'immense lac situé sur le haut plateau. La nomade se souvient que le sol rocheux avale complètement le torrent, pour le projeter, là sous ses yeux, à la suite d'un parcours tortueux au cœur de la masse rocheuse qui soutient la Terre juchée. Ce flot d'une couleur brunâtre, s'échappant sous pression, démontre à quel point le canal emprunté est ravagé par cette eau vive qui déloge une quantité inouïe de boue et de gravier sur son passage.

Le corps de Nadine s'écrase par terre et un cri effroyable s'échappe brutalement de sa poitrine encore comprimée par sa rage incontrôlable. Si elle n'avait pas réussi à s'agripper à cette branche, ou si celle-ci s'était brisée, elle serait morte dans ce torrent, anéantissant ainsi toutes ses chances de revoir un jour sa famille. Pendant un instant, Nadine imagine l'eau qui vire au rouge, le courant s'alimentant de son propre sang. Sa chair aurait été taillée en charpie par la force du flot et l'effet des aspérités de la pierre. Le roc granuleux aurait servi de meule pour broyer ses os. De grosses larmes coulent sur les joues de la sorcière, alors que Marie ne peut qu'observer sans vraiment saisir le véritable sens de ce bouillon d'émotions. À côté d'elle, Lou gronde; il ne sait pas non plus comment s'occuper de sa mère adoptive.

À genoux sur l'herbe mouillée, Nadine tente de calmer le tumulte de son cerveau que camoufle le bruit horripilant du cours d'eau. Elle cache son visage dans ses mains et pleure sans retenue. Lou s'approche pour consoler l'humaine par de petits grognements et des claquements de langue. Ses oreilles aplaties contre sa tête donnent l'impression qu'il ne comprend pas ce qui se passe. Marie, dévastée par autant de commotions brutes chez celle qu'elle a connue si stoïque depuis son arrivée ici, cherche à la réconforter. Elle entoure les épaules de la sorcière de ses bras pour tenter d'arrêter les soubresauts qui font trembler ce corps osseux; c'est comme si quelque chose s'attaquait directement à l'âme de la nomade.

Lentement, au gré de ses larmes qui coulent abondamment, Nadine se calme un peu. Puis, parce qu'elle a besoin de révéler à voix haute cette honte d'avoir presque voulu mourir là-haut, elle raconte en détail son exploration de la Terre juchée, ainsi que sa chute dans le ruisseau aux eaux enragées.

— J'avais cessé de croire à mon retour chez moi. Pendant un moment, pour survivre, j'ai dû abandonner l'idée même de retrouver ma famille et mes amis.

Marie réalise qu'elle vient de capter des informations précieuses : la sorcière vient également d'ailleurs et elle n'est pas seule dans la vie. Elle comprend aussi qu'elle aurait pu ne jamais connaître cette femme qu'elle a appris à respecter. Un frisson parcourt son corps alors qu'elle songe que la nomade aurait pu ne pas être au rendez-vous quand elle et ses compagnons sont arrivés sur la plage de la péninsule sud. « Nous serions tous morts… sinon de faim, du moins sous l'orage… »

Le cœur serré par l'angoisse, Marie écoute cette femme dont le corps et l'âme ont été meurtris de manière indélébile par ce Pays de la Terre perdue. Véritable naufragée, elle a cessé, par moments, de croire en elle-même. Soudain, elle réalise à quel point la nomade a eu la vie dure; elle est encore plus impressionnée par la force de caractère de cette exilée, qu'elle ne veut plus appeler la « sorcière ». De manière intuitive, se basant sur sa propre expérience, la rouquine réalise que l'existence de son amie s'est arrêtée brusquement lors de son arrivée en ce lieu. Nadine n'avait eu d'autres choix que de faire face à une série d'épreuves où l'horreur et le courage se sont constamment côtoyés.

Marie aimerait mieux comprendre, préciser un détail ou trouver une explication, mais elle n'ose pas questionner son hôtesse. Heureusement, la patience naturelle de la rouquine lui permet de porter assistance à autrui, laissant ses propres émotions tumultueuses de côté. La blessure de la sorcière est si profonde que Marie n'est pas certaine qu'elle puisse parvenir un jour à refermer complètement cette plaie vive et, ainsi, libérer son âme de toute cette douleur. La femme aux cheveux blancs ne pourra pas vaincre ce mal comme elle est parvenue à terrasser Jean-Pierre. Pour avoir une chance de guérir un jour, la nomade devra repartir chez elle. Histoire de reprendre sa vie d'avant, elle sera obligée de parcourir un long chemin, un petit bout à la fois, lentement, au gré d'efforts quotidiens. Sur le coup, Marie ferme les yeux. Elle était tellement centrée sur ses propres besoins qu'elle ne voyait pas la détresse de l'autre. « Je vais l'aider à retourner chez elle… nous repartirons ensemble… »

Pendant que le vacarme du torrent déchire l'air, Nadine détache la pochette accrochée à son cou pour y glisser la flèche en os, puis elle la remet en place. Marie n'avait pas encore vu ce petit sac; repoussant les questions au fond de sa tête, elle aide la sorcière à se relever.

Les deux amies, accompagnées du loup, retournent vers le campement sans parler. Si Marie n'a toujours pas de réponse à ses interrogations, elle comprend un peu mieux cette femme extraordinaire qui a été capable de s'adapter à la vie d'ici. La rouquine convient qu'il faut d'abord permettre à la nomade de retrouver le contrôle de ses émotions avant de reprendre la moindre conversation susceptible de lui fournir une quelconque information. Elle-même exilée depuis une vingtaine de jours, elle ressent vivement cette douleur presque intolérable causée par l'éloignement des siens; une déchirure de son âme qui s'accentue de plus en plus chaque jour. Elle n'ose pas s'imaginer ce que deux années lui feraient subir, encore moins de vivre avec le sentiment de ne plus jamais être en mesure de retourner vers les siens.

Alors que le soleil vient tout juste d'entamer sa descente, Nadine et Marie sont de retour dans la vallée. D'un commun accord, elles sautent dans la rivière aux eaux glacées pour laver leur peine et ramener la sérénité dans leur cœur. Pendant un doux moment, l'air se remplit de leurs rires et des jappements du loup.

Puis, à la lueur de leur feu, dans cette nuit noire que seul le Pays de la Terre perdue peut produire, les deux femmes discutent enfin à cœur ouvert. Sous son calme apparent, Marie pleure les siens à chaque minute qu'elle passe dans ce monde étrange. Sous son attitude dure et asociale, la sorcière cache un cœur d'or qui saigne depuis près de deux ans; sa souffrance est terrible. Les deux amies parlent ainsi, pendant de longues heures, pour libérer leur âme de l'angoisse et poursuivre l'édification de cette solide amitié qui résistera bien au-delà du temps et de l'espace.

Quand Lou revient de sa chasse, il trouve les deux humaines endormies sur la plateforme. Cette fois, le loup choisit de se coucher sur une peau que sa mère adoptive a placée près du foyer, juste pour lui.

Puis, à son tour, sachant son monde en sécurité, il s'endort paisiblement.

Chapitre 24

Jour 690 – 4 juin

– La sorcière ! Viens vite !

Nadine se lève rapidement pour tenter de comprendre la raison du cri strident de Marie. Elle était occupée à nettoyer ses mains dans la rivière, mais, face au ton extrêmement perturbé de son amie, la femme aux cheveux blancs rebrousse chemin, secouant ses doigts dégoulinants. Du coin de l'œil, elle voit Lou gambader en avant de la hutte, la tête haute, la queue relevée et jappant joyeusement. « Nous avons de la visite ! Je me demande si… »

La jeune femme se tient dans la petite clairière en face de l'abri, le corps figé dans une position penchée, ni assise, ni debout. Les muscles crispés par la peur, ses bras sont allongés vers l'avant, comme s'ils esquissaient un geste de protection. Avec les yeux exorbités, elle fixe intensément un point que Nadine ne peut encore apercevoir. Qu'est-ce qui trouble autant Marie ? L'entendant approcher, Marie chuchote :

– La sorcière… ta fronde... vite !

Un cri de trompette… Lou s'avance vers les nouveaux venus. Nadine sourit.

– Marie, il n'y a aucun danger. Ce sont des amis. Viens ! Je vais faire les présentations.

La rouquine se redresse très lentement, sans jamais quitter du regard les trois immenses oiseaux au bec crochu et aux serres aiguisées qui ont atterri à quelques mètres d'elle.

– Ces énormes rapaces à la gueule recourbée, capable de gober un doigt, aux griffes monstrueuses et aux yeux menaçants sont… tes amis ? Voyons donc !

— Rappelle-toi ! Je t'ai raconté comment Max a failli m'enlever mon bébé loup ! Le plus gros volatile se nomme Louise, une femelle de quelques années; celui-là c'est Max. Regarde ! Comme c'est le cas chez les aigles royaux, le mâle possède un corps plus élancé et moins lourd. Quant au plus petit, c'est Anatole; il est né l'an dernier. Son plumage est encore un peu plus foncé, mais il deviendra aussi brun que celui de son père.

Pendant qu'elle parle, Nadine s'est accroupie à côté de Lou, au milieu de cette famille ailée. Du bout des doigts, elle gratte le dessus de la tête des parents. Puis, elle rit de bon cœur de voir s'avancer le petit nouveau, un peu gauchement, au point de bousculer le gros canidé, tout ça pour obtenir une caresse.

— Bravo Anatole ! Tu t'habitues à nous !

Puis, elle invite son amie à s'approcher. Marie est totalement subjuguée par le spectacle qu'offre la vieille femme habillée de cuir beige, les cheveux blancs tressés et attachés par des lanières de peau, une machette fixée à son mollet, une ceinture où sont accrochées ses armes meurtrières; à genoux à côté d'un gros loup, un large sourire sur les lèvres, elle caresse délicatement la tête de trois énormes carnassiers aux ailes gigantesques. Pourtant, quand les rapaces sont arrivés, Marie a cru que l'immense ombre sur le sol présageait d'une attaque quelconque d'extraterrestres.

— J'ai cru mourir ! En fait, je suis morte de peur ! Tu sais, si mes collègues te voyaient ainsi, ils seraient encore plus convaincus que tu es une véritable sorcière.

— Peut-être, répond Nadine. C'est certain qu'ici, j'ai dû m'adapter tous les jours à ce que le Pays de la Terre perdue m'offrait. Sans pouvoir côtoyer d'autres humains sur ce territoire, je me suis fait des amis dans le monde animal. Je les apprécie tous énormément.

Elle gratte du doigt le crâne de Max.

— Sans celui-là, Lou serait mort sous les crocs d'un carcajou. Il l'a sauvé en tuant le carnassier, alors que j'étais trop occupée à construire le pont. Je lui dois beaucoup. De plus, il semble que sa famille m'aime bien aussi.

Nadine laisse échapper un soupir, essayant de calmer le sentiment qui vient de lui nouer le cœur. Elle racle sa gorge pour reprendre une certaine constance, puis elle poursuit ses explications.

— Tu sais Marie, je veux retourner chez moi par-dessus tout, mais un morceau de mon âme restera accroché ici. Qu'arrivera-t-il à mes amis quand je serai partie ?

La rouquine ne répond pas tout de suite, démontrant ainsi à quel point ce commentaire la bouleverse. Puis, avec sa philosophie habituelle, elle pousse la réflexion de l'autre un cran plus loin.

—Tu as dû faire confiance à la vie pour avoir survécu deux ans dans ce monde. Quand tu retourneras chez toi, tu devras faire de même. Tu as déjà influencé grandement cet univers par tes agissements protecteurs et respectueux. Tes amis puiseront dans l'exemple que tu leur as donné, puisque ton passage parmi eux aura sans doute facilité leur existence, c'est certain.

— Hum... mais je ne saurai pas ce qu'il adviendra d'eux... Une fois de retour chez moi, je ne pourrai plus revenir. Ça me désole.

Malgré la crainte qui la fait trembler, la jeune femme s'accroupit à côté de la nomade et porte lentement sa main vers Louise; cette dernière baisse la tête et s'avance pour lui donner accès aux plumes tachées de beige et si délicates qui garnissent le dessus de son crâne. L'émerveillement que Nadine perçoit dans les yeux verts de son amie produit quelques larmes au bord de ses yeux bleus. « Une autre aventure dont nous pourrons parler... » Une goutte glisse lentement sur sa joue. « En fait, nous en avons déjà parlé... au Zoo de Granby devant l'abri des aigles... je les trouvais magnifiques et j'étais froissée parce qu'on les gardait en cage… cette fois-là, c'est moi qui affichais cet air d'émerveillement et Marie qui avait les larmes aux yeux… »

Ce souvenir la foudroie, lui donnant l'impression que leurs existences, en apparence distinctes, se déroulent en deux spirales s'imbriquant ici et là, au fil du temps. Le choc de cette révélation la bouscule, fout la chamade dans son corps et la laisse pantoise. Déstabilisée, elle doit s'asseoir au milieu du groupe et fermer les paupières un moment pour mieux se débarrasser de la nausée qui monte.

Profitant d'un coup de vent ascendant venant du nord, Max, Louise et Anatole s'envolent vers l'est, leur territoire de vie et de chasse. Quand Marie se relève pour examiner son amie, elle constate avec stupéfaction qu'un flot de larmes envahit les yeux bleus de Nadine et que ses sanglots silencieux provoquent une série de soubresauts. De manière réfléchie, elle jongle avec quelques interprétations, puis elle énonce ce qui lui semblait le plus probable, démontrant au passage tout le cheminement intellectuel dont elle est capable.

— Tu crains de les avoir rencontrés pour la dernière fois. C'est ça qui te fait pleurer, n'est-ce pas ?

Nadine regarde Marie sans pouvoir exprimer toute la confusion qui bouleverse son cœur. Elle reverra Max et sa famille; elle en est certaine. Mais ce bout de souvenir, se rapportant à l'anecdote du zoo, l'aide à comprendre tout ce que son amie a vécu au gré d'un silence qu'elle ne pouvait pas briser. Est-ce que Nadine pourra se taire ainsi pendant dix ans ? L'émotion est trop forte et elle ne se fait pas confiance : si elle prononce un seul mot, elle déballera tout à propos de leurs vies, celle d'avant et celle du futur. Quoi qu'il en soit, selon le point de vue de chacune, leurs existences ne seront plus jamais les mêmes. L'exilée se retient, se contentant de hocher la tête. « Il vaut mieux que Marie croit qu'elle a raison. »

Les deux femmes sont restées une semaine complète dans la vallée aux noisettes. Lou a passé toutes ses journées avec elles, ne s'éloignant que pour chasser à la brunante. Marie et Nadine sont maintenant beaucoup plus détendues. Leurs discussions portent rarement sur les autres visiteurs. Il y a quelques jours, Nadine a entrepris une course entre la hutte et son patio sur le toit de la grotte pour confirmer qu'ils se portent bien. Soulagée, Marie s'est dite prête à poursuivre son aventure avec la sorcière. « Seule avec elle, j'ai plus de chance d'obtenir les informations qu'elle me cache… volontairement ou non. »

Les amies ont eu de longues heures à leur disposition pour discuter et se raconter leur existence. Marie a parlé de son mariage avec Alain, l'amour de sa vie, ainsi que de l'arrivée de sa fille deux ans plus tard. Puis, elle a expliqué son désarroi devant le fait que le deuxième enfant se fasse attendre. Nadine sait déjà tout cela, mais elle se contente d'écouter. Elle ne peut pas dire à son amie que, lorsqu'elles se rencontreront à nouveau dans 15 ans, son fils aura 13 ans et que Steve sera le portrait craché de son père. Elle ne peut que l'encourager à persévérer et à laisser faire la nature.

La nomade s'est exprimée sur plusieurs épisodes de sa vie au Pays de la Terre perdue. Ses récits, n'étaient plus contenus par ce besoin de protéger son passé, étaient hauts en couleur et en détails. Marie n'avait qu'à fermer les yeux pour sentir le vent de l'orage sur son visage, humer une odeur particulière et entendre les sons associés à un des évènements relatés. Parfois incrédule, souvent estomaquée par la profondeur des connaissances de la sorcière, conquise par l'expérience, la rouquine écoutait pendant des heures la voix rendue rauque par le manque d'usage. Elle riait de bon cœur, pleurait certaines scènes et frissonnait de peur en se représentant le combat mortel avec l'ours Brutus ou l'attaque des lynx. Un soir, les détails étaient particulièrement juteux; l'aventurière s'est plongée dans l'histoire de son périple involontaire dans la mer du sud, gestes à l'appui pour pimenter le récit. Marie était stupéfaite de tout ce qu'avait vécu cette petite femme d'âge mûr au courage exceptionnel.

— Quand nous retournerons à Montréal, tu devras écrire toutes ces aventures, affirme Marie. Ce sera un grand succès ! J'en suis certaine.

— C'est une idée… mais il faut d'abord repartir vers Montréal.

Nadine a parlé aussi de sa vie à Montréal, de son mari, de ses deux enfants et de ses petits-enfants, mais sans préciser un seul nom. Marie la questionne, parfois avec un soupçon de colère dans la voix. Cependant, la nomade refuse catégoriquement d'exposer des détails qui permettront à la rouquine de l'identifier plus tard, si cette dernière décidait de la rechercher. Convaincue que Marie se souviendra d'elle à son retour à Montréal, Nadine ne veut pas prendre le risque qu'une information malencontreusement dévoilée change la trame de son passé.

Elle aime sa vie d'avant et elle désire la garder intacte. « Je ne pourrais pas dire la même chose des deux dernières années… je m'en serais bien passée… » Puis, une idée saugrenue lui fait froncer les sourcils : « Peut-être qu'on m'a catapultée ici pour faire en sorte que mes visiteurs puissent retourner chez eux… est-ce que ces expériences insensées des deux dernières années m'ont permis de mieux m'occuper d'eux ? Vu sous cet angle… » La colère s'installe dans son corps, bloquant sa respiration et crispant tous ses muscles, alors que ses yeux crachent le feu. « Maudit pays de merde ! Imbécile ! Tu avais juste à nous laisser tranquilles ! » Puis, Nadine ferme les paupières. « Ça ne donne rien de me triturer l'esprit comme ça… mis à part de me chauffer le sang… pour le moment, il nous suffit de trouver le moyen de repartir. »

Après avoir mené leur expédition au fond de la vallée, les femmes se sont rendues à la forêt aux érables rouges, un peu plus au nord, pour cueillir de l'ail des bois et du gingembre sauvage. Nadine a chassé et pêché. Marie a refusé d'utiliser une lance, mais elle a appris à manier un dard; par contre, elle ne mangera jamais les petites carpes qu'elle sort de la rivière à grands cris. La rouquine s'est longuement pratiquée avec la fronde, mais elle a décliné l'offre de la sorcière de lui en fabriquer une. De son nez retroussé, comme pour chasser la nausée, Marie s'est abstenue d'écailler un poisson, d'enlever la fourrure d'un lièvre ou de vider une perdrix. Riant aux éclats de la voir refouler les haut-le-coeur, Nadine s'occupe elle-même de toutes ces activités qu'elle accomplit sans vraiment y penser, tant elle l'a fait souvent depuis deux ans.

Hier, Marie a demandé ce qu'il y avait au nord de la forêt aux érables rouges. Nadine a sauté sur l'occasion pour lui offrir une balade de quelques jours, afin de lui montrer cette magnifique région. De plus, la nomade voulait obtenir un répit face aux incessantes questions de la rouquine. Le ton montait devant son refus de parler de sa vie d'avant le Pays de la Terre perdue. C'est ainsi que, leur sac sur le dos, leur gourde et leur besace en bandoulière et une lance à la main, les deux femmes ont marché vers l'ouest pour reprendre le chemin qui traverse le plateau par le centre. À leur arrivée au sentier du nord, Nadine a rapidement identifié les pistes laissées par les trois autres visiteurs; elle les a indiquées à son invitée.

— Regarde ! J'avais raison de me méfier ! Ils ont tenté de nous retrouver. Les empreintes sont particulièrement claires. Ils ont donc cherché après l'orage, mais les traces datent tout de même de quelques jours. Observe ici, le vent a rempli quelques marques avec de la poussière. Par contre, ma stratégie les a dupés.

Avec un sourire, elle indique à son amie la marque des semelles de botte dans le sol meuble. Les propriétaires des chaussures se sont dirigés vers le nord, puis ont redescendus vers le sud. Il est facile de distinguer les larges empreintes laissées par André, celles plus profondes du gros Jean-Pierre et les petites traces, plus superficielles, de Lucette qui marchait, de toute évidence, avec ses talons hauts.

Puis, empruntant le sentier en direction du nord, Nadine et Marie se sont arrêtées, quelques kilomètres plus loin, pour admirer les chevaux à la fourrure pâle, sans les approcher de trop près; ceux-là sont plus sauvages que les bêtes foncées apprivoisées par la nomade au sud de la rivière aux brochets. Nadine observe son amie s'émerveiller devant les herbivores et reste songeuse. Elle est de plus en plus convaincue que Marie a pris goût à ces animaux ici, au Pays de la Terre perdue. Il est clair que les yeux verts découvrent ces ongulés pour la première fois. « Une autre ellipse entre nos deux vies… c'est tellement bizarre… »

Sur le plateau, en bordure d'une belle rivière qui coule légèrement en cascade vers la mer, elles installent un camp à la belle étoile. Le soir venu, elles observent longuement les milliards d'étoiles qui tapissent la voûte céleste de ce monde que ni la pollution, ni une lumière artificielle ne viennent atténuer. Elles s'étonnent d'identifier les mêmes constellations qui garnissent le ciel nocturne au Québec.

La vie de nomade convient de mieux en mieux à la rouquine; l'environnement sauvage ne l'affecte plus autant qu'à son arrivée. Elle s'émerveille du chant d'un oiseau, d'un bruit dans l'herbe, de la vue d'un petit rongeur sur une branche, du son du vent qui siffle; tous ces petits détails anodins la font sourire. D'ailleurs, Nadine est estomaquée par ce changement de caractère qui semble affecter Marie, puisque cette dernière a toujours refusé, naguère, d'aller camper ou de faire de la randonnée avec elle et Alex. Est-ce que ce changement d'attitude aurait un lien avec la présente aventure ? De toute façon, Nadine n'est pas certaine qu'elle fera à nouveau du trekking après son retour. Peut-être que Marie aurait peur, si elle accompagnait Nadine en expédition, de se retrouver une nouvelle fois au Pays de la Terre perdue ? « Je portais mes vêtements de montagne à mon arrivée... j'aurais disparu quelque part au cours d'une randonnée… comment ça se fait que je n'aie pas pensé à cette hypothèse avant aujourd'hui ? » Elle ferme les yeux sur l'image qui vient de surgir dans sa tête. « Alex a dû virer complètement fou si je suis bel et bien disparue au cours d'une excursion… »

Nadine ouvre les yeux pour voir si son amie s'est aperçue de son désarroi. Assise sur un tronc d'arbre en bordure du feu, la nomade note l'air morose de sa compagne placée en face d'elle, de l'autre côté du foyer.

– Toi, il y a quelque chose qui te chicote, affirme Nadine. Tu veux m'en parler ?

Marie sort de sa réflexion et lève la tête vers la sorcière. Elle observe un moment le jeu des flammes sur le visage buriné de cette femme téméraire et si forte. Comprendrait-elle ? Elle prend son souffle et commence son récit.

– J'ai peur de perdre Alain. Notre relation a commencé à s'effriter, il y a quelque temps déjà. Je crains que cette longue absence contribue à briser complètement ce lien déjà fragile. Ce serait le divorce et cela me désole. Je ne suis pas certaine de pouvoir lui expliquer adéquatement cette aventure qui dure depuis quelques semaines. Il ne me croira jamais…

– Hum… C'est sûr que ce n'est pas facile.

– Je ne peux pas réparer ce qui est cassé, parce que je ne sais pas pourquoi ou comment la situation s'est empoisonnée.

Pourtant, Nadine est très bien au fait de ce qui s'est passé. Le ménage battait de l'aile parce que les deux ne pouvaient plus souffrir l'absence d'un deuxième enfant qui tardait à venir. Marie culpabilisait de ne pas parvenir à tomber enceinte et Alain n'arrivait pas à lui faire comprendre que ce n'était pas important. Toutes ces discussions successives se sont terminées si souvent en queue de poisson qu'ils ne parviennent plus à se libérer de ce cycle malsain. Nadine sait qu'en 1986 Marie va proposer à son mari de faire de l'équitation en famille. Cette activité sauvera le ménage et Steve naîtra deux ans plus tard.

Soudain, Nadine sent une puissante décharge d'adrénaline parcourir son corps. Du coup, son sang bouillonne dans ses veines. « 1986 ! Marie et Alain ont commencé à faire de l'équitation à l'automne 1986 ! Elle sait que les visiteurs sont partis de Montréal en mars 1986 ! Marie retournera chez elle bientôt… avant l'hiver... c'est sûr ! » La nomade n'en peut plus. Elle doit réduire cette chaleur qui consume autant son corps que son âme ! « Je brûle et mon cœur veut exploser ! Je dois me calmer… à tout prix ! Surtout… je ne dois rien dire… mords ta lèvre, Nadine ! » Elle se lève et court vers la rivière puis, sans retirer ses habits, elle plonge dans l'eau glacée. « Je dois absolument reprendre le contrôle de mes émotions… je ne peux pas éclater comme ça… je veux hurler… je dois me taire… ABSOLUMENT ! »

Les traits de la rouquine qui court derrière la démente trahissent un tel désarroi que Nadine éclate d'un rire nerveux, laissant ses membres trembler d'une agitation exceptionnellement troublante. La femme aux nattes blanches a-t-elle perdu la raison ? La sorcière se tient en bordure de la rivière, ses cheveux et ses vêtements dégoulinant d'un liquide boueux. Son visage est trempé autant par les larmes que par les gouttes d'eau sale.

Pour éviter que ses soubresauts ne la fassent tomber, l'exilée s'est assise, le dos accoté sur un tronc d'arbre, ses jambes allongées en angle droit devant son corps et les poings fermés. Nadine semble être sous l'emprise de cet effort recherché pour freiner ses paroles : ses yeux bleus laissent transparaître un éclat plutôt machiavélique et tout ce qui sort de sa bouche fait penser à un grand cri, un hurlement animal. L'expression sauvage de son visage fait peur. Une simple phrase tourne en boucle dans son cerveau surchauffé : « Je passerai le prochain Noël avec ma famille… je retourne chez moi cette année… FERME-TOI À TOUT PRIX ! »

Marie n'en revient pas. Alors que le vent du plateau siffle dans ses oreilles et que les oiseaux nocturnes se mettent à piailler dans les branches, la noirceur s'installe sournoisement. La jeune femme a soudainement très peur. « Ce doit être ça sombrer subitement dans la folie… » Si Lou avait été avec elles, il aurait pu donner un coup de main pour ramener sa mère adoptive dans un semblant de stabilité. Mais, ce fidèle compagnon les a quittées il y a quelques heures pour s'éloigner vers le nord, le nez au sol.

Lentement, la rouquine s'approche de son amie. Elle l'aide à se relever et la guide jusqu'au bord du feu, puis elle l'incite à retirer ses vêtements détrempés pour enfiler des habits secs. Plaçant une peau de renard sur les épaules de la sorcière, elle défait ses nattes dégoulinantes et prend le temps d'y enlever les brins d'algue qui s'y étaient accrochés durant la plongée subite. Puis, pour permettre à son amie de se calmer, elle frotte ses cheveux mouillés avec une pièce de cuir souple, presque du chamois, pour assécher les longues mèches blanches et rebelles.

Marie est perplexe. Cette grande inquiétude engendrée par le comportement étrange de l'exilée lui laisse un mauvais goût dans la bouche. Elle voudrait surtout comprendre ce qui provoque ce genre de scène démentielle. C'est la quatrième fois, en une semaine, que la sorcière s'éclipse brusquement, juste comme ça entre deux phrases, pour s'éloigner d'elle. D'instinct, la tête rousse pense qu'elle-même est en partie liée avec cet épisode de démence, mais elle ne parvient pas à y voir vraiment clair. Nadine excelle vraiment lorsqu'il s'agit de se fermer face à autrui, ce qui complique d'autant les choses. À ce moment précis, elle est déterminée à obtenir une explication.

— Cette fois, tu m'as fait très peur. Je pense que j'ai droit de savoir ce qui provoque ce comportement.

Elle observe Nadine faire l'huître à nouveau. Elle pousse son raisonnement un cran plus loin.

— Curieusement, chacune de tes crises s'est déclenchée au milieu d'une phrase, alors que je parlais de mon passé.

Nadine tremble. Elle n'ose pas lever les yeux vers son amie. Elle plonge son regard dans les flammes et prend un air buté. La tension monte à l'intérieur de Marie; son visage rougit sous la colère et le ton de sa voix devient acerbe.

— Si je comprends bien, tu acceptes de tout entendre concernant mon existence, mais tu refuses de m'expliquer tes réactions ou, même, de me parler de ton ancienne vie, avant d'arriver ici. C'est ça ?

La nomade réalise à quel point son amie a bien saisi la situation et cette prise de conscience plonge son cœur dans le désarroi. Elle est soudainement fort découragée. « Pendant combien de temps arriverai-je à dissimuler la vérité ? » Nadine doit trouver un moyen de répondre, une esquive qui permettra de ne rien dévoiler. Mais, ce soir, elle est trop fatiguée et son âme est trop bouleversée. Elle est incapable de développer une stratégie ou d'énoncer un commentaire qui puisse satisfaire la rouquine. Même si cela risque de déplaire à son invitée, la nomade secoue la tête. Puis, pour mettre un point final à la conversation, elle roule son corps à l'intérieur de la courtepointe en peau de renard qui traînait au bord du foyer et ferme les yeux, même si le sommeil lui fera défaut pour encore plusieurs heures.

Insultée, incapable d'encaisser ce silence, Marie s'éloigne du feu pour marcher le long de la rivière. Le cœur brisé par l'attitude incompréhensible de sa nouvelle amie, elle pleure abondamment, laissant son âme se remplir d'une amertume de plus en plus pesante.

« La sorcière ne me fait pas confiance... elle ne me dira jamais comment retourner chez moi… »

Chapitre 25

Jour 690 – 4 juin

– Marie ! Réveille-toi bon sang !

Le jour ne se lèvera pas tout de suite, mais Nadine est inquiète. Lou l'a bousculée brusquement, ce qui a aussitôt déclenché un sentiment d'urgence extrême. Le vent fort a viré de bord dans les dernières heures, soufflant maintenant de l'est. Malgré l'obscurité de la nuit, elle sent que les nuages volent rapidement et irrémédiablement vers l'ouest. « Un orage est en route... merde ! » Nadine brasse à nouveau l'épaule de son invitée qui tarde à ouvrir les paupières. Elle retire la peau qui la recouvre pour la fouetter hors du sommeil.

– Marie ! Vite ! L'orage s'en vient ! Nous devons partir tout de suite !

Le mot est dit et la rouquine bondit, cherchant à se préparer à affronter cette attaque imprévue. Ses yeux hagards observent autour d'elle tous les détails inquiétants :

– Un orage ? Encore ?

– Oui ! Il faut se mettre à l'abri rapidement ! Aide-moi à tout ramasser !

À deux, à la lueur du feu, elles ferment le camp, remplissent leur havresac et vérifient qu'il ne reste plus rien sur le sol.

Lou est debout à côté et il grogne impatiemment, mais il ne montre pas les dents. La menace vient donc du ciel. Il fait encore noir et l'odeur de soufre est déjà présente dans l'air. Une fois qu'elles sont prêtes à partir, Nadine regarde avec appréhension autour d'elle sans pouvoir distinguer les environs au-delà du cercle de la lumière fournie par les flammes. Marie sent l'angoisse monter chez la nomade.

Même si une marche dans la nuit accentue les risques de blessures, surtout avec la peur collée au ventre, Nadine ne voit pas d'autre solution; pour sauver leur vie, les deux femmes doivent accomplir le plus de chemin possible avant que la foudre n'éclate. Elle s'arrête de bouger un moment pour mieux réfléchir et développer une stratégie. La vallée est très loin... dans la direction de la tempête... elles seraient forcées de courir sous l'orage meurtrier... puis l'idée se glisse dans son cerveau. « C'est ça ! C'est l'endroit le plus proche ! C'est le seul moyen de retrouver la sécurité avant que la pluie se mette de la partie ! » Du coup, elle fouille dans son sac, en ressort une longue sangle et la transforme en laisse pour Lou. Ce stratagème pour restreindre ses mouvements n'est pas nouveauté pour lui, même si Nadine l'a peu utilisé dans le passé. L'animal ressent l'urgence à travers les gestes de sa mère adoptive et permet à la nomade de l'attacher.

Marie observe son amie d'un drôle d'air, mais elle ne parle pas. Elle sait ce qu'un orage peut faire; Nadine lui a déjà montré un arbre calciné dans la forêt et elle imagine sans effort tout le danger qu'un éclair de cette amplitude peut faire courir à un être humain déambulant sur ce plateau complètement nu. Elle réalise à quel point il est urgent de quitter les lieux. Malgré sa peur, elle accepte de prendre la main tendue de Nadine. La sorcière donne un coup de pied au feu pour éparpiller les cendres encore brûlantes afin de réduire les flammes. Elle ne se soucie pas de l'éteindre complètement; l'eau qui se déversera dessus, dans la prochaine heure, lui enlèvera toute chance de se propager. À travers le boucan que crée déjà ce début de tempête, la femme crie :

— Lou ! La caverne d'Ali Baba ! Trouve la caverne d'Ali Baba !

L'animal possède une excellente vue de nuit et sa mémoire l'aidera à retrouver cet endroit au nom familier, même dans l'atmosphère intensément noire de cette folle course contre la montre. La question est de savoir s'ils pourront emprunter le ravin à temps… avant la pluie. C'est ainsi que les trois êtres, reliés par un bout de corde, s'élancent à travers l'air déjà humide. Malgré l'urgence, le loup ralentit la cadence quand l'une des humaines, dont la vision est particulièrement mauvaise, titube sur une dépression du sol encore invisible dans la pénombre. Il doit les protéger, alors il tire sur la sangle, pour s'assurer de les conduire à bon port au plus vite.

Le trio marche ainsi, le plus rapidement possible, pendant une bonne heure. Puis, quand le lever du jour arrive et que Nadine peut enfin discerner son chemin, elle entraîne son amie dans une folle cavalcade. Déjà, la pluie tombe dru et elle accélère le rythme; leur vie est en jeu et elles doivent emprunter le ravin avant que la crue ne se mette à le remplir, avant de se jeter en trombe en bas de la falaise.

Nadine maintient la cadence même si elle réalise que Marie a le souffle coupé; malgré l'humidité, l'air brûle leurs poumons. La nomade court, serrant très fort la main de son amie pour ne pas la perdre dans la tempête et, ainsi, devoir s'arrêter; toutes les secondes comptent. Lou, encore attaché à la laisse, file à ses côtés. Finalement, le ravin est en vue. Ce qu'elle aperçoit l'oblige à ralentir un peu… « Merde ! Il y a déjà de l'eau ! » Quand Lou s'y engouffre sans prendre un temps d'arrêt, Nadine adopte son allure effrénée, sans aucune hésitation.

La nomade sent la main crispée de Marie tenter de se dégager; la jeune femme hurle sa crainte à pleins poumons. Évidemment, elle ne sait pas qu'il y a une corniche et une caverne tout à côté. Nadine ralentit à peine sa course, pendant une seconde, afin de crier dans la tempête pour réconforter sa coéquipière.

— Fais-moi confiance !

En disant les mots, Nadine réalise qu'elle répétera très souvent ce petit bout de phrase dans un futur qui n'existe pas encore, un passé qui n'est déjà plus. Mais, devant l'urgence, elle secoue la tête pour ranger ses souvenirs loin dans sa mémoire. Elle resserre son emprise sur le bras de

Marie pour s'assurer qu'elle la suive. Elle reprend sa folle cavalcade derrière le loup. Consciente du danger, Marie fait fi de la douleur qu'elle ressent aux côtes et elle imite la sorcière sans aucune retenue.

C'est ainsi que Nadine, Marie et Lou se retrouvent enfin à l'intérieur de la caverne d'Ali Baba, à l'abri de l'orage qui en profite pour foudroyer violemment le plateau, là où le trio courait l'instant d'avant. Le ciel au-dessus de la mer, que l'on peut percevoir à partir de l'antre creusé dans le roc, se zèbre rapidement de nombreux éclairs aveuglants.

Grâce à la sécurité de l'habitacle, la tension imprégnée dans le corps des deux femmes tombe d'un seul coup. Lou secoue son poil pour le débarrasser de toute l'eau qui s'y était accumulée durant la course. Sans vraiment le vouloir, il dirige les gouttelettes encore froides vers les deux amies déjà grandement trempées. Nadine et Marie éclatent de ce rire nerveux qui succède généralement à la peur engendrée par le danger. Puis, la vie reprend son cours, pour ainsi dire. Nadine allume un feu avec le matériel à sa disposition dans la caverne. Marie en profite pour examiner l'intérieur de l'abri :

— Ali Baba ? Où est le trésor ?

Nadine s'esclaffe à s'en tenir les côtes, puis, le calme revenant dans son corps, elle explique que le butin qu'elle y a trouvé correspond à la vie; la sienne et celle de Lou. Alors elle raconte les circonstances de la découverte de l'endroit et lui décrit avec émotion ce moment où elle a subi son premier orage au Pays de la Terre perdue. Puis les deux femmes, débarrassées de leurs vêtements mouillés, s'endorment sur des peaux, au son du tonnerre qui fait vibrer les murs de l'abri. Elles sommeillent ainsi plusieurs heures, récupérant celles qu'elles avaient perdues durant la nuit et régénérant leur énergie après tant d'efforts fournis pour atteindre la caverne d'Ali Baba à temps.

Lorsque Nadine ouvre les yeux, Marie est assise dans l'entrée et elle regarde attentivement le ciel noirci par l'orage. Quand elle entend l'autre bouger, la rouquine utilise un ton narquois :

– As-tu vu l'eau qui coule à travers ce ravin et qui tombe en bas de la falaise ? Nous aurions pu nous y noyer ou mourir tous les membres cassés ! Tu m'as bien dit : « Fais-moi confiance ! »

Sur le coup, Nadine ne parle pas. Elle comprend le désarroi de son amie dont la colère sort par tous les pores de sa peau. La tension est si forte dans le corps de Marie que ses épaules se rehaussent en pointe de chaque côté de son cou. Puis, quand elle se retourne pour dévisager la sorcière, cette dernière observe une rage non contenue dans les yeux verts. La femme aux nattes blanches tente maladroitement d'expliquer la situation.

– C'était ça ou une mort certaine sur le plateau.

Marie ne réplique pas, mais elle fusille son amie du regard. Ravalant péniblement, Nadine poursuit :

– Puis, j'ai fait confiance à Lou. Il ne serait pas passé par le ravin si cela avait été si dangereux.

Cette clarification toute simple, à propos de la nécessité de s'en remettre à un animal pour survivre, aurait dû apparaître saugrenue pour la citadine. Mais elle a pour effet de décrocher un sourire sur le visage de Marie. Étirant le bras, elle attire le gros canidé pour qu'il s'assoie à côté d'elle, puis elle le flatte longuement, grattant l'arrière de ses oreilles pour lui faire plaisir. Calmée, sans se tourner vers la sorcière, la jeune femme s'enquiert :

– Qu'est-ce qu'on fait maintenant ?

– On attend que l'orage passe… puis on partira quand le ravin sera vide.

Les deux amies se dévisagent ne sachant qui, de la colère, de la peur ou de l'intelligence, gagnera la bataille. Ne pouvant en vouloir plus longtemps à l'autre, elles éclatent de rire en même temps, sous le regard compréhensif du loup.

La tension tombe et l'air de ce trou dans le roc devient plus respirable. Ensemble, elles préparent un repas qu'elles partagent avec Lou. L'animal, lui aussi confiné dans la caverne par le mauvais temps, ne pourra chasser pour ses propres besoins. Puis, à la lueur du feu, une tisane dans les mains, Marie demande à Nadine de lui raconter encore une fois ses aventures au Pays de la Terre perdue.

Nadine parle un long moment, ajoutant des détails à ses récits antérieurs. Prise par certains souvenirs douloureux, elle pleure sans retenue. Ceux qui lui ont apporté le bonheur esquissent un sourire sur ses lèvres et la font rire. Elle passe en revue tous ces évènements bizarres qui sont survenus au gré d'un exil qui a façonné sa vie depuis deux ans. Elle discute de la sensation de liberté que lui a procurée son escapade en radeau, malgré tous ses échecs sur la Terre de la Forêt verte.

Curieusement, Marie ne prête l'oreille qu'à moitié, revenant sans cesse sur l'arrivée de Nadine sur le mont Logan. Avec agacement, la nomade entend son amie lui reposer encore et encore, d'une voix tendue, toutes ces questions auxquelles elle n'a toujours pas de réponses. Elle ne se souvient tout simplement pas de ce qui s'est passé. Sa patience est à bout.

— Je te l'ai déjà dit cent fois ! Quand j'ai ouvert les yeux, j'étais dans la tente orange sans savoir comment j'ai fait pour me retrouver là ! Crois-tu que je te cacherais quelque chose qui pourrait nous aider à repartir ? Je n'ai pas la mémoire des évènements qui ont précédé mon réveil !

— Désolée ! Je ne veux pas t'insulter ! J'essaie juste de comprendre !

Puis, le silence revient dans la caverne, entrecoupé uniquement par le crépitement du feu, le claquement du tonnerre et la respiration des trois êtres qui l'habitent. Lorsque la nuit devient noire, et que les deux femmes sont à nouveau unies devant un repas, la tension monte entre elles; leurs propres peurs existentielles prennent du volume, l'une souhaitant protéger son passé, l'autre s'inquiétant de son avenir. Alors que l'orage continue d'éclater au-dessus de la falaise et que Nadine affiche un air buté depuis un bon moment, Marie reprend la parole, présentant un angle différent au débat.

— Quand tu as traversé, il n'y avait pas cette lumière blanche comme l'éclair ?

Nadine cesse de manger et ouvre les yeux très grands : soudainement, elle a de la difficulté à respirer. Une idée, un souvenir peut-être, se fige dans sa tête. « De quoi parle-t-elle encore ? » Elle tient à encourager son amie à poursuivre dans sa volonté de comprendre, mais elle n'arrive pas à saisir quel type d'information l'autre tente de lui soutirer. Elle voudrait trouver les mots… appuyer les efforts de Marie pour y voir plus clair. De son temps, elles travaillaient si bien ensemble ! Pourquoi est-ce si difficile, ici et maintenant ? Elle avale cette boule de tension qui s'est accrochée à sa gorge, puis elle énonce sa réponse d'une voix inquiète :

— Je ne sais pas de quoi tu parles. Un éclair ? Traverser quoi ?

Puis soudain, Nadine revoit la lumière vive qui a précédé l'arrivée des visiteurs; du coup, elle se souvient où elle a aperçu des traces semblables à celles laissées par le faisceau éclatant sur la plage. « Ces grosses traces de brûlures ! Il y en avait des semblables sur le mont Logan ! Près de ma tente ! »

Marie observe le visage de la sorcière devenir tout blanc; les yeux de Nadine s'ouvrent démesurément et sa bouche forme un rond immense. « Respire-t-elle encore ? Une autre crise ? » Marie s'inquiète de voir son amie ainsi, mais elle finit par éclater de rage face au comportement de son amie.

— Ah non ! Tu ne vas pas faire l'huître encore ! J'en ai assez !

Nadine n'entend pas les cris d'exaspération de la rouquine, lesquels sont accompagnés par de grands gestes de ses bras et des claquements de langue. La nomade, dont le visage devient laiteux, reste silencieuse, perdue dans ses pensées, pendant un long moment. Quelque chose lui échappe, mais quoi ? Elle hésite à s'expliquer, craignant de dévoiler une information cruciale qui pourrait révéler cette distorsion du temps qu'elle tente à tout prix de protéger.

Finalement, elle se résout à poursuivre la conversation :

— Raconte-moi comment ça s'est passé pour vous. J'ai besoin de savoir. Je n'ai pas de souvenirs d'une lumière vive, ni d'une quelconque traversée. Je me suis réveillée et j'étais ici. C'est tout. Je n'ai aperçu cette lueur brillante dont tu parles qu'à votre venue sur la plage du lagon.

Sur le coup, la colère de Marie tombe. Elle accepte les propos de la sorcière, même si c'est difficile à avaler. Elle résume la situation.

— Quand c'est arrivé, André, Lucette et moi faisions une promenade dans le parc en face de l'Agence.

C'était juste au début de la journée de travail et ils souhaitaient discuter d'un dossier plus compliqué que les autres. Elle se souvient que le sol était couvert d'une neige épaisse, une conséquence de cette violente tempête qui avait frappé la ville au cours de la nuit. D'ailleurs, ils étaient tous parvenus un peu tard à leur poste en raison du mauvais état des routes; l'orage avait été particulièrement brutal, plein d'éclairs, même si c'était l'hiver, et une odeur de soufre restait présente dans l'air.

Leur sortie dans ce froid mordant avait pour but de soustraire leur conversation aux oreilles indiscrètes de Jean-Pierre qui, flairant un bon dossier, ne les lâchait pas d'une semelle depuis plusieurs jours. Ce dernier manifestait déjà la mauvaise habitude de tenter de tout contrôler, quitte à foutre la pagaille au sein de l'équipe. Cette fois, Marie était déterminée à l'exclure du projet afin d'en assurer la réussite. Il n'était pas question de laisser le gros homme anéantir leurs efforts. Bien sûr, le narcissique les avait suivis dehors, mais Marie venait juste de lui dire de faire de l'air et Jean-Pierre s'était donc éloigné d'eux à contrecœur.

Puis, il y a eu cette lumière particulièrement aveuglante autour de la conseillère à tête rousse. Par réflexe, André et Lucette ont reculé, mais ils ont été happés pour être projetés durement sur la plage de la péninsule. Marie était si près du centre du faisceau qu'elle pouvait discerner les deux endroits, le terrain encore recouvert de neige d'un côté et le lagon ensoleillé de l'autre. Malgré une peur intense, la rouquine n'a pas bronché, prise entre la tentation de revenir dans le parc et l'obligation de porter assistance à ses collègues. Puis, Jean-Pierre est parti à la course pour sauter dans le rayon lumineux, entraînant Marie à sa suite. L'éclair a disparu et ils se sont tous retrouvés sur le sable.

Nadine écoutait sans comprendre. Les autres n'ont pas mentionné avoir été happés, encore moins d'avoir effectué un saut à travers ce faisceau. Aucun d'eux n'a discuté des instants qui ont précédé leur venue sur la plage.

— Pourquoi ne pas l'avoir dit ? La lumière ! Le saut ! La traversée !

— J'étais seule à posséder des bribes d'information détaillées. Mes collègues ne se rappellent pas comment ils sont arrivés ici. En fait, ils ne se souviennent même pas d'être rentrés au travail ce matin-là. J'ai tenté de leur expliquer, mais, à chaque fois, on me traitait d'imbécile. Tout ce que je racontais n'avait ni queue ni tête à leurs yeux, bien qu'ils soient incapables d'énoncer la moindre hypothèse sur cet incident bizarre.

Les neurones de Nadine bourdonnent. Qu'est-ce que cette lumière ? Un portail entre deux mondes ? Entre deux planètes ? Entre deux dimensions de la même planète ? Deux univers parallèles ? « Certainement entre deux époques… 1986 et 2011… » Une multitude de visions se bousculent dans son cerveau. Toutes ces images sont encore un peu vagues, mais elle sait qu'elles correspondent à des bouts de cette mémoire qu'elle a perdus, en ce qui concerne cette arrivée pour le moins spéciale. Des questions surgissent, mais elles demeurent sans réponses pour le moment. Ce qu'elle vient d'apprendre lui procure des haut-le-cœur. Elle se lève, marche un peu dans la caverne, puis revient se rasseoir devant le feu.

Elle a toujours la nausée et son cœur bat en accéléré. Elle sent qu'elle est sur le point de comprendre comment retourner chez elle, qu'il ne lui manque que quelques indices. Cette fois, elle est convaincue que Marie peut l'aider à faire la lumière sur ces évènements si cruciaux; les deux femmes doivent mettre en commun tous les petits bouts d'information qu'elles possèdent. Elle se lance la première.

— Je pense que l'éclair dont tu parles est un portail qui sert à passer d'un espace à un autre.

Marie jette un regard incrédule à sa compagne. Nadine lui laisse le temps d'intégrer tous ces nouveaux détails. Rapidement, influencé par une réflexion vive et profonde, le visage de la rouquine change d'expression; elle accepte l'explication proposée de la sorcière, la seule qui ait du sens en fonction de l'évènement, malgré son improbabilité.

— Si c'est un portail, comment fait-on pour l'ouvrir ?

La nomade sourit. Son amie est enfin sur la même longueur d'onde qu'elle. Elles peuvent maintenant travailler pour étoffer de nouvelles hypothèses, trouver des solutions, développer des stratégies. Pendant des heures, Nadine et Marie discutent, le débit de leur conversation étant entrecoupé de quelques coups de tonnerre. Puis, ayant épuisé toutes leurs hypothèses, elles accueillent un profond silence qui apaise leur âme surexcitée. Elles accompagnent ce moment de répit d'une tisane chaude, pour désaltérer leur gosier échauffé par tant de dialogue.

Puis, après de longues minutes, Marie scrute intensément son amie. Craintive, Nadine supporte difficilement le regard de l'autre qui l'observe directement par-dessus les flammes. « Qu'est-ce qu'elle va me sortir encore ? » Une question incommodante se profile. La nomade décide de ne pas en faire de cas, espérant que son interrogatrice finisse par renoncer. Puis, la rouquine ouvre la discussion :

– Tu me connais depuis longtemps, n'est-ce pas ?

Nadine sursaute. Comment réagir ? Elle ne veut pas répondre. Elle se sent prise de court. Marie insiste :

– Tu sais qui nous sommes ! Tous les quatre ! Sinon, tu serais une véritable sorcière avec des qualités de devin; tu possèdes trop d'informations à notre sujet. Je ne me rappelle pas de t'avoir rencontrée, mais je suis certaine que tu me connais. Tu étais au courant que je ne mange pas de poisson. Tu as manipulé les autres tout au long de notre randonnée… il fallait que tu saches comment ils réagiraient…

Nadine ferme les yeux et se pince les lèvres; de peine et misère, elle réussit à rester silencieuse. Elle ne peut pas répondre. Elle doit garder le secret. Chagrinée par l'attitude de sa nouvelle amie, Marie lui tourne le dos et elle se roule en boule à côté de Lou pour tenter de dormir.

Nadine demeure immobile un bon moment pour réfléchir. Quelle est la différence entre ce qui est arrivé à ses invités et ce qu'elle a vécu ? Est-ce que Marie se souvient de tous ces détails parce qu'elle se tenait au milieu du portail ? Elle n'aurait pas résisté... ni fait d'effort pour y traverser ? Tout comme Jean-Pierre qui est resté évanoui fort longtemps ? Dans son cas à elle, les évènements se sont déroulés à la manière de ce que André et Lucette ont vécu. Cette réflexion lui rappelle vaguement un mal de tête lancinant. Elle porte sa main à son front. « La tuméfaction ! Je me serais blessée en traversant ! J'avais raison ! Une sorte de commotion cérébrale m'a peut-être fait perdre un bout de mémoire ! » Y aura-t-il d'autres morceaux de sa vie qui reviendront à la surface ? Ces nouvelles images concernant son arrivée, même fragmentaires, l'aiderontelles à comprendre comment retourner chez elle ?

Puis, comme à son habitude, lorsqu'elle doit attendre la fin de l'orage, Nadine prend son couteau et commence à sculpter une pièce de bois. Cela contribue invariablement à la calmer, en détournant son attention en direction d'une action physique à entreprendre. C'est particulièrement efficace lorsqu'elle est nerveuse et tendue comme aujourd'hui. Elle ne sait pas encore ce que deviendra ce bout de bois, mais tous ces mouvements lents et précis qui la tiennent occupée lui font du bien. Marie, qui n'avait pas dormi très longtemps, observe la gestuelle de Nadine un bout de temps, puis elle tente de ramener son interlocutrice dans cette zone de confort qui s'est évanoui suite à son commentaire maladroit.

— Es-tu capable de faire n'importe quoi ?

Surprise par la question, Nadine s'arrête et lève les yeux vers son amie. Elle hésite à répondre; jusqu'à présent, elle n'a produit que des objets usuels susceptibles d'améliorer ses conditions de vie au jour le jour. Puis, une image surgit de son passé : une petite figurine que Marie avait l'habitude de placer en évidence sur son bureau. Souvent, ses compagnons de travail la taquinaient au sujet de son attachement pour cet objet tourné dans du bois de grève poli par la mer. La pièce avait été sculptée, de toute évidence, par un artiste novice.

Alors, Nadine sourit. Elle vient de saisir la provenance de ce bibelot qu'elle a aperçu il y a tant d'années de cela. Toute l'implication suscitée par ce détail l'étouffe presque; les spirales de leurs vies s'enchevêtrent encore plus. Elle doit s'assurer de bien interpréter tous ces faits en apparences déconnectés, mais liés entre eux, hors du temps et de l'espace.

— Je n'ai jamais fabriqué autre chose que des outils; mais, en attendant la fin de l'orage, je serais prête à tenter une nouvelle expérience. Est-ce que tu peux me faire une suggestion ?

— J'aime les dauphins. Tu pourrais en sculpter un ?

Nadine sourit; elle n'est pas surprise par la teneur de cette réponse si spontanée, une réaction qui démontre, une fois de plus, qu'il existe un lien tangible entre son passé à elle et le futur de Marie. Elle se lève et fouille dans le tas des rebuts de grève accumulés près du foyer. Comme elle n'est pas certaine de réussir du premier coup, elle sort trois morceaux qui devraient faire l'affaire. Assise à nouveau en face du feu, l'artiste commence à tailler la première pièce de bois; lentement, une éclisse à la fois. Ce va-et-vient du couteau lui fait oublier, pour quelques heures, toute cette histoire de portail lumineux et de distorsion du temps.

Elle mettra certainement quelques jours pour terminer la figurine, mais elle est convaincue d'y parvenir. Elle est maintenant certaine que ce dauphin, qui prend forme grâce à ses efforts, est celui-là même que Marie plaçait sur son bureau : une sorte de trait d'union entre deux mondes, deux époques et deux femmes qui se connaissent de plus en plus, mais pas tout à fait encore. Elle lève la pièce pour mieux la voir dans la lumière produite par les flammes.

— Hum... je vais la polir. D'abord un ponçage avec une pierre granuleuse, puis, à défaut d'huile minérale, j'appliquerai du suif.

— Ce sera vraiment beau !

Surprise, Nadine porte son regard vers son amie. « J'ai parlé tout haut... je vais devoir m'efforcer de ne pas dévoiler mes secrets. Heureusement, je ne parle pas durant mon sommeil ! »

Nadine fait l'un de ses plus beaux sourires, ce qui a pour effet de rassurer son invitée.

Chapitre 26

Jour 691 – 5 juin

« Elle me tourne encore le dos. Qu'est-ce qui trotte dans sa tête rousse maintenant ? »

À son réveil, Nadine voit que son amie boude toujours; pourtant, ce n'était pas un trait de caractère auquel l'autre Marie l'avait habituée. Il est vrai que celle-là en savait beaucoup plus sur la situation, ce qui lui donnait un avantage certain. Elle avait dû s'armer de patience pour garder le secret. En ce moment, la jeune femme regarde la pluie qui tombe dru entre les craquements de tonnerre. L'orage semble vouloir poursuivre son fracas toute la journée. Encore !

— Bon ! Tu veux bouder ! Ne te gêne pas… moi je fais l'huître…

Quelque part au milieu de la nuit, Nadine a fini par se convaincre qu'elle ferait mieux de se rendre au mont Logan pour être en mesure de repartir. Normalement, le portail devrait s'ouvrir toujours au même endroit. Elle ne sait pas comment, mais c'est en retournant là-bas qu'elle trouvera une réponse à ses questions. Il y a encore plusieurs détails qui restent nébuleux. Les souvenirs de son arrivée, qui reviennent lentement dans son cerveau, sont flous et fragmentaires. Elle doit les laisser réapparaître en désordre afin de pouvoir brosser une sorte de tableau explicatif concernant le début de son aventure. C'est un peu comme s'il s'agissait d'un casse-tête et qu'elle devait piger une pièce à la fois, au hasard, dans un bocal aux parois opaques. Elle se base plutôt sur son intuition pour façonner une théorie et un plan qui lui permettront de retourner chez elle. Le raisonnement, appuyé sur une logique qui lui apparaît pour le moment fort nébuleuse, viendra plus tard.

« Je dois tenter le tout pour le tout. Évidemment, je n'ai rien à perdre. » Aussi improbable que cela puisse paraître, cette piste digne d'un roman de science-fiction est la plus plausible qu'elle a eu l'occasion d'analyser depuis deux ans. Mais avant tout, elle doit aider Marie à repartir. Pour que son passé demeure le même, inaltéré, les trois autres doivent l'accompagner. Elle soupire à l'idée. « Ça, c'est l'élément compliqué de toute cette aventure ! Une autre contrainte qui s'installe sur mon chemin… » Pour en venir à bout, elle doit obtenir la complicité de Marie... sans lui dévoiler quelque secret que ce soit. « Quel dilemme ! Je dois manipuler mon amie. C'est désagréable, mais je n'ai pas de choix. » Puis, malgré toutes ses craintes, elle appelle son amie.

— Marie ! J'ai besoin de te parler. Pourrais-tu me rejoindre auprès du feu ?

— Pourquoi ? J'entends très bien ce que tu me dis à partir d'ici.

Notant le ton froid et acerbe, Nadine ferme les yeux pour tenter de garder son calme. « J'en ai assez de ses bouderies ! » Elle respire profondément.

— Fais donc à ta tête ! Entretemps, c'est important que je discute avec toi à propos de ce à quoi j'ai réfléchi au cours de la nuit.

— Voyez-vous ça !

— Soit ! Bon ! Je pense que votre portail s'ouvrira à nouveau sur la plage près du lagon. Nous devrons retourner au sud de la grotte pour que vous puissiez repartir.

Prenant son courage à deux mains, Nadine explique, tant bien que mal, sa théorie sans révéler quoi que ce soit à propos du futur de Marie. Celle-ci lui tourne toujours le dos. Mais entre deux soupirs, la femme à la tête rousse lui demande sur un ton rempli d'amertume :

– Je dois te faire confiance dans tout ça. C'est ça ? Tu es convaincue que tu as raison ! Pourquoi devrais-je me contenter de ta seule certitude, si toi tu ne peux même pas être complètement franche avec moi ?

Nadine comprend que son amie est furieuse parce qu'elle refuse de répondre à ses questions. D'une voix plus douce, presque calme, elle tente de tempérer :

– Marie, je te fais confiance.

La jeune femme ne réplique pas, faisant toujours la gueule au bord de l'entrée de la caverne. À bout de ressources, Nadine essaie une autre fois de la convaincre... sans vraiment y parvenir. Elle finit par perdre patience.

– Je sais que tu dois repartir vers Montréal ! Tes compagnons aussi ! Je ne peux pas t'expliquer pourquoi, c'est tout !

Face à l'agacement qu'elle perçoit dans la voix de la sorcière, la rouquine se retourne et plante son regard directement, brutalement même, dans les yeux bleus.

– Tu parles de nous, mais pas de toi. De toute évidence, tu assumes que tu ne peux pas te joindre à nous. Tu sais très bien que, même si tu ne viens pas de Montréal, je t'aiderais à rentrer chez toi. Pourquoi insistes-tu ainsi pour repartir du mont Logan ? Pourquoi ne pas quitter à partir de la péninsule sud avec nous ? Quelle information me caches-tu ? Tu ne me fais pas confiance ! Pourquoi devrais-je t'écouter ?

Nadine est sidérée par la vivacité d'esprit de son amie; elle est incapable de parler, ni de faire dévier son regard du visage de l'autre. Ce choc lui donne l'impression que Marie peut lire dans sa pensée. Elle se force à fermer ses paupières afin de briser ce sortilège. Elle ne veut pas que son amie la surprenne en train de pleurer une nouvelle fois. Lou, flairant tout ce désagrément qui chavire le cœur de sa mère adoptive, s'approche lentement pour lui lécher la joue.

La nomade a la gorge nouée par la culpabilité causée par le fait d'avoir menti à nouveau, mais aussi par cette peur intense de mourir ici. Elle ressent, aussi, beaucoup de tendresse pour son amie si vive d'esprit et un sentiment de révolte grandissant envers ce pays malicieux. Elle voudrait vomir, mais elle n'arrive pas à s'éloigner. Nadine doit garder son secret et cela lui fait mal jusque dans ses os. Comment peut-elle convaincre Marie, sans être obligée de lui fournir toutes ces informations cruciales ?

Marie prend conscience de ce désarroi que la sorcière combat de toutes ses forces. Elle perçoit une brèche dans la détermination de l'autre. Elle explose :

— Tu sais quelque chose d'important et tu ne veux pas le dire ! Tu ne me fais pas confiance !

— Je ne peux pas !

Marie est furieuse. Elle s'approche du feu d'un air agressif et s'agenouille à côté de la nomade : du doigt, la rouquine menace la femme aux nattes blanches.

— Pourquoi ? N'as-tu pas déjà affirmé que nous devrions faire équipe pour partir d'ici ?

Nadine ne peut que secouer la tête. Pour fuir la colère de Marie, elle se lève et marche vers le fond de la caverne, le loup sur les talons. À peine calmée, elle revient s'asseoir sur une peau devant le feu. Nerveusement, elle fouille dans les sacs, pour chercher quelque chose à manger et des herbes pour se faire de la tisane. Elle voudrait trouver une réponse qui puisse satisfaire la curiosité de la jeune femme, mais elle ne peut pas prendre ce risque. Quelque part au fond d'elle, instinctivement, elle est convaincue que leurs vies, telles qu'elles les connaissent, dépendent de sa capacité à garder le secret.

Marie ne lâche pas. Elle se lève et s'approche brusquement de son amie; elle arrache ce que la sorcière a dans les mains et lance le tout sur le sol avec colère. Tout ce fracas fait sursauter le loup. Puis, l'humaine en furie prend Nadine par les épaules et la brasse vivement. Les deux femmes tombent à la renverse, la plus jeune continuant de secouer Nadine en répétant avec rage :

— Pourquoi ? Pourquoi ?

Même s'il hésite à sauter sur sa nouvelle amie, Lou gronde et montre ses crocs. Nadine sait qu'il peut attaquer Marie à tout moment. Alors, n'ayant plus le choix, elle crie à pleins poumons :

— Parce que je viens d'une autre époque !

Marie, paralysée par les mots, cesse de secouer la sorcière pour la dévisager avec ses grands yeux verts où s'exprime un étonnement lourd de sens; étourdie, complètement hébétée, elle s'assoit et dépose son visage dans ses mains. Elle ne s'attendait pas du tout à cette réponse. Sans réfléchir un instant, elle demande :

— Avant ou après ?

Puis le bouillonnement subit de ses neurones lui révèle, d'un seul coup, toutes les implications de ce qu'elle vient d'apprendre. Son cerveau cartésien devrait pourtant refuser l'idée même des voyages dans le temps. Cependant, tout ce qu'elle vit depuis des semaines est si inhabituel qu'elle accepte d'emblée cette information comme étant vraie. Comprenant, ainsi, l'attitude renfrognée de sa compagne, Marie baisse les mains, relève les yeux vers le plafond de la caverne et ferme les paupières.

— Sûrement après, car tu tiens à en garder le secret...

Perturbée par cet échange, Nadine est tenaillée par la peur face à l'énormité de ce qu'elle vient de faire. Elle ne réussit qu'à hocher la tête. Puis, elle flatte Lou pour le calmer, autant que pour recevoir, elle aussi, un peu de réconfort au cœur de ce tumulte qui la fait trembler. « Le secret a été livré au grand jour… j'ai tout bousillé… » Elle veut pleurer et hurler en même temps, mais, exténuée par la pression subie, elle n'arrive pas à s'abandonner d'un côté ou de l'autre.

Les deux femmes restent un bon moment sans parler, chacune tentant de comprendre l'effet de ce nouveau rebondissement, tant sur leurs dernières péripéties que sur leur capacité à retourner chez elles. Histoire d'occuper leurs corps, alors que ce tumulte s'agite comme des vagues déferlant sur leurs esprits, elles préparent un déjeuner ainsi que de la tisane. L'orage les retient toujours prisonnières dans l'habitacle rendu exigu par la tempête qui hurle dehors comme dans leur tête. Le halètement de leur souffle accéléré camoufle presque ce terrible son de tonnerre qui vient de retentir. Les émotions vives brûlent leur gorge; elles mangent à peine du bout des lèvres.

Puis, les deux femmes se retrouvent assises l'une en face de l'autre, avec leur tasse de tisane à la main. Parce qu'il fallait que l'une d'elles se décide à dénouer l'impasse, Marie reprend la parole.

— Dans Star Trek, on explique le paradoxe de l'espace-temps. Si tu refuses d'en discuter, c'est que tu as peur de changer le futur.

— Capitaine Janeway. Je m'en souviens.

— C'est qui, lui ? Tu veux dire le Capitaine Kirk ?

Nadine fouille rapidement sa mémoire, pour réaliser que les épisodes de *Star Trek : Voyager*[11] mettant en vedette le Capitaine Catherine Janeway n'ont été placés au petit écran qu'à partir de 1995. Ainsi, Marie fait sans doute allusion à la série originale[12]. Pour son amie, cette émission est encore diffusée en français. Ne pouvant lui expliquer le pourquoi de cette confusion sans dévoiler son époque, Nadine ajoute simplement :

— Je me trompe. Ce n'est pas grave. Tu as raison, je ne veux pas déranger ton futur.

— MON futur ? Et le tien alors ?

— Ton futur… mon passé.

11 *Star Trek : Voyager*, créé par Rick Bergman, diffusé par UPN, 1995

12 *Star Trek*, Gene Roddenberry, Paramount Picture, 1960

Réalisant l'erreur qu'elle vient de commettre, Nadine mord sa lèvre en admettant qu'elle a répondu sans réfléchir. À nouveau coincée, elle ne peut plus s'esquiver. Elle lève les yeux vers son amie pour voir sa réaction. Le visage de Marie, rendu livide par l'effet de cette nouvelle information, exprime la détresse et l'horreur.

– Oh boy !

Puis, le silence retombe sur ces deux femmes prises en souricière dans une cage qui les garde hors de leurs époques respectives. Pendant un long moment, elles se perdent chacune dans une profonde réflexion. L'implication est telle dans la vie de chacune qu'elles n'arrivent plus à mettre des mots sur leurs pensées décousues, fragmentées. Elles terminent leur breuvage sans qu'une seule parole ne s'ajoute pour augmenter ou réduire leur désarroi. Quand Nadine se lève pour mettre de l'ordre dans la caverne, histoire de brûler cette énergie négative nourrie par la peur et la rancœur, Marie observe tous ses faits et gestes. Lorsque la nomade remplit sa tasse de tisane et qu'elle s'assoit en face de la rouquine, elle est déterminée à crever l'abcès une fois pour toutes et négocier une trêve avec son amie.

– Marie, je suis certaine que vous devez retourner dans la péninsule pour être capables de repartir vers Montréal. J'ai vadrouillé partout sur le territoire et je n'ai rencontré aucun portail du même type que celui que j'ai entrevu sur la plage. Je ne suis pas restée assez longtemps sur le mont Logan pour que le mien s'ouvre à nouveau. C'est logique non ?

Marie l'écoute intensément. Elle fronce les sourcils, hoche la tête. Puis, elle fixe intensément Nadine, plongeant ses yeux vifs directement dans ses prunelles bleues. Une autre question épineuse peut se lire sur le visage de la rouquine :

– Pourquoi es-tu si certaine que nous retournerons à Montréal ?

Nadine soutient le regard de son amie avec toute la détermination dont elle est capable; si elle ne clarifie pas la situation, ce sera difficile pour Marie de comprendre pourquoi ses compagnons doivent nécessairement partir avec elle. Que peut-elle dire sans briser encore plus la coquille du secret ? Après une longue minute de silence, elle décide de commenter en restant le plus près possible de la vérité :

— Je vais répondre à ta question, mais tu dois d'abord me faire une promesse.

— D'accord ! Quel serment veux-tu que je fasse ?

— Que d'ici ton départ, tu ne chercheras plus à savoir !

Marie la regarde intensément un bon moment, puis elle accepte le compromis. Consciente du risque qu'elle court, Nadine lui explique en pesant tous ses mots :

— Dans ton futur, je vous retrouverai à nouveau; tous les quatre ensemble. Si vous deviez rester ici, l'évènement n'existerait pas dans ma mémoire. Alors c'est évident que vous retournerez à Montréal; pour que notre rencontre ait lieu et que je puisse me souvenir de vous.

Nadine a la nette impression qu'elle vient de présenter à son amie un énoncé plutôt confus et elle l'observe d'un œil interrogateur. Marie affiche d'abord un air sceptique. Le regard fixé sur les flammes, elle prend le temps de réfléchir avant de parler. De toute évidence, elle répète dans sa tête les phrases que Nadine a prononcées; elle digère les mots, les analyse et intègre leur implication sur son existence et celle des autres. Puis, elle lève ses prunelles sur la femme aux yeux bleus.

— Pour que ton passé existe comme il est, je dois retourner vers mon futur. Les autres aussi…

Nadine est soulagée de constater que Marie comprend le paradoxe. Il lui sera plus facile d'accepter qu'elle ne pourra pas toujours lui livrer toute l'information requise.

Un sourire éclaire le visage de la nomade. Elle prend une grande respiration qui diminue toute la tension à travers son corps.

– C'est en plein cela.

– Quand on se reverra, tu ne m'auras pas encore connue ici, c'est ça ?

– Oui.

– Par contre, moi je te reconnaîtrai.

– Je pense que oui.

– Je ne pourrai pas te parler de ce Pays de la Terre perdue.

Nadine a les yeux pleins d'eau; elle ne peut pas expliquer à son amie que le fait de garder le silence ne constitue qu'une des nombreuses actions que Marie accomplira pour aider la nomade dans sa quête, lui sauver la vie même. Dans sa tête défilent tous les titres des livres que la rouquine lui a offerts au fil des ans, les leçons d'équitation, sans oublier leurs discussions interminables sur la science-fiction. Elle se contente d'une réponse toute simple :

– Tu n'en parleras jamais.

– Qu'en est-il pour Lucette, André et Jean-Pierre ?

– Je n'ai pas la moindre idée de ce qui leur arrivera, sauf que je vous rencontrerai tous un jour.

Comme si cette tempête qui agite l'amitié des deux femmes possédait un lien avec cet autre cataclysme s'abattant sur le Pays de la Terre perdue... le silence total s'immisce soudainement dans la caverne. Si une pluie fine continue de tomber, le ciel en a fini avec le tonnerre et les éclairs. Le soleil tente de percer les nuages pour éclairer cette journée ténébreuse, chassant la tension devenue insoutenable.

Le lendemain, au beau milieu de la matinée, le ravin est suffisamment dégagé pour leur permettre de quitter les lieux. Un loup joyeux est parti en courant en direction de la forêt plus à l'est. Il a fait son devoir. Il les a protégées sans baisser la garde. Maintenant, libre à lui de retrouver sa vie de prédateur.

S'y sentant vraiment trop à l'étroit, Marie et Nadine refusent de rester dans la caverne une nuit de plus. Par contre, elles ont convenu de se rendre dans un premier temps à la vallée aux noisettes, plutôt que de rejoindre directement les autres à la grotte. Tenant compte de la dynamique du groupe, les deux comparses doivent tout d'abord développer une stratégie pour convaincre André, Lucette et, surtout, Jean-Pierre de retourner dans la péninsule sud. Si elles ne savent pas encore comment ouvrir le portail, toujours est-il qu'ils seront au bon endroit pour aviser, le moment venu.

Les deux femmes marchent vers leur destination sans parler, perdues dans leurs pensées. Chacun de leur côté, les deux cerveaux ont exploré le temps sous toutes ses facettes pour découvrir toutes les possibilités que cette situation leur propose. Puis, une fois installées dans la vallée, les deux comparses ont partagé leurs idées pour établir un plan solide. Nadine et Marie sont totalement d'accord sur un point : il n'est pas question de dire la vérité aux trois habitants de la grotte. Leur parler du paradoxe de l'espace-temps ne servirait qu'à compliquer les choses. Cette révélation rendrait encore plus inconcevable, aux yeux des trois visiteurs, tout ce dénouement digne d'un film fantastique. Cela risque d'entraîner un refus total d'obtempérer et réduirait à néant leurs efforts.

— Marie, tout le plan dépend de ta capacité de briser les liens que Jean-Pierre entretient avec les deux autres. À moins que leur routine ait changé, ils ont probablement faim en ce moment et le leadership de Jean-Pierre doit peser lourd. Tu devrais tirer parti de cette information.

— Comment peux-tu être si convaincue que j'y arriverai ?

Observant les yeux de son amie, Marie secoue la tête.

— OK ! Je ne veux pas savoir ! Jean-Pierre se sentira sans doute menacé. Ce sera difficile.

— Ne t'en fais pas. Il t'incombe, d'abord, de persuader André et Lucette; s'il le faut, je forcerai le barbare à obtempérer. Je l'imagine déjà, ficelé comme un saucisson et attaché sur mon travois...

Le sourire sadique de la sorcière, ainsi que son assurance face au déroulement anticipé du plan, tout cela finit par décider la rouquine. Puis, elles ont répété leur stratégie dans la douceur de cette soirée de juin. Elles l'ont améliorée encore plus, en révisant tous les détails : tout ce que Marie devait dire à ses collègues, sans oublier les gestes que devra poser Nadine, rien n'a été laissé au hasard. Elles ajoutent quelques options supplémentaires au cas où tout ne se passerait pas comme prévu. Elles doivent exécuter leur scénario à la perfection, chacune de leur côté, en faisant confiance à l'autre pour ce qui est de se conformer au plan d'ensemble; tout ça, sans qu'elles ne puissent se parler. Aux yeux de Lucette, André et surtout Jean-Pierre, les deux femmes ne doivent surtout pas donner l'impression qu'elles sont de connivence.

Quand la nuit les enveloppe, les deux amies sont fin prêtes. Dès le lendemain, elles prendront le chemin de la grotte, pour atteindre le premier jalon de leur retour à la maison. En somme, elles devront manipuler les autres pour arriver à leurs fins et ce, sans qu'ils s'en aperçoivent; particulièrement Jean-Pierre. Un défi à la hauteur de ces deux femmes extraordinaires, volontaires, capables, déterminées et exceptionnellement vives d'esprit.

Assises au bord du feu allumé à l'extérieur de la hutte, les deux amies savourent leur dernière soirée dans cette vallée paisible, ainsi qu'une infusion aromatisée et apaisante. Si la nervosité marque toujours leurs gestes, l'espoir d'un retour éventuel dans leur propre temps apaise leurs âmes. Nadine sourit en se souvenant que la Marie de son passé ne buvait ni thé ni tisane. Combien de fois l'a-t-elle vu lever le nez sur l'odeur fruitée qui se dégageait de sa tasse depuis son arrivée ici ?

« Je ne peux pas partager ce bout de mémoire avec Marie pour l'instant… bientôt… dans quelques semaines… nous en rirons ensemble… »

Chapitre 27

Jour 694 – 9 juin

– Je suis si nerveuse… je ne suis pas certaine d'y arriver…

Nadine tourne la tête pour jeter un coup d'œil à son amie. Marie trépigne pour tenter de contrôler l'agitation qui l'affecte intérieurement. La nomade s'approche de la rouquine et prend ses deux mains rendues froides par l'excitation dans les siennes. Puis, elle plonge son regard bleu dans le vert des pupilles de l'autre.

– Ferme tes yeux un moment. Maintenant, respire profondément. Laisse l'oxygène pénétrer dans tout ton corps.

La jeune femme obtempère et permet ainsi au calme de revenir lentement dans son âme. Elle ouvre les paupières pour entrevoir le visage serein de la sorcière. Cette dernière lui sourit et l'encourage.

– Voilà ! J'ai confiance en toi et je sais très bien que tu peux réussir. Ça va mieux maintenant ?

Marie hoche la tête en guise d'assentiment. Si ce noeud à l'estomac la fait toujours souffrir, du moins elle respire plus facilement. Ce qu'elle devra mettre à exécution dans les prochains jours l'effraie terriblement.

– Si je n'y arrive pas… nous resterons coincés dans ce monde pour l'éternité…

– Bien sûr que non ! Ici, j'ai appris rapidement que mes premières tentatives ne produisent pas toujours le résultat escompté. C'est comme construire une hutte. Tu poses une pierre à la fois, puis tu construis autour. Il faut accepter de refaire une étape au grand complet pour obtenir ce que l'on veut. C'est aussi comme ça que j'ai bâti le pont et nous utiliserons la même méthode pour retourner chez nous.

— Hum… une pierre à la fois... ça me convient parfaitement. Si notre stratégie ne réussit pas totalement aujourd'hui, nous aurons posé suffisamment de jalons pour continuer un autre jour…

— Bravo ! Tu deviens une vraie résidente du Pays de la Terre perdue !

Nadine et Marie sont parvenues à proximité de la grotte quand le soleil atteint le zénith. Elles ont d'abord érigé un camp à environ deux kilomètres au nord de l'amoncellement rocheux, au cœur de la zone forestière; puis, elles ont mangé et, sachant qu'elles ne dormiront pas beaucoup au cours de la nuit, elles se sont reposées.

Nadine a profité de ce temps d'attente pour terminer le petit dauphin. Elle l'a sculpté de mémoire, prenant comme modèle ceux qu'elle a aperçus l'été dernier lors de la traversée de la mer à l'ouest : la queue est appuyée sur un socle; le corps de la bête fait un arc vers le haut; le nez est relevé vers le ciel. La bouche du dauphin est légèrement entrouverte comme si un cri de joie en sortait. Quand elle ferme les paupières pour se concentrer sur l'image, elle imagine cet animal marin en train de sauter énergiquement hors de l'eau avec un plaisir enfantin. La créatrice a poli la pièce avec du suif pour la faire briller, puis elle l'a présentée à Marie. Les yeux remplis de bonheur, cette dernière a examiné la figurine d'environ dix centimètres sous tous ses angles : elle l'a fait tourner dans sa main pour mieux en noter tous les détails. Puis, elle a redonné l'objet à la sculptrice.

— Il est très beau. Tu as du talent. J'imagine que tu étais une artiste dans ton ancienne vie.

Nadine l'observe sans répondre, puis elle se contente de sourire. Son amie, qui affiche cet air jovial qu'elle a si souvent apprécié dans le passé, se paie tout simplement sa tête sans attendre plus de commentaires. Pourtant, la rouquine n'a pas tout à fait tort : Nadine est une créatrice dans son existence montréalaise. Cependant, l'idée de sculpter autre chose que des ustensiles représente une nouveauté pour la nomade. Continuera-t-elle de tailler le bois après son retour ? Elle en doute. Son cerveau est trop plein d'images qu'elle se chargera de capter par le dessin et d'aventures qui seront consignées par l'écriture. Elle remet le dauphin entre les mains de Marie.

– Je veux que tu le gardes, en souvenir de notre amitié.

– Ne crois-tu pas qu'il vaille mieux ne rien emporter ? Pour ne pas affecter la distorsion du temps ?

Avant de répondre, Nadine plonge dans ses souvenirs. Une fois, à l'Agence, elle attendait dans le bureau de Marie; cette dernière s'était absentée pour aller chercher un document dont elles avaient besoin pour terminer leur travail. Nadine avait pris la figurine dans ses mains et l'avait examinée; elle était fascinée par cet objet qui lui rappelait autant la mer. À son retour, Marie est restée clouée dans le cadre de la porte, incapable de bouger, un drôle d'air sur le visage et les yeux pleins d'eau. Nadine avait interprété sa réaction comme un reproche. Elle a replacé la pièce sculptée sur le bureau de Marie, puis elle lui a dit :

– Je ne suis pas d'accord avec les autres, je trouve cette miniature très jolie. J'aimerais bien en avoir une semblable.

Après un long silence, Marie lui a répondu :

– Ce petit dauphin pourrait bien t'appartenir un jour, mais pas pour le moment. J'y tiens trop…

Nadine avait dévisagé son amie d'un air étonné. Aujourd'hui, elle comprend son commentaire. Finalement, dans cette forêt au nord de la grotte, Nadine porte son regard dans celui de Marie :

– Prends-le maintenant et tu me le remettras plus tard.

– D'accord. Je vais te le redonner avant de quitter le Pays de la Terre perdue.

– Non, tu me le restitueras lorsque nous nous rencontrerons à nouveau.

– Quand ?

– Tu sauras le moment venu.

Quand elle contemple le visage sérieux de la nomade, Marie comprend que cette petite pièce de bois sculptée avait déjà une signification plus grande qu'elle ne pouvait l'imaginer à l'époque. Elle remercie tout simplement celle qu'elle connaît sous le nom de sorcière et elle dispose l'œuvre d'art, roulée dans un bout de tissu, en sécurité dans son sac.

Le moment de cet échange à mots couverts est si intense et tellement rempli de joie qu'il transporte les deux femmes dans l'euphorie la plus totale. Les yeux mouillés de larmes, les deux amies s'élancent dans les bras l'une de l'autre. Cet intervalle entre deux époques les séparant, il y avait tellement de choses que Nadine ne pouvait révéler sans risquer de briser ce fameux continuum qui relie leur existence. Marie avait réussi à garder pendant dix ans le secret de leur présence, ensemble, au Pays de la Terre perdue. La nomade pouvait bien attendre encore quelques jours. Quand elles se rencontreront à nouveau, dans leur futur commun, elles pourront enfin partager ouvertement sur cette aventure invraisemblable et émouvante à la fois.

Soudain, Nadine trouve un nouveau sens à un souvenir qui vient la confronter. Elle comprend maintenant tout l'engouement de son amie pour ce qui est de discuter sans fin de sujets comme l'espace-temps et la téléportation; elle se souvient de toutes ces théories qu'elles élaboraient lors de leurs longues conversations portant sur les séries *Star Trek*. Pour la femme aux yeux bleus, ces exercices constituaient un jeu mental, mais Marie prenait ces échanges à cœur, forçant son interlocutrice à remettre en question son caractère cartésien. « C'est une autre preuve que Marie n'a aucunement perdu la mémoire durant la traversée. Elle a mis dans ma tête toutes ses idées originales, facilitant non seulement ma survie, mais aussi notre retour... Wow ! »

Nadine a hâte de retrouver la Marie de 57 ans afin d'être en mesure de continuer ces discussions qui prendront un tout autre sens. Mais, pour l'instant, les deux complices doivent mettre en place un plan bien précis. Ainsi, à la brunante, elles avancent lentement dans le sentier qui donne accès au patio sur le toit de la grotte. Silencieusement, elles s'installent là-haut pour y passer quelques heures de surveillance. La nomade est heureuse de constater que rien n'a changé : le camouflage de la piste tient toujours; l'échelle est exactement là où Nadine l'a déposée; personne n'y a fait de feu; les objets qu'elle avait cachés dans le terrier de la marmotte sont demeurés intouchés. C'est excellent ! C'est ce que Nadine espérait. L'accès « incognito » à son patio est essentiel pour les aider à mettre en branle la première partie de leur plan d'action. Puis, pour qu'on ne les aperçoive pas, au niveau du sol, Nadine et Marie se sont dirigées du côté est du toit, pour avoir une vue sur l'entrée de la grotte.

Les comparses veulent localiser chacun des visiteurs. Jean-Pierre est à l'extérieur du logis; à la lumière d'une lampe à graisse, il travaille sur un système fonctionnant à partir d'une pièce de bois et d'une corde. Il tente de fabriquer un arc. Pas bête. Par contre, Nadine sait qu'il ne pourra pas trouver les précieux matériaux dont il a besoin autour du site. Au moins, cet homme tente de faire quelque chose d'utile. « C'est vrai qu'avec le couteau, ce serait plus facile... » Un sourire maniaque se glisse sur les lèvres de la femme. « J'espère qu'il va résister… je vais le ficeler avec de grosses sangles… un bâillon l'empêchera de m'insulter… » La torture qu'elle veut lui imposer lui procure plus de jouissance que la simple idée de le tuer.

Pour le moment, André et Lucette ne sont pas visibles. Nadine marche jusqu'au puits de lumière au-dessus de la grotte; elle se couche et approche l'oreille de l'ouverture pour écouter. Ils sont là. Ils se chicanent, comme d'habitude. Se retournant vers sa complice, Nadine lui fait signe que tout est en place. Malgré eux, les trois personnages participent efficacement à l'exécution de leur plan.

Puis, l'attente commence. Aucune parole n'est prononcée. Nadine et Marie dorment à tour de rôle, sans faire de feu, pour éviter de se faire repérer. Puis, au matin, les femmes sont soulagées de voir que la routine des trois visiteurs reprend de plus belle, de manière méthodique, comme les aiguilles d'un cadran.

Quelque temps après le lever du jour, Jean-Pierre sort de la grotte et se dirige à l'ouest. Sa routine de vie est réglée comme une horloge. Il va à la plage pour prendre un bain. « J'imagine qu'il se baigne dans la mer… il est tellement gros qu'il ne doit pas être confortable dans la petite cuve de pierre… quoiqu'il a perdu un peu de poids à ce que je vois… » Nadine secoue la tête pour briser le flot de sa réflexion. Elle a autre chose à faire que de détailler les faits et gestes de ce barbare ! Nadine réveille Marie; puis les deux femmes se dirigent vers le puits de lumière au-dessus de la grotte. De loin, elles voient Jean-Pierre s'engager dans le sentier de la grève. Il ne reviendra que dans une heure. C'est le moment…

Marie hoche la tête pour signifier qu'elle se sent prête. Elle emprunte l'échelle, replacée temporairement contre la paroi, pour se rendre rapidement à l'intérieur du logis. Puis, la nomade remonte l'outil sur le toit toujours pour maintenir l'illusion qu'on ne peut y grimper. La femme aux yeux bleus s'installe à plat ventre, à proximité du puits pour entendre la conversation qui aura lieu dans l'antre.

Marie pénètre silencieusement dans l'abri de pierre, puis elle se dirige vers les vêtements du groupe. Elle ramasse les bottes des filles, leurs sacoches, les vestons que les visiteurs portaient à leur arrivée, ainsi que ses propres habits. La rouquine est présentement vêtue d'un accoutrement de peaux; elle ne pourra pas traverser le portail et se retrouver à Montréal affublée de cette façon. Quant à Lucette, qui endosse habituellement son costume de Montréal, elle devra, cependant, utiliser les mocassins fabriqués par la sorcière durant les prochains jours : la stratégie des deux comparses l'y obligera.

Elle dispose le tout dans son havresac. Comme convenu dans leur scénario, les manteaux d'hiver, les écharpes de laine et les gants resteront derrière. À la suite de longues discussions sur le fonctionnement du portail, les compères ont conclu que les visiteurs arriveront chez eux, soit en avril, soit en juin; ils n'auront donc pas besoin des paletots. Également, le poids des vêtements les obligerait à utiliser le travois, ce qui ralentirait leur progression et réduirait la mobilité de la sorcière et son indépendance en même temps. « De toute façon, aucun d'eux ne m'aidera à le traîner… ils n'auront qu'à acheter d'autres vêtements à leur retour… » Les deux havresacs que porteront Nadine et Marie doivent donc contenir tout ce dont le groupe aura besoin en cours de route, mais aussi au moment du départ.

Puis, une fois qu'elle eut remis le lourd sac à dos sur ses épaules, Marie réveille André et Lucette. De toute évidence, ils sont contents de la voir. Il n'y a plus de nourriture dans la grotte et ils ont faim. Leur visage creux atteste de leur jeûne forcé. Ils demandent où est passée la sorcière. Marie les écoute un peu, puis elle les invite à se déplacer au-delà du foyer; « ça pue, leur dit-elle. Profitons de l'air plus frais qui pénètre par le puits de lumière. »

Sur le toit de la grotte, Nadine jubile. « Un point pour Marie ! » Leur scénario incluait ce stratagème pour qu'elle-même puisse entendre clairement la conversation. Ainsi, elle écoute son amie expliquer, avec un flegme incroyable, qu'elle vient de passer près de deux semaines avec la nomade et qu'elle a réussi à la faire parler.

— Je comprends maintenant qu'ici, dans ce Pays de la Terre perdue comme l'appelle la sorcière, il n'y a pas de civilisation. Elle en a fait le tour et elle n'a rien trouvé.

André et Lucette ne commentent pas, mais ils affichent un air sceptique. Lucette tord ses mains et jette des regards inquiets vers André. Même si le temps presse, Marie garde son calme, alors que les paroles de son amie se répètent en boucle dans sa tête. « Une pierre à la fois… bâtir sur la base… prendre son temps… recommencer s'il le faut. » Elle prend une bonne respiration puis, d'un air en apparence détaché, comme si elle était simplement en visite, elle énonce « sa théorie ». Elle explique le principe du portail et la nécessité d'y repasser pour retourner chez eux.

— J'ai découvert tout ça en discutant avec la vieille femme.

Soudain, André ne peut plus retenir sa grogne. Il se redresse et crie à tue-tête, le doigt pointé dans le visage de Marie.

— La sorcière ! Elle t'a parlé de portail et de retour à la maison ! Elle t'a dit qu'il n'y a pas de civilisation ! Comment peux-tu la croire ? Elle a donné une raclée à Jean-Pierre !

D'un geste exempt de colère, mais ferme, Marie tasse la main du colosse et l'invite à se rasseoir sur la bûche qui lui sert de chaise. Puis, calmement, elle poursuit ses explications.

— J'accepte ce que mes yeux perçoivent et surtout ce qu'ils ne voient pas. Tu es ici depuis plus d'un mois. As-tu découvert une seule trace de civilisation ? Un avion dans le ciel ? Un bateau sur la mer ?

— Non, réplique André d'un air renfrogné.

— Comment peut-on passer par ce portail ? demande Lucette.

Marie garde le silence un moment, puis elle présente sa réponse sur un ton serein, même si elle s'apprête à leur mentir effrontément.

— J'y ai beaucoup réfléchi et je pense qu'on peut retourner chez nous à partir de cette plage du sud.

— Repartir là-bas ? éclatent André et Lucette à l'unisson. En marchant ? T'es folle ou quoi ?

Marie n'a pas fait de cas de leur accusation. Comme Nadine l'a si souvent vu faire, la jeune femme oriente la discussion vers le but à atteindre avec un calme extraordinaire. « Quel brio ! Je suis fière de toi ! » Puis, elle reporte son attention sur la conversation qui se poursuit.

— On n'a pas le choix. Nous sommes prisonniers de la grotte depuis plusieurs semaines et le portail ne s'est pas manifesté. Je pense qu'il faut retourner à la plage au sud pour que nous ayons des chances de l'ouvrir.

— Es-tu certaine que cela va fonctionner ? demande Lucette d'une voix geignarde.

Voilà la question-clé qu'il faut utiliser avec ces deux-là. Marie et Nadine en ont beaucoup discuté. Elles ont décidé de procéder avec un brin d'honnêteté, accompagné d'une bonne dose de fermeté. Marie fixe son regard sur ses deux collègues, l'un après l'autre, avant de répondre d'un air penaud, mais tout de même déterminé.

— Non. Je n'en suis pas certaine, mais je suis prête à tenter l'expérience.

Avec soulagement, Nadine laisse sortir le souffle qu'elle retenait depuis un moment. André et Lucette sont presque convaincus. La moitié du chemin est fait. Il ne reste maintenant qu'à manipuler Jean-Pierre. En parlant du gros homme, Nadine le voit remonter le sentier de la falaise. « Ça y est ! Il faut maintenant plonger dans l'intrigue et la conspiration. » Comme convenu, Nadine lance le cri du cardinal, un oiseau qu'elle connaît bien pour l'avoir observé avec attention au cours de son séjour à l'île aux orignaux. Reconnaissant l'indice, Marie réalise qu'il lui faut marquer le plus de points possible avant le retour du barbare dans la grotte. Elle poursuit ses explications sans donner le temps à ses collègues de réfléchir plus à fond et risquer qu'ils se débinent devant l'énormité de l'expédition qui s'annonce.

— Jean-Pierre va bientôt revenir. Est-ce que je peux compter sur vous pour m'aider à le convaincre ?

André et Lucette acquiescent en hochant de la tête. Soulagée, Marie poursuit la mise en scène de ce scénario peaufiné après des heures de discussions, de brassage d'idées et de mises au point minutieuses.

— Bon. Mais d'abord, vous me laissez lui parler. D'accord ?

Juste à voir l'expression d'effroi peint sur leurs visages, Marie comprend que ses collègues préfèrent qu'elle s'occupe d'expliquer la situation; ils n'interviendront surtout pas… même pour l'aider. Sans qu'elle puisse ajouter quoi que ce soit, le gros homme rentre dans la grotte et aperçoit Marie. Jean-Pierre s'adresse à la nouvelle venue d'un air hautain.

— Tiens ! T'es revenue ! Tu veux manger, je suppose ! J'ai des petites nouvelles pour toi, il ne reste plus de nourriture.

— Non merci, réplique Marie. Je n'ai pas faim. Je suis venue vous parler.

Jean-Pierre s'approche d'un pas agressif et la pointe du doigt d'un ton contrarié.

— La sorcière ! Elle t'a laissée tomber aussi, c'est ça ?

— Non. Elle n'a rien à voir là-dedans. Je suis ici pour vous faire une proposition.

— Pour nous dire quoi ? Sans doute que tu veux revenir à la grotte. Je suis d'accord si tu acceptes de coucher avec moi.

Sur ces paroles qui la surprennent, Lucette échappe un petit cri. Elle place une main sur sa bouche pour que cesse le tremblement de ses lèvres, puis elle regarde Jean-Pierre avec les yeux pleins d'eau. Du haut du puits, Nadine l'entend renifler et pleurer, mais le goujat ne s'aperçoit même pas du désarroi qu'il vient de jeter sur la femme névrosée. De son côté, Marie retient sa colère et se contente de répéter ce qu'elle et Nadine avaient convenu, pour sauter directement dans le vif du sujet et forcer Jean-Pierre à exécuter leur plan à son insu.

— Non. Je veux rentrer chez moi. Et, je sais comment.

Nadine ne peut qu'admirer l'aplomb de son amie. Si elle avait été à la place de Marie, elle aurait probablement frappé le gros homme pour le punir d'avoir fait tant souffrir la femme fragile. La jeune femme impressionne l'exploratrice d'âge mûr. En la voyant agir avec autant de détermination, l'exilée comprend qu'ici, dans ce pays perdu, la rouquine expérimente pour la première fois une façon de faire qui lui servira de guide lorsqu'elle se retrouvera dans son ancien milieu de travail avec ses trois personnages plutôt singuliers. « C'est ce comportement qui lui permettra d'attendre que je revienne dans sa vie... » Nadine frissonne à l'idée de tous les sacrifices que la rouquine s'est imposés pour être en mesure de la retrouver.

Dans la grotte, personne ne parle et la nomade retient son souffle. Deux d'entre eux attendent avec appréhension la réaction du gros homme. Marie cherche à ralentir les battements de son cœur. Puis Jean-Pierre brise le silence en éclatant de rire :

— Ben voyons donc ! Tu as trouvé le moyen de retourner à Montréal toute seule !

Marie, qui jusque là gardait son calme, accuse le choc en tentant péniblement de retenir la réponse vive qui lui brûle les lèvres. Sur le toit, Nadine croise les doigts et ferme les yeux; elle craint que son amie n'explose après avoir été rabaissée cavalièrement par Jean-Pierre. Soulagée, c'est avec fierté qu'elle entend la voix mielleuse de sa comparse.

— En fait, tu m'as procuré des indices. Puis, j'ai fait parler la sorcière qui m'a fourni d'autres informations.

Sur le coup, Jean-Pierre bombe le torse et affiche un air imbu. Il est évidemment flatté dans son orgueil par les paroles de Marie.

— J'ai fait ça, hein. Je t'ai dit comment retourner.

— Presque. Tu m'as confié que tu trouvais ça bizarre qu'il n'y ait pas de pylônes électriques dans le coin. Nous n'avons pas été en mesure d'observer, non plus, des traces d'avion dans le ciel depuis notre arrivée.

Bien sûr, le gros homme n'a jamais rien articulé de la sorte, mais Marie sait, d'instinct, qu'il s'appropriera tous les mots sans aucune hésitation. Les commentaires de Marie aident à faire progresser l'analyse de la situation, alors ils ne peuvent qu'être les siens.

Sur le toit, Nadine exulte. « Marie ! Tu es impayable ! Tu es géniale ! Bravo ! » Pour le moment, Jean-Pierre ne parle pas. La femme aux yeux bleus imagine le goujat, debout devant les autres pour mieux dominer, affichant un air songeur, cherchant à trouver le meilleur moyen d'exploiter ce que sa collègue vient de dire. Marie a accompli un excellent travail. Refusant de prendre part au jeu agressif, elle a réussi à capter l'attention du gros homme par la flatterie. Sachant qu'elle ne pourra pas capter l'attention du personnage narcissique pour bien longtemps, Marie lui offre une version abrégée de la théorie qu'elle et Nadine ont développée. Quand elle suggère de retourner à la plage de la péninsule, Jean-Pierre sursaute.

— Ha ! Je comprends maintenant ! Tu veux me voler mon leadership ! C'est ça ? Ben ça ne marchera pas ! Je le garde !

Les deux femmes avaient prévu cet éclat du nouveau chef. Lentement, comme si elle s'étonnait de sa réaction, Marie ramène le calme dans la conversation.

— Non, pas du tout ! Je désire retourner chez moi. Je ne peux pas le faire toute seule et j'ai besoin de ton aide. C'est toi le leader du groupe et je sais que tu es capable de nous guider vers la plage au sud.

Couchée au bord du puits, Nadine se demande comment Marie a réussi à dire tout cela en restant sereine et en s'empêchant d'éclater de rire; le tout en évitant de frapper l'homme en plein visage. « Tu es si bonne ! Formidable ! »

Jean-Pierre se tait un instant, à un tel point que l'angoisse s'installe dans le cœur de la nomade. Puis, il parle d'un air un peu sceptique.

— Tu crois que je devrais amener le groupe à la plage du lagon ?

— Oui. J'en suis certaine. J'ai confiance en toi !

De ses yeux noirs malicieux, Jean-Pierre observe la jeune femme un moment. Marie reconnaît là son attitude calculatrice. Elle attend patiemment qu'il se décide à reprendre la conversation.

— Si je comprends bien, tu veux venir avec nous ?

— Oui.

— OK. On part demain.

« Ouf ! » Nadine respire mieux. Le but est presque atteint. « La suite maintenant ! Vas-y, mon amie ! Fonce ! » Comme si elle avait entendu le cri muet de la sorcière, Marie poursuit, d'une voix soumise, exactement comme les deux comparses l'avaient planifié. Même si ce ton servile irrite les oreilles et les nerfs de Nadine, elle accepte de bon cœur les effets de cette manipulation rendue si nécessaire. Elle se rassure en se souvenant que jamais, durant leurs années de travail commun, la rouquine n'a utilisé cette façon de faire indigne de son caractère volontaire. La nomade attend avec impatience le déroulement de la prochaine phase de leur plan, une étape cruciale.

— Jean-Pierre ! J'ai une autre requête à faire.

Le gros homme, qui s'était déjà tourné pour passer à autre chose, lui répond d'un air agacé :

— Qu'est-ce que tu veux de plus encore ?

— Nous devrons manger au cours de cette longue marche vers le sud qui durera plusieurs jours. La sorcière doit nous accompagner.

Jean-Pierre éclate dans une rage folle, bousculant tout ce qui se trouve autour de lui et à la portée de sa main. André et Lucette se terrent au fond de la grotte pour ne pas être dans son chemin. Marie garde difficilement son calme, mais elle ne bronche pas. Elle sait que son collègue ne la touchera pas si elle ne répond pas à sa violence. De son côté, Nadine tremble pour la sécurité de son amie. Pourtant, elles avaient prévu cet éclat de rage. Éventuellement, la colère du gros homme s'épuise.

— Je ne veux pas voir la sorcière ! As-tu regardé dans quel état est mon nez ? Elle me l'a cassé !

Soudain, Nadine ne peut se retenir de rire, au point qu'elle doive s'éloigner du puits, le temps qu'elle retrouve un semblant de contrôle. En cherchant à le ridiculiser, elle a souvent demandé à son patron qui lui avait transformé ainsi le pif. Sa réponse était toujours la même : « Une vieille sorcière complètement folle. » Cette phrase, qu'elle croyait tout droit sortie de l'imagination d'un Jean-Pierre calculateur pour son bénéfice, prenait maintenant tout son sens. « C'est moi qui lui ai ainsi refait le portrait ! »

Puis, la rancœur l'étouffe à nouveau. Elle n'arrive pas à s'expliquer son comportement agressif à l'égard du barbare, il y a quelques jours de cela. De toute façon, ça n'a rien résolu. Si sa colère s'est un peu amoindrie, Nadine déteste toujours l'homme. Pour se libérer de cette hargne envers lui, elle doit trouver une autre manière que la violence pour transiger avec cet individu.

Pendant que le scénario se déroule dans la grotte, Nadine absorbe un détail. S'il l'a engagée malgré qu'elle lui ait cassé le nez, c'est que Jean-Pierre n'a jamais été en mesure de la reconnaître. À aucun moment, il n'a été capable d'établir un lien entre la « vieille sorcière » de 57 ans et la Nadine de 45 ans. Sinon, il n'aurait jamais accepté qu'elle travaille pour lui.

Puis, un souvenir fait son chemin dans son cerveau. Combien de fois a-t-elle entendu Marie réprimer un fou rire à propos de cet échange verbal entre elle et Jean-Pierre ? Elle n'a jamais voulu lui révéler pourquoi l'altercation la faisait rigoler au point de devoir quitter la réunion. Maintenant, Nadine saisit toute la subtilité de la situation.

La rouquine possédait un souvenir parfait de ce qui s'était vraiment passé, mais ne pouvait faire autrement que de trouver le contexte complètement ridicule. « L'effrontée... elle s'est bien amusée à mes dépens ! Attends que je lui rende la monnaie de sa pièce ! »

Secouant ses songeries, Nadine retrouve son calme et retourne au bord du puits pour écouter la suite de la conversation. Marie ne fait que répondre à la diatribe du gros homme.

— La sorcière regrette !

Puis, pour amadouer un peu plus Jean-Pierre, Marie a recours à une voix presque geignarde qui sonne plutôt faux aux oreilles de Nadine. Pourtant, le goujat narcissique se laisse prendre par la flatterie.

— Jean-Pierre, j'aimerais vraiment repartir d'ici. Pour cela, il faut aller vers le sud. Ce sera long. La sorcière sait chasser et pêcher. Elle connaît le chemin. Elle peut nous aider, elle peut t'être utile.

Durant un instant qui semble interminable, Jean-Pierre ne répond pas. André et Lucette y mettent du leur. Ils veulent aussi rentrer chez eux. Ils ont faim. Ils supplient Jean-Pierre de les amener vers la plage et d'accepter que la nomade les accompagne. Le narcissique, sensible à tous ces égards révérencieux, finit par plier. De toute évidence, Marie a réussi à neutraliser la menace causée par la présence de la sorcière au cœur de toute cette initiative. D'une voix brusque, il demande :

— Où la trouve-t-on, cette folle-là ?

Marie prend un air en apparence soulagé. Se pliant à la mise en scène convenue, elle s'approche du gros homme et dépose sa main sur son bras.

— Merci beaucoup Jean-Pierre. Je t'en suis très reconnaissante. J'espérais que tu acceptes. Je lui ai donc donné rendez-vous à l'est de la grotte. Elle nous attend en ce moment même.

Jean-Pierre lui jette un regard noir et plein de hargne. Le goujat n'aime pas que Marie ait pris l'initiative, mais, scrutant le visage conciliant et rempli d'hésitation de cette femme, il réalise que son leadership n'est pas vraiment menacé. Moins niais qu'il n'y paraît, il comprend toute la pertinence de ce plan d'action. Il veut lui aussi repartir d'ici. Il en a assez. Très vite, il reprend l'avantage de la situation.

– OK. Je vais lui parler.

Puis, pointant ses trois collègues, chacun leur tour, Jean-Pierre leur donne une directive tout à fait essentielle pour maintenir le contrôle.

– C'est moi qui discute ! Pas vous autres ! Si elle fait trop de misère, la sorcière ne viendra pas avec nous.

C'est ainsi que les visiteurs sortent de la grotte à la file indienne derrière le gros homme. Pendant ce temps, Nadine a déjà franchi le sentier au pas de course et elle est partie s'asseoir sur une roche, bien à la vue de tous, le visage orienté vers le sud. C'est dans cette position que Jean-Pierre la trouve et l'apostrophe avec une rage non contenue.

– Te voilà toi ! T'as vu ce que tu as fait à mon nez ?

Nadine se lève et s'avance vers l'homme. Elle examine l'appendice au milieu de la face de Jean-Pierre qui, de toute évidence, est cassé, puis elle retourne vers la grosse pierre pour s'y installer. Le narcissique fulmine devant l'attitude suffisante de la femme.

– Tu ne t'excuses pas ?

– C'est vrai que je suis désolée.

La guerrière n'ajoutera pas tout ce qui lui passe par la tête : « Si j'avais su, j'aurais frappé plus fort. » Elle se contente d'assumer son rôle de nomade, en partie sorcière, sans trop menacer le leadership du barbare. Les comparses avaient vu juste; convaincues que Jean-Pierre désire retourner à Montréal autant que les autres, elles se sont permis de développer un scénario qui pousse le gros homme dans la direction désirée, sans qu'il ne s'en rende compte. Jean-Pierre est assez intelligent pour réaliser qu'il a besoin de la femme aux cheveux blancs. Ainsi, malgré sa rancœur, il parvient à tempérer ses émotions.

— Bon, ça suffit ! J'amène ma gang à la plage du sud et j'ai décidé que tu pouvais te joindre à nous.

— Parfait !

— Si tu veux venir, il faut que tu me donnes ton couteau et ta machette.

Ça aussi les deux comparses s'y attendaient. Nadine réagit selon leur mise en scène. Ainsi, sans aucune parole, la femme aux prunelles bleues se lève et s'éloigne en direction du nord. Jean-Pierre l'interpelle aussitôt.

— Hé ! Tu ne vas pas dans la bonne direction ! Le sud c'est de l'autre côté !

Nadine recule de quelques pas, puis dévisage le gros homme avec des yeux qui crachent le feu. D'un calme plutôt froid, elle s'adresse à lui.

— D'accord. Je me joindrai à vous. Si tu me demandes encore mon couteau et ma machette, je vous laisserai là où vous serez rendus et j'irai me faire voir ailleurs. Si tu essaies de me les prendre de force, je te tuerai.

Soudain, un silence glacial s'installe. André, Lucette et Marie n'osent pas bouger le moindre muscle de leurs corps. Nadine et Jean-Pierre se jaugent; ni l'un ni l'autre ne bronche. Nadine, un sourire sur les lèvres, affiche une expression froide et particulièrement calme.

La tension est grande. Tous attendent impatiemment la réaction de Jean-Pierre. C'est lui qui détourne le regard en premier. Il fait un pas en arrière. Tous retiennent leur souffle. Puis le barbare éclate de rire. Les comparses reconnaissent ce comportement dont il se sert quand il sait qu'il est en train de perdre la face. Du coup, le climat devient plus détendu. Reprenant tant bien que mal l'initiative, le gros homme énonce sa décision.

— La sorcière, on va quitter la grotte demain, alors tu reviens à l'aube. Le logis est toujours interdit pour toi.

— Non. Nous partons tout de suite.

La voix claire de la nomade ne laisse aucune équivoque. Il n'était pas question d'attendre, car dans le confort de l'habitation, Jean-Pierre pourrait changer d'avis et prendre un malin plaisir à retarder l'expédition juste pour prouver qu'il a toujours le contrôle. Le départ doit avoir lieu maintenant, pour lui forcer la main. Loin de la grotte, n'étant pas assez habile pour retrouver son chemin tout seul, il sera obligé de suivre les autres.

De plus, il faut l'empêcher de se séparer du groupe. Nadine et Marie tablent sur sa volonté de retourner chez lui. Ainsi, le fait de demeurer ici détruirait l'unique chance d'obtenir ce qu'il désire. Il ne reste plus qu'à lui fournir l'illusion qu'il a toujours le contrôle sur les évènements. L'attitude butée de Nadine vise aussi à détourner son intérêt de l'enjeu principal de cette migration de la troupe vers le besoin viscéral de gagner contre la sorcière. Cette quête narcissique se transformera rapidement en un duel sans fin entre le tortionnaire et sa victime présumée. Il ne lâche tout de même pas le morceau facilement.

— J'ai dit qu'on allait quitter la grotte demain.

— Non. Je pars maintenant.

L'instant est décisif. Nadine ramasse son sac à dos qu'elle avait déposé à ses pieds, puis elle s'engage lentement sur la route vers l'est. Marie prend André et Lucette par la main et les entraîne à la suite de la sorcière. Les deux comparses retiennent leur souffle. Jean-Pierre attend un long moment avant d'emboîter le pas aux autres.

Connaissant l'homme, Nadine et Marie savent que le soir venu, l'idée de partir le jour même deviendra sienne. Concentrant leurs efforts combinés pour atteindre leur but, les complices ne s'en formalisent pas. Il peut triompher à chaque fois qu'une petite escarmouche éclatera, alors que les deux acolytes préfèrent gagner la guerre. Les deux femmes ont la force de caractère nécessaire pour porter ce projet sur leurs épaules, entraînant Lucette, André et Jean-Pierre malgré eux.

Pendant qu'elle marche, quelques dizaines de mètres devant les autres, Nadine fronce les sourcils. Quelque chose en elle a changé. Elle ne sait pas encore comment l'interpréter, mais elle réalise que ça pourrait l'aider à atteindre la péninsule sans tuer Jean-Pierre. Sa colère viscérale envers cet homme s'atténue rapidement. Elle en est d'abord déçue; quelque part, depuis l'arrivée des visiteurs, elle aimait le haïr. « Ma rage se sera envolée quand j'ai su que je lui avais cassé le nez ? Le Pays m'aurait rendue si violente… non… je sais que j'ai réussi à conserver mon humanité et mes valeurs… C'est autre chose… une autre sensation plus profonde… »

Alors qu'elle fait un pas de plus sur ce long chemin qui la ramènera chez elle, elle ressent une sorte de bien-être qui s'installe dans tout son corps. Un petit sourire exprime son bonheur. Sa respiration devient rapidement plus facile qu'elle ne l'a été depuis des semaines… « Je n'ai plus peur de lui… il n'a plus d'emprise sur moi… » À ce moment précis, son sentiment ressemble plus à de l'indifférence; elle le trouve insignifiant. Elle ne communique avec lui que pour servir ses intérêts personnels; autrement, c'est comme s'il n'existait plus.

Aux yeux de Nadine, le monstre a définitivement perdu tout son pouvoir. L'homme narcissique est maintenant réduit à un simple élément négligeable dans sa vie; comme un ver de terre que l'on tasse de côté pour mieux planter une fleur. Pas besoin de s'en débarrasser… on peut le laisser vivre… il s'enfoncera de lui-même jusqu'à disparaître. Il suffit de l'ignorer…

Chapitre 28

Jour 694 – 9 juin

– Qu'est-ce que t'en penses ? Est-ce qu'on devrait monter le camp ici, à la belle étoile ? Préférerais-tu marcher jusqu'à la hutte qui se trouve un peu plus loin ?

Énergisés et unis par leur nouvelle quête, celle de retourner chez eux, les cinq membres de ce groupe hétéroclite s'approchent du pont de bois qui traverse la rivière aux brochets. La question vient de Marie et vise à perpétuer l'illusion que le narcissique est toujours le maître de la situation. Avant qu'il ne puisse répondre, Nadine précise qu'il y a de la bonne perdrix dans la petite forêt de l'autre côté de la passerelle. L'homme fait comme s'il ne l'avait pas entendue.

– J'aime mieux continuer jusqu'à la hutte; ce sera plus rapide pour être en mesure de partir demain matin. La vieille ! Marche devant que je te surveille !

Une fois le campement organisé, le groupe s'installe près du feu à l'extérieur. Sous les cris de joie, Nadine prépare trois perdrix et deux lièvres qu'elle accompagne de tubercules et de champignons que Jean-Pierre a cueillis à la demande de Lucette. Nadine prend sa portion, puis elle laisse les autres se gaver avec le reste. Les dernières semaines de jeûne ont changé leur attitude; ils n'arrêtent pas de la complimenter pour ce repas qu'elle vient de cuisiner. Sauf Jean-Pierre, bien sûr, qui continue de la suivre de ses yeux noirs suspicieux.

Les visiteurs ne sont pas épuisés suite à cette marche accomplie, tout de même, à une cadence rapide. Leurs vêtements flottent sur leur dos. Ils ont tous perdu du poids. Même s'ils n'ont pas mangé à leur faim tous les jours, ils ne souffrent pas de malnutrition. « Jean-Pierre aura réussi à trouver suffisamment de nourriture... il s'est sûrement servi de ses connaissances et de ses talents culinaires pour resserrer un peu plus son emprise sur le groupe... »

S'ils n'ont pas travaillé très fort dans le dernier mois, ils ont dû marcher partout où ils voulaient se rendre. Leur teint est basané et respire la santé. Ils sont tous plus en forme qu'à leur arrivée. Ainsi, aujourd'hui, le groupe a parcouru la distance prévue dans un laps de temps normal. Nadine est soulagée, car elle n'aura pas à les pousser sur la route vers le sud. Comme ils se rendront à chacun des campements assez rapidement, la nomade pourra chasser alors que Marie s'occupera du bois pour le feu. Pour compléter les repas, elles utiliseront les réserves que recèlent encore les huttes. Les deux complices savent qu'elles ne peuvent pas compter sur l'aide des trois autres.

Ce soir-là, alors que Nadine prépare la nourriture, Jean-Pierre en profite pour l'observer de ses yeux calculateurs et malicieux. Conditionné par son cerveau unidirectionnel, l'homme n'a qu'un but, celui d'obtenir le couteau et la machette. Il ne lâche pas. Elle s'y attendait. Les comparses ont d'ailleurs convenu que la sorcière ne coucherait pas dans les campements avec le groupe. Ainsi on évitera une confrontation qui pourrait faire tourner l'expédition au vinaigre. Le fait que Nadine doive vivre avec un peu d'inconfort, d'ici le départ de ses visiteurs, représente un prix facile à payer alors que la récompense sera immense : son retour éventuel vers les siens...

Fidèles à leur scénario initial, Nadine et Marie ne se parlent pas devant les autres durant le voyage, sauf exception; elles ont prévu un code si cela s'avérait nécessaire. Leur plan d'action a bien fonctionné aujourd'hui et, si tout se passe toujours aussi bien, elles s'y tiendront, jour après jour. Ainsi, en n'affichant pas ouvertement leur camaraderie, elles éviteront que Jean-Pierre ne saisisse leur manège de manipulatrices et décide de changer le déroulement des évènements pour tenter d'en reprendre le contrôle.

Nadine baisse la tête. « J'ai presque fait tout foirer en traversant la forêt qui mène au pont. » En effet, comme à son habitude, elle marchait devant le groupe, perdue dans ses pensées. Elle connaît la route par cœur, alors elle s'est mise à fouiller ses souvenirs familiaux; elle savoure l'idée de les revoir bientôt et s'imagine leur visage étonné par son retour après deux ans d'absence. Ces images douces défilant dans son cerveau, Nadine a réduit le pas. Comme il fallait s'y attendre, Jean-Pierre a voulu profiter de l'occasion.

La femme marche lentement, la tête un peu baissée. Le barbare s'est approché par-derrière et il a tenté de la prendre à bras le corps pour la coucher au sol. La manœuvre a fait sortir Nadine de sa réflexion et elle s'est immédiatement positionnée en mode défense. Puis, en même temps, un gros chat jusque là camouflé sous un sapin s'est élancé vers Jean-Pierre. La nomade a noté clairement sa patte éclopée. Sachant que Tigré tuera son tortionnaire si elle le laissait faire, Nadine a crié et, sautant de côté, elle s'est placée entre la bête et l'homme. Le lynx déstabilisé, refusant de blesser celle qui a pris soin de lui, a rétracté ses griffes et écarté ses crocs, tombant dans les bras de l'humaine. Tout en attrapant ce lourd fardeau, Nadine a glissé sur le sol, roulant cul par-dessus tête, les membres de l'animal entremêlés avec les siens.

Sous le couvert de la forêt dense, elle s'est relevée rapidement puis, le chat à ses trousses, elle s'est enfuie jusqu'à une clairière. C'est en ce lieu qu'elle s'est arrêtée pour laisser libre cours à ce rire qu'elle retenait péniblement. Se remémorant l'incident, elle savoure l'expression faciale de Jean-Pierre. Il en a éprouvé une telle terreur que l'homme figea sur place, son visage devenant blanc comme neige. L'animal a mis ses pattes de devant sur la poitrine de la femme et ses oreilles repoussées vers l'arrière témoignaient d'une sorte d'inquiétude. Contente de retrouver Tigré, elle a flatté le lynx énergiquement le laissant lui lécher la face.

— Tigré ! Tu m'as fait peur ! J'ai cru que tu le tuerais !

La bête a bousculé amicalement l'humaine sans se préoccuper des mots qui sortaient de sa bouche. Il a mordillé les bras de la nomade sans lui faire mal. « Il singe le comportement de Lou… où est-ce inné aussi chez ces gros chats ? » Nadine qui croyait ne plus revoir Tigré avant son départ a ressenti un immense bonheur du fait de le rencontrer si loin de son territoire habituel.

— Qu'est-ce que tu fais dans ce coin ? Je suis si heureuse que tu m'aies trouvée ! Ta patte est guérie ! Tu ne boites presque plus ! Je suis fière de toi. Approche que je te caresse !

Nadine l'a bardassé encore en riant aux éclats. Les deux ont roulé comme deux enfants dans l'herbe et le sous-bois. Puis, un rire nerveux et involontaire a fait couler quelques larmes aux yeux de la nomade. Est-ce que cette scène qu'elle vient de vivre possède un aspect aussi loufoque pour les visiteurs que pour elle. Une fois calmée, sachant que le lynx ne la suivra pas, elle rebrousse chemin. Sans qu'on l'aperçoive, elle arrive à surprendre la conversation entre les autres membres du groupe.

— Je te l'ai dit, raconte Jean-Pierre. L'animal lui a sauté dessus et il est parti avec la sorcière dans la gueule ! Pourquoi ne me croyez-vous pas ?

— Voyons donc ! réplique Marie. Un énorme chat ! Ça n'a pas d'allure !

— Explique-moi comment elle est disparue, d'abord ! Regarde les traces là ! Il va la manger, c'est sûr. Je n'ai pas pu le suivre. J'aurais aimé récupérer le couteau et la machette…

— Qu'est-ce qu'on fait maintenant ? demande André en coupant net les élucubrations du gros homme. Qu'est-ce qu'on bouffera ? Comment se rendra-t-on jusqu'à la plage sans guide ? On est dans la merde !

Nadine a retenu difficilement son fou rire. Bien sûr, elle voit l'inquiétude se dessiner sur le visage de Marie et elle s'en désole. Quoi qu'il en soit, toute cette mise en scène représente une occasion en or pour confondre son tortionnaire. Si elle ne ressent plus le désir de le tuer, elle le hait toujours autant. Si cette aventure peut lui procurer un peu de plaisir, pourquoi n'en profiterait-elle pas ? Elle se précipite dans la forêt pour atteindre un point du sentier à quelques dizaines de mètres devant les autres. Puis, elle revient vers eux en affichant un air frustré, laissant ainsi présumer qu'elle les attendait un peu plus loin.

— Qu'est-ce que vous faites ? Je n'ai pas le temps de rebrousser chemin comme ça pour revenir vous chercher ! Allez ! Le pont est par là !

Elle s'est retenue de rire en voyant le visage de Marie qui exprime du soulagement, mais aussi un peu de colère. Ses yeux verts lancent des flammèches, mais ses lèvres forment un large sourire. Même si elle ne saisit pas tout, la rouquine comprend qu'une intrigue se trame, aux dépens du goujat. Pour mettre son grain de sel, elle ajoute sur un ton bourru :

— Apparemment, un énorme chat t'a tuée. On a même cru qu'il s'était sauvé avec ton corps dans la gueule... qu'en dis-tu Jean-Pierre ?

Le gros homme fixe Nadine avec une expression décontenancée. Sur son visage, se manifestent, à tour de rôle, le plissement des yeux causé par la colère, l'assombrissement des traits dû à la honte, la blancheur de sa peau marquant l'inquiétude et le relâchement des muscles en guise de soulagement. Nadine n'est pas dupe. Son tortionnaire ne se réjouit pas de la retrouver, saine et sauve, mais se félicite plutôt d'avoir une autre chance de lui prendre son couteau et sa machette. « Quel goujat ! » Sans le vouloir, André mousse la blague.

— Jean-Pierre ! Avoue donc que tu étais perdu ! Imbécile !

Le groupe reprend, finalement, sa randonnée en direction du pont. Le gros homme n'a pas prononcé un seul mot du reste du voyage. De toute évidence, il cherche à comprendre ce qu'il avait vu. Un peu plus tard, alors que

Marie cueille du branchage dans la forêt, Nadine en profite pour lui raconter cette scène hilarante pour le plus grand plaisir de son amie.

Ainsi, malgré l'incident, la journée s'annonce réussie. Dès qu'elle le peut, Nadine s'échappe pour se rendre dans la vallée des chevaux, de l'autre côté de la zone boisée. Elle y sera en sécurité pour la nuit et, elle en est certaine, Lou la rejoindra pour au moins quelques heures. Ayant prévu cette visite, Nadine porte un sac rempli de tubercules d'apios et de cœurs de quenouille. L'apercevant ainsi chargée, les herbivores s'approchent d'elle rapidement pour obtenir des friandises. Elle donne des morceaux de racines à tous les membres de la harde, même aux plus jeunes qui sont encore en train de téter. Si leur mère n'y voit pas d'inconvénient, pourquoi se priverait-elle de les caresser ? Puis, l'un d'eux la bouscule…

— Eh ! Bonjour Plumo ! Tu as l'air de bien te porter. Ne me bardasse pas comme ça, s'il te plaît. Tu es déjà plus gros que moi. Allez ! Tasse-toi un peu…

En riant de bon cœur, elle repousse le poulain pour laisser les autres s'approcher. Sachant qu'elle quittera bientôt le Pays de la Terre perdue, elle prend le temps de caresser longuement chacun des chevaux. Puis, alors qu'elle inspecte leur fourrure pour s'assurer de l'état de santé de ses amis, un jappement joyeux lui signale que Lou vient de la retrouver.

— Lou ! Allez mon tout petit ! Je suis contente de te voir ! Viens ici que je puisse te flatter !

Le canidé s'approche et place ces deux pattes sur les épaules de la femme qui peine à rester debout. Puis, il se met à renifler les habits de la nomade, cherchant à percevoir d'où peuvent bien provenir les effluves particuliers qui s'en dégagent. Ce réflexe fait rire Nadine.

— Tu n'es pas jaloux, quand même ? C'est l'odeur de Tigré que tu renifles sur ma chemise. Allez ! Descends tes paluches sur le sol avant que je finisse par culbuter sous ton poids !

Calmé, probablement par le fait d'avoir reniflé une odeur familière, le loup jappe et s'installe à côté de sa mère adoptive, alors que les chevaux viennent prendre des friandises à tour de rôle. Puis, elle entend Jack hennir puissamment et entraîner le troupeau au galop loin d'elle. Lou grogne et montre ses crocs. Un danger rôde dans les parages. La main sur le manche de sa machette, Nadine inspecte, de ses yeux perçants, l'orée de la forêt afin d'identifier ce qui rend les bêtes nerveuses. Elle voit Jean-Pierre s'approcher. Apparemment, il l'a suivie à partir du campement. Tout fier de lui, il fanfaronne.

– Eh ben ! Un troupeau ! Si je m'attendais à ça ! Tu vas en chasser un pour nous. J'aime ça de la viande chevaline.

– Non ! Ce sont mes amis et je n'en tuerai aucun.

C'est alors qu'elle remarque que Jean-Pierre tient une lance. Elle n'a aucune idée de son habileté à s'en servir. « En deux semaines, il aura pu apprendre à la manier… » Elle n'a pas l'intention d'attendre qu'il fasse un essai. Cet imbécile pourrait blesser un cheval, Lou ou elle-même. Le canidé est prêt à bondir, mais Nadine le retient d'un geste de la main. Il serait capable de tuer l'humain d'un coup de gueule. Tout d'abord, elle veut parlementer.

– Jean-Pierre, tu as sûrement remarqué qu'il y a aussi un loup à côté de moi.

De toute évidence, le barbare ne l'avait pas aperçu et, à la vue des crocs de Lou, la peur transparaît sur son visage qui prend une couleur blafarde. Elle augmente son malaise d'un cran.

– L'animal, que j'ai élevé depuis sa naissance, obéit à mes ordres au doigt et à l'œil. Alors, tu vas déposer ta lance sur le sol, puis quitter cette vallée pour retourner au campement. Si je te revois d'ici à ce que le prochain jour se lève, je laisserai le loup t'attaquer.

Nadine observe de l'hésitation dans le comportement de l'homme. Il avale difficilement sa salive et son souffle devient court. Il semble étouffé par l'affolement, mais son orgueil l'incite à rester sur place. Nadine est convaincue que Jean-Pierre estime pouvoir lui faire peur en brandissant son javelot, une menace qui suffirait à lui procurer les armes tant convoitées. Il s'est trompé et il réalise qu'il vient de perdre la face. En colère, Jean-Pierre se met à crier.

– Espèce de folle ! Sorcière ! C'est moi qui te tuerai ! Bientôt, j'obtiendrai ton couteau et ta machette ! Tu verras bien !

– Peut-être un jour, mais pas aujourd'hui. Retourne à la hutte et restes-y pour la nuit. Le loup va te surveiller.

– Maudite imbécile !

Bien qu'il ait compris que rien ne l'oblige à lui faire du mal, Lou s'approche de l'homme, tous crocs sortis et en grondant sans retenue. Le froussard laisse tomber le javelot et part à la course vers le campement, le canidé à ses trousses. Nadine rit aux éclats. Elle ramasse la lance et rappelle son fidèle gardien canin. Puis, sans plus s'occuper de l'intrus, elle poursuit calmement sa visite aux herbivores qui, l'altercation terminée, reviennent la trouver.

Nadine installe son abri pour la nuit en bordure de la forêt, près de la vallée des chevaux, loin des visiteurs. Elle côtoie à nouveau ces derniers depuis quelques heures seulement et, déjà, elle en a assez. « Heureusement qu'en traversant le portail, je retournerai à ma retraite ! Je ne serais plus capable de les endurer ! » Pauvre Marie ! Elle a subi leur présence pendant quinze ans… non, vingt longues années si je compte les cinq ans où j'ai travaillé pour une autre compagnie… vingt-deux ans si j'ajoute mes deux hivers ici. Tout ça pour qu'elle puisse faire ma connaissance et me guider au gré de mon apprentissage avant mon départ… Un soupir s'échappe de sa bouche et elle s'adresse au vent :

– Je n'aurai pas assez du reste de mes jours pour lui rendre la pareille. L'amitié véritable résiste au temps et à l'espace : j'en suis la preuve vivante !

Chapitre 29

Jour 696 – 11 juin

— Atchoum ! Je suis tannée ! Mon nez pique ! J'ai le rhume !

Lucette a les yeux rouges et elle renifle continuellement. Nadine jette un regard au sol pour observer tous ces nouveaux plants de trèfle qui couvrent presque complètement la petite clairière. Malgré sa compassion envers la malade, la femme aux prunelles bleues sourit. Un bout de mémoire refait la surface : une courte discussion qui se répétait à chaque début de juin et qui portait sur les malaises de son ancienne collègue de travail.

— J'ai mal à la tête, lance Lucette entre deux éternuements. Mes allergies recommencent ! Maudits pissenlits !

— Non, réplique Marie sur-le-champ. Tu es allergique aux trèfles.

À chaque fois, Nadine se demande comment la rouquine fait pour savoir ça. Au Québec, ces deux plantes poussent en même temps sur les mêmes carrés de gazon. Mais, au Pays de la Terre perdue, ces fameuses fleurs jaunes envahissantes n'existent tout simplement pas. Les malaises de Lucette ont commencé quand la sorcière leur a servi une salade bourrée de feuilles rondes et de boutons de pétales blancs. Les allergies se sont intensifiées, dès le lendemain, alors que le groupe traversait un champ rempli de cette végétation trilobée. « C'est pour ça qu'elle savait… »

Puis Nadine sourit à nouveau en entendant Marie rassurer sa collègue.

— Ne t'en fais pas. Il s'agit simplement d'une allergie aux trèfles. Regarde, il y en a partout ici.

— La sorcière ! crie Lucette entre deux reniflements. Est-ce qu'on arrive bientôt ? Je n'étais pas malade lorsque nous étions au lagon.

Marchant loin devant le groupe de visiteurs, la nomade ne prend pas la peine de répliquer qu'il n'y a pas de trèfle sur la plage, ni que cette plante n'avait toujours pas commencé à pousser quand ils sont débarqués. Ça ne donne rien; elle gaspillera à coup sûr son énergie si elle s'évertue à expliquer des faits qui seront rejetés d'office puisqu'ils sont énoncés par une sorcière. La femme aux cheveux blancs lève les yeux vers le ciel. Le crachin qui tombe sur eux depuis une heure rend l'atmosphère de la troupe plutôt morose. Les visiteurs tentent de se protéger avec des peaux qu'ils portent au-dessus de leur tête, mais ces bouts de tissu font de piètres parapluies. Les humains grognent et chialent au moindre caillou ou trou d'eau qu'ils rencontrent sur le chemin.

Pourtant, hier, tout s'était bien passé... une journée presque parfaite. Du campement au sud du pont jusqu'à celui dans la forêt aux érables, il faut mettre trois heures de marche pour une personne habituée comme Nadine. La troupe a tout de même mis cinq heures pour faire le trajet.

Pour compliquer les choses, Jean-Pierre a fait le difficile en début de matinée. D'abord, il ne voulait pas se lever; puis il a pris son temps pour déjeuner; ensuite, il est allé dans le bois pour faire ses besoins, y restant de longues minutes. Il fallait s'y attendre. Marie qui n'était pas encore au courant de l'évènement de la veille dans la vallée aux chevaux semblait irritée par l'attitude de Jean-Pierre. Appréciant l'attitude calme de son amie, elle a simplement décidé de suivre son exemple.

En bref, Jean-Pierre tente tout bonnement de reprendre le contrôle qu'il croyait avoir perdu au profit de la sorcière. Il lui faut sauver la face, coûte que coûte, même si la nomade n'a pas mentionné cet incident auprès des autres visiteurs. Pour le narcissique, il s'agit d'une question d'honneur viscéral. Il désire gagner à tout prix et, pour y arriver, il mettra tout en œuvre afin de rabaisser son antagoniste devant tout le monde. La femme sait tout cela; ainsi, elle demeure calme, quoiqu'elle se retienne pour ne pas rire de son petit manège.

Nadine est surprise de sa réaction. Une nouvelle manière de voir Jean-Pierre se développe rapidement : l'évitement et l'indifférence, voilà la solution. Bien sûr, elle continue de le détester et elle se méfiera de lui jusqu'à la fin de ses jours. Mais elle savoure cette sensation de liberté qui s'insinue maintenant en elle, chaque fois qu'elle se retrouve en présence de l'homme. Elle cherche au fond de son âme afin de saisir ce qui a changé. « Ce ne peut pas être la raclée que je lui ai donnée qui a modifié ma vision de lui… je me sentais si mal… j'avais honte et j'avais l'impression d'avoir franchi un point de non-retour suite à cette colère dévastatrice. » Puis elle se souvient d'une conversation alors que les deux femmes habitaient la caverne d'Ali Baba :

— Comment peux-tu travailler tous les jours avec Jean-Pierre ? avait-elle demandé.

— Je me concentre sur le but à atteindre. Cet énergumène n'a pas d'importance.

— Je ne sais pas comment tu y arrives. Tout ce qu'il fait m'irrite énormément.

Marie l'avait regardée de ses yeux verts perçants. Puis, habituée d'aller directement au point en litige, elle a simplement répondu :

— Il ne peut te nuire que si tu lui en donnes le droit. Il faut juste que tu trouves un moyen de le neutraliser.

Nadine est restée songeuse un long moment. Elle se souvient que Marie, celle qui a maintenant 57 ans, lui a souvent servi ce concept philosophique, sans qu'elle ne parvienne vraiment à l'intégrer. Le patron savait trop bien comment manipuler ses émotions vives et la femme aux cheveux poivre et sel s'y laissait prendre. Des années plus tard, elle se retrouve assise dans la caverne d'Ali Baba en face de la jeune Marie qui lui fournit la même réponse remplie de sagesse. Se rappelant que Jean-Pierre lui avait fait beaucoup trop de mal dans son passé, Nadine a simplement secoué la tête et renoncé à mettre en pratique, un jour ou l'autre, ce gros bon sens que son amie énonçait si bien.

Par le truchement de leur stratégie qui vise presque exclusivement à empêcher le tortionnaire de nuire, Nadine a acquis un excellent moyen pour réduire l'influence du personnage narcissique sur elle. Par-delà toute cette satisfaction qu'elle a ressentie dans la vallée des chevaux, Nadine est particulièrement fière de pouvoir appliquer la méthode convenue avec efficacité.

Ainsi, au deuxième matin de l'expédition, elle observe d'un œil différent l'attitude de ce Jean-Pierre qui n'en fait qu'à sa tête. Le trouvant aussi insignifiant qu'un moustique, la nomade aborde cette nouvelle situation en cherchant une solution simple et efficace pour manipuler le comportement de l'homme; comme si elle appliquait une pommade sur sa peau pour éloigner les maringouins. La femme investit donc toute son énergie autour de la problématique du retour au gîte dans le sud; ainsi l'attitude de goujat envers elle ne l'importune plus. « Nous partirons quand nous partirons… le reste n'a pas d'importance… mais je vais tout de même l'aider un peu… »

Nadine choisit, ainsi, d'offrir une porte de sortie au gros homme pour qu'il calme son ego frustré la veille par l'incident de la vallée aux chevaux. Quand ce dernier revient au campement, il trouve Nadine assise sereinement devant son feu avec une tisane dans la main. Intuitivement, Marie suit l'exemple de son amie en sirotant aussi ce breuvage chaud. Les comparses jouent le jeu du goujat narcissique en attendant patiemment que Jean-Pierre « décide » de donner le signal du départ. Comme si elles appliquaient une sorte d'obstruction passive face à la nécessité de prendre la route immédiatement. Connaissant bien son ancien patron, ce que Nadine avait prévu arriva. Jean-Pierre n'a pas pu résister à cette occasion de lui faire une rebuffade, incluant Marie dans le détour.

— Eh les filles ! Encore en train de siroter votre thé ? Ça n'a pas d'allure ! Grouillez-vous ! Je veux partir !

Puis, comme il a si souvent vu faire la sorcière, il jette de l'eau sur le feu pour l'éteindre. Et vlan ! Le chef reprend le contrôle !

Les deux complices n'ont pas osé se regarder l'une et l'autre, pour éviter d'éclater de rire devant le gros homme. Marie a même mimé un geste de dépit, tournant les yeux vers les airs, juste pour en rajouter pour le plaisir de la galerie. Puis, elle enfile son sac à dos pour partir. Quant à Nadine, elle prend tout son temps : elle se lève lentement; elle place sa tasse dans son havresac; elle en profite pour s'assurer que les sangles sont bien attachées; puis, elle pose avec précaution son bagage sur ses épaules. « Il n'est pas question de le laisser gagner aussi facilement ! Ce serait un peu trop excentrique pour une sorcière ! » Bien sûr, Jean-Pierre s'est fait un plaisir de lui faire d'autres remontrances.

— Grouille la vieille ! J'ai autre chose à faire que d'attendre après toi ! Notre prochain arrêt sera dans la forêt aux érables. Dépêche ! Pars la première ! Allez !

Et voilà que le leadership selon Jean-Pierre se rétablit à nouveau; l'homme semble heureux et fier de lui. Il bombe le torse et marche le nez en l'air. La rebelle démarre cette randonnée d'un pas qu'elle sait beaucoup trop long et trop rapide. Malicieusement, quelques minutes plus tard, elle se réjouit d'entendre la respiration saccadée de son tortionnaire. Si elle a décidé de ralentir, c'est pour les autres.

En milieu d'avant-midi, elle a presque failli se faire prendre par son ennemi. Empruntant un sentier qu'elle connaît par cœur, elle n'a donc pas besoin de porter toute son attention sur son environnement. Perdue dans ses pensées, elle finit par réduire sa cadence… elle a même oublié la présence du narcissique et surtout son obsession pour le couteau et la machette... Elle ne réalise pas que Jean-Pierre l'a rattrapé au point de marcher presque à côté d'elle. Puis, elle sent le bras de l'homme entourer ses épaules. De son autre main, il tripote son corps pour décrocher l'arme. Nadine a juste le temps de se laisser choir afin d'éviter l'étau dans lequel le goujat tente de coincer sa tête. Elle se retrouve au sol et déboule dans la forêt. D'un coup de reins, elle se glisse sous une talle de cèdres, disparaissant ainsi du champ de vision de Jean-Pierre.

Du coin de l'œil, elle vient d'apercevoir Lou qui se tient au milieu du sentier. Il gronde et il exhibe ses crocs sortis, faisant hurler le poltron à pleins poumons. Si elle a bien réussi à éviter que le tortionnaire ne lui vole ses armes, elle a maintenant peur que son protégé attaque l'homme sans qu'elle ne puisse l'en empêcher. Sur le fait, Marie arrive à la course, répondant aux hurlements de son collègue. La rouquine reconnaît immédiatement Lou et comprend que Nadine est dans le trouble. De son côté, dès qu'il aperçoit sa nouvelle amie, Lou réalise que sa mère adoptive est désormais en sécurité et il repart en direction de la forêt. Toute la scène était terminée quand les autres se présentent sur les lieux. La sorcière sort lentement de sa cachette pour rejoindre les visiteurs. Ce faisant, elle se frotte les bras. Elle n'a nullement mal, mais elle souhaite donner de la crédibilité à ce qu'elle va leur dire, pour éviter que le narcissique ne répète son comportement du matin.

Marie a vite fait de comprendre qu'il s'est passé quelque chose entre la femme et Jean-Pierre. Ce dernier est livide et ses yeux noirs sont remplis de rage. Mais elle n'en fait pas de cas et s'adresse plutôt directement à son amie.

— Qu'est-ce qui est arrivé ? Tu t'es fait mal ?

Nadine regarde Jean-Pierre droit dans les yeux. Avant de partir, elle l'a averti qu'elle le tuera s'il tente à nouveau de prendre son couteau et sa machette. Elle sent que Jean-Pierre le réalise et il dégage l'odeur de la peur. Quoi qu'il en soit, elle ne désire pas l'assassiner. De plus, si elle met à exécution sa menace de les laisser là, tout seuls, aucun d'eux ne sera en mesure de se rendre au prochain campement. Lentement, tout en observant l'homme à la dérobée, elle s'adresse à Marie.

– J'ai fait une chute. Maintenant, tout va bien.

L'expression sur le visage de Jean-Pierre est passée de l'effroi intense au soulagement profond. Nadine soutient le regard du goujat avec une telle dureté que le barbare comprend qu'il n'aura pas une troisième chance. Puis, elle reprend la route pour distancer rapidement les autres. « C'est bizarre... mon envie viscérale de le tuer n'est plus là... je deviens plus sage... peut-être... » Toutefois, ses pas sont saccadés et empreints de rage. Elle est furieuse contre elle-même; par sa faute, Jean-Pierre a tenté, à deux occasions en deux jours, de lui prendre ses armes. S'il y parvenait, toute la dynamique de la randonnée en serait transformée et les chances de retourner chez elle se trouveraient rapidement réduites. « Merde ! Je dois rester alerte ! »

Puis, alors qu'elle est déjà loin devant les autres, elle sourit lorsque Lou se glisse à côté d'elle pour quémander une caresse. Tout en marchant, Nadine le flatte pour le rassurer; comme toujours, il a réussi à faire baisser cette tension qui gruge l'âme de l'humaine.

– Merci Lou ! J'apprécie ton geste, mais surtout, ne le tue pas ! Aide-moi plutôt à rester vigilante; pour que je ne le laisse plus m'approcher.

Bien sûr, le groupe a dû faire un long arrêt sur l'heure du midi. Nadine a choisi une petite rivière à l'orée de la forêt aux érables. Elle a invité les visiteurs à enlever leurs chaussures et à se tremper les pieds dans l'onde froide. Des exclamations comme « oh », « ah » et « hem » font concurrence aux bruissements des feuilles et au chahut du courant, au fur et à mesure que les pieds pénètrent dans l'eau apaisante. Seul, dans son coin, Jean-Pierre fait le dur à cuire. Nadine rajoute à sa frustration en ne se déchaussant pas, ce qui l'aurait rendue vulnérable vis-à-vis du barbare. Debout, loin du groupe, s'appuyant sur sa lance, elle affiche plutôt un air de totale indifférence. Au fond d'elle-même, elle apprécie au plus haut point cette nouvelle sensation de bien-être causée par l'absence de colère envers l'homme. Sa haine pour le goujat s'effrite et elle se sent soulagée, libérée…

Sachant la troupe en sécurité, elle part seule en forêt pour aller chercher le repas du soir. Alors que Jean-Pierre tente de la suivre, un grognement le fait reculer et crier à pleins poumons. Bien qu'André et Lucette n'aient rien entendu, Marie vient de comprendre ce qui se passe. La rouquine réalise ainsi que Jean-Pierre a peur du loup. De toute évidence, l'attitude de ce dernier envers l'homme est calquée sur celle de sa mère adoptive.

En milieu d'après-midi, une pluie fine commence à tomber. Sans être un orage redoutable, cette précipitation est plutôt désagréable pour les visiteurs qui ne possèdent pas d'imperméables. Marie et Nadine ont l'avantage de porter des vêtements de peaux sur lesquels l'eau coule sans être absorbée. André et Lucette se mettent à grogner, mais Nadine maintient simplement la cadence, pendant que Marie les encourage à poursuivre le chemin. En dépit de l'inconfort, Jean-Pierre semble joyeux. Les deux comparses, sans se consulter, saisissent la raison de toute cette gaieté. Le goujat perçoit l'infortune du moment comme une belle occasion pour piéger la sorcière et lui enlever ses armes.

Dès que la hutte est en vue, Nadine réduit la cadence et file en forêt pour un instant, de façon à se retrouver derrière les autres. Quand son amie passe à côté d'elle, Nadine lui remet les deux perdrix qui serviront de dîner, puis elle s'éclipse à nouveau dans la profondeur de la zone boisée. Quant à Jean-Pierre, il décide d'augmenter la cadence. Puis, arrivé devant le campement, il s'exclame avec un sourire sardonique :

— C'est dommage qu'il pleuve ! La sorcière devra allumer le feu à l'intérieur; cela sera difficile, mais je vais l'aider.

Nadine n'a rien entendu. Elle est déjà bien loin en direction de la cascade, où elle est en mesure de trouver un abri pour la nuit : une sorte de cavité peu profonde découverte récemment tout près de la cascade. Dès qu'elle a quitté le groupe, Lou l'a rejointe. En face de la hutte, Marie prend la relève avec courage.

— La sorcière n'est plus là. Elle m'a lancé ces quelques perdrix, puis elle est disparue dans la forêt. Je pense que l'on va devoir se débrouiller seuls ce soir. Où est le briquet d'André ?

Jean-Pierre s'est mis à tempêter, traitant la nomade de sans-cœur, de vieille stupide, de volte-face et bien plus encore.

Marie, dans un calme relatif, organise le campement pour la nuit. Elle comprend que son amie n'a pas vraiment le choix. Elle et Jean-Pierre sont engagés dans la valse sans fin du jeu du chat et de la souris. Le matou a intérêt à être perspicace. La petite bête, bien qu'elle attire la plus grosse par sa seule présence, sait toujours quelle distance garder pour ne pas se faire bouffer. La rouquine est persuadée que la souris gagnera la bataille finale. Pour le moment, elle est surtout inquiète pour son amie qui devra passer la nuit dehors, en forêt et sous la pluie; tout cela à cause de ce goujat de Jean-Pierre. Elle ferme les yeux un instant et laisse une vague apaisante se glisser sur son âme. « Heureusement, Lou veillera au grain et il la protégera à coup sûr. »

Si la deuxième portion de randonnée s'est en partie déroulée sous le ciel bleu, la troisième s'ouvre dans la brume avec des indications claires que le crachin les accompagnera une partie du chemin. « Peut-être qu'ils seraient heureux de rester ici pour une deuxième nuit… non ! Ce sera un jour de trop sur la route… nous devons nous rendre au plus tôt à la plage du sud… » Juste avant le lever de soleil, connaissant si bien cette forêt, Nadine n'a aucune difficulté à retrouver le campement. Bien avant que les autres ne se réveillent, elle prépare un feu dans le foyer extérieur avec du matériel d'allumage sec qu'elle conserve dans son sac à dos. Le branchage mouillé dégage beaucoup de fumée et il siffle, mais, au moins, elle peut fricoter ce petit-déjeuner chaud dont les visiteurs ont besoin pour être en mesure de poursuivre leur randonnée.

Elle leur prépare une infusion de thé des bois pour qu'ils puissent profiter des propriétés anti-inflammatoires de cette boisson qui contribuera à réduire la douleur logée dans leurs muscles ankylosés. Pour les nourrir, elle utilise des biscuits de farine de quenouille qu'elle avait camouflés parmi ses outils sur le toit de la grotte. Ils seront bourratifs et elle les servira chauds. Elle en dissimule quelques-uns dans son sac, en vue de les utiliser durant le temps d'arrêt en après-midi, évitant ainsi qu'André le goinfre ne mette la patte dessus. Un air sombre s'installe sur son visage. « Je les gâte un peu, mais je ne dois pas m'attendre à leur reconnaissance... ce n'est pas important... concentre-toi sur ton propre retour... ils doivent partir avant toi pour que tu parviennes à comprendre... »

Sur ces entrefaites, elle planifie sa journée. La route sera plus facile à parcourir et, à leur rythme, les visiteurs atteindront la péninsule au plus tard en début d'après-midi. Nadine préfère se rendre directement au campement du sud et ne pas s'arrêter en chemin, afin de terminer cette escapade au plus vite. Malgré l'avertissement qu'elle lui a servi la veille, Nadine craint toujours la réaction de Jean-Pierre. Ainsi, elle doit s'entretenir avec Marie pour ajuster leur plan de la journée. Comme convenu, elle laisse bien en vue une roche ovale et ocre que son amie a trouvée dans la vallée aux noisettes; la minuscule bulle noire qui ressort d'un bout du caillou pointe vers l'ouest; c'est la direction que la rouquine devra suivre pour rejoindre la sorcière, sans que les autres ne le sachent.

Puis, la nomade s'éloigne dans la forêt. Elle ne distingue pas le camp dans la brume épaisse; par contre, le son voyage très bien à travers l'humidité ambiante. Elle connaît si bien les visiteurs qu'elle est capable de les identifier juste par le bruit de leurs mouvements. André sort le premier de l'abri. Puis, c'est au tour de Marie. Apercevant le caillou jaunâtre, elle l'utilise pour frapper trois coups sur une pierre du foyer tel que convenu. Ensuite, Jean-Pierre s'approche du feu; il est accompagné de Lucette qui le colle toujours comme une deuxième peau. Elle entend le gros homme s'éloigner dans la forêt, commencer à uriner, crier et retourner à la course au campement. Nadine éclate de rire. « Cher Lou... »

Quelques minutes plus tard, Marie ramasse plusieurs grandes feuilles, puis s'approche de Jean-Pierre.

— Je m'éloigne quelques minutes. C'est urgent !

— D'accord. Fais attention parce que j'ai vu un loup rôder.

Nadine rit de plus belle et flatte son compagnon canin qui, après son coup d'éclat, est venu se coucher à côté d'elle. Quand Marie la rejoint, elle lui remet la roche ocre pour un usage ultérieur, puis elle caresse la méchante bête qui a fait peur au terrible Jean-Pierre. Nadine raconte en détail les tentatives de Jean-Pierre dans la vallée aux chevaux, puis sur la route dans la forêt aux érables. Elles conviennent que la sorcière devra dorénavant rester à l'écart du groupe pour éviter ce genre de scène. Les deux femmes ajustent l'horaire de la journée afin d'intégrer cette nouvelle information.

— La randonnée s'effectuera, la majeure partie du temps, dans une zone boisée ouverte et, en partie, en terrain découvert, explique Nadine. Tu devras suivre le sentier et entraîner tes collègues. Je serai toujours proche, mais généralement hors de vue.

Nadine s'attend à ce que Jean-Pierre la bouscule encore à la première occasion. L'homme réalise certainement que la troupe arrivera dans la péninsule sud avant la fin de la journée et qu'il n'aura plus d'autres chances de lui prendre ses armes par la force. Ainsi, elle restera hors de portée la plupart du temps. Quand se présenteront des croisées de chemin, des détours ou une erreur de parcours, la sorcière se glissera devant le groupe pour montrer la direction à suivre, demeurant à l'écart du tortionnaire et l'empêchant, ainsi, de pouvoir mettre ses manigances à exécution.

— Je suis rassurée que tu puisses compter sur Lou, indique Marie sur un ton qui exprime le soulagement.

— Peut-être; mais si Jean-Pierre s'entête à trop me bousculer, mon beau protecteur l'attaquera sans hésiter. Je me souviens des blessures infligées à quelques bêtes de sa propre race alors qu'il devait avoir à peine un an. Il pourrait tuer Jean-Pierre d'un seul coup de mâchoire à la gorge. Je dois m'assurer que cela n'arrive pas. C'est préférable que je me tienne loin de l'homme.

— Oh ! Je ne désire tout de même pas qu'il meure ! Je n'aime pas Jean-Pierre, mais je pense que ce serait mieux qu'il revienne avec nous autres.

— Si tu le dis !

Comprenant qu'elle ne peut demander à son amie de commenter cette réponse énoncée sur un ton plutôt narquois, Marie retourne au campement pour prendre son petit-déjeuner. Jean-Pierre est bougon. Il invite le groupe à manger et à se préparer à partir au plus vite.

— Je laisse les retardataires ici ! Bon ! Où est passée la sorcière ? Il faut toujours l'attendre celle-là !

— Regarde, indique Marie. Elle est là-bas, au milieu du sentier.

Nadine a fait un grand détour dans les bois puis, quand elle a vu que les visiteurs étaient prêts à partir, elle a sauté sur le chemin, cent mètres devant eux, en bordure de la brume pour qu'ils notent l'orientation et la suivent.

— Merde ! s'exclame le chef en herbe. Grouillez-vous ! Elle est déjà rendue loin !

Enfilant son havresac, Marie prend la tête du groupe, dans la direction indiquée par Nadine. Les autres n'ayant pas le choix, ils emboîtent tant bien que mal ce pas plutôt rapide. Jean-Pierre court pour atteindre l'endroit où Nadine est apparue, mais cette dernière n'y est déjà plus; elle s'est éclipsée à nouveau dans la forêt. Il bougonne et s'énerve. Il l'interpelle et la traite de sans-cœur et d'ingrate. Puis, quand elle bondit loin devant, il la somme de ralentir et repart à la course pour tenter de la rejoindre.

La nomade est une virtuose du jeu du chat et de la souris et le gros homme n'a aucune chance. Ainsi, elle surgit, ici et là, le long du sentier et toujours au loin, pour confirmer que Marie suit la bonne direction. Une heure après leur départ, une bruine froide et incessante se met à tomber, trempant rapidement leurs vêtements de laine. L'humeur du groupe, joviale jusque-là, se transforme éventuellement en irritation et en mécontentement. Si la rouquine travaille fort pour les inciter à poursuivre la route, c'est plutôt le manège de Jean-Pierre pour rattraper la sorcière qui donne le tempo de la marche…

Quand la troupe arrive au campement du sud, la pluie s'est arrêtée et le soleil perce les nuages blancs ici et là. Un feu brûle dans le foyer central en avant de la hutte; toutes les toiles de l'abri sont relevées pour permettre une bonne aération. Des biscuits, laissés dans une assiette de bois et un bol de tisane déjà chaude, attendent les visiteurs. Marie, André et Lucette sont heureux que le voyage soit enfin terminé et ils mangent avec appétit. De son côté, Jean-Pierre fulmine. Il refuse de partager cette collation et s'éloigne vers la grève où il se contente de lancer quelques cailloux de telle sorte qu'ils puissent rebondir sur les eaux calmes.

Somme toute, les visiteurs sont arrivés dans la péninsule. Ils sont prêts à repartir vers leur époque. Maintenant, la sorcière doit rester discrètement à l'écart du groupe tout en leur apportant de la nourriture régulièrement, jusqu'à ce que les quatre personnages retournent chez eux. Il y a cependant un hic : même si les complices ont longuement discuté du processus, elles n'ont pas réussi à déterminer avec exactitude comment ouvrir le portail. Il leur est donc nécessaire de voir ce qui va se passer dans les prochains jours.

Cette attente permet à Nadine de réfléchir à sa nouvelle façon de percevoir Jean-Pierre. Sa colère a disparu et sa haine s'atténue de jour en jour. Même quand elle se remémore toutes les méchancetés que l'homme lui a fait vivre du temps qu'elle travaillait à l'Agence Écho Personne, sa rage n'est plus là. Elle se sent enfin libérée de ce lourd fardeau qu'elle portait depuis trop longtemps. Elle cherche à comprendre ce qui lui arrive.

Un jour, la nomade frappe son front du plat de sa main. « C'est ça ! Mes aventures au Pays de la Terre perdue ont changé ma perspective sur la vie… le personnage de Jean-Pierre devient insignifiant et j'arrive plus facilement à neutraliser son comportement. Je suis enfin libérée de son joug… ça fait du bien… » Nadine n'a plus l'impression de fuir l'autre, ni de perdre la face devant l'arrogance de cet homme. « Je prends même plaisir à le manipuler pour qu'il fasse tout ce que je désire… » Marie lui a enseigné comment se détacher de l'attitude narcissique du goujat : il suffit de mettre l'accent sur ce qui est important au lieu de s'attarder au comportement de ce personnage déplaisant.

Une grande liberté envahit son âme. Nadine réalise qu'elle a enfin réussi à lui pardonner toutes les brutalités qu'il lui a fait endurer. Levant son visage vers un rayon de soleil, elle plisse les yeux et laisse sa respiration instaurer le calme dans tout son corps. Puis elle absorbe cette nouvelle sensation. « Même si Jean-Pierre ne le mérite pas, j'avais tout de même besoin de lui pardonner pour retrouver la paix dans mon âme… » Elle ne l'aimera jamais, mais il n'aura plus aucune emprise sur elle…

L'âme remplie d'un bonheur incommensurable, Nadine est heureuse de retrouver enfin sa solitude. Libre comme l'air, elle court sur la plage du lagon, le gros loup à ses côtés. Ses nattes volent au vent et le soleil caresse sa peau; elle rit aux éclats pendant que ses pieds nus martèlent profondément le sable abandonné par la marée descendante. Absorbant ce moment d'euphorie à grandes bouffées, elle crie à tue-tête.

— Si je peux pardonner à Jean-Pierre, c'est que tu n'as pas réussi à me dépouiller de mon humanité ! Je suis humaine ! Je le resterai !

Elle sautille sur place, comme l'enfant qu'elle n'a jamais cessé d'être. Puis elle s'arrête soudainement pour regarder autour d'elle et un immense sourire se dessine sur ses lèvres, alors que ses yeux se remplissent de gourmandise. Elle prend son couteau et commence à fouiller la vase pour y chercher les palourdes dont elle raffole. Puis, se dirigeant vers le coin de la forêt où elle a installé un camp pour les prochains jours, elle se souvient que Marie n'aime pas les fruits de mer; elle éclate d'un rire sarcastique.

— Je les garde toutes pour moi ! Les autres devront se contenter du lièvre que j'ai attrapé sur la route… J'en ai décidé ainsi !

Chapitre 30

Jour 700 – 15 juin

– Marie, je ne comprends pas ! Il nous manque sûrement un indice !

– Oui, je sais, mais lequel ? Si nous ne le trouvons pas bientôt, nous devrons construire trois huttes à des kilomètres l'une de l'autre… sinon ils vont s'entretuer !

Nadine et ses visiteurs sont arrivés dans la péninsule sud depuis quatre jours. La sorcière a gavé ses invités d'une nourriture fort variée. Ils ont mangé du lièvre et de la perdrix, du doré, de la carpe, du porc-épic et du castor. L'été aidant, ils pouvaient utiliser des feuillages verts en quantité pour se préparer des salades. La nomade a enseigné à son amie comment écraser des fruits de saison avec un peu de noisettes et de l'eau pour créer une sorte de vinaigrette très savoureuse.

Jean-Pierre a même partagé ses connaissances sur les plantes et les champignons pour faire en sorte qu'ils puissent varier leur régime alimentaire. Bien sûr, ce gros homme est totalement incapable d'altruisme. Il agit ainsi pour démontrer sa supériorité sur la sorcière, réalisant que le groupe devient de plus en plus dépendant d'elle. Il utilise aussi son sens de l'autorité pour punir quelqu'un en l'empêchant de jouir de cette nouvelle ressource alimentaire ou pour récompenser un autre en augmentant la quantité de nourriture à laquelle il a droit. Nadine reconnaît chez cet homme un besoin maladif de contrôler ses compagnons. Si elle ne ressent plus de colère envers le barbare, elle trouve dommage que les autres personnages soient obligés de subir ce genre de comportement qu'elle juge malsain.

Les visiteurs se disent impatients de partir, mais en attendant, ils affichent plutôt une insouciance sans borne. Ils mangent toute la nourriture que Nadine et Marie leur préparent sans même réaliser la chance qu'ils ont de ne pas avoir à chasser, à pêcher et à cueillir tout ce qu'ils avalent. Ils se baignent tous les jours sur la plage du lagon. Ils marchent des heures sur la grève ou en bordure de la forêt. Jean-Pierre a même réussi à sculpter un frisbee en bois avec le couteau en schiste qu'il a trouvé à l'intérieur du campement. C'est d'ailleurs malheureux pour Lucette, Marie et André qui n'ont d'autre choix que de jouer jusqu'à ce que l'homme se lasse et que son esprit s'accroche à autre chose.

Nadine reste perplexe vis-à-vis de l'effet produit par leur séjour au Pays de la Terre perdue. Sa propre attitude face à la vie, tout comme son comportement de conservatrice de la nature, ont changé profondément au cours de ses deux années d'aventures. Marie retirera, elle aussi, un apprentissage marquant de son passage dans ce monde. Mais les trois autres ne sortiront pas grandis de cette expérience. D'une certaine façon, André et Lucette demeureront plutôt diminués et meurtris par tous ces évènements. Nadine en est fort désolée sans être responsable de cette situation. Elle aurait aimé les protéger…

Jean-Pierre garde cet air hautain qu'il estime être compatible avec son rôle de chef. Pour éviter qu'il ne les prenne en grippe, Nadine et Marie entretiennent cette illusion qu'il décide de tout. À leur manière, mettant l'accent sur la recherche d'un moyen susceptible de leur permettre de retourner chez elles, les deux comparses retournent contre Jean-Pierre ce propre jeu de compétition malsaine qu'il s'évertue à perpétuer contre Nadine pour mieux le manipuler. Les entourloupettes du goujat constituent de simples embûches qu'elles contournent de plus en plus habilement afin de poursuivre leur chemin vers l'aboutissement de leur quête.

André s'est retiré de cette petite société qui a élu domicile sur la péninsule. Bien sûr, son appétit vorace le ramène au campement à l'heure des repas, tout comme son besoin de sécurité l'incite à dormir dans la hutte une fois la nuit venue. Sinon, il passe presque tout son temps en bordure de la forêt ou sur la plage, bien à l'écart de ses collègues. Nadine l'a même vu grimper jusqu'au sentier qui donne accès à la Terre juchée. A-t-il repéré le bivouac 1 ? Personne ne le saura. Le grand gaillard ne parle jamais de ses trouvailles. Nadine ne lui pose d'ailleurs aucune question.

Lucette demeure collée à Jean-Pierre; ce dernier ne tolère son comportement que parce qu'elle lui obéit immédiatement quand il l'entraîne loin du campement, vers un coin tranquille. La jeune femme représente une proie facile pour ce narcissique dont le besoin de contrôle déteint sur ses décisions. La brunette passera d'ailleurs le reste de ses jours à subir une détresse après l'autre et à fuir d'un homme à l'autre. Nadine soupire en se souvenant que Lucette porte depuis quelques jours des bleus sur les bras, les jambes et le visage. Elle pleure souvent et elle est très malheureuse.

Marie est furieuse face à cette situation révoltante. Pourquoi Jean-Pierre a-t-il besoin de frapper ainsi cette femme au caractère faible ? Sachant qu'elle n'arrivera pas à raisonner cet homme, elle s'est entretenue avec la brunette pour tenter de l'encourager à briser cette relation difficile. Elle a été sidérée par l'échange qui s'en est suivi.

— Est-ce que c'est Jean-Pierre qui t'a cognée ?

— Ce n'est pas sa faute !

— Ben voyons donc ! C'est lui qui a porté ces gestes de brute !

— Non ! Je ne marchais pas assez vite ! Il était pressé ! Je suis tombée...

— Tu as peut-être culbuté, mais tes bleus ont été provoqués par des coups de poing.

— Oui, je sais, mais il n'avait pas le choix. Tu vois... je n'arrivais pas à le suivre. Il a été obligé de sévir.

Marie était tellement hors d'elle face à l'attitude soumise de Lucette, qu'elle a décidé de mettre fin brusquement à cet entretien plutôt déroutant. C'était il y a deux jours. Depuis, la brunette est de plus en plus farouche; il est évident que, malgré sa peur apparente de Jean-Pierre, elle continuera de lui obéir au doigt et à l'œil. Tout compte fait, la rouquine a décidé d'en discuter avec Nadine; cette dernière a eu une réaction plutôt neutre qui a surpris son amie.

— La sorcière ! C'est grave ! Il est bien capable de maintenir cette dynamique après notre retour !

— Peut-être… pour le moment, nous devons nous concentrer afin de trouver une façon d'ouvrir le portail !

— Je n'en reviens pas ! Est-ce que le pays t'a rendue si dure que l'attitude de Jean-Pierre ne te perturbe même plus ?

Sur le coup, honteuse des accusations qu'elle vient de porter, Marie se mord la lèvre; puis elle jette un coup d'œil à son amie. Celle-ci affiche un air si triste que la rouquine se met à regretter davantage ses propos. De son côté, Nadine ne peut révéler que, entre maintenant et le moment où elle les rencontrera à nouveau, ce lien malsain entre le goujat et la brunette sera brisé. Ils ne s'aimeront pas, mais ils ne se haïront pas non plus. Elle ne connaît pas encore tous les détails, mais, selon ce que Marie lui a raconté sur l'existence menée par ces deux personnages durant les années 2000, elle présume que leur relation se sera éteinte peu de temps après leur retour à Montréal.

Marie observe l'expression du visage de Nadine au fur et à mesure que la réflexion de cette dernière s'installe à demeure. Elle voit bien que l'autre n'a pas l'intention de s'expliquer. Sur le coup, la moutarde lui monte au nez.

— La sorcière ! Je déteste ça quand tu te fermes comme une huître ! Il y a quelque chose que tu ne me dis pas !

Nadine lève son regard étonné vers Marie qui vient de faire éclater sa frustration. Elle secoue la tête et refuse simplement de poursuivre l'échange verbal. Son silence, à lui seul, fournit une réponse adéquate. Au souvenir de leurs conversations dans la caverne d'Ali Baba, la colère de la rouquine s'évanouit. Calmée, elle reprend le fil de sa pensée pour le bénéfice de son amie.

— D'accord, affirme Marie. J'admets que tu ne peux pas tout me dire sur ce qui va nous arriver plus tard. Mais, pour le moment, j'aimerais prêter main forte à ma collègue.

— Si on tente de confronter directement Jean-Pierre, Lucette souffrira d'un plus grand nombre d'ecchymoses. Et, on obtiendra le même résultat si on le menace.

— Je ne peux pas accepter de ne rien faire ! ajoute Marie avec force.

— La meilleure solution est de trouver rapidement un moyen de retourner vers votre époque. Là-bas, tu pourras faire intervenir les policiers s'il le faut.

Marie n'est pas satisfaite et affiche un air buté. Puis, une autre information lui revient en tête, cette fois elle a de la difficulté à contenir sa rage.

— Ce matin, Lucette m'a montré une nouvelle plaie. Une brûlure. J'ai dû la désinfecter comme tu me l'as montré. Je suis certaine que Jean-Pierre a utilisé le briquet. JE TE JURE ! Je pouvais distinguer la forme du petit cache-flamme qu'il a appuyé fortement sur la peau de son avant-bras pour mieux la blesser.

Même si Nadine est fort préoccupée par l'atrocité de ce geste, elle sait que la seule façon d'intervenir pour protéger Lucette est de la renvoyer chez elle au plus vite. Par contre, elle reste perplexe face à l'incident.

— Il a utilisé le briquet ? Je croyais qu'il l'avait perdu. Depuis qu'il convoite mon couteau, je n'ai plus revu l'allume-feu …

— Tu as raison. Incapable de poursuivre deux stratégies en même temps, Jean-Pierre avait délaissé l'outil. J'ai pensé aussi que cet objet était peut-être disparu. Mais, je réalise que c'est bien le même. Il l'a sorti de la poche de son pantalon ce matin et j'ai reconnu les lettres J et P qu'il avait inscrites dessus avec une clé, il y a quelques semaines de cela.

— Une clé ? Il a une clé avec lui ?

Nadine roule les yeux tant elle est étonnée. Marie regarde son amie d'un air perplexe.

— Bien sûr ! Nous en avons tous !

— Pour quoi faire ?

Nadine a posé la question sans vraiment y penser, n'accordant pas grande importance à tous ces gadgets rendus dérisoires au cœur de cet environnement sauvage. Marie reste interdite et dévisage la sorcière. « Elle me niaise… c'est sûr… d'où vient-elle pour ne pas savoir à quoi sert une clé… quand même ! » Lentement, pour tester la connaissance de la nomade, elle explique :

— Pour l'appartement ou la maison… le bureau… l'auto. Les miennes et celles de Lucette sont dans nos sacoches; les gars traînent les leurs dans la poche de leur pantalon. Tu n'en possèdes pas d'où tu viens ?

Nadine se perd dans ses souvenirs et ses yeux deviennent vagues pour un instant. Pourtant elle aurait dû s'attendre à ça. Elle revoit son propre trousseau qui comprenait plusieurs clés. Elle ne les avait pas en arrivant sur le mont Logan. Deux ans au Pays de la Terre perdue ont fait disparaître l'importance que ces objets essentiels avaient dans sa vie antérieure. Marie observe les traits de son amie changer au fur et à mesure que sa réflexion se poursuit. Le regard de Nadine s'attarde au poignet de Marie. Celle-ci joue nerveusement avec le bijou qu'elle porte. « Une montre à remontage mécanique… pas d'électronique ou de batterie solaire en 1986… », se dit Nadine, avant de briser le silence.

— Bien sûr, il y a de ces trucs chez moi ! Tu sais, les clés et les montres ne sont d'aucune utilité ici. Je n'en ai pas besoin.

Évitant de poursuivre cette conversation qui la rend inconfortable, Nadine reprend le fil premier de leur discussion, pour tenter de venir en aide à Lucette.

— Pour revenir à notre amie, ça me désole aussi de voir à quel point Jean-Pierre est une brute sadique. Je pourrais attacher le bourreau et le bâillonner jusqu'à ce que vous partiez, mais cela déclenchera nécessairement une vive réaction de la part des deux autres, les poussant à prendre la défense de Jean-Pierre. Nous perdrions vite le contrôle. Essayons plutôt de maintenir un certain calme pour le moment. Quand vous arriverez chez vous, tu verras bien ce qu'il convient de faire.

Malgré tout, Marie doit admettre que son amie a raison. Elle doit tenir compte de cette situation bizarre qui maintient tous les visiteurs confinés dans un endroit restreint; ici, il n'y a aucune autorité qui puisse briser le comportement de Jean-Pierre en le mettant en prison. Elle choisit donc de faire confiance à la nomade. Si la rouquine accepte les arguments de la sorcière, elle tentera tout de même d'occuper Lucette le plus souvent possible. Elle espère ainsi faire en sorte que la brunette passe le moins de temps possible auprès de Jean-Pierre. Elle s'efforcera de ne pas les laisser seuls trop souvent… sans toutefois subir à son tour les combines sadiques du barbare.

Maintenant que le groupe s'est installé dans la péninsule sud, les deux complices profitent de tous les instants pour développer leur belle amitié. Chaque matin, avant que Lucette, André et Jean-Pierre ne se réveillent, Marie fait la route entre la hutte de pierre et l'abri de la sorcière érigé dans la forêt; les deux femmes apprécient au plus haut point ce tête-à-tête quotidien. À d'autres moments, Nadine tire parti de l'absence des autres au campement pour visiter la rouquine et lui apporter les viandes, les racines et les feuilles dont Marie a besoin pour nourrir la troupe.

Les deux amies sont particulièrement préoccupées par la suite des évènements. Quelques interrogations demeurent toujours sans réponse. Comment ouvre-t-on le faisceau lumineux ? Est-ce un portail entre deux mondes ? Ou, plutôt, entre deux dimensions d'un même monde ? Entre deux planètes peut-être ?

— Tu te rends compte, affirme Marie, que nous n'obtiendrons probablement jamais de réponses à toutes ces questions... Nous devrons sauter dans l'inconnu sans vraiment savoir ce qui nous attend...

Sur ces paroles qui font penser à une prémonition, le visage de Nadine s'éclaire d'un sourire espiègle. En absence d'information claire, la situation présente aura pour effet d'alimenter les discussions futures des deux complices. La femme aux cheveux blancs baisse la tête pour cacher ses yeux embrumés. « Marie n'a jamais cessé de chercher une explication... » La rouquine, connaissant les états d'âme de la nomade, réalise qu'elle vient de mettre le doigt sur un indice supplémentaire qui la relie dans le temps et l'espace avec la sorcière. Elle laisse le silence s'immiscer confortablement, pendant que son amie ressasse des souvenirs dont elle doit taire les détails.

Nadine et Marie ont peur de ce qui pourrait cafouiller lors de la traversée, particulièrement en ce qui concerne la distorsion du temps. Elles n'osent pas en discuter avec les autres. Elles préfèrent les garder dans l'ignorance plutôt que de faire face à une résistance qui serait inévitable s'ils comprenaient mieux les détails de leur situation. Il est clair, dans l'esprit des deux femmes, qu'aucun d'entre eux n'a d'autre choix. Ils doivent utiliser le faisceau lumineux pour quitter le Pays de la Terre perdue; l'autre option, celle de terminer leurs jours ici, étant inacceptable. Évidemment, la seule façon de savoir, c'est d'essayer. Même Nadine n'obtiendra pas de réponse complète tant qu'elle n'aura pas emprunté elle-même son portail du mont Logan.

Aujourd'hui, la tension est palpable dans le campement. Les visiteurs crient chacun leur tour. Ils n'en peuvent plus. Ils discutent de la situation en long et en large. Rien ne va à leur goût. Ils désirent retourner à tout prix chez eux, mais ils ne parviennent pas à trouver une façon de faire. Nadine les entend clairement se chamailler de la forêt où elle s'est réfugiée pour se protéger de la crise. Ils se retrouvent au beau milieu de ce que craignaient les deux femmes depuis le début. Personne ne sait exactement comment le portail fonctionne. S'ouvrira-t-il vraiment ? Le doute s'installe. Hier encore, Nadine et Marie ont passé en revue les détails de l'arrivée des visiteurs. Il est évident qu'il leur manque un indice. Nadine fouille sa mémoire une autre fois et n'y trouve rien d'autre qui puisse remplacer ce qu'elle ne cesse de répéter aux autres : le groupe est tombé sur la plage, à l'aube, dans un grand fracas accompagné d'une lumière blanche et très intense.

Trois matins d'affilée, la troupe s'est tenue en bordure du lagon, à l'endroit même où Nadine les a rencontrés la première fois. Aucun faisceau n'est apparu. Le troisième jour, Jean-Pierre a engueulé Marie pour l'avoir entraîné là-dedans; il l'a traitée d'imbécile. Doutant de la pertinence de son idée d'entraîner le groupe dans le sud, il tente d'accuser Marie d'avoir été l'instigatrice de cette décision. Quel goujat ! La rouquine a tout supporté avec stoïcisme. Nadine admire ce sang-froid qui aide son amie à se concentrer sur l'objectif principal en dépit du caractère exacerbé de ses collègues.

Le moral de Nadine ne tient qu'à un fil. Se serait-elle trompée ? Elle ne pourra pas repartir, elle non plus… Il faut que ce soit ça ! Il ne peut pas y avoir d'autres solutions. Marchant lentement afin de chasser la tension dans ses muscles, elle entend les visiteurs se chicaner. Pour faire le ménage dans ses idées, loin de la cacophonie incessante de cette civilisation un peu trop bruyante, elle se rend au lagon pour arpenter la plage dans un mouvement de va-et-vient qui soulage son âme. Une autre forme de bourrasque siffle à ses oreilles. Obnubilée par ses inquiétudes, elle n'a pas vu que le vent avait viré de bord et que l'orage s'installait.

Une odeur d'œuf pourri la fait sursauter. « Ce détail m'a échappé… est-ce que ce serait aussi simple ? Ça sentait le soufre juste avant que les visiteurs n'arrivent ! Il venait d'y avoir un violent orage. Les informations manquantes ! L'orage et cette odeur de soufre ! C'est ça ! »

Dans tout son corps, l'excitation monte en flèche. Elle a peu de temps avant que le tonnerre ne se mette à frapper. « Je dois faire vite ! Je dois absolument parler avec Marie ! » Sachant qu'elle devra passer un jour ou deux avec les visiteurs dans la hutte, elle place son couteau et sa machette, insérés dans sa besace, sous un tas de roches pour les camoufler. Il n'est pas question de permettre à Jean-Pierre de lui prendre ses outils précieux dont elle aura grand besoin sur le chemin en direction du mont Logan. « Cet imbécile peut décider de rester ici… ma colère peut, elle aussi, revenir… et je pourrais retrouver l'envie de le tuer… NON ! Il doit partir… »

Galvanisée par la décharge d'adrénaline causée par cette étonnante découverte, elle court à tout vent en direction du campement. La querelle faisant encore rage, ils en sont presque aux coups; André affiche même un comportement de défi face à Jean-Pierre. Nadine attire l'attention de Marie et pointe les nuages noirs qui s'avancent rapidement dans le ciel; la rouquine saisit aussitôt le signal de ce danger imminent. Les deux comparses, sans se soucier des autres, transportent le matériel, l'eau et la nourriture à l'intérieur de la hutte. Puis, elles rabattent tous les panneaux pour les attacher solidement.

Voyant les deux femmes s'affairer avec une telle fébrilité, Lucette, André et Jean-Pierre cessent de se disputer et les regardent faire sans rien comprendre. La tempête se rapproche toujours plus et déclenche un magnifique éclair qui s'étire comme une couleuvre entre ciel et terre. À moins de cent mètres, un arbre craque et s'embrase. Lucette hurle. Sans prononcer un mot, les cinq humains s'entassent rapidement dans la petite hutte pour se protéger du monstre qui menace leur vie.

Se souvenant des deux orages qu'ils ont supportés dans le confort de la grotte, André, Lucette et Jean-Pierre sont tout simplement terrorisés. Nadine observe l'horreur se profiler sur leur visage. Elle a beau leur répéter que les ouragans sont moins intenses dans le sud, ils ne la croient pas. Il faut dire que le claquement de la foudre, plus violent qu'à l'accoutumée, leur donne raison.

Pendant près d'une heure, personne ne peut parler tant le ciel est déchaîné. Lucette pleure et elle crie à chaque nouveau coup de tonnerre; elle s'accroche à Jean-Pierre au point de lacérer ses bras avec ses longs ongles. André se bouche les oreilles avec ses mains et ferme les paupières. Jean-Pierre porte de grands yeux hagards vers le toit qui bouge sans cesse sous la pression du vent. Marie sursaute à chaque claquement qui se fait entendre. Nadine est tellement excitée par tout ce qu'elle vient de comprendre qu'elle peut à peine s'empêcher de hurler toutes ces informations à travers le vacarme ambiant.

Puis, la tempête se calme un peu. Entre les déflagrations, Nadine tente de parler afin d'expliquer sa nouvelle théorie. Jean-Pierre l'en empêche, la traitant de folle et d'imbécile, affirmant qu'elle ne peut rien comprendre à ces choses. À force de crier par-dessus les vociférations de l'homme, elle réussit à communiquer à sa comparse ce qu'elle vient d'apprendre. Marie ouvre de grands yeux et lui sourit; d'un signe de tête, elle confirme qu'elle prend le relais. C'est à ce moment que Jean-Pierre annonce d'une voix tonitruante :

— Ça va faire ! J'en ai assez ! Aussitôt que ce maudit orage cesse, je vous ramène à la grotte. Puis, la vieille, tu restes ici !

Estomaqués, aucun d'eux ne mentionnera que cet homme est si peu habile dans la forêt qu'il se perd en s'éloignant pour faire ses besoins. Personne n'ose défier des paroles qui, dans le fond, reflètent l'angoisse de chacun. Marie regarde son amie directement dans les yeux. Nadine hoche la tête pour l'encourager à parler afin de retourner la situation à leur avantage.

— Tu as raison Jean-Pierre; après la tempête, on devrait repartir vers la grotte.

Puis, après quelques secondes et une bonne respiration, s'assurant qu'elle a bien capté l'attention de l'autre, Marie continue :

— Par contre, j'aimerais te proposer une dernière approche. Quand nous sommes arrivés dans ce pays, l'odeur de soufre emplissait l'air. Je me demande si l'orage n'aurait pas quelque chose à faire avec l'ouverture du portail. Ça sent toujours les œufs pourris après chaque tempête. On pourrait tenter de partir à l'aube, juste après l'ouragan. Si ça ne marche pas, tu nous ramèneras à la grotte. Qu'en penses-tu ?

Nadine ne peut qu'être ravie de l'aplomb de son amie; elle est particulièrement impressionnée par sa capacité de manipuler cet être imbu de lui-même. À ce moment, elle réalise que Marie cultivera tout au long de sa carrière ce talent découvert ici au Pays de la Terre perdue. « C'est comme ça qu'elle a pu travailler pour ce goujat durant toutes ces années sans devenir complètement folle. » Puis, Jean-Pierre saisit la balle au bond avec son air suffisant.

— Si tu m'écoutais aussi ! Moi, j'ai déjà compris tout ça ! J'ai bien dit que nous retournons à la grotte SI ET SEULEMENT SI le prochain essai ne marche pas !

Presque à l'unisson, Nadine et Marie libèrent le souffle qu'elles retenaient. Elles respirent avec un soulagement évident et échangent un sourire à la dérobée. L'homme est maintenant certain d'avoir à nouveau le contrôle. Les dés sont jetés. Si leur nouvelle stratégie ne fonctionne pas, elles devront trouver un autre moyen de façonner les évènements à leur convenance. Nadine, qui cherche des solutions depuis deux ans, se sent angoissée à l'idée que ce plan pourrait foirer. Elle ferme les yeux un moment pour se calmer, jusqu'à ce qu'elle reçoive un coup de pied de Jean-Pierre.

– Maudite folle ! Qu'est-ce que tu as fait de ton couteau ?

L'homme est furieux. Il était si content de voir la sorcière s'engouffrer dans la hutte avec sa gang. Il souhaitait profiter du confinement pour lui voler ses armes. Une colère vive rougit son visage et son regard de feu brûlerait la nomade sur place s'il en était capable. Il fulmine face à la duplicité de cette femme sur qui il n'a aucun pouvoir.

Mais Nadine est trop fatiguée pour faire grand cas de la furie qui brille dans les yeux noirs de son tortionnaire. Afin d'être en mesure de s'occuper d'eux, elle n'a roupillé que deux ou trois heures par nuit depuis leur départ de la grotte, il y a de cela huit jours. Elle évalue que, sans le couteau et la machette dans la hutte, le goujat ne tentera rien pour lui nuire; il ruminera sa grogne jusqu'à la fin de la tempête.

Nadine appuie sa tête sur le mur de pierre et elle s'endort profondément malgré l'orage qui fait trembler le sol. Marie sourit et se déplace à côté d'elle. « En l'absence du loup, c'est à moi de veiller sur elle. Reprends des forces, mon amie ! Tu en auras besoin, car ta route ici n'est pas terminée, même si la mienne s'achève. »

*****

L'orage a tonné pendant trois jours : un temps interminable pour un groupe de cinq personnes complètement déconnectées les unes des autres. Le fait de vivre dans un endroit clos, d'à peine trois mètres de diamètres, devenait extraordinairement difficile à supporter. Nadine est à bout de nerfs face aux réactions de cet échantillon de l'humanité. Seul le fait qu'elle pourra bientôt retrouver sa solitude d'exilée l'aide à endurer cette pénible expérience.

Elle admire le calme de Marie. « Moi je n'en peux plus ! Il faut que ça marche ! S'ils ne repartent pas, c'est moi qui ne survivrai pas à leur présence... c'est pire que mon premier hiver... non ! C'est pire que tout ce que j'ai vécu ici en l'espace de deux ans ! »

Les courtes périodes d'accalmie leur permettant d'aller à l'extérieur n'ont pas aidé à diminuer la tension dans le groupe. Ils seraient capables de s'entredéchirer pour un tout ou un rien. Dans le campement, ils se bousculent et se poussent du pied comme du coude avec une impatience à peine contenue. Marie, qui s'est placée à part des autres en se rapprochant de la sorcière, a plusieurs fois fait les frais de leurs rebuffades et de leurs commentaires méchants. Elle endure ces assauts en restant stoïque, se concentrant sur le but à atteindre.

Profitant d'une accalmie au cœur de l'orage, voyageant par des chemins différents, les deux comparses se sont retrouvées dans la forêt pour une dernière conversation. Elles devaient ajuster certains points de leur plan à la lumière des nouvelles informations fournies par Nadine.

— La sorcière, tu es certaine que ta théorie fonctionnera cette fois ?

— Tu sais très bien que je serai en mesure de confirmer mon idée seulement si le portail finit par s'ouvrir... Par contre, cette découverte m'a fait retrouver des fragments de mémoire concernant ma propre traversée. L'odeur de soufre et l'orage en font partie. Je crois donc que nous avons en main l'information qui faisait défaut jusqu'à présent.

Un moment de silence inconfortable s'installe entre les deux. Cette heure occupée à l'écart de Lucette, d'Andrée et de Jean-Pierre constitue leur dernière occasion d'échanger, mais tant de choses doivent demeurer secrètes. Assises sur un tronc d'arbre, l'une à côté de l'autre, elles plongent dans leurs pensées respectives. Les deux amies sont enfermées chacune dans leur propre solitude; comme si, prisonnières de deux mondes lointains, elles partageaient physiquement un moment intense quelque part dans un temps figé par une force inconnue. La tension devient palpable, difficile à supporter. Puis Marie reprend la conversation.

— Ça se termine donc comme ça ?

— Non. Ce n'est qu'une étape pour chacune de nos vies. Le reste est à venir. À nous d'en faire ce que nous voulons.

— Tu es philosophe maintenant ! De ton côté, combien de jours mettras-tu avant de traverser ?

Nadine ferme les yeux un moment afin de mieux calculer : retourner d'abord à la grotte, attendre un orage, naviguer vers la première caverne, marcher vers le mont Logan, puis laisser passer une deuxième tempête…

— Entre 20 et 40 jours. Cela dépend du nombre de jours entre les prochains épisodes de perturbation atmosphérique.

— Je vais compter les jours. Je serai là quand tu arriveras.

Les deux femmes s'enlacent une dernière fois, l'une espérant rencontrer son amie le plus tôt possible dans son futur et l'autre sachant qu'elle la retrouvera sous peu. Essuyant les larmes provoquées par cette déchirure dans le temps et l'espace, elles reprennent, chacune de leur côté, le sentier qui les ramène à la hutte, juste à temps pour s'y enfermer encore quelques heures.

Au cours de la nuit suivante, l'orage a laissé la place à un grand vent. L'odeur de soufre dans l'air donne mal au cœur. Nadine est certaine que le moment approche. « Ça sentait aussi fort quand ils sont arrivés. » La sorcière réveille ses visiteurs bien avant l'aube. Sans rechigner, ils enfilent leurs vêtements d'une autre époque, puis ils marchent dans la pénombre, parcourant les kilomètres qui les séparent de la plage du lagon. Nadine les positionne là où elle les a trouvés, il y a de cela 37 jours. Ce matin, l'atmosphère qui règne au sein du groupe est différente, presque solennelle;

comme si chacun comprenait finalement l'importance de l'évènement. Sur leurs visages balayés par la lumière de la lune, une lueur d'espoir adoucit leur appréhension.

Nadine s'installe tout près pour mieux observer, mais elle se tient assez loin pour éviter d'être prise au piège à travers leur portail. Ce n'est pas le sien et elle ne veut pas se retrouver coincée quelque part dans un temps qui appartient à son passé. Sur la plage, personne ne parle. Les vagues chantent dans un va-et-vient constant, les goélands volent à tire-d'aile et pleurent déjà dans le jour qui s'éveille peu à peu. Il n'y a plus aucun nuage pour camoufler les milliards d'étoiles qui brillent encore dans le ciel. Une autre belle journée s'annonce au Pays de la Terre perdue; un moment magique pour un voyage éclair vers Montréal.

Une lueur orange clair s'installe plus à l'est, en guise de prémices au lever du soleil, mettant en perspective l'étrange spectacle des visiteurs prêts à partir. « Une scène digne des meilleurs films de *Star Trek*… » Sur la plage, l'immense halo blanc et aveuglant apparaît soudainement dans un grand fracas. Marie se tient au centre de cette lumière, donnant l'impression qu'elle en a le contrôle. André et Lucette demeurent un peu en retrait; la peur les fait reculer et le portail, comme s'il réagissait à leur geste, les happe littéralement. Ils disparaissent aussitôt. Marie regarde vers ce qui semble être de l'autre côté, puis elle fait signe que tout va bien : ses collègues sont arrivés à bon port. Jean-Pierre fige sur place; il hésite… Nadine intervient rapidement.

— Ah ! Non ! Toi, tu ne restes pas ici !

Il doit s'en aller sinon le passé de Nadine changera du tout au tout. S'il demeure au Pays de la Terre perdue, la sorcière finira par le tuer. Sans réfléchir, d'un seul bond, elle rejoint Jean-Pierre et elle le pousse violemment vers le vortex. Il disparaît à son tour.

— Ça y est ! Il est parti. Hourra ! Bon débarras !

Une nitescence brillante enveloppe Marie, lui donnant une apparence presque translucide. Son amie sourit et envoie la main en signe d'au revoir. Puis, la jeune femme aux yeux verts fait un pas dans le portail, vers un endroit que Nadine ne voit pas. Le halo scintillant disparaît tout autant que le bruit intense qui l'accompagnait. Seules deux grandes traces de brûlure sur la grève témoignent de l'évènement.

« C'est fini. Ils sont repartis. Comme ça. Tout bonnement… »

Nadine se retrouve seule avec cette solitude dont elle s'est tellement ennuyée ces dernières semaines. Elle ressent un vide immense qui s'installe en elle. Tant d'efforts, de douleurs, de larmes, d'émotions vives en l'espace de deux ans. C'était si simple. « Si j'étais restée au mont Logan aussi… je serais déjà de retour. C'est ma témérité qui m'a plongée dans la misère… » Elle tombe à genoux sur le sable détrempé que tente de recouvrir la marée montante, et elle se met à pleurer. Lou, qui avait suivi la scène de loin, s'approche lentement de sa mère adoptive pour lécher son visage mouillé de gouttes salées. Nadine le serre bien fort dans ses bras pour mieux profiter du réconfort que lui apporte la bête.

Elle sanglote encore. Ce maudit Pays a fait couler tellement de larmes qu'elle ne les compte plus. Mais cette fois, ce n'est plus de désespoir, mais d'un bonheur incommensurable qu'elle pleure. Elle prend la tête de son protégé entre ses mains et frotte son nez avec le sien.

— Lou ! Je peux rentrer chez moi ! Je sais où ! Et, maintenant, je sais comment !

Un grand cri sort de sa gorge. Un hurlement de joie. Puis, elle roule avec le gros loup sur la plage à moitié couverte d'eau, alors que les éclats de rire de l'humaine se mêlent aux jappements du canidé.

— Tu vas m'aider, hein ? J'aimerais que tu fasses ce voyage avec moi ! Tu pourrais même me suivre dans le faisceau lumineux… si tu veux...

Chapitre 31

Jour 704 – 19 juin

Dans la pénombre, Nadine entend l'eau du lagon qui babille paisiblement, comme une douce réponse au vent qui la berce. De quoi parlent toutes ces gouttes d'eau ? De la vie toujours en mouvement peut-être ? De toutes ces créatures éphémères qu'elles voient naître, vivre et mourir alors que la force de la mer perpétue le cycle de cette vie qui ne s'arrête jamais. « C'est si beau ici ! Même cet océan du sud que je n'aurai pas le temps d'apprivoiser… » L'humaine savoure ce moment. C'est ainsi que sa solitude l'enveloppe à nouveau comme un vieux chandail confortable. La nomade force ses sens à redécouvrir les sons, les odeurs et les images pendant que le vent léger de l'aube dépose un frisson sur sa peau.

– Cher royaume… Que t'arrivera-t-il quand tu perdras ta reine ?

Elle lève les yeux vers ce ciel où s'éteignent, une à une, les étoiles. Une vague d'inquiétude secoue son corps qui peine déjà à absorber l'euphorie du moment. La femme soupire. « Est-ce que j'arriverai un jour à survivre à ces multiples émotions qui refusent d'aller dans le même sens ? » Sa mère la surnommait « sa tempête de bonheur ». Irène avait raison. Nadine a vécu tous les évènements de son existence au gré d'un tourbillon d'émotions contradictoires. Son séjour au Pays de la Terre perdue ne fait pas exception. Maintenant que son âme est remplie de cette joie associée à son retour prochain chez elle, elle s'inquiète de ce qui se passera dans ce monde qui l'a accueillie depuis vingt-trois mois.

Alors que le soleil fait luire sa splendeur céleste, rappelant une fois de plus la pérennité du cycle de la vie, ses chauds rayons frappent le visage de Nadine. Elle réalise aussitôt que la vie continue, tant à Montréal, que dans ce pays fantastique. Elle doit pousser ses pas vers l'avant; un retour vers l'arrière est impossible et faire du surplace n'a aucun sens. Elle tourne sur elle-même pour mieux observer les environs. « Je dois partir... mais je m'ennuierai de cette terre exceptionnellement belle. » Elle regarde la mer du sud, la forêt, le sentier qui monte jusqu'à la Terre juchée, celui qui se dirige vers sa hutte. Une impression teintée de peur lui noue la gorge. « Que se passera-t-il, ici, quand je serai partie ? » Pour s'encourager, histoire de désamorcer cette mélancolie qui l'étouffe, elle tourne sa tête en direction de la zone boisée et hurle à pleins poumons.

— Cher Pays de la Terre perdue ! Tu survivras ! Je sais que tu en es capable !

Entendant les sons troubles qui sortent de la bouche de Nadine, Lou s'approche lentement d'elle. La nomade apprécie sa présence au plus haut point. Durant tout le périple des visiteurs, entre la grotte et la péninsule sud, le loup a suivi le groupe de loin. Tous les soirs, alors qu'un trop grand nombre d'humains encombrait ses huttes, Nadine devait coucher à la belle étoile. Mais, malgré tout, le gros canidé veillait sur elle. Elle comprend parfaitement qu'il ait toujours tenté d'éviter de rencontrer ces intrus sur son territoire. Si elle avait pu, elle aurait agi de même. Puis un sourire apparaît sur ses lèvres.

— Lou, je suis tellement heureuse que tu aies connu Marie. Je pourrai parler de toi avec elle. Cela m'aidera à confirmer que toute cette aventure n'est pas le fruit de mon imagination.

« Peut-être qu'elle sera la seule à me croire… » Ses amis d'ici ont accepté la rouquine avec beaucoup de candeur. À son retour, les deux femmes pourront discuter de Lou, Allie, Jack, Plumo, Blondie, Louise, Max, Anatole et Tigré. Quand Nadine les dessinera, Marie pourra se souvenir de tous ces évènements qui, pour sa vie à elle, datent d'il y a 27 ans.

Sur la plage, là où la marée n'a pas d'effet, les traces de brûlures laissées par l'ouverture du portail sont encore visibles. Les visiteurs sont partis la veille, démontrant que la théorie qu'elle et Marie avaient développée était valide. Nadine ferme les yeux un instant pour chasser le frisson qui parcourt sa peau. « Maintenant, c'est à mon tour de me préparer à partir ! »

Son désir de courir sans s'arrêter jusqu'au mont Logan la tenaille. Mais, l'humaine aguerrie aux aléas de cet environnement rude se force à attendre. Ainsi, elle a d'abord laissé la plage absorber sa joie comme sa peine. Sans s'en apercevoir, elle vivait une tension terrible depuis l'arrivée des visiteurs; luttant pour que sa propre vie ne s'effrite pas complètement. Son désir de les retourner dans son passé consumait toute son énergie et la rendait presque malade. La réussite de leur départ a déclenché un torrent de larmes qui a fait baisser cette effervescence nerveuse, tout en la maintenant dans un état de fébrilité. Est-ce la dernière fois qu'elle devra faire face à une tempête d'émotions qui bouscule son cœur, sa tête et son âme en même temps ? « J'en doute… c'est dans ma nature d'être aussi fébrile… »

Maintenant qu'ils sont partis, elle se retrouve confrontée à elle-même. Même si elle s'est ennuyée terriblement de sa solitude, durant leur séjour, elle a repris goût à la vie en société et elle a hâte d'y retourner. Si elle ne s'ennuie pas des autres, l'absence de Marie, partie vers son époque, pèse lourdement sur son âme. Quand Nadine la reverra, celle-ci aura disparu pour laisser la place à une autre plus âgée… Soudain, un brin de colère s'immisce dans le cœur de la nomade. Elle ferme les poings et son corps devient tendu. « Combien de deuils ce maudit pays m'imposera-t-il encore avant de me libérer complètement ? »

Certes, elle a hâte de revoir son amie pour reprendre leur relation là où elle s'était arrêtée il y a deux ans. Mais ce ne sera pas pareil. Nadine le sait et cela lui fait peur. Elle a trop vécu d'évènements dans ce monde perdu pour qu'elle puisse retrouver sa vie d'avant, comme si de rien n'était. Est-ce que les contraintes subies durant l'éclosion de l'amitié de ces femmes coincée entre le temps et l'espace s'envoleront ? Pourront-elles enfin profiter de cette liberté nouvelle et laisser s'épanouir leur relation ?

Puis, son esprit aventureux repart sur une piste différente. La nomade réalise que son séjour au Pays de la Terre perdue s'achève et qu'elle retournera chez elle dans quelques jours. Elle a hâte de traverser le portail, mais la crainte de ce qu'elle va découvrir de l'autre côté, après deux ans d'absence, l'étouffe. Elle veut revoir sa famille et ses amis à tout prix, mais elle souhaite en même temps ne pas quitter ce monde devenu le sien. Serait-elle capable d'ouvrir le faisceau lumineux à volonté et voyager ainsi selon son bon vouloir ? Elle en doute.

— Je ne pourrai jamais revenir ici, dans ce pays beau et généreux que j'ai pourtant détesté. Maintenant, j'aime tant mon royaume que je suis en peine de devoir le quitter. Ça aussi c'est une forme de distorsion ! Une convulsion émotive entre la haine et l'amour !

Convaincue que son retour à Montréal est possible, elle doit, à nouveau, endurer cette immense douleur causée par l'éloignement des siens. Une souffrance qui redevient particulièrement vive, insupportable, même. Elle a tellement hâte de les revoir. Puis elle a peur… Machinalement, elle caresse la fourrure épaisse du loup qui se colle à ses jambes.

— Lou ! Tu sais... deux ans, c'est long. Crois-tu qu'Alex a refait sa vie avec une autre ? Si c'est le cas, je devrai l'accepter sans m'imposer. Penses-tu que j'en serai capable ? Je l'aime trop pour le rendre misérable. Quelle sorte de réception me fera-t-on quand je sonnerai à la porte de la maison ? Je n'arrive même pas à l'imaginer…

Nadine baisse la tête et ferme les yeux un moment. « Je dois prendre le risque… » Son retour chez elle est essentiel à la poursuite de sa vie. Parce qu'il y a tous les autres : mes enfants, mes petits-enfants, ma mère, mes frères, ma sœur et mes amis. Pour les retrouver, pour avoir une chance de vivre de longues années auprès d'eux, elle est prête à accepter qu'Alex ne soit plus son mari. « Ce serait si difficile… mais pour ma survie j'y arriverai… encore une fois… »

Nadine n'a presque pas dormi au cours de la nuit et elle avait hâte de voir l'aube. En attendant, elle est venue marcher sur cette plage en ressassant plusieurs souvenirs et en identifiant chacun des maillons de cette boule d'émotions qui menace de l'étouffer à tout moment. Ses larmes ont changé de sens. Les perles chaudes ont fini par libérer son cœur de toute l'amertume et de cette douleur qu'il contenait depuis si longtemps, pour laisser un immense bonheur s'y engouffrer. Toutes les fibres de son corps et toutes les gouttes de son sang crient à l'unisson. Depuis hier, elle se répète souvent à voix haute les mots qui témoignent de sa liberté, un peu comme si elle voulait qu'ils percent la carapace que son cerveau a érigée ces derniers mois pour la protéger.

— Je peux rentrer chez moi ! Je sais comment et je sais où !

Après le départ des visiteurs, elle s'est retrouvée dans un silence que seuls le son des vagues et les pleurs des goélands arrivent à remplir. Enfin, elle peut, à nouveau, s'entendre réfléchir ! Les autres étant repartis, elle n'a plus à s'occuper d'eux et le stress quotidien, causé par la nécessité de fournir de la nourriture pour cinq personnes, s'estompe enfin. Ainsi, elle peut consacrer toutes ses énergies à planifier son retour, à travailler uniquement pour son propre bonheur. Elle souhaite faire vite, mais elle tient à faire le nécessaire pour voyager en toute sécurité.

— Ce serait tellement idiot de mourir maintenant !

Son esprit téméraire et rebelle l'encourage à piquer un sprint vers la grotte, sauter sur son radeau, le Liberta, pour se rendre à la première caverne; puis cavaler jusqu'au mont Logan. Le pire, c'est qu'elle en serait bien capable. Par contre, elle sait que, si elle agissait ainsi, ce serait courir à sa perte; elle risquerait de mourir au Pays de la Terre perdue. Ici, pour survivre, il faut plutôt prévoir les impondérables et prendre le temps de bien faire les choses.

Dans ces conditions, elle refuse d'écouter sa témérité qui lui propose un départ immédiat dans une cavalcade à en perdre haleine. Elle comprend aussi qu'il est inutile d'entreprendre un processus de planification vu son état actuel de fébrilité. Sachant qu'elle doit réfléchir à la situation avant de plonger tête baissée dans une aventure qui pourrait tourner mal, elle tente de se soustraire à la tentation de courir jusqu'au mont Logan. Alors, une heure après le départ des autres, Nadine a récupéré son sac à dos, son couteau et sa machette; elle a pris une lance, puis elle s'est dirigée au pas de course, non pas vers le mont Logan, mais plutôt vers son bivouac 1 sur le haut plateau, loin de la tentation d'entreprendre une galopade effrénée vers le nord.

Cette escapade dans l'air humide du matin, effectuée en compagnie de Lou son fidèle compagnon, a ramené la sérénité dans son âme. Déjà, l'exercice cardio-vasculaire a permis à ses idées de tourner un peu moins vite dans sa tête. Pendant deux heures, elle est restée assise au bord de la falaise, les pieds dans le vide, le visage fouetté par le vent qui soufflait toujours en provenance de l'est. Elle en a profité pour observer l'immensité de l'océan et écouter les oiseaux marins qui piaillaient autour d'elle. Puis, la fougue du tumulte dans son cœur s'étant calmée, elle est revenue d'un pas allégé au campement du sud où elle a passé la nuit. Au rythme de cette course folle qui l'a vidée de la tension des dernières semaines, sa témérité s'est dissoute et elle a développé un plan solide afin de pouvoir retourner chez elle sans prendre de risque inutile.

Seule dans la hutte, elle a dormi du sommeil du juste. Elle ne s'est même pas réveillée quand Lou est entré dans l'abri, tard dans la nuit. L'aube la surprend sur la grève du lagon, assise devant un petit feu qu'elle a allumé pour réchauffer ses vieux os. Une tasse de tisane à la main, elle poursuit sa réflexion pour affiner cette stratégie de retour qui l'aidera à reprendre à l'envers la route qui l'a conduite du mont Logan vers cette péninsule, il y a deux ans. Le souvenir des trente-cinq premiers jours d'une aventure qu'elle n'hésite pas à qualifier de sport extrême lui revient en tête. Elle était tellement naïve…

Cette fois, la randonnée sera plus facile. D'abord, elle connaît tous les coins de ce pays au point d'y avoir tracé de nombreux sentiers et installé quelques bornes signalétiques. Sur sa route, elle profitera du confort des huttes pour sa sécurité, puis il y a le pont. De plus, elle ira plus vite en voguant sur son voilier le Liberta. Elle comprend désormais le principe des orages; si elle ne peut les contrôler, elle sait comment les esquiver.

Elle aimerait se presser, mais elle y mettra, cependant, tout le temps nécessaire. Jusqu'à son départ final, elle doit s'assurer de ne pas miner sa santé inutilement. Elle se souvient de la grande forêt entre la première caverne et le mont Logan. Même si elle est maintenant plus habile, l'absence de sentier et la luxuriance de la végétation rendront cette section du trajet particulièrement difficile. Elle a intérêt, d'ici là, à bien s'alimenter, à dormir d'un sommeil réparateur et à éviter de brûler son énergie. Elle ferme les yeux puis, à voix haute pour le bénéfice de son loup, elle passe en revue son plan.

— Ce soir, je coucherai dans la hutte de la forêt aux érables. Seule et sans le travois, j'aurai besoin de moins de trois heures pour l'atteindre. Demain, je m'arrêterai à l'abri près du pont pour y passer au moins une nuit; je prendrai du temps pour dire au revoir aux chevaux. Puis, j'irai voir, une dernière fois, mes trois amis ailés, Max Louise et Anatole, ainsi que mon lynx boiteux. Ensuite, je rentrerai à la grotte.

Elle mettra, ainsi, trois ou quatre jours pour accomplir le trajet vers son antre au cœur de l'amoncellement rocheux. Elle se reposera chaque jour, cuisinera des repas gastronomiques et dormira à l'abri des prédateurs qui pourraient lui rendre la vie difficile. Se fiant sur son expérience, elle est certaine que Lou la suivra pas à pas. Depuis hier, il ne la quitte que pour aller chasser quelques heures à la brunante. Le reste du temps, il est sur ses talons. Comprend-il qu'une nouvelle étape se dessine pour l'humaine, la dernière de son périple au Pays de la Terre perdue ?

Elle replonge dans le vif de sa réflexion stratégique. Une fois à la grotte, elle devra attendre qu'un orage passe et que le vent revienne de l'ouest, avant de prendre la mer. Agir différemment ferait preuve d'une témérité sans borne qui pourrait lui coûter la vie. Par la suite, elle disposera d'une fenêtre de dix à quinze jours pour atteindre le mont Logan; elle devra passer une nuit à la caverne d'Ali Baba, une autre à l'anse à Lou, puis une dernière à la première caverne. À partir de là, il faut compter trois ou quatre jours pour se rendre jusqu'au mont Logan.

— Ça devrait aller… si cela prend plus de temps, ou que la tempête arrive trop tôt, je n'aurai qu'à attendre la fin de la prochaine… ouf !

Satisfaite de sa stratégie, Nadine laisse son esprit vagabonder vers un sujet différent. Sa témérité ne disparaîtra pas aussi facilement qu'elle le souhaite. « Ce serait comme renier 57 ans d'existence… je suis née comme ça et je mourrai avec ce tempérament. » C'est comme avec l'océan; on ne peut pas le dompter, mais on peut faire du surf et profiter des courants pour avancer. Si elle ne peut éviter ce trait de caractère, elle devra canaliser toute cette énergie brute à son avantage. Elle doit donc trouver le moyen d'occuper son corps à divers projets tout au long de la route. Une idée fait son chemin à travers les plis de son cerveau et elle se lève subitement.

— Je sais ! Je ferai disparaître les traces du passage de ces barbares !

Ainsi, autant pour calmer son âme que par habitude, elle réaménagera ses campements pour qu'ils deviennent à nouveau habitables. Elle prendra aussi du temps pour dire au revoir à chaque coin familier de ce monde qui est le sien depuis près de deux ans et qu'elle a appris à aimer. Elle regrette quasiment de ne pas pouvoir faire un petit tour à la Terre de la Forêt verte. « Il n'est pas question que je prenne ce risque... je pourrais encore me retrouver loin dans la mer du sud... non ! Pas question ! »

Elle se rassoit sur une roche en face du lagon et appuie un coude sur son genou droit pour que son menton puisse se poser sur son poing relevé. Un geste familier qu'elle accomplit régulièrement depuis deux ans. Sans même y penser, elle étire le bras gauche pour attraper son habituelle tasse de tisane qu'elle avait laissée en bordure du feu; elle porte le liquide chaud à sa bouche. Du coin de l'œil, elle observe les traces de brûlures encore très visibles sur la plage : une sorte d'empreinte entre deux mondes. Nadine et Marie ont débattu d'une foule de sujets au cours des derniers jours. Plusieurs questions ont été élucidées lors du départ des visiteurs; mais d'autres resteront sans réponses, tant qu'elle ne sera pas de retour à Montréal.

Cependant, deux énigmes laissent Nadine perplexe. En premier lieu, elle se demande ce qui se serait produit si elle était restée au mont Logan au lieu de vadrouiller dans la forêt en direction de la première caverne; est-ce qu'elle aurait pu repartir pour Montréal plus tôt ? Est-ce que le portail se serait ouvert lors de l'orage suivant ? Cette idée la remplit d'amertume. À défaut de vivre deux ans au Pays de la Terre perdue, elle serait peut-être retournée avec sa famille quelques jours plus tard. « Alex n'aurait pas eu à refaire sa vie... »

Suite à la première question, que serait-il arrivé aux visiteurs si Nadine n'avait pas été là pour s'occuper d'eux ? Elle ne sait pas quoi répondre. Est-ce que, comme Marie l'a si bien exprimé, ils seraient tous morts avant la fin des trente-sept jours ? La nomade est convaincue d'avoir survécu deux ans dans ce pays parce qu'elle possédait les connaissances et les capacités nécessaires pour utiliser son environnement à son avantage. Ce n'était pas le cas des quatre visiteurs. Pour eux, outre le fait de survivre individuellement, il fallait aussi composer avec les humeurs d'un groupe aussi hétéroclite. Même s'ils avaient réussi à se procurer de la nourriture, ils auraient fini par s'entretuer de toutes façons.

Auraient-ils découvert par eux-mêmes comment repartir ? Sans l'aide de la sorcière ? Elle en doute. Elle est convaincue que toute cette réflexion entreprise par elle-même et Marie, l'histoire de comprendre le principe du portail et découvrir son mécanisme, était essentielle en bout de ligne. Sans ces discussions entre les deux complices et, finalement, la mise en commun des informations qu'elles possédaient chacune de leur côté, les visiteurs n'auraient pas été capables de retourner chez eux. « Par ailleurs, je n'aurais rien compris sans leur visite… » En effet, les détails que détenait la rouquine étaient essentiels afin d'être en mesure de préparer son propre départ.

Elle a beau se creuser la tête, elle n'obtiendra jamais de réponse à toutes ses questions parce qu'il n'y en a tout simplement pas. Le passé provient d'un enchevêtrement de choix déjà faits et de décisions déjà prises. Il ne sert à rien de tenter de savoir ce qui serait arrivé si elle avait agi autrement. Elle doit tourner son intérêt vers l'avenir et celui-ci se dessine dans le moment présent. « Ouf ! Mes aventures m'ont rendue tellement plus philosophe ! »

Le fil de ses pensées la ramène jusqu'à ses visiteurs. Même s'ils n'ont habité le Pays de la Terre perdue que trente-sept jours, ce bref séjour les aura marqués de manière indélébile. Cependant, trois d'entre eux n'ont pas vraiment compris dans quelle galère ils étaient tombés.

Elle a perçu à travers le comportement du jeune Jean-Pierre ce fond malicieux et ces mêmes traits de caractère qu'elle a connus, quinze ans plus tard dans l'existence de l'homme. Quant à lui, les changements causés par les épreuves subies dans ce monde étaient plutôt physiques. La cicatrice au cuir chevelu et son nez cassé resteront présents tout au long de sa vie. Nadine se souvient que Jean-Pierre avait aussi une profonde entaille sur l'arcade sourcilière. Ce coup lui sera donc infligé après son départ du Pays de la Terre perdue. Une autre bataille avec une personne qui lui tiendra tête peut-être ? Nadine ne peut faire autrement que de rire moqueusement. Ce beau jeune homme qui arborait un visage de chérubin à son arrivée est reparti avec une allure de dur à cuire. Curieusement, il ne se rappellera pas son passage ici…

Chez André, à la paresse, l'égoïsme et la couardise, s'est ajoutée une profonde aigreur face à la vie. Lors de son atterrissage dans ce monde, le grand gaillard était jovial, souriant et amoureux. À la fin de ce court séjour, l'amertume et la rancœur lui faisaient serrer les dents et froncer les sourcils; ce comportement le suivra pour encore au moins vingt-cinq ans. Est-ce qu'il gardera en mémoire le fil de son aventure ici ? Refusera-t-il tout simplement de reconnaître cette expérience si marquante ? Au retour de la nomade, le gaillard réaliserait-il que Nadine était cette sorcière rencontrée dans cet autre monde insensé ?

Quant à Lucette, la jeune femme était un peu plus perturbée à son départ qu'à son arrivée. Est-ce que son séjour l'aura déstabilisée au point de la pousser à développer cette névrose qui l'affectera durant toute son existence ? Aurait-elle envisagé le suicide, vingt-quatre ans plus tard, si elle n'avait pas voyagé au Pays de la Terre perdue ? Il est difficile d'évaluer l'impact de son passage dans ce monde sur son futur comportement face à la vie. Par contre, il serait naïf de croire qu'il n'y en a pas eu. Fouillant son passé, la nomade ne trouve aucun indice qui pourrait lui indiquer que la brunette se souvenait de ce qu'elle a vécu ici, sauf son aversion la plus totale envers André… et la forêt.

Marie, douce et timide à son arrivée, est devenue une femme volontaire et sûre d'elle; sa force de caractère a tout simplement explosé. Elle possède certainement un esprit plus libre que celui des autres. Ayant une mémoire nette de la traversée, la rouquine a su saisir rapidement que la situation dans laquelle elle se trouvait n'était pas normale.

Son intelligence et sa façon habile d'aborder la vie lui ont permis de développer un lien d'amitié avec celle qu'ils appelaient la sorcière. Les compétences relationnelles qu'elle a acquises durant cette période d'exil deviendront le fondement de son style de gestion... sauf en ce qui concerne cette manipulation subtile qu'elle n'utilise qu'avec Jean-Pierre.

— Et moi, dans tout ça ? Hein, Lou ? Deux ans ! Ça laisse son empreinte !

Les changements qui se sont opérés en elle sont si profonds qu'elle n'ose pas trop y penser. L'arrivée des visiteurs lui a démontré à quel point le Pays l'avait marquée. La comparaison, entre le comportement de la Nadine qui a travaillé avec eux cinq ans et sa façon de les recevoir dans son royaume, est certainement préoccupante. « Ici, j'aurais été capable de tuer Jean-Pierre... » Malgré tout ce qu'il lui a fait subir auparavant, jamais elle n'aurait envisagé de se venger. Mais ici, alors qu'elle était en mesure de simplement l'ignorer, elle a songé à s'en débarrasser et, ce, plus d'une fois. Le fait de vouloir protéger son propre passé aura sauvé la peau du gros homme.

Nadine est devenue très dure face à la vie. Dans ce pays, elle tue ou elle meurt. Même son langage a évolué. Lorsqu'elle a supprimé l'ours, elle a parlé d'assassinat. Elle a été soulagée par la mort des trois loups éliminés par son protégé. Abattre les lynx roux qui menaçaient la harde était à son avis la seule chose à faire. La bataille avec des prédateurs ennemis dans la mer du nord lui a apporté une grande jouissance. Elle a éprouvé un plaisir fou à se débarrasser des lynx roux sur la Terre de la Forêt verte.

Ainsi, quand son ancien patron est arrivé, elle voulait le faire disparaître, l'écraser comme on le fait d'un moustique qui agace. Au contact des visiteurs, Nadine a compris qu'elle avait perdu plusieurs des paramètres qui sont essentiels pour vivre en communauté. Elle tolérait difficilement leur présence, ressentant vivement l'énervement et le stress de devoir communiquer avec eux. Elle était frustrée de devoir s'occuper de tout. Serait-elle devenue asociale ? Temporairement, elle l'espère... Seulement avec eux ? Qu'importe ! Tout cela lui fait entrevoir un retour à la maison plutôt compliqué.

Cette transition subie ici en l'espace de deux ans, une mutation de son corps, de son âme et de son cœur, lui fait énormément peur. Est-ce que ce changement est trop profond pour être réversible ? Un violent haut-le-cœur serre son estomac et laisse ses membres tremblants. « Si, au bout du compte, je n'étais plus capable de réintégrer la société montréalaise... » La civilisation entière compte beaucoup de personnages, des millions de caractères diversifiés... que dit-elle ? Des différences par milliards ! Certains individus sont similaires à ceux qui l'ont visitée et d'autres sont meilleurs ou parfois bien pires. Arrivera-t-elle un jour à réapprendre à vivre dans cet environnement ?

Nadine se lève et fait quelques pas sur la plage pour chasser tout ce malaise qui l'affecte. Pour une fois, elle voudrait admettre que le destin est déjà fixé et surtout, elle aimerait connaître dès maintenant le dénouement de cette aventure aussi bizarre que fantastique. Aujourd'hui, son imagination fertile lui fait anticiper les prochaines années sous différents angles, certains plus faciles à entrevoir, d'autres extrêmement pénibles à envisager. Heureusement, elle n'a jamais cru que la vie était ordonnée d'avance ou que le destin était écrit quelque part dans un grand livre. Elle pense plutôt que chacun est responsable de sa destinée; on façonne soi-même son avenir et on fait des choix. En contrepartie, il faut accepter les conséquences de nos décisions face à un lendemain encore indéfini. Dans l'immédiat, elle ne peut que faire le prochain pas...

Les dernières semaines l'ont également laissée fort perplexe quant à sa présence ici au Pays de la Terre perdue; plus particulièrement en regard de cette distorsion de temps qui contredit toute logique. Plus que jamais, elle est convaincue que tout est relié dans la vie. Une quelconque action aura des effets dans son propre futur bien sûr, mais aussi sur l'existence et l'avenir de plusieurs personnes en même temps. Il s'agit d'une sorte de « conscience sociale ». Il faut réaliser que nous ne sommes jamais seuls et que la vie d'autres gens, même ceux qu'on ne connaît pas, est enchevêtrée avec la nôtre, sans qu'on puisse en dénouer tous les liens. Nous avons donc intérêt à peser le pour et le contre avant de poser un geste si nous voulons orienter nos actes en fonction du bien commun. Un peu moins d'égoïsme et un peu plus de générosité rendraient le monde meilleur.

— Lou ! Comment arriverai-je à assumer cette grande témérité, celle qui me fait foncer sans réfléchir, dans un contexte où cette grande aventure m'aura fait prendre conscience d'une nouvelle éthique sociale ?

Lorsqu'elle sera de retour à la maison, elle pourra poursuivre son introspection en vue de résoudre cette question philosophique. D'entrée de jeu, elle doit aller de l'avant dans sa vie présente. Suivre le sentier vers le mont Logan, ouvrir le portail et retourner chez elle constituent trois actions orientées vers un but unique : réintégrer son existence antérieure. Pour le moment, elle doit porter toute son attention sur un seul projet : retrouver cette détermination qui l'a poussée à parcourir le pays d'un bout à l'autre en trente-cinq jours, marquant les jalons de sa route au passage et se battant contre les éléments naturels et les prédateurs. C'est ainsi que, au jour le jour, elle a appris à survivre. Aujourd'hui, elle doit se connecter avec ce cœur de nomade un peu rebelle qui lui permettra de rebrousser chemin et d'emprunter le portail; même si elle appréhende un dénouement toujours inconnu. Au moins, cette fois, elle a la preuve qu'elle peut arriver à retourner chez elle. Son succès est assuré…

Quand elle voit le soleil prendre sa place de roi dans le ciel, annonçant une journée pleine de chaleur alors qu'il se met à rayonner de sa beauté lumineuse, elle ferme les yeux un moment pour sentir la vie s'agiter à travers toutes les fibres de son corps. L'excitation face à l'aventure qui l'attend provoque une décharge d'adrénaline qui la galvanise. Elle se lève et brasse le gros loup à ses pieds pour le réveiller.

— Allez paresseux ! C'est ce matin que l'odyssée de mon retour commence ! Est-ce que tu viens m'aider ?

Deux heures plus tard, elle a fini de mettre de l'ordre dans son campement du sud. Un sourire un peu malicieux s'étire sur ses lèvres : « Je ferai disparaître toutes les traces de ces visiteurs qui ont perturbé mon royaume. » Elle a même passé une branche, la tête en bas à la manière d'un balai, afin d'effacer les marques de pas que l'orage n'avait pas complètement estompées. Puis, elle fait lentement le tour de son domaine au sud, histoire d'absorber toutes les images, confirmer les couleurs, sentir une dernière fois les odeurs familières, écouter cette vie d'ici qu'elle ne revisitera plus jamais. Elle touche Lou qui la suit partout, comme s'il craignait qu'elle ne disparaisse trop vite.

— En après-midi, on se rend à la hutte de la forêt aux érables. Nous mettrons le camp en ordre et nous y dormirons une nuit. As-tu aussi hâte que moi de revoir Allie et la harde de chevaux ?

Ce voyage, qui l'a profondément marquée, s'achève. Un peu nostalgique, elle se rassure en se souvenant que, derrière le halo de lumière, les amours de sa vie l'attendent. Elle dessinera toutes ces merveilleuses images témoignant de son séjour et partagera ses aventures étourdissantes avec ses proches. Mais surtout, elle aura la chance de tourner d'autres pages de son existence, avec sa famille et ses amis.

Tentant de saisir un peu mieux ce nouveau tournant au cœur de sa vie, elle marche vers la forêt, en direction de ce sentier qui l'amènera vers le nord et sa nouvelle destinée. Soudain, elle relève la tête et éclate de rire quand une mélodie de Jean-Pierre Ferland lui monte aux lèvres. Elle reprend en boucle cette chanson qui fait penser à un mélange subtil des mots du poète et de trois petits bouts de phrases qui marquent déjà son futur :

« Fais du feu dans la cheminée,
Je reviens chez nous... »

Je sais comment
Je sais où
Je rentre chez moi !

À SUIVRE...

Découvrir le Tome V - LE RETOUR

Nadine habite le Pays de la Terre perdue depuis deux ans. Elle l'a parcouru à pied et elle a bourlingué en radeau au-delà de la mer jusqu'à cette Terre de la Forêt verte. Sa quête pour trouver la route du retour pourrait-elle aboutir enfin ? L'arrivée de quatre personnages lui fait réaliser qu'elle aurait dû chercher autrement qu'à travers l'exploration cette issue possible. C'est en assistant à leur départ que Nadine commence à planifier la manière d'y arriver. « La sorcière », comme les visiteurs l'appellent, connaît désormais le mécanisme et elle sait où elle doit se rendre pour partir enfin.

Mais cette terre inhospitalière d'une grande beauté ne la laissera pas s'échapper aussi facilement. Aidée de Lou, armée de ténacité et de courage, elle affrontera encore bien des dangers et des épreuves avant de réussir son voyage éclair. La crainte collée à son âme, elle se demande quel sera l'accueil de ses amis et de sa famille en la voyant rentrez chez elle.

Ses proches qui lui ont tellement manqué vont-ils seulement la reconnaître, sous ses traits de métèque ?

Découvrir le Tome VI - Emmanuel

Nadine est revenue de son exil au Pays de la Terre perdue depuis deux ans. Si sa réintégration dans sa vie avec sa famille et ses amis s'est effectuée difficilement et graduellement, elle a réussi à se tailler une place dans ce monde technologique en devenant écrivaine. Par contre, malgré son bonheur renouvelé, une ombre colle à ce tableau rempli de lumière : un bout de l'âme de la nomade reste accroché à cet autre univers. Les questions s'accumulent et deviennent une obsession. Est-ce que les animaux qu'elle a sauvés et apprivoisés là-bas ont survécu depuis qu'elle n'est plus là pour les protéger ? La situation exigerait un retour... Impossible de commencer cette guérison émotive sans des repères précis. Écartelée entre deux mondes, la quête impossible de Nadine l'amène à reformuler ces questions jusqu'à ce que... Les réponses viendront à travers une rencontre imprévisible avec Emmanuel, ce personnage étrange qui a aussi visité le Pays de la Terre perdue et qui a vu sa vie changer à jamais après cette expérience. Est-ce que Nadine et Emmanuel réussiront, grâce à ce contact, à trouver la sérénité dont ils ont tant besoin ?

TOME 1
SUZIE PELLETIER
LE RÉVEIL
Le pays de la terre perdue

TOME 2
SUZIE PELLETIER
L'HIVER
Le pays de la terre perdue
Éditions Véritas Québec

TOME 3
SUZIE PELLETIER
LA MER
Le pays de la terre perdue
Éditions Véritas Québec

La collection à découvrir :

Tome I – Le Réveil

Nadine ignore qui lui a joué ce tour… Comment s'est-elle retrouvée ainsi, seule dans sa tente, loin de sa famille ? Pour survivre, elle ne peut compter que sur sa résilience, ses connaissances, sa capacité d'inventer des solutions, de comprendre son environnement et son immense désir de retrouver les siens.

Heureusement, elle a un caractère indomptable et cette aventure devient une quête passionnante. Vous adorerez suivre Nadine dans ses péripéties qui l'amènent à relever des défis dignes des sports extrêmes. Sans technologie, qui de nous pourraient survivre à une telle immersion ?

Tome II – L'Hiver

Quarante jours après son réveil, l'hiver représente une menace bien plus grande encore que tout ce qu'elle a affronté depuis qu'elle explore le Pays de la Terre perdue. Constamment ramenée à l'urgence d'agir, même si le temps pour Nadine n'a plus aucun sens mathématique, c'est la nature cette fois qui crée cette course contre la montre, en la poussant aux limites de ses forces. Où puisera-t-elle son énergie ? Pourra-t-elle espérer s'en sortir vivante sans tomber dans la naïveté ou sombrer dans la folie ?

Tome III – La Mer

Après ce réveil inexpliqué, cette exploration et un premier hiver, Nadine réapprend la vie en nature sans technologie. C'est une femme transformée qui surgit de sa grotte, toujours aussi déterminée à retrouver la civilisation. Par-delà la mer, elle entrevoit une terre lointaine. L'idée de traverser cet océan l'amène à construire son premier radeau, celui qui lui fera découvrir la liberté. L'attendent des dangers et des désespoirs qui, comme une lame de fond, la confronteront à sa témérité. Lou réussira-t-il à la secourir ?

Vous avez aimé ce livre ?

Parlez-en à vos amis

Découvrez aussi nos prochaines publications

www.editionsveritasquebec.com

Formats numériques disponibles sur

www.enlibrairie-aqei.com

Les Éditions Véritas sont membres de l'AQÉI

www.editeurs-aqei.com

Tous nos livres imprimés sont distribués
en librairie par Édipresse

Achevé d'imprimer au Québec
en août 2014